O cérebro que se transforma

Norman Doidge

O cérebro que se transforma

Tradução de
RYTA VINAGRE

Revisão técnica de
JEAN-CRISTOPHE HOUZEL

24ª edição

EDITORA RECORD
RIO DE JANEIRO • SÃO PAULO
2025

CIP-BRASIL. CATALOGAÇÃO-NA-FONTE
SINDICATO NACIONAL DOS EDITORES DE LIVROS, RJ

Doidge, Norman
D68c O cérebro que se transforma / Norman Doidge; tradução Ryta Vinagre. – 24ª ed. –
24ª ed. Rio de Janeiro: Record, 2025.

Tradução de: The brain that changes itself
Inclui bibliografia e índice
ISBN 978-85-01-08385-2

1. Neuroplasticidade. 2. Lesão cerebral – Pacientes – Reabilitação. I. Título.

CDD: 612.8
10-2607 CDU: 616.8

Título original em inglês:
THE BRAIN THAT CHANGES ITSELF

Impresso no Brasil

ISBN 978-85-01-08385-2

Para Eugene L. Goldberg, M.D.,
porque você disse que podia gostar de ler.

Sumário

Nota ao Leitor

Todos os nomes de pessoas que passaram por transformações neuroplásticas são reais, a não ser nas poucas ocorrências indicadas e nos casos de crianças e seus familiares.

A seção "Notas e Bibliografia" no final do livro inclui comentários sobre os capítulos e os apêndices.

Prefácio

Este livro trata da descoberta revolucionária de que o cérebro humano pode modificar-se, compilada a partir do relato de cientistas, médicos e pacientes que juntos realizaram essas transformações impressionantes. Sem cirurgias nem medicamentos, eles fizeram uso da capacidade até então desconhecida que o cérebro tem de se transformar. Alguns eram pacientes com desordens cerebrais consideradas incuráveis; outros não apresentavam problemas específicos, mas simplesmente queriam melhorar o funcionamento de seus cérebros ou preservá-los enquanto envelheciam. Por quatrocentos anos este empreendimento foi considerado inconcebível porque a medicina e a ciência dominantes acreditavam que a anatomia do cérebro era imutável. O senso comum dizia que, depois da infância, o cérebro só mudava quando começava o longo processo de declínio; que as células cerebrais não podiam ser substituídas quando deixavam de se desenvolver adequadamente, sofriam algum tipo de lesão ou morriam. Além disso, acreditava-se que, se parte do cérebro sofresse danos, não podia alterar sua estrutura nem encontrar uma nova maneira de funcionar. A teoria do cérebro imutável decretava que as pessoas que nascessem com limitações cerebrais ou mentais, ou que sofressem danos cerebrais, ficariam limitadas ou prejudicadas pelo resto da vida. Se um cientista se perguntasse se o cérebro saudável podia ser melhorado ou preservado pela atividade ou exercício mental, diziam-lhe para que não perdesse tempo. Um niilismo neurológico — a ideia de que o tratamento para muitos distúrbios cerebrais é ineficaz ou mesmo sem fundamento — ganhou influência e se espalhou por nossa cultura, tolhendo inclusive nossa visão geral da natureza humana. Já que o cérebro não era capaz de se transformar, a decorrente natureza humana também era necessariamente fixa e imutável.

A convicção de que o cérebro não se transforma tem três origens principais: o fato de que os pacientes com danos cerebrais muito raramente conseguem a recuperação total; nossa incapacidade de observar as atividades microscópicas do cérebro *vivo* ; e a ideia — que remonta aos primórdios da ciência moderna — de que o cérebro é semelhante a uma máquina magnífica. E embora façam muitas coisas extraordinárias, as máquinas não mudam nem se desenvolvem.

Passei a me interessar pela ideia de um cérebro em transformação por causa de meu trabalho como psiquiatra, psicanalista e pesquisador. Quando a melhora psicológica de um paciente não ocorria como se esperava, o pensamento médico convencional era de que seus problemas estavam profunda e fisicamente inscritos nas conexões de um cérebro imutável. A "conexão física", *hardwiring*, era outra metáfora que reforçava a concepção do cérebro máquina como um *hardware* de computador, com seus circuitos permanentemente conectados, cada um deles projetado para realizar uma função específica e inalterável.

Assim que ouvi as primeiras notícias da possibilidade de o cérebro humano não ser um *circuito rígido*, tive de investigar e procurar provas por conta própria. Essas pesquisas me levaram muito além do meu consultório.

Comecei uma série de viagens nas fronteiras das neurociências e conheci vários cientistas brilhantes que, no final dos anos 1960 e início dos anos 1970, fizeram uma série de descobertas inesperadas. Mostraram que, a cada atividade realizada, o cérebro muda a própria estrutura, aperfeiçoando seus circuitos de modo que fique mais apto à tarefa proposta. Caso alguns "componentes" venham a falhar, às vezes outros podem assumir o controle. A metáfora do cérebro máquina, um órgão com componentes especializados, não podia explicar totalmente as mudanças observadas pelos cientistas. Eles começaram a chamar esta propriedade fundamental do cérebro de "neuroplasticidade".

Neuro vem de "neurônio", as células nervosas do cérebro e do sistema nervoso. *Plasticidade* vem de "mutável, maleável, modificável". De início muitos cientistas não se atreveram a usar a palavra "neuroplasticidade" em suas publicações, e seus colegas os depreciaram por promoverem uma concepção fantasiosa. Mas eles insistiram, derrubando aos poucos a teoria do cérebro imutável. Mostraram que as crianças nem sempre ficam limitadas às capacidades mentais com que nascem; que um cérebro danificado pode se reorganizar, de modo que quando uma parte deixa de funcionar, muitas vezes outra pode substituí-la; que, às vezes, células cerebrais mortas podem ser substituídas; que muitos "circuitos" e até reflexos básicos considerados conectados não o são. Um desses cientistas até mostrou que pensar, aprender ou agir podem ativar ou desativar nossos genes, moldando assim nossa anatomia cerebral e nosso comportamento — certamente uma das descobertas mais extraordinárias do século XX.

No curso de minhas viagens, conheci um cientista que fazia pessoas com cegueira congênita começarem a enxergar, outro que possibilitava que surdos ouvissem; falei com pacientes que tiveram derrames décadas antes e foram declarados incuráveis, mas que se recuperaram com o auxílio de tratamentos neuroplásticos; conheci pessoas cujos distúrbios de aprendizado foram curados e cujos QIs aumentaram; tive provas de que é possível pessoas de 80 anos aguçarem sua memória para que volte a funcionar como aos 55 anos. Vi pacientes reconectarem seus cérebros pelo pensamento, livrando-se assim de obsessões e traumas antes incuráveis. Falei com prêmios Nobel que debatiam acaloradamente como devemos repensar nosso modelo de cérebro, agora que sabemos que ele está sempre em transformação.

Creio que a ideia de que o cérebro pode mudar sua própria estrutura e função por intermédio dos pensamentos e da atividade representa a mudança de nossa visão desse órgão desde que foram esboçados sua anatomia básica e o funcionamento de seu componente básico, o neurônio. Como todas as revoluções, esta terá efeitos profundos; espero que este livro comece a desvendar alguns deles. A revolução neuroplástica tem implicações para nossa compreensão de como o amor, o sexo, as frustrações, os relacionamentos, o aprendizado, os vícios, a cultura, as tecnologias e as psicoterapias, entre outros, mudam nosso cérebro. Todas as ciências humanas, sociais e da saúde que lidam com a natureza humana são afetadas, bem como todas as formas de treinamento. Todas essas disciplinas terão de aceitar o fato de que o cérebro se transforma, que a arquitetura cerebral difere de uma pessoa para outra e se altera no decorrer da vida de cada indivíduo.

Embora o cérebro humano aparentemente tenha subestimado a si próprio, a neuroplasticidade não traz somente boas notícias; não só provê nosso cérebro de mais recursos, mas também o torna mais vulnerável a influências externas. A neuroplasticidade tem o poder de produzir comportamentos mais flexíveis, mas também mais rígidos — um fenômeno que chamo de "paradoxo plástico". Ironicamente, alguns de nossos distúrbios ou hábitos arraigados são frutos dessa plasticidade. Depois que uma determinada mudança plástica ocorre no cérebro e se torna estabelecida, pode impedir que aconteçam outras. É pela compreensão dos efeitos negativos e positivos da plasticidade que podemos verdadeiramente compreender a extensão das possibilidades humanas.

Como uma nova palavra é útil para aqueles que fazem uma coisa nova, chamo de "neuroplásticos" os praticantes dessa nova ciência do cérebro.

O que se segue é a história de meus encontros com esses praticantes e com os pacientes que eles transformaram.

1

Uma Mulher em Constante Queda...

Resgatada pelo homem que descobriu a plasticidade de nossos sentidos

E eles viram as vozes.
ÊXODO 20:18

Cheryl Schiltz se sente em queda constante. E, como se sente caindo, ela realmente cai.

Quando se levanta sem apoio, segundos depois ela parece estar à beira de um precipício, prestes a despencar. Primeiro sua cabeça oscila e tomba para o lado, e seus braços se estendem para tentar estabilizar a postura. Logo, todo o seu corpo se mexe caoticamente de um lado para o outro, enquanto ela parece andar em uma corda bamba, oscilando freneticamente naquele momento em que vai perder o equilíbrio — só que seus pés estão bem plantados no chão, com as pernas separadas. Ela dá a impressão de que tem medo não apenas de cair, mas também de ser empurrada.

"Você parece alguém cambaleando numa ponte", falei.

"Sim, me sinto como se fosse pular, embora não queira fazer isso."

Observando-a mais de perto, posso ver que, enquanto tenta se manter imóvel, ela se desloca como se uma turma de arruaceiros invisíveis a estivesse empurrando, primeiro de um lado, depois de outro, tentando cruelmente derrubá-la. Só que esta gangue, na verdade, está dentro dela, fazendo-a agir dessa forma pelos últimos cinco anos. Quando Cheryl tenta andar, precisa se apoiar numa parede, mas, ainda assim, cambaleia como uma bêbada.

Para Cheryl não existe paz, mesmo depois que cai no chão.

"O que você sente quando cai?", pergunto a ela. "A sensação de queda desaparece depois que você pousa?"

"Há ocasiões", diz Cheryl, "em que literalmente perco a sensação do chão... e um alçapão imaginário se abre e me engole." Mesmo depois de ter caído, ela ainda se sente caindo num abismo infinito.

O problema de Cheryl é que seu aparelho vestibular, o órgão sensorial do sistema de equilíbrio, não está funcionando como deveria. Ela fica muito cansada, e essa sensação de queda livre a enlouquece, porque ela não consegue pensar em mais nada. Cheryl tem medo do futuro. Assim que seu problema começou, ela perdeu o emprego de representante de vendas internacionais e agora vive com uma aposentadoria por invalidez de mil dólares mensais. Tem um medo recente de envelhecer. E sofre de uma forma rara de ansiedade que não possui nome.

Um aspecto tácito, porém profundo, de nosso bem-estar se baseia em ter um senso de equilíbrio que funcione normalmente. Na década de 1930, o psiquiatra Paul Schilder estudou como um senso saudável de ser e uma imagem corporal "estável" estão relacionados com a percepção vestibular. Quando falamos sobre como nos sentimos "seguros" ou "inseguros", "equilibrados" ou "desequilibrados", "arraigados" ou "desarraigados", "fundados" ou "infundados", estamos falando uma linguagem vestibular, cuja verdade só é plenamente evidente em pessoas como Cheryl. Não é surpreendente que pacientes com esse distúrbio costumem desmoronar psicologicamente e que muitos deles cometam suicídio.

Temos sentidos que desconhecemos — até que os perdemos. O equilíbrio é um sentido que normalmente funciona tão bem, de forma tão suave, que sequer é relacionado entre os cinco descritos por Aristóteles, sendo, então, ignorado por séculos.

O sistema de equilíbrio confere nosso senso de orientação no espaço. Seu órgão sensorial, o aparelho vestibular, consiste em três canais semicirculares no ouvido interno que nos dizem quando estamos de pé e como a gravidade afeta nosso corpo, detectando o movimento no espaço tridimensional. Um canal detecta o movimento no plano horizontal; outro, no plano vertical, e o terceiro percebe quando estamos andando para a frente ou para trás. Os canais semicirculares contêm células ciliadas imersas em um fluido. Quando mexemos a cabeça, o fluido abala os cílios, que mandam um sinal ao nosso cérebro, informando que aumentamos nossa velocidade numa determinada direção. Cada movimento exige um ajuste correspondente do resto do corpo. Se mexermos a cabeça para a frente, nosso cérebro comandará o ajuste do segmento apropriado do corpo para que inconscientemente possamos compensar essa mudança em nosso centro de gravidade e manter o equilíbrio. Os sinais do aparelho vestibular correm por um nervo para um aglomerado especializado de neurônios chamado de "núcleo vestibular", que os processa e envia comandos a nossos músculos para que se ajustem. O aparelho vestibular também tem uma forte ligação com nosso sistema visual. Quando você corre atrás de um ônibus, sua cabeça sobe e desce, mas você consegue manter o ônibus em movimento no centro de seu campo visual porque seu aparelho vestibular envia mensagens ao cérebro, dizendo-lhe a velocidade e a direção em que você está correndo. Esses sinais permitem que o cérebro gire e ajuste a posição dos globos oculares para que continuem orientados para o alvo: o ônibus.

Cheryl e eu estamos na companhia de Paul Bach-y-Rita, um dos primeiros a entender a plasticidade cerebral, e da sua equipe, em um dos seus laboratórios. Cheryl deposita muitas esperanças no experimento de hoje, é estoica mas receptiva ao seu problema. Yuri Danilov, o biofísico da equipe, faz os cálculos a partir dos dados colhidos sobre o aparelho vestibular de Cheryl. Ele é russo, extremamente inteligente e tem um forte sotaque. Ele diz: "Cheryl é paciente que perdeu sistema vestibular... 95% a 100%."

Por qualquer padrão convencional, o caso de Cheryl é irremediável. A visão convencional é de que o cérebro é constituído de um grupo de módulos de processamento especializados, geneticamente programados para realizar funções específicas, cada uma delas desenvolvida e refinada por milhões de anos de evolução. Agora que seu aparelho vestibular está danificado, a probabilidade de Cheryl recuperar o equilíbrio não é maior do que a de uma pessoa recuperar a visão depois que a retina sofreu danos.

Mas hoje tudo isso vai ser contestado.

Ela está usando um capacete de operário com buracos na lateral, contendo um dispositivo chamado acelerômetro. Depois de lamber uma fina tira de plástico com pequenos eletrodos, ela a coloca na língua. O acelerômetro no capacete envia sinais para a fita e os dois são conectados a um computador próximo. Ela ri de como fica com o capacete, "porque se eu não rir, vou chorar".

Essa máquina é um dos protótipos bizarros inventados por Bach-y-Rita. Substituirá o aparelho vestibular e mandará sinais de equilíbrio a seu cérebro a partir da língua. O capacete pode reverter o pesadelo atual de Cheryl. Em 1997, depois de uma histerectomia de rotina, Cheryl, então com 39 anos, teve uma infecção pós-operatória e tomou o antibiótico gentamicina. Sabe-se que o uso excessivo de gentamicina envenena as estruturas internas do ouvido e pode ocasionar perda de audição (que Cheryl não tem), zumbidos nos ouvidos (que ela tem) e destruir o sistema de equilíbrio. Mas como a gentamicina é barata e eficaz, ainda é receitada, embora geralmente só por um curto período de tempo. Cheryl diz que recebeu o medicamento muito além da dosagem recomendada. E assim passou a integrar a pequena tribo das vítimas da gentamicina, conhecidas entre eles como os *Wobblers* ("Oscilantes")

De repente, num dia, ela descobriu que não conseguia mais ficar de pé sem cair. Ela virava a cabeça, e todo o quarto se movia. Cheryl não conseguia entender se era ela ou as paredes que provocavam o movimento. Por fim ela se colocou de pé, apoiando-se na parede, e pegou o telefone para falar com o médico.

Quando chegou ao hospital, os médicos fizeram vários exames para avaliar sua função vestibular. Despejaram água gelada e quente em seus ouvidos e a inclinaram numa mesa. Quando lhe pediram para ficar de pé com os olhos fechados, ela caiu. Um médico disse a ela: "Você não tem função vestibular." Os exames mostraram que só lhe restavam 2% da função.

"Ele foi tão indiferente", disse ela. "'Parece um efeito colateral da gentamicina.'" Nesse momento, Cheryl ficou emotiva. "Por que diabos não me falaram isso? 'É permanente', disse ele. Eu estava sozinha. Minha mãe tinha me levado ao médico, mas saíra para pegar o carro e esperava por mim na frente do hospital. Minha mãe perguntou: 'Vai ficar tudo bem?' E eu olhei para ela e disse: 'É permanente... Isso nunca vai passar.'"

Devido à ruptura da ligação entre o aparelho vestibular de Cheryl e seu sistema visual, seus olhos não conseguem acompanhar suavemente um alvo móvel. "Tudo o que vejo treme como um vídeo amador ruim", diz ela. "É como se tudo que olho fosse de gelatina e, a cada passo que dou, tudo oscila."

Embora ela não consiga acompanhar objetos em movimento com os olhos, a visão é o único meio que ela tem para saber que está de pé. Nossos olhos nos ajudam a saber onde estamos no espaço, fixando linhas horizontais. Quando as luzes se apagam, Cheryl imediatamente cai no chão. Mas a visão acaba sendo uma muleta muito pouco confiável, porque qualquer tipo de movimento realizado diante dela — até uma pessoa estendendo a mão — exacerba a sensação de queda. Até os zigue-zagues num tapete podem fazê-la tropeçar, por iniciar uma série de falsas mensagens que a levam a pensar que está torta, quando não é verdade.

Ela também sofre de cansaço mental, por ficar em alerta máximo constante. É preciso muita energia cerebral para manter a posição ereta — energia que é desviada de funções mentais como a memória e a capacidade de calcular e raciocinar.

Enquanto Yuri está preparando o computador para Cheryl, peço para experimentar a máquina. Coloco o capacete de operário e, na boca, o dispositivo de plástico com eletrodos, chamado de tela lingual, achatado e cuja espessura não é maior do que a de um chiclete.

No capacete, o acelerômetro, ou sensor, detecta movimentos em dois planos. Quando eu aceno a cabeça, o movimento é traduzido em um diagrama na tela do computador, permitindo que a equipe o monitore. O mesmo diagrama é projetado em uma minúscula matriz de 144 eletrodos implantados na tira plástica em minha língua. Quando volto para a frente, os choques elétricos, que parecem bolhas de champanhe estourando na ponta de minha língua, dizem-me que estou curvado para a frente. Na tela do computador, posso ver onde está minha cabeça. Quando volto para trás, sinto o redemoinho de champanhe numa onda suave no fundo da língua. O mesmo acontece quando tombo para o lado. Depois fecho os olhos e experimento sentir com a língua meu caminho no espaço. Logo esqueço que a informação sensorial está vindo de minha língua e consigo me localizar no espaço.

Cheryl pega o capacete de volta, encostando-se na mesa para manter o equilíbrio.

"Vamos começar", diz Yuri, ajustando os controles.

Cheryl coloca o capacete e fecha os olhos. Afasta-se da mesa, mantendo dois dedos encostados nela. Cheryl não cai, embora não tenha nenhuma indicação do que está acima ou abaixo, a não ser o redemoinho das bolhas de champanhe na língua. Ela tira os dedos da mesa. Não está mais cambaleando. Ela começa a chorar — um rio dessas lágrimas que vêm depois de um choque; ela pode se soltar, agora que está com o capacete e se sente segura. Na primeira vez em que colocou o capacete, a constante sensação de queda a deixou, pela primeira vez em cinco anos. Seu objetivo hoje é ficar de pé, solta, por 20 minutos, com o capacete, tentando manter-se centrada. Para qualquer um — e mais ainda para um "oscilante *Wobbler*" — ficar de pé imóvel por 20 minutos requer o treinamento e a habilidade de um guarda do Palácio de Buckingham.

Ela parece tranquila. Faz pequenas correções. Parou de oscilar, e os demônios misteriosos que pareciam estar dentro dela, empurrando-a e a atropelando, desapareceram. Seu cérebro está decodificando sinais do aparelho vestibular artificial. Para ela, esses momentos de paz são um milagre — um milagre neuroplástico, porque de algum modo a sensação de formigamento na língua, que normalmente segue para a parte do cérebro chamada córtex sensorial — a camada fina na superfície do cérebro que processa o tato —, achou um novo caminho cerebral para alcançar a área encefálica que processa o equilíbrio.

"Agora estamos trabalhando num dispositivo que seja pequeno o bastante para que fique escondido na boca", diz Bach-y-Rita, "como um aparelho ortodôntico. Este é o nosso objetivo. Com isso Cheryl, e qualquer um que tenha este problema, poderá ter sua vida normal restaurada. Pessoas como Cheryl devem poder falar e comer sem que ninguém perceba que estão usando o dispositivo.

"Mas isto não vai afetar só as pessoas lesadas pela gentamicina", continua ele. "Ontem li um artigo no *New York Times* sobre as quedas dos idosos.[1] Os idosos têm mais medo de cair do que de ser assaltados. Um terço dos idosos cai e, por medo de cair, eles ficam em casa, não usam as pernas e se tornam fisicamente frágeis. Mas acredito que parte do problema seja que o sentido vestibular... assim como a audição, o paladar, a visão e nossos outros sentidos... começa a enfraquecer com a idade. Esse dispositivo poderá ajudá-los."

"Está na hora", diz Yuri, desligando o aparelho.

Eis agora a segunda maravilha neuroplástica. Cheryl retira o dispositivo da língua e o capacete. Abre um largo sorriso, fica de pé livremente com os olhos fechados e não cai. Depois abre os olhos e, ainda sem tocar a mesa, ergue um pé do chão, para se equilibrar somente no outro.

"Eu adoro esse homem", diz ela, e vai dar um abraço em Bach-y-Rita. Cheryl volta para perto de mim. Está transbordando de emoção, dominada pela sensação do mundo novamente sob seus pés, e me abraça também.

"Sinto-me ancorada e estável. Não tenho de pensar onde estão meus músculos. Na verdade, posso pensar em outras coisas." Ela se volta para Yuri e lhe dá um beijo.

"Preciso destacar por que isso é um milagre", diz Yuri, que se considera um cético empírico. "Ela praticamente não tem sensores naturais. Nos últimos 20 minutos, demos a ela um sensor artificial. Mas o verdadeiro milagre é o que está acontecendo *agora*, quando retiramos o dispositivo, e ela fica sem aparelho vestibular natural nem artificial. Estamos revelando alguma força dentro dela."

Na primeira vez em que experimentaram o capacete, Cheryl o usou por apenas um minuto. Eles perceberam que depois que o capacete foi retirado, houve um "efeito residual" de cerca de 20 segundos, um terço do tempo em que ela tinha usado o dispositivo. Depois Cheryl usou o capacete por dois minutos, e o efeito residual foi de cerca de 40 segundos. Em seguida, eles continuaram até chegar a 20 minutos, esperando um efeito residual de uns 7 minutos. Mas em vez de durar um terço do tempo, durou o triplo, uma hora inteira. Hoje, segundo Bach-y-Rita, eles estão verificando se 20 minutos a mais no dispositivo levará a uma espécie de efeito de treinamento, de modo que o efeito residual dure ainda mais.

Cheryl começa a fazer palhaçadas e a se exibir.

"Posso andar como uma mulher de novo. Isso não deve ser importante para a maioria das pessoas, mas para mim significa muito não ter de andar com os pés tão separados."

Ela sobe numa cadeira e pula. Curva-se para pegar coisas no chão, para mostrar que pode endireitar o corpo.

"Da última vez, consegui pular corda durante o tempo residual."

"O incrível", diz Yuri, "é que ela não só mantém a postura. Depois de algum tempo com o dispositivo, ela se comporta quase normalmente. Equilibra-se em uma viga. Dirige um carro. Há a recuperação da função vestibular. Quando ela mexe a cabeça, pode manter o foco no alvo... A ligação entre os sistemas visual e vestibular também foi recuperada."

Levanto a cabeça e vejo que Cheryl está dançando com Bach-y-Rita.

E é ela que conduz.

Como é que Cheryl consegue dançar e recuperar o funcionamento normal sem o auxílio da máquina? Bach-y-Rita aponta vários motivos. Primeiro, seu aparelho vestibular danificado está desorganizado e "ruidoso", mandando sinais aleatórios. Assim, o ruído do tecido danificado bloqueia qualquer sinal enviado pelo tecido saudável. O aparelho ajuda a reforçar os sinais dos tecidos saudáveis. Ele crê que o aparelho também ajuda a recrutar outras vias, e é aí que entra em jogo a plasticidade. O sistema cerebral é composto de muitas vias neurais, ou neurônios que são conectados a outros e trabalham juntos. Se determinadas vias-chave são bloqueadas, o cérebro usa vias mais antigas como desvios.

"Entendo da seguinte maneira", diz Bach-y-Rita. "Se você estiver dirigindo daqui até Milwaukee e a ponte principal tiver sumido, primeiro você ficará paralisado. Depois pegará estradas secundárias antigas, passando pelo campo. Mais tarde, à medida que usar mais essas estradas, você achará caminhos mais curtos para chegar onde quer e começará a viajar mais rápido." Essas vias neurais "secundárias" são "desmascaradas", ou expostas, e fortalecidas pelo uso. Costuma-se pensar que esse "desmascaramento" é uma das principais maneiras de o cérebro plástico se reorganizar.

O fato de que Cheryl aos poucos estende o efeito residual sugere que a via desmascarada está ficando mais forte. Bach-y-Rita espera que, com treinamento, Cheryl seja capaz de estender mais ainda a duração do efeito residual.

Alguns dias depois, Bach-y-Rita recebeu um e-mail de Cheryl, no qual ela relatava a duração do último efeito residual obtido na sua casa. "Tempo residual total: 3 horas, 20 minutos... a oscilação começa em minha cabeça... como sempre... Tenho dificuldade de encontrar as palavras... como se minha cabeça boiasse. Cansada, exausta... deprimida."

Uma dolorosa história de Cinderela. Deixar a normalidade é muito difícil. Quando acontece, ela sente que morreu, voltou à vida e morreu de novo. Por outro lado, 3 horas e 20 minutos depois de apenas 20 minutos na máquina é um tempo residual dez vezes maior do que o tempo no dispositivo. Ela é a primeira *Wobbler* a ser tratada e, mesmo que o tempo residual nunca fique maior, agora poderá usar o dispositivo brevemente, quatro vezes por dia, e ter uma vida normal. Mas há um bom motivo para esperar mais, pois cada sessão parece treinar seu cérebro a estender o tempo residual. Se continuar assim...

... E CONTINUOU. No ano seguinte, Cheryl usou o dispositivo com mais frequência para conseguir alívio e aumentar seu efeito residual, que progrediu até várias horas, até dias e, mais tarde, até quatro meses. Hoje ela não usa mais o dispositivo e não se considera mais uma *Wobbler*.

Em 1969, a *Nature*, o mais importante periódico científico da Europa, publicou um curto artigo que tinha um claro toque de ficção científica. Seu principal autor, Paul Bach-y-Rita, era ao mesmo tempo cientista e médico de reabilitação — uma combinação rara. O artigo descrevia um dispositivo que permitia que cegos de nascença enxergassem.[2] Todos tinham suas retinas danificadas, e eram considerados totalmente incuráveis.

O artigo da *Nature* foi mencionado no *New York Times*, na *Newsweek* e na *Life*, mas o dispositivo e seu inventor logo caíram numa relativa obscuridade, talvez porque sua alegação parecesse tão implausível.

Acompanhando o artigo, havia uma foto de um aparelho bizarro — uma grande e velha cadeira de dentista com encosto vibratório, um emaranhado de fios e computadores enormes. Todo o amontoado de peças de sucata e componentes eletrônicos da década de 1960 pesava aproximadamente 20 quilos.

Um cego congênito — alguém que nunca teve nenhuma experiência visual — estava sentado na cadeira, atrás de uma grande câmera, do tamanho daquelas usadas nos estúdios de televisão da época. Ele "varria" uma cena diante dele, virando manivelas para mover a câmera; esta enviava sinais elétricos da imagem a um computador, que os processava. Depois, os sinais elétricos eram transmitidos para 400 estimuladores vibratórios, organizados em fileiras numa placa de metal fixada por dentro do encosto da cadeira, para que os estimuladores ficassem em contato com a pele do cego. Os estimuladores funcionavam como pixels vibrando na parte escura de uma cena e permanecendo imóveis nos tons mais brilhantes. Este "dispositivo para visão tátil", como foi chamado, permitia que cegos lessem, percebessem rostos e sombras, e distinguissem os objetos mais próximos dos mais distantes. Permitia-lhes descobrir a perspectiva e observar como os objetos parecem mudar de forma, dependendo do ângulo em que são vistos. Os seis participantes do experimento aprenderam a reconhecer objetos como um telefone mesmo quando este era parcialmente encoberto por um vaso. Como isso aconteceu nos anos 1960, eles até aprenderam a reconhecer uma fotografia da supermodelo anoréxica Twiggy.

Todos os que usaram esse "dispositivo para visão tátil" relativamente estranho tiveram uma experiência perceptiva extraordinária, deixando de ter sensações táteis e passando a "ver" pessoas e objetos.

Com um pouco de prática, os cegos começaram a perceber o espaço diante deles como tridimensional, embora a informação chegasse a partir de uma matriz bidimensional em suas costas. Se alguém atirava uma bola para a câmera, o participante automaticamente pulava para se afastar dela. Se a matriz de estimuladores vibratórios era transferida das costas para o abdome, os participantes ainda percebiam corretamente a cena projetada na frente da câmera. Se lhe fizessem cócegas perto dos estimuladores, eles não confundiam as cócegas com um estímulo visual. Sua experiência de percepção mental acontecia não na superfície da pele, mas no mundo ao seu redor. E suas percepções eram complexas. Com a prática, os participantes podiam mover a câmera e dizer coisas como: "Esta é Betty; hoje ela está com o cabelo solto e sem os óculos; a boca está aberta e ela passa a mão direita do lado esquerdo para a nuca." É verdade que a resolução em geral era fraca, mas, como explicaria Bach-y-Rita, a visão não tem de ser perfeita para ser visão. "Quando andamos por uma rua com neblina e vemos a silhueta de um prédio", pergunta ele, "estamos vendo menos por falta de resolução? Quando vemos uma coisa em preto e branco, deixamos de ver por falta de cor?"

Essa máquina, hoje esquecida, foi uma das primeiras e mais ousadas aplicações da neuroplasticidade — uma tentativa de usar um sentido para substituir outro — e deu certo. No entanto, foi considerada implausível e ignorada porque a mentalidade científica da época presumia que a estrutura do cérebro é fixa e que nossos sentidos, as avenidas pelas quais a experiência chega a nossa mente, são rigidamente conectados. Esta concepção, que ainda tem muitos adeptos, é chamada de "localizacionismo". Tem relação estreita com a ideia de que o cérebro é uma máquina complexa, composta de peças, cada uma delas realizando uma função mental específica e com uma *localização* geneticamente predeterminada ou embutida — daí o seu nome. Um cérebro que é fisicamente estruturado e onde cada função mental tem uma localização estrita deixa pouco espaço para a plasticidade.

A ideia do cérebro-máquina inspirou e norteou a neurociência desde que foi proposta no século XVII, substituindo concepções mais místicas sobre a alma e o corpo. Os cientistas, impressionados com as descobertas de Galileu (1564-1642), que mostrou que os planetas podiam ser compreendidos como corpos inanimados movidos por forças mecânicas, passaram a acreditar que toda a natureza funcionava como um grande relógio cósmico, sujeito às leis da física, e começaram a explicar cada ser vivo do ponto de vista mecanicista, inclusive nossos órgãos corporais, já que pensavam que também eram máquinas. A ideia de que toda a natureza era um vasto mecanismo e que nossos órgãos eram construídos como máquinas substituiu o conceito grego de 2 mil anos, segundo o qual toda a natureza era um vasto organismo vivo e nossos órgãos corporais, nada mais do que mecanismos inanimados.[3] Mas a primeira grande realização desta nova "biologia mecanicista" foi brilhante e original. William Harvey (1578-1657), que estudou anatomia em Pádua, na Itália, onde Galileu dava aulas, descobriu como nosso sangue circula pelo corpo e demonstrou que o coração funciona como uma bomba, claramente uma máquina simples. Logo muitos cientistas passaram a crer que uma explicação, para ser científica, tinha de ser mecanicista — isto é, sujeita às leis mecânicas do movimento. Seguindo Harvey, o filósofo francês René Descartes (1596-1650) argumentou que o cérebro e o sistema nervoso também funcionavam como uma bomba. Nossos nervos eram verdadeiros tubos, argumentou ele, que iam de nossos membros ao cérebro e vice-versa. Ele foi o primeiro a teorizar sobre como funcionam os reflexos, propondo que quando uma pessoa é tocada na pele, uma substância líquida nos tubos nervosos flui para o cérebro e é mecanicamente enviada de volta através dos nervos, movendo os músculos. Embora isso pareça grosseiro, ele não estava tão longe da verdade. Os cientistas logo refinaram essa imagem primitiva, argumentando que uma corrente elétrica — e não um fluido — movia-se pelos nervos. A ideia de Descartes do cérebro como uma máquina complexa culminou no localizacionismo e em nossa concepção atual do cérebro como um computador. Como uma máquina, o cérebro passou a ser considerado como composto de peças, cada uma delas numa localização pré-atribuída, realizando uma única função, de modo que, se uma das peças fosse danificada, nada poderia ser feito para substituí-la; afinal, as máquinas não desenvolvem peças novas.[4]

O localizacionismo foi aplicado também aos sentidos: teorizou-se que cada um de nossos sentidos — visão, audição, paladar, tato, olfato, equilíbrio — dispõe de um tipo de célula receptora especializada em detectar uma das várias formas de energia que nos cercam.[5] Quando estimuladas, essas células receptoras enviam um sinal elétrico por seu nervo a uma área específica do cérebro que processa o sinal. A maioria dos cientistas acreditava que essas áreas do cérebro eram tão especializadas que uma não podia fazer o trabalho de outra.

Quase isolado de seus colegas, Paul Bach-y-Rita rejeitava as alegações do localizacionismo. Ele descobriu que nossos sentidos têm uma natureza inesperadamente plástica, e que, se um deles sofre danos, outro pode assumir seu lugar, um processo que ele chama de "substituição sensorial". Ele desenvolveu meios de estimular a substituição sensorial e dispositivos que nos dão "supersentidos". Ao descobrir que o sistema nervoso pode se adaptar a enxergar com a câmera em vez da retina, Bach-y-Rita estabeleceu as bases da maior esperança para os cegos: os implantes de retina, que podem ser inseridos cirurgicamente nos olhos.

Ao contrário da maioria dos cientistas, que se atêm a um só campo, Bach-y-Rita se especializou em muitas áreas — medicina, psicofarmacologia, neurofisiologia ocular (o estudo dos músculos dos olhos), neurofisiologia visual (o estudo da visão e do sistema nervoso) e engenharia biomédica. Ele segue as ideias aonde elas o levam. Fala cinco idiomas e morou por longos períodos na Itália, Alemanha, França, México, Suécia e em todos os Estados Unidos. Trabalhou nos laboratórios dos mais importantes cientistas e ganhadores do prêmio Nobel, mas nunca se importou muito com o que os outros pensavam e não participa dos jogos políticos que muitos pesquisadores fazem para conseguir trabalhar. Depois de se formar em medicina, desistiu da profissão e passou à pesquisa básica. Fez perguntas que pareciam desafiar o bom senso, tais como: "Os olhos são necessários para a visão, os ouvidos para a audição, a língua para o paladar, o nariz para o olfato?" Mais tarde, aos 44 anos, com sua mente mais ativa que nunca, ele voltou à medicina e começou uma residência médica, com seus dias intermináveis e noites insones, em uma das especialidades mais árduas de todas: reabilitação. Sua ambição era transformar um pântano intelectual em uma ciência, aplicando o que aprendera sobre a plasticidade.

Bach-y-Rita é um homem modesto. Aprecia ternos de cinco dólares e usa roupas do Exército da Salvação sempre que a esposa deixa que ele saia com elas. Dirige um carro velho e enferrujado de 12 anos enquanto a esposa tem um novo modelo do Passat.

Ele tem a cabeça cheia de grossos fios de cabelos ondulados e grisalhos, fala baixo e rapidamente, tem a pele morena de um homem do Mediterrâneo de ascendência espanhola e judaica e aparenta ter bem menos do que seus 69 anos. Evidentemente ele é racional, mas irradia um calor juvenil quando está próximo da esposa, Esther, mexicana de antepassados maias.

Ele está acostumado a ser um *outsider*. Foi criado no Bronx e, quando chegou ao segundo ciclo do ensino fundamental, tinha 1,45 metro de altura devido a uma doença misteriosa que retardou seu crescimento por oito anos, tendo recebido por duas vezes o diagnóstico preliminar de leucemia. Todo dia era espancado por alunos maiores e durante aqueles anos desenvolveu uma extraordinária resistência à dor. Aos 12 anos, seu apêndice rompeu-se e a doença misteriosa, uma forma rara de apendicite crônica, foi corretamente diagnosticada. Ele cresceu 20 centímetros e ganhou sua primeira briga.

Estamos atravessando de carro a cidade de Madison, no Wisconsin, seu lar quando ele não está no México. Ele é despretensioso e, depois de muitas horas conversando comigo, só deixa que uma observação remotamente autocongratulatória escape de seus lábios.

"Posso conectar o que quiser a qualquer coisa", diz, sorrindo.

"Vemos com o cérebro, não com os olhos", diz ele.

Esta afirmação contraria a noção comum de que vemos com os olhos, ouvimos com os ouvidos, saboreamos com a língua, cheiramos com o nariz e tateamos com a pele. Quem contestaria esses fatos? Mas para Bach-y-Rita, nossos olhos apenas sentem as mudanças na energia luminosa; é o cérebro que percebe e, portanto, vê.

Para Bach-y-Rita, não importa como uma sensação chega ao cérebro. "Quando usa uma bengala, um cego a bate de um lado a outro e só tem um local, a ponta, alimentando com informações os receptores da pele da mão. Mas o balançar lhe permite distinguir onde está a soleira da porta, ou a cadeira, ou distinguir um pé quando o toca, porque a bengala cederá um pouco. Ele usa essa informação para se guiar até a cadeira e se sentar, mas é pelos sensores da mão que ele consegue informações e é ali que a bengala tem "interface" com ele. O que ele percebe *subjetivamente* não é a pressão da bengala na mão, mas o desenho do ambiente: cadeiras, paredes, pés, o espaço tridimensional. A superfície receptora na mão se torna apenas um retransmissor das informações, uma fonte de dados. A superfície receptora perde, assim, sua identidade."

Bach-y-Rita concluiu que a pele e seus receptores táteis podem substituir a retina, porque tanto a pele quanto a retina são estruturas bidimensionais cobertas de receptores sensoriais que permitem que se forme uma "imagem" sobre suas superfícieis.[6]

Uma coisa é descobrir uma nova fonte de dados ou uma maneira de levar sensações ao cérebro. Outra, para o cérebro, é decodificar essas sensações da pele e transformá-las em imagens. Para fazer isso, o cérebro precisa aprender alguma coisa nova, e a parte do cérebro dedicada ao processamento do tato deve se adaptar aos novos sinais. Esta capacidade de adaptação implica a plasticidade do cérebro no sentido de que ele pode reorganizar seu próprio sistema sensório-perceptivo.

Se o cérebro pode se reorganizar, o simples localizacionismo não pode ser uma visão correta do cérebro. No início, até Bach-y-Rita era um localizacionista, motivado por suas brilhantes realizações. O localizacionismo sério foi proposto pela primeira vez em 1861, quando Paul Broca, um cirurgião, teve um paciente que, depois de um derrame, perdeu a capacidade de falar e só conseguia pronunciar uma palavra. A qualquer pergunta feita, o pobre homem respondia: "Tan, tan." Quando o paciente morreu, Broca dissecou seu cérebro e descobriu lesões no tecido do lobo frontal esquerdo. Os céticos duvidaram de que a fala pudesse estar localizada em uma única parte do cérebro, até que Broca lhes mostrou o tecido lesionado, depois lhes relatou os casos de outros pacientes que perderam a capacidade de falar e tinham danos no mesmo local, que passou a ser chamado de "área de Broca" e presumia-se que coordenava os movimentos dos músculos dos lábios e da língua. Logo depois, outro médico, Carl Wernicke, relacionou o dano em outra área do cérebro a um problema diferente: a incapacidade de entender a linguagem. Wernicke propôs que a área danificada era responsável pelas representações mentais das palavras e pela compreensão. Veio a ser conhecida como "área de Wernicke". Nos cem anos seguintes, à medida que novas pesquisas refinavam o mapa do cérebro, o localizacionismo tornou-se mais específico.

Infelizmente, porém, a defesa do localizacionismo logo foi exagerada. Deixou de ser uma série de correlações intrigantes (observações de que danos em áreas específicas do cérebro levam à perda de funções mentais específicas) e passou a uma teoria geral segundo a qual toda função cerebral tem apenas uma localização física — uma ideia resumida pela expressão "uma função, uma localização",[7] o que significa que se uma parte sofria danos, o cérebro não podia se reorganizar nem recuperar a função perdida.

Começou então uma idade das trevas para a plasticidade, sendo ignoradas quaisquer exceções à ideia de "uma função, uma localização". Em 1868, Jules Cotard estudou crianças que tinham sofrido precocemente um dano cerebral grave, em que o hemisfério esquerdo (inclusive a área de Broca) tinha definhado. Mas essas crianças ainda podiam falar normalmente.[8] Isto significava que, mesmo que a fala tendesse a ser processada pelo hemisfério esquerdo, como afirmou Broca, o cérebro podia ser plástico o suficiente para se reorganizar, se necessário. Em 1876, Otto Soltmann retirou o córtex motor — a parte do cérebro considerada responsável pelo movimento — de filhotes de cachorros e coelhos, e descobriu que eles ainda eram capazes de se mexer.[9] Essas descobertas foram tragadas pela onda do entusiasmo localizacionista.

Bach-y-Rita passou a duvidar do localizacionismo quando estava na Alemanha, no início da década de 1960. Ele tinha ingressado numa equipe que estudava como a visão funcionava, medindo com eletrodos as descargas elétricas da área de processamento visual do cérebro de um gato. A equipe estava convencida de que quando mostrasse uma imagem ao gato, os eletrodos em sua área de processamento visual captariam um pico elétrico, revelando que ela processava a imagem. E assim foi. Mas quando por acidente alguém roçou a pata do gato, a área visual também se ativou, indicando que também processava o tato.[10] E a equipe descobriu que a área visual também era ativada quando o gato ouvia sons.

Bach-y-Rita começou a pensar que a teoria localizacionista "uma função, uma localização" não podia estar correta. A parte "visual" do cérebro do gato estava processando pelo menos outras duas funções: tato e audição. Ele passou a conceber grande parte do cérebro como "polissensorial" — isto é, as áreas sensoriais eram capazes de processar sinais de mais de um sentido.

Isso pode acontecer porque todos os nossos receptores sensoriais traduzem diferentes tipos de energia do mundo externo, independente da origem, em padrões elétricos que são enviados por nossos nervos. Estes padrões elétricos são a linguagem universal "falada" dentro do cérebro — não há imagens visuais, sons, odores ou sensações movendo-se dentro dos nossos neurônios. Bach-y-Rita percebeu que as áreas que processam esses impulsos elétricos são muito mais homogêneas do que julgaram os neurocientistas,[11] uma convicção reforçada quando o neurocientista Vernon Mountcastle descobriu que os córtices visual, auditivo e sensorial têm uma estrutura de processamento semelhante, de seis camadas. Para Bach-y-Rita, isso significava que qualquer parte do córtex deve ser capaz de processar quaisquer sinais elétricos que são enviados e que nossos módulos cerebrais não são assim tão especializados.

Nos anos seguintes, Bach-y-Rita começou a estudar todas as exceções ao localizacionismo.[12] Com seu conhecimento de línguas, ele pesquisou a literatura científica mais antiga e não traduzida e descobriu trabalhos científicos feitos antes das versões mais rígidas do localizacionismo. Descobriu o trabalho de Marie-Jean-Pierre Flourens, que na década de 1820 mostrou que o cérebro podia se reorganizar.[13] E leu em francês a obra muito citada, mas pouco traduzida, de Broca, descobrindo que nem mesmo Broca fechara a porta para a plasticidade, como fizeram seus seguidores.

O sucesso de seu dispositivo para visão tátil inspirou Bach-y-Rita a revisar sua concepção do cérebro humano. Afinal, o milagre não era a sua máquina, mas o cérebro que estava vivo, mudando e se adaptando a novos tipos de sinais artificiais. Como parte da reorganização, ele conjeturou que os sinais provenientes do tato (processados inicialmente no córtex sensorial, na parte superior do cérebro) eram reorientados para o córtex visual na parte posterior do cérebro para um processamento adicional, o que significava que alguma via neuronal que ligava a pele ao córtex visual estava sendo desenvolvida.

Quarenta anos atrás, justo quando o império do localizacionismo tinha alcançado o ápice, Bach-y-Rita começou seu protesto. Ele reconhecia os méritos do localizacionismo, mas argumentava que "um grande conjunto de evidências revela a plasticidade motora e sensorial do cérebro".[14] Um de seus artigos foi seis vezes rejeitado para publicação pelos periódicos, não porque as evidências fossem questionadas, mas porque ele ousou usar a palavra "plasticidade" no título. Depois que o artigo foi publicado na *Nature*, seu querido mentor, Ragnar Granit, que tinha recebido o prêmio Nobel de fisiologia, em 1965, por seu trabalho sobre a retina e conseguira a publicação da tese de graduação de Bach-y-Rita, convidou-o para um chá. Granit pediu à esposa para sair da sala e, depois de elogiar o trabalho de Bach-y-Rita sobre os músculos do olho, perguntou-lhe — para seu próprio bem — por que ele perdia tempo com "esse brinquedo de adultos". Entretanto, Bach-y-Rita insistiu e começou a mostrar, numa série de livros e várias centenas de artigos, as evidências da plasticidade cerebral, desenvolvendo uma teoria que explicasse o seu funcionamento.[15]

O interesse mais profundo de Bach-y-Rita passou a ser explicar a plasticidade, mas ele continuou a inventar dispositivos de substituição sensorial. Trabalhou com engenheiros para reduzir o tamanho do dispositivo "cadeira de dentista-câmera-computador" para cegos. A pesada e incômoda placa de estimuladores vibratórios que fora conectada no encosto foi substituída por uma tira de plástico, fina como papel, coberta de eletrodos, do diâmetro de uma moeda de um dólar para ser colocada na língua. A língua é o que ele chama de "interface máquina-cérebro" ideal, um excelente ponto de acesso ao cérebro por não possuir uma camada insensível de pele morta. O computador também encolheu radicalmente, e a câmera, que antes tinha o tamanho de uma mala grande, agora podia ser presa na armação dos óculos.

Ele também trabalhou em outras invenções de substituição sensorial. Recebeu financiamento da NASA para desenvolver uma luva eletrônica "tátil" para os astronautas no espaço. As luvas espaciais eram tão grossas que os astronautas tinham dificuldade para sentir pequenos objetos ou realizar movimentos delicados. Assim, na parte externa da luva ele pôs sensores que retransmitiam sinais elétricos à mão. Depois usou o que aprendeu na invenção da luva para ajudar as pessoas com lepra, doença que mutila a pele e destrói os nervos periféricos, fazendo os leprosos perderem a sensibilidade nas mãos. A luva, como a de astronauta, tem sensores do lado de fora e envia sinais a uma parte saudável da pele, longe das mãos doentes, onde os nervos não foram afetados. A pele saudável torna-se o portal de entrada para as sensações táteis. Em seguida, ele começou a trabalhar numa luva que permitisse aos cegos ler telas de computador, e tem até um projeto para uma camisinha que, ele espera, permitirá que vítimas de lesão na medula espinhal que perderam a sensibilidade no pênis voltem a ter orgasmos. Bach-y-Rita baseia-se na premissa de que a excitação sexual, como outras experiências sensoriais, está "no cérebro", e assim as sensações de movimento sexual captadas pelos sensores na camisinha podem ser traduzidas em impulsos elétricos que, por sua vez, podem ser transmitidos à parte do cérebro que processa a excitação sexual. Outros usos potenciais de seu trabalho incluem dar às pessoas "supersentidos", como visão infravermelha ou noturna. Para os integrantes do SEALs (grupo de operações especiais da Marinha dos Estados Unidos), ele desenvolveu um dispositivo que os ajuda a sentir a orientação do corpo debaixo da água. Também desenvolveu outro, testado com sucesso na França, que informa aos cirurgiões a posição exata do bisturi enviando sinais a partir de um sensor eletrônico ligado ao bisturi a um pequeno dispositivo preso à língua ou ao cérebro.

A origem da compreensão da reabilitação cerebral por Bach-y-Rita está na surpreendente recuperação do próprio pai, o poeta e acadêmico catalão Pedro Bach-y-Rita, depois de um derrame incapacitante. Em 1959, Pedro, então um viúvo de 65 anos, teve um derrame que lhe paralisou o rosto e metade do corpo, deixando-o incapaz de falar.

George, irmão de Paul, hoje psiquiatra na Califórnia, foi informado de que não havia esperança alguma de recuperação para o pai e que ele teria de ir para uma clínica especializada. Em vez disso, George, então estudante de medicina no México, levou o pai paralítico de Nova York, onde ele morava, para o México, para morar com ele. De início ele tentou a reabilitação do pai no American British Hospital, que só oferecia um programa típico de quatro semanas: ninguém acreditava que o cérebro pudesse se beneficiar de um tratamento mais longo. Depois de quatro semanas, o pai não melhorara nada. Continuava incapacitado e precisava ser carregado ao banheiro e amparado no banho, o que George fazia com a ajuda do jardineiro.

"Felizmente, ele era um homem miúdo, com pouco mais de 50 quilos, e por isso conseguíamos lidar com ele", diz George.

George não sabia nada de reabilitação, e sua ignorância acabou sendo uma dádiva: livre de teorias pessimistas, ele conseguiu quebrar todas as regras aceitas.

"Decidi que em vez de ensinar meu pai a andar, eu ia ensiná-lo a engatinhar. Eu disse: 'Você começou engatinhando, vai ter que engatinhar de novo por um tempo.' Compramos joelheiras para ele. No início o colocávamos de quatro, mas os braços e as pernas não o sustentavam muito bem; então era uma luta." Assim que Pedro conseguiu se sustentar de alguma maneira, George o fez engatinhar com o ombro e o braço fracos apoiados na parede. "Esse engatinhar junto à parede durou meses. Depois disso eu até o fiz praticar no jardim, o que gerou problemas com os vizinhos: diziam que isso não era gentil, que nunca tinham visto uma coisa dessas, fazer o professor andar de quatro feito um cachorro. O único modelo que eu tinha era como os bebês aprendiam a caminhar. Então brincávamos no chão; eu rolava bolas de gude, e ele tinha de pegá-las. Ou atirávamos moedas no chão, e ele tinha de tentar pegá-las com a mão fraca. Tudo o que tentávamos envolvia transformar em exercícios as experiências de vida normais. Transformamos a atividade de lavar panelas em um exercício. Ele segurava a panela com a mão boa e fazia sua mão fraca — ele tinha pouco controle e fazia movimentos espasmódicos e abruptos — girar sem parar, 15 minutos no sentido horário, 15 no sentido anti-horário. O contorno da panela mantinha sua mão no lugar. Seguíamos etapas, cada uma se sobrepondo à anterior, e pouco a pouco ele melhorava. Depois de um tempo, ele ajudou a projetar as etapas. Ele queria chegar ao ponto em que pudesse se sentar e comer comigo e com outros estudantes de medicina." O processo consumia várias horas todo dia, mas aos poucos Pedro passou de engatinhar para andar de joelhos, e daí para se levantar e caminhar.

Pedro lutou sozinho com sua fala e, depois de cerca de três meses, havia sinais de que ela estava voltando. Depois de vários meses, ele quis voltar a escrever. Sentava-se diante da máquina de escrever, o dedo médio na tecla desejada, depois largava o peso de todo o braço para apertá-la. Quando dominou essa técnica, passou a deixar cair só o pulso e, depois, os dedos, um de cada vez. Por fim reaprendeu a datilografar normalmente.

No final de um ano, sua recuperação era completa. Pedro, então com 68 anos, começou a ensinar novamente em tempo integral na City College de Nova York. Ele adorava ensinar e trabalhou até se aposentar, aos 70 anos. Depois assumiu outro cargo de ensino na State University de São Francisco, casou-se de novo e continuou trabalhando, fazendo trilhas e viajando. Foi ativo por mais sete anos depois do derrame. Em uma visita a amigos em Bogotá, na Colômbia, ele foi escalar as montanhas. A mais de 2.700 metros de altitude, ele teve um ataque cardíaco e morreu pouco depois. Tinha 72 anos.

Perguntei a George se ele entendia quão incomum essa recuperação era, tanto tempo depois do derrame, e se na época ele pensava que ela poderia ter resultado da plasticidade cerebral.

"Eu só entendia que tinha de cuidar de papai. Mas Paul, nos anos seguintes, falou dela em termos de neuroplasticidade. Mas não de imediato. Foi só depois que nosso pai morreu."

O corpo de Pedro foi levado a São Francisco, onde Paul trabalhava. Era o ano de 1965 e, naquele tempo, antes da neuroimagem, as necropsias eram o procedimento de rotina, porque era assim que os médicos podiam aprender sobre doenças cerebrais e saber por que um paciente tinha morrido. Paul pediu à dra. Mary Jane Aguilar que fizesse a necropsia.

"Alguns dias depois, Mary Jane me ligou e disse: 'Paul, venha para cá. Tenho uma coisa para lhe mostrar.' Quando cheguei ao antigo Stanford Hospital, vi, espalhadas sobre uma mesa, seções do cérebro de meu pai em lâminas."

Ele ficou sem fala.

"Eu senti repulsa, mas também pude ver a empolgação de Mary Jane, porque as lâminas mostravam que o derrame tinha provocado uma lesão imensa e que ela nunca se curou, embora meu pai tivesse recuperado todas as funções. Pirei, fiquei pasmo. Eu pensava: 'Veja o tamanho dessa lesão!' Mary Jane disse: 'Como é possível se recuperar com tal lesão?'"

Quando examinou melhor, Paul viu que a lesão de sete anos do pai concentrava-se principalmente no tronco encefálico — a parte do cérebro mais próxima da medula espinhal — e que outros importantes centros cerebrais no córtex que controlam o movimento também tinham sido destruídos. Noventa e sete por cento dos nervos que vão do córtex cerebral à medula espinhal sido destruídos — um dano catastrófico que causou sua paralisia.

"Eu sabia que isso significava que o cérebro dele tinha se reorganizado completamente com o trabalho que ele fizera com George. Até aquele momento, não sabíamos quão extraordinária sua recuperação tinha sido, porque não fazíamos ideia da extensão da lesão, já que na época não existia a neuroimagem. Quando as pessoas se recuperavam, tendíamos a imaginar que realmente não se tratava de um dano muito grave. Mary Jane queria que eu fosse coautor de do que escrevesse sobre o caso. Não pude."[16]

A história do pai oferecia uma prova direta de que pode acontecer uma recuperação "tardia" mesmo de uma lesão grave em um paciente idoso. Mas depois de examinar a lesão e pesquisar a literatura, Paul encontrou mais evidências de que o cérebro pode se reorganizar e recuperar funções depois de derrames arrasadores: descobriu que, em 1915, um psicólogo americano, Shepherd Ivory Franz, mostrou que pacientes que tinham ficado paralisados por 20 anos podiam obter uma recuperação tardia por meio de exercícios de estimulação do cérebro.[17]

A "recuperarão tardia" de seu pai incitou uma mudança na carreira de Bach-y-Rita. Aos 44 anos, ele voltou à medicina e fez residência em neurologia e reabilitação. Compreendeu que, para que se recuperassem, os pacientes precisavam ser motivados como seu pai o fora, com exercícios que se aproximassem bastante de atividades da vida real.

Ele voltou a atenção para o tratamento de derrames, concentrando-se na "reabilitação tardia", ajudando os pacientes a superar graves problemas neurológicos anos depois de seu início e desenvolvendo videogames para treinar pacientes a voltar a mover os braços. Assim, começou a integrar ao projeto de exercícios o que sabia sobre a plasticidade. Os exercícios tradicionais de reabilitação em geral terminam depois de algumas semanas, quando um paciente para de melhorar ou chega a um "platô", e os médicos perdem a motivação para continuar. Mas Bach-y-Rita, com base em seu conhecimento do desenvolvimento neural, começou a argumentar que esse platô de aprendizagem era temporário, apenas uma parte do ciclo de aprendizagem baseado na plasticidade, no qual as fases da aprendizagem são seguidas por períodos de consolidação.[18] Embora não houvesse progresso *aparente* na fase de consolidação, as mudanças biológicas aconteciam internamente, à medida que novas habilidades tornavam-se mais automáticas e mais refinadas.

Bach-y-Rita desenvolveu um programa para pacientes com danos nos nervos motores faciais, que não podiam mover os músculos da face e assim não conseguiam fechar os olhos, nem falar adequadamente, nem expressar emoções, fazendo com que parecessem monstros autômatos. Bach-y-Rita ligou cirurgicamente um dos nervos "extras", que normalmente vai até a língua, aos músculos faciais. Depois, desenvolveu um programa de exercícios cerebrais para treinar o "nervo da língua" (e em particular a parte do cérebro que o controla) a agir como nervo facial. Esses pacientes aprenderam a expressar emoções faciais normais, a falar e a fechar os olhos — mais um exemplo da capacidade de Bach-y-Rita de "conectar tudo a qualquer coisa".

Trinta e três anos depois do artigo de Bach-y-Rita na *Nature*, os cientistas que usam a versão moderna e pequena de seu dispositivo para visão tátil submeteram pacientes a tomografias cerebrais e confirmaram que as imagens táteis que entram pela língua são, na verdade, processadas no córtex visual do cérebro.[19]

Qualquer dúvida razoável de que os sentidos possam ser reconstruídos foi calada por um dos experimentos de plasticidade mais admiráveis de nossa época. Envolveu a reconstrução não das vias de sensibilidade tátil e visual, como fizera Bach-y-Rita, mas das vias auditiva e visual — literalmente. O neurocientista Mriganka Sur reconstruiu cirurgicamente o cérebro de um filhote de furão.[20] Normalmente, os nervos óticos vão dos olhos ao córtex visual, mas Sur redirecionou esses nervos cirurgicamente, do córtex visual para o córtex auditivo, e descobriu que o animal aprendeu a ver. Usando eletrodos inseridos no cérebro do furão, Sur provou que os neurônios do córtex auditivo estavam ativos quando o furão estava olhando e que realizavam o processamento visual. O córtex auditivo, plástico, como Bach-y-Rita sempre imaginou, se reorganizara, de modo a adquirir a estrutura do córtex visual. Embora os furões submetidos a essa cirurgia não tivessem uma visão normal de 20/20, eles tinham um terço dela — como a de algumas pessoas que usam óculos.

Até recentemente, essas transformações teriam sido inexplicáveis. Mas Bach-y-Rita, mostrando que nosso cérebro é mais flexível do que admitem os localizacionistas, ajudou a criar uma concepção mais precisa do cérebro, que permite explicar tais mudanças. Antes de suas descobertas, era aceitável dizer, como faz a maioria dos neurocientistas, que temos um "córtex visual" em nosso lobo occipital, que processa a visão, e um "córtex auditivo" em nosso lobo temporal, que processa a audição. A partir de Bach-y-Rita, aprendemos que a questão é mais complexa e que essas áreas do cérebro são processadores plásticos, conectados entre si e capazes de processar uma variedade inesperada de informações.

Cheryl não foi a única a se beneficiar do estranho capacete de Bach-y-Rita. Desde então, a equipe usou o dispositivo para treinar outros cinquenta pacientes a melhorar seu equilíbrio e sua marcha. Alguns tinham os mesmos danos de Cheryl; outros tinham algum trauma encefálico, haviam sofrido derrame ou eram portadores da doença de Parkinson.

A importância de Paul Bach-y-Rita está no fato de ele ter sido o primeiro de sua geração de neurocientistas a entender que o cérebro é plástico e, ao mesmo tempo, aplicar concretamente esse conhecimento para atenuar o sofrimento humano. Implícita em todo o seu trabalho está a ideia de que todos nascemos com um cérebro mais adaptável, multifuncional e oportunista do que pensávamos.

Quando o cérebro de Cheryl reconstruiu o sentido vestibular — ou quando o cérebro de cegos desenvolveu novas vias enquanto aprendiam a reconhecer objetos, perspectiva ou movimento —, essas mudanças não foram a exceção misteriosa à regra, mas a própria regra: o córtex sensorial é plástico e adaptável. Quando reagiu ao receptor artificial que substituiu o danificado, o cérebro de Cheryl não estava fazendo nada fora do comum. Recentemente, o trabalho de Bach-y-Rita inspirou o cientista cognitivo Andy Clark a argumentar com perspicácia que somos "ciborgues inatos", o que significa que a plasticidade do cérebro permite que sejamos ligados a máquinas, como computadores e instrumentos eletrônicos, com muita naturalidade.[21] Mas nosso cérebro também se reestrutura em reação a informações de instrumentos mais simples, como a bengala de um cego. Afinal, a plasticidade é uma propriedade inerente ao cérebro desde os tempos pré-históricos. O cérebro é um sistema muito mais aberto do que imaginávamos, e a natureza foi muito longe para nos ajudar a perceber e apreender o mundo que nos cerca. Deu-nos um cérebro que se transforma para sobreviver em um mundo em constante transformação.

2

Aprimorando o Próprio Cérebro

Uma mulher rotulada de "retardada" descobre como se curar

Os cientistas que fazem importantes descobertas sobre o cérebro são muitas vezes pessoas cujos cérebros extraordinários se dedicam às que têm danos cerebrais. É raro que a pessoa que faz uma importante descoberta seja a que tem o problema, mas existem algumas exceções. Barbara Arrowsmith Young é uma delas.

"Assimetria" é a palavra que melhor descrevia sua mente quando ela era estudante. Nascida em Toronto, em 1951, e criada em Peterborough, Ontário, Barbara se destacou em algumas áreas quando criança — sua memória auditiva e visual foi testada e classificada no nonagésimo nono percentil. Seus lobos frontais eram extraordinariamente desenvolvidos, conferindo-lhe impulsividade e obstinação. Mas seu cérebro era "assimétrico", o que significa que essas capacidades excepcionais coexistiam com áreas de retardo.

Essa assimetria produziu efeitos caóticos também em seu corpo. A mãe fazia piada disso. "O obstetra deve ter tirado você pela perna direita", que era muito mais longa do que a esquerda, resultando em um deslocamento da pélvis. O braço direito nunca se corrigiu, o olho esquerdo era menos alerta, e todo o seu lado direito era mais largo do que o esquerdo. A coluna era assimétrica e torcida pela escoliose.

Barbara tinha uma variedade perturbadora de sérias deficiências de aprendizado. A área do cérebro dedicada à fala, a área de Broca, não funcionava adequadamente, e por isso Barbara apresentava dificuldades para pronunciar as palavras. Ela também carecia da capacidade de raciocínio espacial. Quando queremos mover nosso corpo no espaço, usamos o raciocínio espacial para construir um caminho imaginário em nossa mente antes de executar os movimentos. O raciocínio espacial é importante para um bebê que engatinha, um dentista que opera uma broca, um jogador de hóquei que planeja seus movimentos. Um dia, quando Barbara tinha 3 anos, ela decidiu brincar de tourada. Ela era o touro e o carro na entrada da casa era a capa do toureiro. Ela arremeteu, pensando que se desviaria e o evitaria, mas avaliou mal a distância e correu de encontro ao carro, abrindo a cabeça. A mãe declarou que ficaria surpresa se Barbara sobrevivesse por mais um ano.

O raciocínio espacial também é necessário para formar um mapa mental de onde as coisas estão. Usamos esse tipo de raciocínio para organizar nossas mesas ou nos lembrar de onde deixamos as chaves. Barbara perdia tudo o tempo todo. Sem um mapa mental das coisas no espaço, o que estava fora de seu campo visual estava literalmente fora de sua mente. Então ela se tornou uma "empilhadeira", tendo de manter diante dela, em pilhas, tudo com o que brincava ou trabalhava, e os armários e gavetas, sempre abertos. Fora de casa, ela sempre se perdia.

Ela também tinha um problema "cinestésico". A percepção cinestésica nos permite conhecer a posição do nosso corpo e de nossos membros no espaço, capacitando-nos a controlar e coordenar os movimentos. Também nos ajuda a reconhecer objetos pelo toque. Mas Barbara nunca sabia a que distância seus braços ou pernas se moviam do lado esquerdo. Embora de espírito jovial, ela era desajeitada. Não conseguia segurar um copo de suco com a mão esquerda sem derramar. Frequentemente tropeçava ou cambaleava. As escadas eram traiçoeiras. Também tinha um tato reduzido no lado esquerdo e sempre se machucava deste lado. Quando por fim aprendeu a dirigir, com frequência amassava o lado esquerdo do carro.

Barbara também tinha uma deficiência visual. Seu campo visual era tão estreito que quando ela olhava uma página escrita, só conseguia capturar algumas letras de cada vez.

Mas esses não eram seus piores problemas debilitantes. Como a parte de seu cérebro que ajuda a compreender as relações entre os símbolos não funcionava normalmente, Barbara tinha dificuldade para compreender a gramática, os conceitos matemáticos, a lógica e as relações de causa e efeito. Não conseguia distinguir entre "o irmão do pai" e "o pai do irmão". Decifrar uma dupla negação era impossível para ela. Não conseguia ver as horas porque não podia entender a relação entre os ponteiros. Literalmente não distinguia a mão esquerda da direita, não só porque carecia de um mapa espacial, mas também porque não conseguia entender a relação entre "esquerda" e "direita". Só com um esforço mental extraordinário e uma repetição constante ela conseguia aprender a relacionar símbolos.

Ela invertia a posição das letras *b*, *d*, *q* e *p* na escrita, lia "was" como "saw" e lia e escrevia da direita para a esquerda, uma alteração chamada de espelhamento. Ela era destra, mas como escrevia da direita para a esquerda, sujava o trabalho todo. Seus professores a consideravam desordeira. Como era disléxica, ela cometia erros de leitura que lhe custavam caro. Seus irmãos guardaram ácido sulfúrico para experimentos em frascos antigos de gotas nasais. Uma vez, quando decidiu tratar uma obstrução nasal, Barbara leu erroneamente o novo rótulo que eles tinham escrito. Deitada na cama com o ácido escorrendo pelas narinas, ela ficou envergonhada demais para contar mais um infortúnio à mãe.

Incapaz de entender as relações de causa e efeito, ela fazia coisas estranhas socialmente porque não conseguia associar o próprio comportamento às consequências. No jardim de infância, não entendia por que não podia sair da sala de aula e visitar os irmãos na sala deles quando quisesse, se os irmãos estavam na mesma escola. Podia memorizar fórmulas matemáticas, mas não entendia os conceitos. Podia se lembrar de que cinco vezes cinco são 25, mas não entendia por quê. Seus professores reagiam dando-lhe mais deveres, e o pai passava horas dando-lhe aulas, em vão. A mãe mostrava cartões com problemas matemáticos simples. Como não conseguia entendê-los, Barbara encontrou um lugar para se sentar onde o sol deixava o papel transparente e assim podia ler as respostas no verso. Mas as tentativas de remediar não chegavam à raiz do problema; só o tornava mais agonizante.

Querendo desesperadamente se sair bem, ela passou pelo ensino fundamental decorando tudo durante a hora do almoço e depois da aula. No ensino médio, seu desempenho foi extremamente errático. Aprendeu a usar a memória para cobrir seus deficits e, com a prática, podia se lembrar de páginas inteiras de informações. Antes das provas, rezava para que fossem baseadas em dados, sabendo que assim podia tirar a nota máxima; se fossem baseadas na compreensão de relações, ela provavelmente ficaria entre os piores alunos.

Barbara não compreendia nada em tempo real, só depois de ter ocorrido, com uma defasagem de tempo. Como não entendia o que estava acontecendo à sua volta enquanto acontecia, ela passava horas analisando o passado, reunindo os fragmentos confusos para torná-los compreensíveis. Tinha de repassar conversas simples, diálogos de filmes e letras de música vinte vezes em sua mente porque, quando chegava ao final de uma frase, não conseguia se lembrar do significado do início.

Seu desenvolvimento emocional sofreu com isso. Como tinha dificuldades com a lógica, ela não conseguia captar incoerências quando ouvia pessoas loquazes, de modo que nunca sabia em quem confiar. As amizades eram difíceis, e ela não podia ter mais de um relacionamento de cada vez.

Mas o que mais a afligia era a dúvida e a incerteza crônicas que sentia a respeito de tudo. Ela intuía significado em toda parte, mas não conseguia comprová-lo. Seu lema era: "Não entendi." Dizia a si mesma: "Eu vivo numa névoa e o mundo não é mais sólido do que o algodão-doce." Como muitas crianças com sérias deficiências de aprendizado, ela começou a pensar que talvez fosse louca.

Barbara foi criada em uma época em que havia pouca ajuda disponível. "Na década de 1950, em uma cidade pequena como Peterborough, não se falava dessas coisas", diz ela. "A atitude era, ou você consegue, ou não. Não havia professores de educação especial, nem visitas a médicos especialistas ou psicólogos. A expressão 'deficiências de aprendizado' só seria usada amplamente umas duas décadas mais tarde. Minha professora da primeira série disse a meus pais que eu tinha um 'bloqueio mental' e nunca aprenderia como os outros. Este era o máximo de especificidade. Ou você era inteligente, ou estava na média, ou era lento ou mentalmente retardado."

Se você fosse considerado mentalmente retardado, era colocado em uma "turma especial", mas este não era o lugar para uma menina com uma memória brilhante que conseguia nota máxima em testes de vocabulário. O amigo de infância de Barbara, Donald Frost, agora escultor, lembra que "ela vivia sob uma pressão acadêmica incrível. Todos eram bem-sucedidos na família Young. Seu pai, Jack, era engenheiro elétrico e inventor com 34 patentes na General Electric canadense. Era um milagre conseguir arrancar Jack de um livro na hora do jantar. Sua mãe, Mary, tinha a seguinte atitude: 'Você vai conseguir; sem dúvida'. 'Se você tem um problema, resolva-o'. Barbara sempre foi incrivelmente sensível, calorosa e carinhosa", continua Frost, "mas escondia muito bem seus problemas. Era quietinha. Nos anos pós-guerra, havia um senso de integridade: não se devia chamar mais a atenção para suas deficiências do que para suas espinhas."

Barbara foi atraída pelo estudo do desenvolvimento infantil, na esperança de resolver sozinha sua própria situação. Como estudante da Universidade de Guelph, suas grandes disparidades mentais novamente ficaram evidentes. Mas felizmente seus professores viram que Barbara tinha uma capacidade incrível de entender sinais não verbais no Laboratório de Observação da Criança, e ela foi convidada a dar esse curso. Ela pensou que tinham cometido algum erro. Depois foi aceita na pós-graduação no Ontario Institute for Studies in Education (OISE). A maioria dos alunos lia um artigo científico uma ou duas vezes, mas Barbara em geral tinha de ler o artigo, além de muitas de suas fontes, umas vinte vezes apenas para ter uma vaga ideia de seu significado. Dormia apenas quatro horas de sono por noite.

Como Barbara era brilhante de muitas maneiras e tão apta a observar crianças, seus professores da pós-graduação tinham dificuldades em acreditar que ela fosse deficiente. O primeiro a entender foi Joshua Cohen, outro estudante talentoso com problemas de aprendizado, que tinha estudado na OISE. Ele administrava uma pequena clínica para crianças com deficiência de aprendizado, na qual era usado o tratamento padrão de "compensações", baseado na teoria aceita na época: depois que morrem ou não conseguem se desenvolver, as células cerebrais não podem ser recuperadas. As compensações contornam o problema. As pessoas com dificuldades de leitura ouvem fitas de áudio. Aquelas que são "lentas" têm mais tempo para fazer as provas. As que têm problemas para acompanhar uma argumentação são instruídas a usar códigos de cor nos pontos principais. Joshua projetou um programa de compensação para Barbara, mas ela achou que perdia muito tempo. Além disso, a tese dela, um estudo sobre crianças com deficiências de aprendizado tratadas com compensações na clínica OISE, mostrava que a maioria não melhorava realmente. E ela própria tinha tantos deficits que às vezes era difícil encontrar funções saudáveis que pudessem contorná-los. Como teve tanto sucesso desenvolvendo sua memória, Barbara disse a Joshua que devia haver um jeito melhor.

Um dia, Joshua sugeriu que ela desse uma olhada nos livros de Aleksandr Luria que ele estivera lendo. Ela atacou os livros, repetindo as passagens difíceis incontáveis vezes, em especial uma seção do *Basic Problems of Neurolinguistics* [Questões Básicas de Neurolinguística] sobre pessoas que haviam sofrido derrames ou apresentavam lesões que dificultavam a gramática, a lógica e a leitura das horas. Luria, nascido em 1902, chegou à maioridade na Rússia revolucionária. Tinha profundo interesse em psicanálise, correspondia-se com Freud e escreveu artigos sobre a técnica psicanalítica da "livre associação", em que os pacientes diziam tudo o que lhes passava pela cabeça.[1] Seu objetivo era desenvolver métodos objetivos para avaliar as ideias freudianas. Ainda na casa dos 20 anos, inventou o protótipo do detector de mentiras. Quando começou o Grande Expurgo da era Stalin, a psicanálise tornou-se *scientia non grata*, e Luria foi denunciado. Ele fez uma retratação pública, admitindo ter cometido alguns "erros ideológicos". Depois, saiu de cena e foi para a faculdade de medicina.

Mas não tinha rompido inteiramente com a psicanálise. Sem chamar a atenção para seu trabalho, ele integrou aspectos do método psicanalítico e da psicologia à neurologia, tornando-se o criador da neuropsicologia. Seus relatos de casos não se concentravam apenas nos sintomas, mas descreviam extensamente os pacientes. Como escreveu Oliver Sacks: "Os casos clínicos de Luria só podem ser comparados aos de Freud em precisão, vitalidade, riqueza e profundidade de detalhes." Um dos livros de Luria, *The Man with a Shattered World*, era um resumo e, ao mesmo tempo, um comentário do diário de um paciente com um problema muito peculiar.

No final de maio de 1943, o camarada Lyova Zazetsky, um homem que parecia um menino, entrou no gabinete de Luria no hospital de reabilitação em que este trabalhava. Zazetsky era um jovem tenente russo que tinha sido ferido na batalha de Smolensk, onde russos despreparados foram lançados contra a máquina de guerra invasora dos nazistas. Ele fora baleado na cabeça, o que lhe causou danos imensos e profundos no hemisfério cerebral esquerdo. Ficou em coma por um bom tempo. Quando despertou, apresentava sintomas muito estranhos. Os estilhaços tinham se alojado na região do cérebro associada à compreensão das relações entre símbolos. Ele não conseguia mais entender a lógica, nem as relações de causa e efeito, nem as relações espaciais. Não conseguia distinguir seu lado esquerdo do direito. Não entendia os elementos da gramática de tipo relacional. Preposições como "dentro", "fora", "antes", "depois", "com" e "sem" tinham perdido o significado para ele. Não compreendia uma palavra ou uma frase inteira, nem tinha uma lembrança completa porque precisaria relacionar símbolos para conseguir qualquer uma dessas coisas. Ele só conseguia apreender fragmentos fugazes. Mas seus lobos frontais — que lhe permitiam buscar o que é relevante, planejar, criar estratégias, formar intenções e persegui-las — foram poupados, possibilitando-lhe então reconhecer suas dificuldades e desejar superá-las. Embora não conseguisse ler, uma atividade essencialmente perceptiva, ele podia escrever, por se tratar de uma atividade intencional. Zazetshy começou um diário fragmentado intitulado *Continuarei lutando* que preencheu 3 mil páginas. "Fui morto em 2 de março de 1943", escreveu, "mas graças a um poder vital do meu organismo, continuei vivo por milagre."

Por 30 anos Luria o observou e refletiu sobre o modo como a lesão de Zazetsky afetava suas atividades mentais. Ele testemunhou a luta incansável de Zazetsky "para viver, não apenas existir".

Ao ler o diário de Zazetsky, Barbara pensou: "Ele está descrevendo a minha vida."

"Eu sabia o que significavam as palavras 'mãe' e 'filha', mas não a expressão 'filha da mãe'", escreveu Zazetsky. "As expressões 'filha da mãe' e 'mãe da filha' pareciam-me iguais. E tinha problemas com frases como 'Um elefante é maior do que uma mosca?' Só conseguia entender que uma mosca é pequena e um elefante é grande, mas não entendia as palavras 'maior' e 'menor'."

Enquanto assistia a um filme, Zazetsky escreveu "Antes de eu ter a chance de entender o que os atores estão dizendo, já começa uma cena nova."

Luria começou a compreender o problema. A bala de Zazetsky se alojara no hemisfério esquerdo, na junção de três importantes áreas da percepção: o lobo temporal (que normalmente processa o som e a linguagem), o lobo occipital (que normalmente processa os sinais visuais) e o lobo parietal (que normalmente processa as relações espaciais e integra as informações de diferentes sentidos). Nessa junção, os inputs sensoriais dessas três áreas são reunidos e associados. Embora Zazetsky pudesse perceber adequadamente, Luria notou que ele não conseguia relacionar suas diferentes percepções das partes das coisas a um todo. Mais importante, ele tinha grande dificuldade para relacionar vários símbolos entre si, como normalmente fazemos quando pensamos usando palavras. Assim, Zazetsky frequentemente falava disparates. Era como se ele não tivesse uma rede de tamanho suficiente para pegar e reter as palavras e seus significados; com frequência, ele não conseguia relacioná-las a seus significados ou definições. Restavam-lhes fragmentos. Ele escreveu: "Vivo numa névoa o tempo todo

(...). Em minha mente, só há lampejos de imagens (...) visões nebulosas que aparecem de repente e desaparecem com a mesma rapidez (...). Simplesmente não as compreendo nem lembro o que significam."

Pela primeira vez, Barbara entendia que seu principal deficit cerebral tinha endereço. Mas Luria não lhe deu a única coisa de que ela precisava: um tratamento. Quando ela percebeu quão debilitada era, viu-se ainda mais exausta e deprimida. Pensou que não conseguiria seguir adiante. Nas plataformas do metrô, ela procurava um lugar do qual pular para obter o impacto mais violento.

Foi a essa altura da sua vida, quando tinha 28 anos e ainda estava na pós-graduação, que um artigo chegou a sua mesa de trabalho. Mark Rosenzweig, da Universidade da Califórnia, em Berkeley, tinha estudado ratos em ambientes estimulantes e não estimulantes, e em exames *post mortem* descobriu que os cérebros dos ratos estimulados tinham mais neurotransmissores, eram mais pesados e tinham um suprimento de sangue melhor do que os dos ratos de ambientes menos estimulantes. Ele foi um dos primeiros cientistas a provar a neuroplasticidade, mostrando que a atividade podia produzir mudanças na estrutura do cérebro.

Para Barbara, aquilo caiu como um raio. Rosenzweig mostrara que o cérebro podia ser modificado. Embora muitos duvidassem disso, para ela significava que a compensação podia não ser a única resposta. Sua própria inovação seria relacionar as pesquisas de Rosenzweig e Luria.

Ela se isolou e começou a trabalhar à exaustão, semana após semana (com apenas breves intervalos para dormir), em exercícios mentais por ela mesma projetados, embora não tivesse garantias de que a levariam a algum lugar. Em vez de praticar a compensação, ela exercitava sua função mais enfraquecida: relacionar vários símbolos entre si. Um exercício envolvia ler centenas de cartões retratando mostradores de relógio com horas diferentes. Ela pediu a Joshua Cohen para escrever a hora correta no verso. Embaralhava os cartões para não memorizar as respostas. Virava um cartão, tentava dizer as horas, verificava a resposta, depois passava ao cartão seguinte com a maior rapidez que pudesse. Quando não conseguia ver a hora certa, ela passava horas com um relógio de verdade, virando seus ponteiros lentamente, tentando entender por que, às 2h45, o ponteiro das horas ficava a três quartos da distância entre os números 2 e 3.

Quando finalmente começou a ter respostas, Barbara acrescentou ponteiros de segundos e sexagésimos de segundo. Depois de muitas semanas exaustivas, ela não só conseguia ler as horas mais rápido do que as pessoas normais, mas percebeu melhorias em outras dificuldades que tinha de relacionar símbolos e, pela primeira vez, começou a compreender a gramática, a matemática e a lógica. Mais importante, Barbara podia entender o que as pessoas diziam enquanto elas falavam. Pela primeira vez na vida, ela começou a viver em tempo real.

Animada com seu sucesso inicial, ela projetou exercícios para suas outras incapacidades — dificuldades especiais, problemas para saber a posição dos membros e deficiências visuais. Ela as elevou a um nível mediano.

Barbara e Joshua Cohen se casaram e, em 1980, abriram a Arrowsmith School, em Toronto. Eles pesquisavam juntos, e Barbara continuou a desenvolver exercícios para o cérebro e a administrar a escola, diariamente. Por fim eles se separaram, e Joshua morreu em 2000.

Como tão poucos conheciam ou aceitavam a neuroplasticidade — ou acreditavam que o cérebro podia ser exercitado como se fosse um músculo —, dificilmente alguém compreendia o trabalho de Barbara. Alguns críticos diziam que ela fazia afirmações — de que as deficiências de aprendizado eram tratáveis — que não podiam ser fundamentadas. Mas longe de se deixar atormentar pelas dúvidas, ela continuou a elaborar exercícios para áreas e funções cerebrais mais comumente enfraquecidas nas deficiências de aprendizado. Naqueles anos antes da neuroimagem de alta tecnologia, ela se baseava no trabalho de Luria para entender quais áreas do cérebro comumente processavam funções mentais específicas. Luria tinha formado seu próprio mapa do cérebro ao trabalhar com pacientes como Zazetsky. Ele observava onde ocorrera o ferimento de um soldado e relacionava sua localização com as funções mentais perdidas. Barbara descobriu que os distúrbios de aprendizagem eram geralmente versões mais brandas dos deficits de pensamento vistos nos pacientes de Luria.

Os candidatos à Arrowsmith School — crianças e adultos — passavam por mais de 40 horas de avaliações para determinar precisamente quais funções cerebrais eram fracas e se podiam melhorar. Os alunos aceitos, muitos distraídos em escolas comuns, ficavam sentados em silêncio, trabalhando em seus computadores. Alguns, com o diagnóstico de deficit de atenção e distúrbios de aprendizagem, tomavam Ritalina quando entraram para a escola. À medida que seus exercícios progrediam, alguns puderam interromper a medicação, porque seus problemas de atenção eram secundários em relação aos distúrbios de aprendizado subjacentes.

Nessa escola, as crianças que, como Barbara, eram incapazes de ver as horas agora trabalhavam em exercícios no computador, decifrando em segundos complexos relógios com dez ponteiros (não só para os minutos, horas e segundos, mas também para outras divisões de tempo, como dias, meses e anos). Eles ficavam em silêncio, com uma concentração intensa, até que conseguiam respostas corretas suficientes para progredir para o nível seguinte; nesse momento gritavam "Isso!", e as telas dos computadores se iluminavam para parabenizá-los. Quando terminavam, podiam ler relógios muito mais complexos do que aqueles que qualquer pessoa "normal" pode ler.

Em outras mesas, as crianças estudavam letras dos alfabetos urdu e persa para fortalecer sua memória visual. As formas dessas letras são desconhecidas e estranhas, e o exercício mental requer que os alunos aprendam a conhecê-las rapidamente.

Outras crianças, como pequenos piratas, usavam tapa-olho no olho esquerdo e traçavam com cuidado complicadas linhas, rabiscos e caracteres chineses com canetas. O tapa-olho força o *input* visual para o olho direito e, por conseguinte, para o lado do cérebro onde eles têm problemas. Essas crianças não estão apenas aprendendo a escrever melhor. A maioria delas possui três problemas relacionados: dificuldades de falar de uma forma suave e fluente, de escrever de modo organizado e de ler. Barbara, seguindo Luria, acredita que as três dificuldades são causadas por uma fraqueza na função cerebral que normalmente nos ajuda a coordenar e concatenar vários movimentos quando realizamos essas tarefas.

Quando falamos, nosso cérebro converte uma sequência de símbolos — as letras e as palavras do pensamento — numa sequência de movimentos dos músculos da língua e dos lábios. Com base em Luria, Barbara acredita que a parte do cérebro que interliga esses movimentos é o córtex pré-motor esquerdo. Encaminhei à escola várias pessoas com uma deficiência nessa função cerebral. Um menino com este problema se sentia constantemente frustrado porque seus pensamentos eram mais rápidos do que sua capacidade de transformá-los em fala, e que, portanto, deixava de fora grandes partes de informação, tinha problemas para encontrar as palavras e divagava. Ele era muito sociável, mas não conseguia se expressar, e por isso ficava em silêncio a maior parte do tempo. Quando lhe faziam uma pergunta em aula, ele em geral sabia a resposta, mas levava um tempo terrivelmente longo para pronunciá-la. Assim, parecia muito menos inteligente do que era e começou a duvidar de si mesmo.

Quando escrevemos um pensamento, nosso cérebro converte as palavras — que são símbolos — em movimentos dos dedos e das mãos. O mesmo menino tinha uma caligrafia terrível porque sua capacidade para converter símbolos em movimentos ficava facilmente sobrecarregada. Por isso, ele precisava escrever com movimentos breves e separados em vez de movimentos longos e fluidos. Embora tivesse aprendido a escrita cursiva, preferia a de forma. (Entre adultos, as pessoas com esse problema podem ser identificadas porque preferem letras de forma ou a digitação. Quando usamos a letra de forma, fazemos cada letra separadamente, com apenas alguns movimentos da caneta, o que exige menos do cérebro. Na escrita cursiva, escrevemos várias letras de uma vez, e o cérebro deve processar movimentos mais complexos.) Escrever era especialmente doloroso para esse menino, uma vez que muitas vezes ele sabia as respostas certas nas provas, mas escrevia tão devagar que não conseguia colocá-las inteiramente no papel. Ou ele pensava em uma palavra, letra ou número, mas escrevia outra. Essas crianças em geral são acusadas de distraídas, mas, na verdade, seu cérebro sobrecarregado estimula os movimento errados.

Os estudantes com essa deficiência também têm problemas de leitura. Normalmente, quando lemos, o cérebro lê parte de uma frase, depois orienta os olhos para a direita da página a fim de apreender a parte seguinte, exigindo uma sequência contínua de movimentos precisos dos olhos.

A leitura do menino era muito lenta porque ele pulava palavras, confundia as linhas e em seguida perdia a concentração. Ler era uma atividade opressiva e exaustiva. Nas provas ele frequentemente interpretava mal a pergunta e, quando tentava conferir as respostas, pulava partes inteiras.

Na Arrowsmith School, os exercícios para o cérebro do menino envolviam traçar linhas complexas para estimular os neurônios da área premotora enfraquecida. Barbara descobrira que os exercícios de desenho melhoram as crianças em três grandes áreas — fala, escrita e leitura. Quando se formou, o menino lia melhor do que crianças no ensino fundamental e pela primeira vez podia ler por prazer. Ele falava mais espontaneamente com frases mais longas e mais completas, e sua caligrafia melhorou.

Na escola de Barbara, alguns alunos ouvem CDs e memorizam poemas para melhorar a memória auditiva fraca. Essas crianças muitas vezes se esquecem de instruções e são consideradas irresponsáveis ou preguiçosas, quando, na verdade, têm uma dificuldade mental. Enquanto a média das pessoas consegue se lembrar de sete itens sem relação (como um número de telefone de sete dígitos), elas só conseguem se lembrar de dois ou três. Algumas tomam notas compulsivamente para não esquecer. Em vários casos, elas não conseguem acompanhar a letra de uma música do início ao fim e ficam tão sobrecarregadas que desafinam. Algumas têm dificuldades para se lembrar não só da linguagem falada, mas até dos próprios pensamentos, porque o pensamento com palavras é lento. Este deficit pode ser tratado com exercícios de memorização mecânica.

Barbara também desenvolveu exercícios para o cérebro de crianças socialmente inaptas porque têm uma fraqueza na função cerebral que lhes permitiria ler sinais não verbais. Outros exercícios são para os que têm deficits no lobo frontal e são impulsivas, ou têm problemas para planejar e desenvolver estratégias, entender o que é relevante, traçar objetivos e se ater a eles. Elas em geral parecem desorganizadas, distraídas e incapazes de aprender com seus erros. Barbara acredita que muitas pessoas rotuladas de "histéricas" ou "antissociais" têm problemas nessa área cerebral.

Os exercícios cerebrais transformam a vida. Um pós-graduado americano me contou que, quando entrou para a escola de ensino médio, aos 13 anos, suas habilidades em matemática e leitura ainda eram da terceira série do ensino fundamental. Depois de testes neuropsicológicos na Universidade Tufts, disseram-lhe que ele jamais melhoraria. A mãe experimentou colocá-lo em dez escolas diferentes para alunos com deficiências de aprendizado, mas nenhuma ajudou. Depois de três anos na Arrowsmith, ele estava lendo e fazendo matemática no nível do ensino médio. Agora ele se formou na faculdade e trabalha com capital de risco. Outro aluno chegou à Arrowsmith aos 16 anos lendo como uma criança da primeira série. Seus pais, ambos professores, haviam tentado todas as técnicas de compensação padrão. Depois de 14 meses na Arrowsmith, ele já estava lendo no nível da sétima série.

Todos nós temos algumas funções cerebrais mais fracas, e as técnicas baseadas na neuroplasticidade têm um grande potencial para nos ajudar. Nossos pontos fracos podem ter um efeito profundo em nosso sucesso profissional, uma vez que muitas carreiras exigem o uso de múltiplas funções cerebrais. Barbara usou os exercícios cerebrais para resgatar um artista talentoso que tinha ótima capacidade de desenhar e notável sensibilidade para cores, mas fraca capacidade de reconhecer a forma dos objetos. (A capacidade de reconhecer formas depende de uma função cerebral muito diferente daquelas necessárias para desenhar ou enxergar cores; é a mesma habilidade que permite que algumas pessoas se superem em jogos como *Onde Está Wally?* Nisso, as mulheres em geral são melhores do que os homens, e é por isso que os homens parecem ter mais dificuldades para encontrar as coisas na geladeira.)

Barbara também ajudou um promissor advogado que se expressava mal nos tribunais devido a um deficit de pronúncia na área de Broca. Uma vez que o esforço mental adicional para apoiar uma área cerebral deficitária parece desviar recursos de áreas fortes, uma pessoa com distúrbios na área de

Broca também acha mais difícil pensar enquanto fala. Depois de praticar os exercícios cerebrais focalizados nessa área, o advogado decolou numa carreira de sucesso nos tribunais.

A abordagem seguida pela Arrowsmith School, e os exercícios mentais de modo geral, têm importantes implicações na educação. Sem dúvida muitas crianças se beneficiariam de uma avaliação neuropsicológica para identificar as funções enfraquecidas e de um programa para fortalecê-las — uma abordagem muito mais produtiva do que o ensino que simplesmente repete uma lição e leva a uma frustração interminável. Quando os "elos fracos da corrente" são fortalecidos, as pessoas ganham acesso a habilidades cujo desenvolvimento era bloqueado e se sentem enormemente libertadas. Um paciente meu, antes de fazer os exercícios cerebrais, tinha a sensação de que era muito inteligente, mas não conseguia fazer pleno uso de sua inteligência. Por um longo tempo pensei equivocadamente que os problemas dele se baseavam principalmente em conflitos psicológicos, como medo da competição, ou conflitos sepultados com relação a superar seus pais e irmãos. Esses conflitos existiam e o impediam de progredir. Mas passei a ver que seu conflito relativo à aprendizagem — seu desejo de evitá-lo — baseava-se principalmente em anos de frustração e em um medo muito legítimo de fracassar devido aos seus limites cerebrais. Depois que foi libertado dessas dificuldades pelos exercícios de Arrowsmith, sua paixão inata pela aprendizagem surgiu com força total.

A ironia desta nova descoberta é que por centenas de anos os educadores pareciam crer que o cérebro das crianças tinha de ser melhorado por meio de exercícios com dificuldade crescente, que fortaleciam as funções cerebrais. Por todo o século XIX e início do século XX, a educação clássica incluía memorização de longos poemas em línguas estrangeiras, o que fortalecia a memória auditiva (e, portanto, o pensamento com linguagem) e uma atenção quase fanática à caligrafia, que provavelmente ajudava a fortalecer as capacidades motoras e, portanto, não só ajudava na caligrafia, mas aumentava a velocidade e a fluência na leitura e na fala. Em geral, muita atenção era dada à perfeita dicção e ao aperfeiçoamento da pronúncia das palavras. Então, na década de 1960, os educadores abandonaram esses exercícios tradicionais, porque eram rígidos demais, tediosos e "irrelevantes". Mas a perda desses exercícios foi custosa; eles podem ter sido a única oportunidade que muitos estudantes tinham de exercitar sistematicamente a função cerebral que nos dá fluência e intimidade com os símbolos. Para o resto de nós, seu desaparecimento pode ter contribuído para o declínio geral da eloquência, que requer memória e um nível de capacidade auditiva desconhecido hoje em dia. Nos debates Lincoln-Douglas de 1858, os debatedores falavam confortavelmente por uma hora ou mais sem anotações, em parágrafos extensos que memorizavam; hoje, muitos dos mais instruídos, educados em nossas escolas de elite desde a década de 1960, preferem a onipresente apresentação em PowerPoint — a compensação definitiva para um córtex pré-motor enfraquecido.

O trabalho de Barbara Arrowsmith Young nos impele a imaginar quanto bem poderia ser feito se toda criança tivesse uma avaliação neuropsicológica e, se encontrados problemas, um programa sob medida fosse criado para fortalecer áreas essenciais nos primeiros anos de vida, quando a neuroplasticidade é maior. É muito melhor cortar os problemas pela raiz do que permitir que a criança implante em seu cérebro a ideia de que é "burra", que comece a odiar a escola e o aprendizado e pare de trabalhar a área enfraquecida, perdendo toda a força que possa ter. As crianças mais novas em geral progridem mais rapidamente com os exercícios do que os adolescentes, talvez porque o número de conexões entre neurônios, ou sinapses, seja 50% maior num cérebro imaturo do que no cérebro adulto.[2] Quando chegamos à adolescência, começa uma imensa operação de "poda" no cérebro, e, de repente, morrem as conexões sinápticas e os neurônios que não foram usados extensamente — um caso clássico do princípio "use ou perca". Provavelmente é melhor fortalecer áreas debilitadas enquanto todo esse patrimônio cortical extra ainda está disponível. Ainda assim, as avaliações neuropsicológicas podem ser úteis durante todo o período escolar e até na universidade, quando muitos alunos que se saíram bem no ensino médio fracassam porque suas funções cerebrais fracas são sobrecarregadas com um grau maior de exigência. Mesmo fora dessas crises, todo adulto poderia se beneficiar de uma avaliação neurocognitiva, um teste de aptidão cognitiva, para ajudá-lo a compreender melhor seu próprio cérebro.

Já se passaram anos desde que Mark Rosenzweig fez os experimentos com ratos que inspiraram Barbara e lhe mostraram que ambientes ricos em estímulos levam o cérebro a se desenvolver. Com o passar dos anos, os laboratórios de Rosenzweig e outros mostraram que a estimulação do cérebro faz com que ele se desenvolva de quase todas as maneiras concebíveis. Animais criados em ambientes estimulantes — cercados por outros animais, objetos para explorar, brinquedos para rolar, escadas para subir e rodas para correr — aprendem melhor do que aqueles geneticamente idênticos que foram criados em ambientes pobres em estímulos. A taxa de acetilcolina, uma substância cerebral essencial para a aprendizagem, é mais alta nos ratos treinados para resolver problemas espaciais difíceis do que naqueles treinados para resolver problemas mais simples.[3] O treinamento mental ou a vida em ambientes enriquecidos aumenta o peso do córtex cerebral de animais em 5%[4] e o das áreas estimuladas diretamente pelo treinamento em mais de 9%.[5] Neurônios treinados ou estimulados desenvolvem 25% mais ramificações[6] e aumentam seu tamanho,[7] o número de conexões por neurônio[8] e seu suprimento sanguíneo.[9] Essas mudanças podem ocorrer numa idade avançada, embora não se desenvolvam com a mesma rapidez em animais mais velhos comparativamente aos mais jovens.[10] Tais efeitos do treinamento e enriquecimento sobre a anatomia cerebral foram vistos em todas as espécies de animais testados até esta data.[11]

No caso das pessoas, exames *post mortem* mostraram que a educação aumenta o número de conexões interneuronais.[12] Um número maior de conexões aumenta a distância entre os neurônios, levando a um aumento no volume e na densidade do cérebro.[13] A ideia de que o cérebro se assemelha a um músculo que cresce com exercícios não é apenas uma metáfora.

Algumas coisas jamais podem ser corrigidas. Os diários de Lyova Zazetsky continuaram a ser, basicamente até o fim, uma série de pensamentos fragmentados. Aleksandr Luria, que entendeu o significado desses fragmentos, não pôde ajudá-lo. Mas a história de vida de Zazetsky possibilitou que Barbara Arrowsmith Young se curasse e agora cure outros.

Hoje, Barbara Arrowsmith Young é atenta e divertida, sem nenhum entrave perceptível em seus processos mentais. Segue de uma atividade para a outra, de uma criança à seguinte, uma mestra com muitas habilidades.

Ela mostrou que as crianças com deficiências de aprendizado podem ir além das compensações e corrigir o que está subjacente. Como todos os programas de exercícios mentais, o dela funciona melhor e mais rapidamente em pessoas que têm apenas algumas áreas de dificuldade. Mas por ter desenvolvido exercícios para tantas disfunções cerebrais, frequentemente ela é capaz de ajudar crianças com múltiplas deficiências de aprendizado — crianças semelhantes ao que ela foi, antes de melhorar seu cérebro.

3

Remodelando o Cérebro

Um cientista transforma o cérebro para aguçar a percepção e a memória, aumentar a velocidade do pensamento e curar dificuldades de aprendizado

Michael Merzenich é a força motriz por trás de uma série de inovações neuroplásticas e invenções práticas, e estou na estrada para Santa Rosa, na Califórnia, para encontrá-lo. Seu nome é o mais frequentemente elogiado por outros cientistas neuroplásticos. Ele é, de longe, o mais difícil de encontrar. Só fui capaz de marcar um encontro em São Francisco quando descobri que ele estaria em uma conferência no Texas, fui para lá e me sentei bem ao lado dele.

"Use *este* endereço de e-mail", disse ele.

"E se você não responder novamente?"

"Insista."

No último minuto, ele mudou nossa reunião para sua casa de veraneio em Santa Rosa.

Merzenich vale o esforço.

O neurocientista irlandês Ian Robertson o descreveu como "o maior pesquisador do mundo em plasticidade cerebral". A especialidade de Merzenich é melhorar a capacidade das pessoas de pensar e perceber, modelando o cérebro por meio do exercício de áreas de processamento específico (chamadas de mapas cerebrais), de modo que elas realizem um trabalho mental mais intenso. Talvez mais do que qualquer outro cientista, ele também mostrou com ricos detalhes científicos, *como* essas áreas de processamento se transformam.

É na sua casa, nas montanhas de Santa Rosa, que Merzenich descansa e se refaz. O ar, as árvores, os vinhedos parecem um pedaço da Toscana transplantado para a América do Norte. Passo a noite com ele e sua família e depois, pela manhã, vamos ao seu laboratório em São Francisco.

Aqueles que trabalham com ele o chamam de "Merz", que rima com "whirs" (zumbidos) e "stirs" (agitações). Enquanto ele dirige seu pequeno conversível rumo às reuniões — ele está sobrecarregado em grande parte da tarde —, seu cabelo grisalho voa ao vento, e ele me diz que muitas de suas lembranças mais nítidas, nesta segunda metade de sua vida — Merzenich tem 61 anos — são de conversas sobre ideias científicas. Ouço-o despejá-las no celular, com voz entrecortada. Enquanto passamos por uma das gloriosas pontes de São Francisco, ele paga um pedágio que não devia porque está envolvido demais com os conceitos que discutimos. Ele tem dezenas de colaboradores e experimentos acontecendo ao mesmo tempo e criou várias empresas. Descreve-se como "à beira da loucura". Ele não é louco, mas é uma mistura interessante de intensidade e informalidade. Nasceu em Lebanon, Oregon. Tem ascendência alemã e, embora seu nome seja teutônico e sua ética profissional inflexível, sua fala é da Costa Leste, tranquila e equilibrada.

Dentre os cientistas neuroplásticos com sólidas credenciais em ciência básica, foi Merzenich quem fez as alegações mais ambiciosas: os exercícios mentais podem ser tão úteis quanto as drogas no tratamento de doenças graves como a esquizofrenia; a plasticidade existe do berço ao túmulo; e é possível obter melhoras radicais no funcionamento cognitivo — como aprendemos, pensamos, percebemos e nos lembramos — mesmo nos idosos. Suas mais recentes patentes são de técnicas promissoras para que os adultos aprendam habilidades de linguagem sem esforço de memorização. Merzenich afirma que praticar uma nova habilidade, sob condições corretas, pode mudar centenas de milhões, e possivelmente bilhões, de conexões entre as células nervosas em nossos mapas cerebrais.[1]

Se você é cético em relação a essas alegações espetaculares, tenha em mente que elas vêm de um homem que já ajudou a curar alguns distúrbios que antigamente eram considerados intratáveis. No início de sua carreira, Merzenich desenvolveu, junto com sua equipe, o modelo mais comumente usado de implante coclear, que permite que crianças congenitamente surdas ouçam. Seu trabalho atual em plasticidade ajuda estudantes com distúrbios de aprendizagem a melhorar a cognição e a percepção. Essas técnicas — sua família de softwares baseados na plasticidade, o *Fast ForWord* — já ajudaram centenas de milhares de pessoas. O *Fast ForWord* se parece com um jogo para crianças. O incrível nele é a rapidez com que ocorre a mudança. Em alguns casos, pessoas que tiveram uma vida inteira de dificuldades cognitivas melhoram depois de apenas 30 ou 60 horas de tratamento. Inesperadamente, o programa também ajudou várias crianças autistas.

Merzenich alega que quando a aprendizagem ocorre de uma forma coerente com as leis que regem a plasticidade cerebral, a "maquinaria" mental do cérebro pode ser aprimorada, e assim aprendemos e percebemos com maior precisão, velocidade e retenção.

É evidente que quando aprendemos, aumentamos o nosso conhecimento. Mas a alegação de Merzenich é de que também podemos mudar a estrutura do cérebro e aumentar a capacidade de aprender. Ao contrário de um computador, o cérebro está em constante adaptação.

"O córtex cerebral", diz ele sobre a camada fina e mais externa do cérebro, "refina seletivamente suas capacidades de processamento para se adaptar a cada tarefa." Isto não é simplesmente aprender; sempre é "aprender a aprender".[2] O cérebro que Merzenich descreve não é um recipiente inanimado que preenchemos; na realidade, parece mais uma criatura viva dotada de apetite, uma criatura que pode crescer e se transformar com nutrição e exercícios adequados. Antes do trabalho de Merzenich, o cérebro era visto como uma máquina complexa, com limites inalteráveis de memória, velocidade de processamento e inteligência. Merzenich mostrou que cada um desses pressupostos estava errado.

No início, Merzenich não se esforçou para compreender como o cérebro se transforma. Só por acaso se deu conta de que o cérebro podia reorganizar seus mapas. E embora ele não tenha sido o primeiro cientista a demonstrar a neuroplasticidade, foi por causa dos experimentos que ele realizou no início de sua carreira que os neurocientistas passaram a aceitar a plasticidade do cérebro.

Para entender como os mapas cerebrais podem ser alterados, primeiro precisamos ter um quadro deles. Eles ficaram nítidos pela primeira vez em seres humanos graças ao neurocirurgião Wilder Penfield, do Instituto de Neurologia de Montreal, na década de 1930.[3] Para Penfield, "mapear" o cérebro de um paciente significava descobrir onde as diferentes partes do corpo eram representadas e suas atividades processadas no cérebro — um típico projeto localizacionista. Os localizacionistas haviam descoberto que o lobo frontal era a sede do sistema *motor* cerebral, que inicia e coordena os movimentos de nossos músculos. Os três lobos situados atrás do lobo frontal, ou seja, o temporal, o parietal e o occipital, compreendem o sistema *sensorial*, processando os sinais enviados ao cérebro por nossos receptores sensoriais — olhos, ouvidos, receptores de tato e assim por diante.

Penfield passou anos mapeando os sistemas sensorial e motor do cérebro enquanto realizava cirurgias cerebrais em pacientes com câncer e epilepsia, que podiam ficar conscientes durante a operação porque o cérebro não tem receptores para a dor. Os mapas sensorial e motor fazem parte do córtex cerebral, que fica na superfície do cérebro e também é facilmente acessível com uma sonda. Penfield descobriu que quando uma sonda elétrica tocava um mapa cerebral sensorial, disparava sensações que o paciente tinha no próprio corpo. A sonda elétrica ajudava-o a distinguir o tecido saudável, que queria preservar, dos tumores ou tecido patológico que precisavam ser removidos.

Normalmente, quando a mão de alguém é tocada, um sinal elétrico passa para a medula espinhal e sobe ao cérebro, onde ativa células no mapa que fazem a mão se sentir tocada. Penfield descobriu que também podia fazer o paciente sentir a mão sendo tocada ativando eletricamente a área da mão no mapa cerebral. Quando ele estimulava outra parte do mapa, o paciente podia sentir o braço sendo tocado ou o rosto. A cada vez que estimulava uma área, ele perguntava a seus pacientes o que sentiam, para se certificar de que não estava cortando tecido saudável. Depois de muitas cirurgias semelhantes, ele pôde mostrar onde estavam representadas todas as partes da superfície do corpo no mapa sensorial do cérebro.

Ele fez o mesmo com o mapa motor, a parte do cérebro que controla os movimentos. Tocando diferentes partes do mapa, pôde induzir movimentos em uma perna, um braço, no rosto ou em outros músculos do paciente.[4]

Uma das grandes descobertas de Penfield foi de que os mapas cerebrais sensorial e motor, como mapas geográficos, são topográficos, o que significa que áreas adjacentes na superfície do corpo costumam corresponder a áreas adjacentes nos mapas cerebrais. Ele também descobriu que quando tocava certas partes do cérebro, suscitava lembranças de infância há muito perdidas ou cenários oníricos — o que implicava que as atividades mentais superiores também eram mapeadas no cérebro.

Os mapas de Penfield influenciaram várias gerações de estudiosos.[5] Mas como os cientistas acreditavam que o cérebro não podia mudar, supuseram e ensinaram que os mapas eram fixos, imutáveis e universais[6] — idênticos em cada um de nós —, embora o próprio Penfield nunca tenha feito afirmações semelhantes.

Merzenich descobriu que esses mapas não eram nem imutáveis em um mesmo cérebro, nem universais, mas variavam em suas fronteiras e dimensões de uma pessoa para outra. Em uma série de experimentos brilhantes, ele mostrou que a forma de nossos mapas cerebrais muda de acordo com o que fazemos durante a vida. Mas para comprovar essa descoberta ele precisava de um instrumento muito mais refinado do que os eletrodos de Penfield, um instrumento que fosse capaz de detectar mudanças em apenas alguns neurônios de cada vez.

Enquanto era aluno de graduação na Universidade de Portland, Merzenich e um amigo usaram equipamento eletrônico de laboratório para revelar a tempestade de atividade elétrica nos neurônios de insetos. Estes experimentos chamaram a atenção de um professor que admirava o talento e a curiosidade de Merzenich, que foi então recomendado para a pós-graduação em Harvard e na Johns Hopkins. Aceito nas duas, Merzenich optou pela Hopkins para fazer o doutorado em fisiologia sob a orientação de um dos maiores neurocientistas da época, Vernon Mountcastle, que, na década de 1950, tinha demonstrado que era possível revelar as sutilezas da arquitetura cerebral estudando-se as atividades elétricas de neurônios mediante uma nova técnica: o micromapeamento com microeletrodos em formato de alfinete.

Os microeletrodos são tão pequenos e sensíveis que podem ser inseridos dentro ou do lado de um único neurônio e podem detectar quando neurônios *individuais* enviam um sinal elétrico a outros neurônios. O sinal do neurônio passa do microeletrodo a um amplificador e depois a uma tela de osciloscópio, onde aparece como um pico acentuado. Merzenich faria a maior parte de suas principais descobertas usando microeletrodos.

Essa importante invenção permitiu que os neurocientistas decodificassem a comunicação entre os neurônios, que no cérebro adulto são de aproximadamente 100 bilhões.[7] Usando grandes eletrodos, como fez Penfield, os cientistas podiam observar milhares de neurônios sendo ativados ao mesmo tempo. Com os microeletrodos, os cientistas podiam "ouvir" um ou vários neurônios de cada vez, enquanto se comunicavam com outros. O micromapeamento ainda é cerca de mil vezes mais preciso do que a atual geração de tomógrafos cerebrais, que detectam picos de atividade de um segundo em milhares de neurônios. Mas o sinal elétrico de um neurônio dura um milésimo de segundo, e por isso os exames de neuroimagem perdem uma quantidade extraordinária de informações.[8] Entretanto, o micromapeamento não substituiu a neuroimagem porque requer intervenções cirúrgicas extremamente demoradas realizadas com um microscópio e instrumentos microcirúrgicos.

Merzenich adotou prontamente essa tecnologia. Para mapear a área cerebral que processa a sensação tátil da mão, Merzenich removia o fragmento do crânio de um macaco, expondo uma faixa de 1 a 2 milímetros quadrados do córtex sensorial, depois inseria um microeletrodo ao lado de um neurônio sensorial. Em seguida, batia de leve na mão do macaco até tocar um ponto — digamos, a extremidade de um dedo — que induzisse o neurônio a enviar um sinal elétrico para o microeletrodo. Ele registrava a localização do neurônio que representava a ponta do dedo, estabelecendo o primeiro ponto do mapa. Depois retirava o microeletrodo, reinserindo-o em outro neurônio próximo, e batia de leve em diferentes partes da mão, até localizar a parte que ativasse esse neurônio. Merzenich fazia assim até ter mapeado toda a mão. Um único mapeamento podia exigir centenas de inserções e vários dias, e Merzenich e seus colegas fizeram milhares dessas cirurgias laboriosas para realizar suas descobertas.

Mais ou menos nessa época, foi feita uma descoberta crucial que afetaria para sempre o trabalho de Merzenich. Na década de 1960, quando Merzenich começava a usar os microeletrodos, dois outros cientistas, que também trabalhavam no Johns Hopkins, com Mountcastle, descobriram que o cérebro de animais muito jovens é plástico. David Hubel e Torsten Wiesel estavam micromapeando o córtex visual para saber como a visão é processada. Inseriram microeletrodos no córtex visual de filhotes de gato e descobriram que diferentes partes do córtex processavam as linhas, as orientações e os movimentos de objetos percebidos visualmente. Também descobriram que havia um "período crítico", da terceira à oitava semana de vida, em que o cérebro do gato recém-nascido *tinha de* receber estímulo visual para que se desenvolvesse normalmente. No experimento crucial, Hubel e Wiesel costuraram a pálpebra de um filhote durante esse período crítico, para que o olho não recebesse estímulo visual. Quando abriram o olho costurado, descobriram que as áreas visuais no mapa do cérebro, que normalmente processariam o *input* do olho fechado não tinham se desenvolvido, deixando o gatinho cego daquele olho pelo resto da vida. Claramente, durante o período crítico, o cérebro de filhotes de gato era plástico: sua estrutura literalmente se formava por meio da experiência.

Quando Hubel e Wiesel examinaram o mapa cerebral relativo ao olho cego, fizeram mais uma descoberta inesperada sobre a plasticidade. A parte do cérebro do gato que tinha sido privada de *input* do olho fechado não continuou ociosa. Começara a processar *input* visual do olho aberto, como se o cérebro não quisesse desperdiçar nenhum "terreno cortical" e tivesse encontrado uma maneira de se reprogramar — outra indicação de que o cérebro é plástico no período crítico. Por esse trabalho, Hubel e Wiesel receberam o prêmio Nobel. Entretanto, embora tivessem descoberto a plasticidade na primeira infância, eles permaneceram localizacionistas, defendendo a ideia de que o cérebro maduro é estruturado fisicamente no final da infância a fim de realizar funções em localizações fixas.

A descoberta do período crítico tornou-se uma das mais famosas no campo da biologia na segunda metade do século XX. Os cientistas logo mostraram que outros sistemas cerebrais exigiam estímulos ambientais para seu desenvolvimento. Também parecia que cada sistema neural tinha um período crítico diferente, ou janela de tempo, durante o qual ficava especialmente plástico e sensível ao ambiente e tinha um desenvolvimento rápido e formativo. O desenvolvimento da linguagem, por exemplo, tem um período crítico que começa na infância e termina entre os 8 anos e a puberdade. Encerrado esse período, a capacidade de uma pessoa de aprender uma segunda língua sem sotaque é limitada. Na realidade, outras línguas aprendidas depois do período crítico não são processadas na mesma parte do cérebro que processa a língua materna.[9]

A ideia de períodos críticos também deu sustentação à observação do etólogo Konrad Lorenz de que filhotes de ganso, se expostos à presença de um ser humano por um breve período de tempo, entre 15 horas e três dias depois do nascimento, formam vínculo com a pessoa — e não com a mãe — pela vida toda. Para provar isso, ele conseguiu que filhotes de ganso formassem vínculo com ele e o seguissem a toda parte. Ele chamou este processo de *imprinting*. Na verdade, a versão psicológica do período crítico remontava a Freud, que afirmou que passamos por fases de desenvolvimento que são breves janelas de tempo, durante as quais devemos ter determinadas experiências para sermos saudáveis; esses períodos são formativos, disse ele, e nos moldam pelo resto da vida.

A plasticidade do período crítico mudou a prática da medicina. Graças à descoberta de Hubel e Wiesel, crianças nascidas com catarata não mais enfrentavam a cegueira. Agora eram enviadas para cirurgia corretiva ainda bebês, durante o período crítico, para que o cérebro pudesse receber a luz necessária e formar as conexões fundamentais. Os microeletrodos mostraram que a plasticidade é um fato inquestionável da infância. E eles também mostraram que, como a infância, esse período de flexibilidade cerebral tem vida curta.

O primeiro vislumbre de Merzenich da plasticidade adulta foi acidental. Em 1968, depois de concluir seu doutorado, ele fez um pós-doutorado com Clinton Woolsey, pesquisador em Madison, no Wisconsin, e colega de Penfield. Woolsey pediu a Merzenich para supervisionar dois neurocirurgiões, Ron Paul e Herbert Goodman. Os três decidiram observar o que acontece no cérebro quando um dos nervos periféricos da mão é seccionado e então começa a se regenerar.

É importante compreender que o sistema nervoso é dividido em duas partes: a primeira é o sistema nervoso central (o cérebro e a medula espinhal), centro de comando e controle do sistema. Pensava-se que não tinha plasticidade. A segunda parte é o sistema nervoso periférico, que leva mensagens dos receptores sensoriais à medula espinhal e ao cérebro e transmite mensagens do cérebro e da medula aos músculos e glândulas. Sabia-se há muito tempo que o sistema nervoso periférico era plástico; se seccionarmos um nervo da mão, ele pode se "regenerar" ou se curar sozinho.

Cada neurônio tem três partes. Os *dendritos* são ramificações, como numa árvore, que recebem sinais de outros neurônios. Esses dendritos convergem ao *corpo celular*, que sustenta a vida da célula e contém seu DNA. Por fim o *axônio* é um fio vivo de comprimento variável (de extensões microscópicas no cérebro a 1,80 metro, no caso dos nervos que chegam às extremidades dos membros inferiores). Os axônios são geralmente comparados a fios porque conduzem impulsos elétricos a velocidades muito altas (de 3 a 300 quilômetros por hora) para os dendritos de neurônios adjacentes.

Um neurônio pode receber dois tipos de sinais: aqueles que o excitam e aqueles que o inibem. Se um neurônio recebe sinais *excitatórios* suficientes de outros neurônios, dispara o próprio sinal. Quando recebe sinais *inibitórios* suficientes, é menos provável que emita um sinal. Os axônios não tocam os dendritos vizinhos. São separados por um espaço microscópico chamado *sinapse*. Depois que um sinal elétrico chega ao terminal de um axônio, ele provoca na sinapse a liberação de um mensageiro químico, chamado de neurotransmissor. O mensageiro químico flutua até o dendrito do neurônio adjacente, excitando-o ou inibindo-o. Quando falamos que os neurônios se "reconectam", estamos dizendo que as alterações ocorrem na sinapse, fortalecendo e aumentando, ou enfraquecendo e diminuindo, o número de conexões entre os neurônios.

Merzenich, Paul e Goodman queriam investigar uma interação conhecida mas misteriosa entre os sistemas nervosos central e periférico. Quando um nervo periférico *grande* (que consiste em muitos axônios) é seccionado, às vezes os "fios ficam cruzados" no processo de regeneração. Quando os axônios se ligam novamente aos axônios do nervo errado, a pessoa pode sofrer uma "falsa localização", de modo que um toque no dedo indicador seja sentido no polegar. Os cientistas supuseram que a falsa localização ocorria porque o processo de regeneração "embaralhava" os nervos, mandando o sinal do indicador ao mapa cerebral do polegar.

Segundo o modelo que os cientistas tinham do cérebro e do sistema nervoso, cada ponto na superfície do corpo tinha um nervo que transmitia sinais diretamente a um ponto específico no mapa cerebral, anatomicamente estruturado ao nascimento. Assim, uma ramificação nervosa do polegar sempre transmitia seus sinais diretamente ao local no mapa cerebral sensorial para o polegar. Merzenich e seu grupo aceitavam este modelo "ponto a ponto" do mapa cerebral e inocentemente tentaram documentar o que acontecia *no cérebro* durante esse embaralhamento dos nervos.

Eles micromapearam a mão no cérebro de vários macacos adolescentes, depois seccionaram um nervo periférico da mão e de imediato suturaram os dois terminais cortados, mas sem que se tocassem, na esperança de que muitos filamentos axônicos no nervo se cruzassem enquanto o nervo se regenerasse. Depois de vários meses, remapearam o cérebro. Merzenich supunha que veriam um mapa cerebral caótico e muito perturbado. Assim, se os nervos do polegar e do indicador tivessem se cruzado, esperava-se que tocar o dedo indicador geraria atividade na área do mapa para o polegar. Mas ele não viu nada disso. O mapa era quase normal.

"O que vimos", disse Merzenich, "foi absolutamente assombroso. Eu não conseguia entender." Era *topograficamente* organizado, como se o cérebro tivesse desembaralhado os sinais dos nervos cruzados.

Aquela semana de revelação mudou a vida de Merzenich, que percebeu que ele e a neurociência dominante interpretaram de modo fundamentalmente errado o processo pelo qual o cérebro humano forma mapas para representar o corpo e o mundo. Se o mapa cerebral pode normalizar sua estrutura em reação a um *input* anormal, aquela visão dominante de que nascemos com um sistema *fisicamente estruturado* tinha de estar errada . O cérebro tinha de ser plástico.

Como o cérebro consegue fazer isso? Além disso, Merzenich também observou que se formavam novos mapas topográficos em lugares um tanto diferentes dos anteriores. A visão localizacionista, de que cada função mental sempre era processada no mesmo local no cérebro, também devia estar errada ou radicalmente incompleta. O que Merzenich deveria concluir?

Ele voltou à biblioteca para procurar por evidências que contradissessem o localizacionismo. Descobriu que, em 1912, Graham Brown e Charles Sherrington haviam mostrado que o estímulo de *um só ponto* do córtex motor podia levar um animal a dobrar a perna em uma ocasião e a esticá-la em outra.[10] Esse experimento, perdido na literatura científica, implicava que não havia relação ponto a ponto entre o mapa motor cerebral e um determinado movimento. Em 1923, Karl Lashley, usando equipamento muito mais grosseiro do que os microeletrodos, expôs o córtex motor de um macaco, estimulou-o em um determinado lugar e observou o movimento resultante. Depois suturou o macaco. Após algum tempo, repetiu o experimento, estimulando o macaco no mesmo local, e descobriu que o movimento resultante frequentemente mudava.[11] Como afirmou o grande historiador da psicologia de Harvard da época, Edwin G. Boring: "O mapeamento de um dia pode não ser mais válido no dia seguinte."

Os mapas eram dinâmicos.

Merzenich de imediato viu as implicações revolucionárias destes experimentos. Ele discutiu o experimento de Lashley com Vernon Mountcastle, um localizacionista que, segundo Merzenich me disse, "ficara incomodado com o experimento de Lashley. Por instinto, Mountcastle não queria acreditar na plasticidade. Queria que as coisas ficassem em seu lugar para sempre. E Mountcastle sabia que esse experimento representava um desafio importante ao modo como consideramos o cérebro. Mountcastle pensava que Lashley era exagerado e extravagante".

Os neurocientistas estavam dispostos a aceitar a descoberta de Hubel e Wiesel relativa à plasticidade na primeira infância porque admitiam que o cérebro do bebê estava no meio do desenvolvimento. Mas rejeitavam a descoberta de Merzenich de que a plasticidade continua na idade adulta.

Merzenich se recosta com uma expressão quase pesarosa e lembra: "Eu tinha todos os motivos para querer acreditar que o cérebro não era plástico, mas eles caíram por terra em uma semana."

Merzenich precisava agora encontrar seus mentores entre os fantasmas de cientistas mortos, como Sherrington e Lashley. Ele escreveu um artigo sobre o experimento do nervo embaralhado e argumentou, na seção de discussão de várias páginas, que o cérebro adulto é plástico — embora não tenha usado essa palavra.

Mas a discussão não foi publicada. Clinton Woolsey, seu supervisor, riscou-a com um grande X, dizendo que era demasiado conjectural e que Merzenich estava extrapolando os dados. Quando o artigo foi publicado, nenhuma menção foi feita à plasticidade, e só uma ênfase mínima foi dada à explicação da nova organização topográfica.[12] A objeção obrigou Merzenich a recuar, pelo menos no papel. Afinal, ele ainda era um aluno de pós-doutorado, que trabalhava no laboratório de outro pesquisador.

Mas ele ficou irritado, e sua mente fervilhava. Começava a pensar que a plasticidade podia ser uma propriedade básica do cérebro, que tinha evoluído para dar ao homem um instrumento muito competitivo e que isso seria "algo fabuloso".

Em 1971, Merzenich tornou-se professor da Universidade da Califórnia em São Francisco, no departamento de otolaringologia e fisiologia, que fazia pesquisa sobre doenças do ouvido. Agora que era o chefe, começou uma série de experimentos que provariam sem nenhuma dúvida a existência da plasticidade. Como a área ainda era muito controversa, ele fez os experimentos de plasticidade sob o disfarce de uma pesquisa mais aceitável. Assim, passou o início da década de 1970 mapeando o córtex auditivo de diferentes espécies de animais e ajudou outros cientistas a inventar e aperfeiçoar o implante coclear.

A cóclea é o microfone dentro de nossos ouvidos. Fica ao lado do aparelho vestibular, que lida com o senso de equilíbrio, e estava danificado em Cheryl, a paciente de Bach-y-Rita. Quando o mundo produz som, diferentes frequências fazem vibrar diferentes células ciliadas dentro da cóclea. Existem milhares dessas células, que convertem o som em padrões de sinais elétricos que viajam pelo nervo auditivo até o córtex auditivo. Os micromapeadores descobriram que as frequências de som no córtex auditivo são mapeadas "tonotipicamente", isto é, são organizadas como as teclas de um piano: as frequências de som mais baixas ficam numa extremidade, as mais altas, na outra.

Um implante coclear não é um aparelho auditivo. Um aparelho auditivo amplia o som para os que têm perda parcial de audição, devido ao funcionamento parcial da cóclea, que funciona bem o bastante para detectar alguns sons. Os implantes cocleares são indicados para os que são surdos devido a um dano severo na cóclea. O implante substitui a cóclea, transformando os sons da fala em séries de impulsos elétricos que são enviados ao cérebro. Como Merzenich e seus colegas não podiam ter esperanças de igualar a complexidade de um órgão natural com 3 mil células ciliadas, a questão era: poderia o cérebro, que evoluiu para decodificar sinais complexos vindo de tantas células ciliadas, decodificar impulsos de um dispositivo muito mais simples? Se pudesse, isso significaria que o córtex auditivo era plástico, capaz de se modificar e reagir a *inputs* artificiais. O implante consiste em um receptor de som, um conversor que traduz o som em impulsos elétricos e um eletrodo inserido por cirurgiões nos nervos que vão do ouvido ao cérebro.

Em meados da década de 1960, alguns cientistas eram hostis à ideia de implantes cocleares. Alguns disseram que o projeto era impossível. Outros argumentaram que os pacientes surdos correriam o risco de sofrer outros danos. Apesar dos riscos, alguns pacientes se apresentaram voluntariamente para receber os implantes. De início alguns só ouviam ruído; outros, apenas alguns tons, silvos e sons intermitentes.

A contribuição de Merzenich consistiu em usar o que ele aprendeu com o mapeamento do córtex auditivo para determinar o tipo de *input* que os pacientes precisavam, para que fossem capazes de decodificar a fala e onde implantar o eletrodo.[13] Ele trabalhou com engenheiros de comunicação no projeto de um dispositivo que pudesse transmitir a fala complexa por um pequeno número de canais de banda larga e que a mantivesse inteligível. Eles desenvolveram um implante coclear multicanal altamente preciso que permitia que os surdos ouvissem, e o projeto tornou-se a base para um dos dois principais dispositivos de implante coclear disponíveis atualmente.

É claro que o que Merzenich mais queria era investigar diretamente a plasticidade. Por fim, ele decidiu fazer um experimento simples e radical em que interromperia todo o *input* sensorial a um mapa cerebral e observaria como o cérebro reagiria. Ele procurou o amigo e colega neurocientista Jon Kaas, da Universidade Vanderbilt, em Nashville, que trabalhava com macacos adultos. A mão de um macaco, como a humana, tem três nervos principais: o radial, o mediano e o ulnar. O nervo *mediano* transporta a sensação principalmente do *meio* da mão, os outros dois, as sensações de cada lado da mão. Merzenich seccionou o nervo mediano de um dos macacos para ver como o mapa cerebral do nervo mediano reagiria quando *todo* o *input* fosse interrompido. Ele voltou a São Francisco e esperou.

Dois meses depois, voltou a Nashville. Quando mapeou o cérebro do macaco, ele viu, como esperava, que a porção do mapa cerebral que serve ao nervo mediano não mostrava atividade quando ele tocava a parte central da mão. Mas Merzenich ficou chocado com outra coisa.

Quando tocava as partes *externas* da mão do macaco — as áreas que mandam seus sinais pelos nervos radial e ulnar —, o mapa do nervo mediano se ativava! Os mapas cerebrais dos nervos radial e ulnar quase dobraram de tamanho e *invadiram* o espaço que antes era o do nervo mediano. E esses novos mapas eram topográficos. Desta vez, ele e Kaas, anotando os resultados, chamaram as mudanças de "espetaculares" e usaram a palavra "plasticidade" para explicar a alteração, embora a tenham colocado entre aspas.[14]

O experimento demonstrou que se o nervo mediano fosse seccionado, outros nervos, ainda transbordando de *input* elétrico, assumiriam o espaço do mapa não utilizado para processar seus *inputs*. Quando se trata de alocar a capacidade de processamento cerebral, os mapas cerebrais são regidos pela competição por recursos preciosos, seguindo o princípio *use ou perca*

A natureza competitiva da plasticidade afeta a todos nós. Há uma interminável guerra de nervos acontecendo dentro do cérebro de cada um. Se pararmos de exercitar nossas habilidades mentais, não só nos esquecemos delas: o espaço no mapa cerebral para essas habilidades é entregue às habilidades que praticamos. Se você se perguntar, "com que frequência devo praticar francês, ou violão, ou matemática para me manter afiado?", você estará fazendo uma pergunta sobre a plasticidade competitiva. Estará perguntando com que frequência deve praticar uma atividade para se assegurar de que o espaço no mapa cerebral não seja perdido para outro.

A plasticidade competitiva em adultos explica até mesmo algumas de nossas limitações. Pense na dificuldade que a maioria dos adultos tem de aprender um segundo idioma. Atualmente, a visão convencional é de que a dificuldade existe porque terminou o período crítico para a aprendizagem de idiomas, deixando-nos com um cérebro *rígido* demais para mudar sua estrutura em larga escala. Mas a descoberta da plasticidade competitiva sugere que é mais do que isso. À medida que envelhecemos, mais usamos nossa língua materna e mais ela passa a dominar nosso mapa linguístico. É também por nosso cérebro ser *plástico* — e a plasticidade, competitiva — que é tão difícil aprender um novo idioma e dar um fim à tirania da língua materna.

Mas por que, se isto for verdade, é mais fácil aprender um segundo idioma quando somos jovens? Não há competição nessa época também? Na verdade, não. Se dois idiomas são aprendidos ao mesmo tempo, durante o período crítico, os dois se consolidam. Os estudos de neuroimagem, segundo Merzenich, mostram que numa criança bilíngue todos os sons relativos aos dois idioma dividem um único mapa grande, uma biblioteca cerebral de sons relativos aos dois idiomas.

A plasticidade competitiva também explica por que é tão difícil romper ou "desaprender" nossos maus hábitos. A maioria de nós acha que o cérebro é um recipiente e que aprender é colocar alguma coisa nele. Quando tentamos romper um hábito ruim, pensamos que a solução é colocar alguma coisa nova no recipiente. Mas quando aprendemos um hábito ruim, ele assume um mapa do cérebro e, a cada vez que o repetimos, ele reivindica mais controle do mapa e impede que os "bons" hábitos façam uso desse mapa. É por isso que "desaprender" costuma ser muito mais difícil do que aprender, e por isso a educação no início da infância é tão importante — é melhor acertar cedo, antes que o "hábito ruim" consiga uma vantagem competitiva.

O experimento seguinte de Merzenich, engenhosamente simples, tornou a plasticidade famosa entre os neurocientistas e afinal fez mais para conquistar os céticos do que qualquer experimento com plasticidade antes ou depois dele.

Ele mapeou no cérebro a mão de um macaco. Depois amputou o dedo médio do animal.[15] Depois de vários meses, remapeou a mão e descobriu que o mapa cerebral do dedo amputado tinha desaparecido e que os mapas dos dedos adjacentes tinham se expandido para o espaço original do mapa do dedo médio. Aqui estava a demonstração mais clara possível de que os mapas cerebrais são dinâmicos, que há uma competição por áreas corticais e que os recursos do cérebro são alocados segundo o princípio *use ou perca*.

Merzenich também percebeu que animais de determinadas espécies podem ter mapas semelhantes, mas *nunca* idênticos. O micromapeamento lhe permitiu ver diferenças que Penfield não pôde, usando eletrodos maiores. Ele também descobriu que os mapas de partes normais do corpo mudam de algumas em algumas semanas. Cada vez que ele mapeava o rosto de um macaco normal, os resultados eram, inequivocamente, diferentes. A plasticidade não exige que se cortem nervos ou façam amputações. A plasticidade é um fenômeno normal, e os mapas cerebrais estão em constante transformação. Quando publicou os resultados desse novo experimento, Merzenich finalmente tirou as aspas da palavra "plasticidade". No entanto, apesar da elegância do experimento, a oposição às ideias de Merzenich não desapareceu da noite para o dia.

Ele ri quando conta isso. "Deixe-me dizer o que aconteceu quando comecei a declarar que o cérebro era plástico. Recebi um tratamento hostil. Não sei de que outra maneira colocar isso. Nas resenhas, as pessoas diziam coisas como: 'Isso seria muito interessante se pudesse ser verdade, mas não pode ser.' Era como se eu tivesse inventado tudo".

Como Merzenich argumentava que os mapas cerebrais podiam alterar suas fronteiras e localizações, bem como mudar suas funções na idade adulta, os localizacionistas se opunham a ele. "Quase todo mundo que eu conheço na corrente principal da neurociência", diz ele, "pensava que meus experimentos eram *meio* sérios — que eles eram malfeitos e que os efeitos descritos eram incertos. Mas, na verdade, tais experimentos foram repetidos o suficiente para que eu percebesse que a posição da maioria dos meus opositores era arrogante e indefensável."

Uma das maiores personalidades a verbalizar suas dúvidas foi Torsten Wiesel. Apesar do fato de ter mostrado que a plasticidade existe no período crítico, Wiesel ainda se opunha à ideia de sua existência em adultos e escreveu que ele e Hubel "acreditavam firmemente que depois que as conexões corticais eram estabelecidas em sua forma madura, elas assim permaneciam". Ele conquistara o prêmio Nobel por estabelecer onde ocorre o processamento visual, uma descoberta considerada um dos maiores triunfos do localizacionismo. Wiesel admite agora a plasticidade adulta e reconheceu elegantemente em artigo que, por um bom tempo, ele esteve errado e que os experimentos pioneiros de Merzenich o levaram, assim como seus colegas, a mudar de ideia.[16] Até os localizacionistas mais ferrenhos percebiam quando um homem da estatura de Wiesel mudava de ideia.

"A coisa mais frustrante", diz Merzenich, "era que eu via que a neuroplasticidade tinha todo tipo de implicações potenciais para a terapêutica médica — para a interpretação da neuropatologia e psiquiatria humanas, mas ninguém ligava para isso."[17]

Como a mudança plástica é um processo, Merzenich sabia que só seria capaz de entendê-la se pudesse observá-la se desenrolando no cérebro no decorrer do tempo. Ele seccionou o nervo mediano de um macaco e fez múltiplos mapeamentos ao longo de vários meses.[18]

O primeiro mapeamento, imediatamente depois de seccionado o nervo, mostrava, como ele esperava, que o mapa cerebral do nervo mediano continuava completamente silencioso quando o meio da mão era tocado. Mas quando ele tocava a parte da mão servida pelos nervos externos, a parte antes silenciosa no mapa se ativava de imediato. Os mapas dos nervos externos, os nervos radial e ulnar, agora apareciam no mapa do nervo mediano. Esses mapas brotaram tão rapidamente que era como se estivessem escondidos ali o tempo todo, desde o início do desenvolvimento, e agora fossem "desmascarados".[19]

No vigésimo segundo dia, Merzenich voltou a mapear o cérebro do macaco. Os mapas radial e ulnar, mal definidos quando apareceram pela primeira vez, haviam se tornado mais refinados e detalhados e ocupavam agora quase todo o mapa do nervo mediano.[20] (Um mapa primitivo não tem detalhes; um mapa refinado tem muitos e assim transmite mais informações.)

No 144º dia, todo o mapa era tão perfeitamente detalhado como um mapa normal.

Ao realizar mapeamentos múltiplos ao longo do tempo, Merzenich observou que os novos mapas alteravam suas fronteiras, tornando-se mais detalhados, e ainda se deslocavam no cérebro. Em um caso, ele chegou a ver um mapa desaparecer completamente, como Atlântida.

Parecia razoável supor que, se mapas inteiramente novos estavam se formando, deviam estar se formando novas conexões entre os neurônios. Para tentar compreender esse processo, Merzenich invocou as ideias do canadense Donald O. Hebb, psicólogo comportamental que tinha trabalhado com Penfield. Em 1949, Hebb propôs que a aprendizagem criava novas ligações entre neurônios.[21] Propôs que quando dois neurônios se ativam ao mesmo tempo e repetidamente (ou quando um se ativa, ele leva o outro a se ativar), ocorrem mudanças químicas em ambos, de modo que os dois tendem a se conectar mais fortemente. O conceito de Hebb — aliás, proposto por Freud 60 anos antes — foi bem resumido pela neurocientista Carla Shatz: *Neurônios que disparam juntos se ligam entre si.*[22]

A teoria de Hebb argumentava, portanto, que a estrutura neuronal pode ser alterada pela experiência. Seguindo Hebb, a nova teoria de Merzenich era de que os neurônios dos mapas cerebrais desenvolvem fortes conexões com outros quando são ativados no mesmo momento.[23] E se os mapas podiam mudar, pensou Merzenich, havia motivos para esperar que as pessoas nascidas com problemas nas áreas de processamento do mapa cerebral — pessoas com problemas de aprendizado, psicológicos, derrames ou lesões no cérebro — pudessem formar novos mapas, se ele as ajudasse a formar novas conexões nervosas, conseguindo que seus neurônios saudáveis se ativassem simultaneamente e ligassem entre si.

A partir do final da década de 1980, Merzenich projetou ou participou de estudos brilhantes para testar se os mapas cerebrais tinham uma base temporal e se suas fronteiras e seu funcionamento podiam ser manipulados "jogando-se" com a sincronização dos *inputs* sensoriais.

Em um experimento engenhoso, Merzenich mapeou a mão de um macaco normal, depois costurou dois dedos dessa mão para que se movessem como um só.[24] Depois de vários meses permitindo que o macaco usasse os dedos costurados, a mão foi remapeada. Os dois mapas, originalmente separados, agora se fundiam em um único mapa. Se os pesquisadores tocassem em qualquer ponto de um dos dedos, o novo mapa único se ativava. Como todos os movimentos e sensações naqueles dedos sempre ocorreram simultaneamente, eles formaram um mesmo mapa. O experimento mostrou que a sincronização dos *inputs* sensoriais era a chave para o desenvolvimento do mapa — neurônios que disparavam juntos ao longo do tempo se ligavam entre si para formar um único mapa.

Outros cientistas testaram as descobertas de Merzenich em seres humanos. Algumas pessoas nascem com os dedos fundidos, um problema chamado sindactilia, ou "síndrome dos dedos palmados". Quando duas dessas pessoas foram mapeadas, a tomografia do cérebro revelou que cada uma delas tinha um grande mapa para os dedos fundidos em vez de dois mapas separados.[25]

Depois que os cirurgiões separaram os dedos palmados, o cérebro dos pacientes foi remapeado e surgiram dois mapas distintos para os dois dedos separados. Como os dedos podiam se mexer de forma independente, os neurônios não se ativavam mais simultaneamente, ilustrando outro princípio da plasticidade: se você separar os sinais neuronais simultâneos, criará mapas cerebrais separados. Em neurociência, essa descoberta agora é assim resumida: *Neurônios que disparam separadamente não se ligam* — ou *neurônios não sincronizados não se conectam.*

No experimento sucessivo, Merzenich criou um mapa para o que pode ser chamado de dedo "fantasma", disposto perpendicularmente aos outros dedos.[26] A equipe estimulou simultaneamente a ponta dos cinco dedos de um macaco, 500 vezes por dia durante um mês, impedindo que o macaco usasse um dedo de cada vez. Logo o mapa cerebral do macaco tinha um novo mapa do dedo, com forma alongada, no qual a ponta dos cinco dedos se fundia. Este novo mapa, perpendicular aos dos outros dedos, incluía todas as pontas dos dedos, em vez de compor parte dos mapas dos dedos individuais, que tinham começado a se fundir por falta de uso.

No último e mais brilhante experimento, Merzenich e sua equipe provaram que os mapas não podem ter uma base anatômica.[27] Eles retiraram um pequeno pedaço da pele de um dedo e — esta é a questão-chave —, com o nervo para seu mapa cerebral ainda conectado, enxertaram cirurgicamente a pele em um dedo adjacente. Agora o pedaço de pele e seu nervo eram estimulados sempre que o dedo ao qual fora ligado era mexido ou tocado durante as atividades cotidianas. Segundo o modelo de estrutura anatômica, os sinais *ainda* deviam ter sido enviados da pele pelo próprio nervo ao mapa cerebral do dedo original. Em vez disso, quando a equipe estimulou o pedaço de pele, foi o mapa desse *novo* dedo que respondeu. O mapa do pedaço de pele migrou do mapa cerebral do dedo original para o novo, porque o pedaço de pele e o novo dedo eram estimulados simultaneamente.

Em poucos anos Merzenich tinha descoberto que o cérebro adulto é plástico, convencera os cientistas céticos dessa realidade e havia mostrado que a experiência modifica o cérebro. Mas ele ainda não tinha explicado um enigma crucial: como os mapas se organizam e se tornam topográficos, funcionando de uma forma que nos seja útil?

Quando afirmamos que um mapa cerebral é topograficamente organizado, queremos dizer que o mapa é ordenado como o próprio corpo. Por exemplo, nosso dedo médio fica entre o indicador e o anular. O mesmo é válido para o mapa cerebral: o mapa do dedo médio fica entre o mapa do indicador e o do dedo anular. A organização topográfica é eficiente porque graças a ela partes do cérebro que costumam trabalhar juntas ficam vizinhas no mapa cerebral, e assim os sinais não têm de viajar muito no cérebro.

A questão para Merzenich era: como essa ordem topográfica surge no mapa cerebral?[28] A resposta a que ele e sua equipe chegaram foi engenhosa. Uma ordem topográfica surge porque muitas de nossas atividades diárias envolvem sequências repetidas numa ordem fixa.[29] Quando pegamos um objeto do tamanho de uma maçã ou de uma bola de beisebol, normalmente o seguramos primeiro com nosso polegar e nosso indicador, depois passamos os outros dedos em volta dele, um por um. Como o polegar e o indicador em geral tocam o objeto quase ao mesmo tempo, mandando seus sinais para o cérebro quase simultaneamente, o mapa do polegar e do indicador tendem a se formar próximos no cérebro. (Neurônios que disparam simultaneamente se ligam entre si). Continuando a envolver o objeto com a mão, nosso dedo médio será o próximo a tocá-lo, e assim seu mapa cerebral tenderá a ficar ao lado do mapa do indicador e mais distante do mapa do polegar. Como esta sequência é repetida milhares de vezes — polegar, indicador e dedo médio —, ela leva a um mapa cerebral no qual o mapa do polegar fica ao lado do mapa do indicador, que fica ao lado do mapa do dedo médio e assim por diante. Os sinais que tendem a chegar separados no tempo, como os do polegar e os do dedo mínimo, têm mapas cerebrais mais distantes, porque os neurônios que se ativam separadamente não se ligam.

Muitos dos mapas cerebrais, se não todos, trabalham agrupando especialmente eventos que acontecem simultaneamente. Como vimos, o mapa auditivo é organizado como um piano, com regiões do mapa para notas graves em uma extremidade e para notas agudas na outra. Por que isso é tão ordenado? Porque as frequências sonoras mais baixas tendem a vir juntas na natureza. Quando ouvimos uma pessoa de voz grave, a maior parte das frequências é baixa, e assim elas são agrupadas.

A chegada de Bill Jenkins ao laboratório de Merzenich inaugurou uma nova fase de pesquisa que ajudaria Merzenich a desenvolver aplicações práticas para suas descobertas. Jenkins, formado em psicologia comportamental, estava especialmente interessado em compreender como aprendemos. Eles sugeriu que eles ensinassem novas habilidades a animais, para observar como a aprendizagem afeta os neurônios e os mapas cerebrais.

Em um experimento básico, eles mapearam o córtex sensorial de um macaco. Depois o treinaram a tocar um disco giratório com a ponta de um dedo, com a quantidade exata de pressão por dez segundos, para conseguir como recompensa uma bolinha de banana. Isso exigia que o macaco prestasse atenção, aprendendo a tocar o disco muito de leve e avaliar o tempo com precisão. Depois de milhares de tentativas, Merzenich e Jenkins remapearam o cérebro do macaco e viram que a área que mapeava a ponta do dedo tinha aumentado à medida que o macaco aprendia a tocar o disco com a pressão correta.[30] O experimento mostrou que o cérebro reage plasticamente quando um animal é motivado a aprender.

O experimento também mostrou que à medida que os mapas cerebrais aumentam, os neurônios individuais tornam-se mais eficientes. Isso acontece em duas fases. Na primeira, enquanto o macaco é treinado, o mapa da ponta do dedo cresce e ocupa mais espaço. Mas depois de um tempo, os neurônios individuais dentro do mapa tornam-se mais eficientes, e por fim são necessários menos neurônios para realizar a tarefa.

Quando aprende a tocar escalas de piano, uma criança tende a usar toda a parte superior do corpo — pulso, braço, ombro — para tocar cada nota. Até os músculos faciais se contraem numa careta. Com a prática, o pianista em formação para de usar músculos irrelevantes e logo usa apenas o dedo correto para tocar a nota. Ele desenvolve um "toque mais leve" e, se ele se tornar habilidoso, desenvolve "graça" e relaxa quando toca. Isso porque a criança deixou de usar um número imenso de neurônios e passou a usar apenas alguns de maneira adequada, equivalente à tarefa. Esse uso mais eficiente de neurônios ocorre sempre que nos tornamos proficientes em uma habilidade e explica por que não estouramos o espaço do mapa quando praticamos ou acrescentamos habilidades a nosso repertório.

Merzenich e Jenkins também mostraram que os neurônios individuais ficam mais seletivos com o treinamento. Cada neurônio em um mapa cerebral para o tato tem um "campo receptivo", um segmento na superfície da pele que "se refere" a ele. Enquanto os macacos eram treinados para tocar o disco, os campos receptivos de neurônios individuais diminuíram, ativando-se apenas quando pequenas partes da ponta do dedo tocavam o disco. Assim, apesar do aumento no tamanho do mapa cerebral, cada neurônio no mapa se tornou responsável por uma parte menor da superfície da pele, permitindo ao animal uma discriminação tátil mais refinada. No geral, o mapa se tornou mais preciso.

Merzenich e Jenkins também descobriram que os neurônios podem processar dados *mais rapidamente* à medida que são treinados e se tornam mais eficientes. Isso significa que a própria velocidade do nosso pensamento é plástica. Essa velocidade é essencial para nossa sobrevivência. Os eventos costumam acontecer rapidamente e, se o cérebro for lento, ele pode perder informações importantes. Em um experimento, Merzenich e Jenkins conseguiram que macacos treinados distinguissem sons em intervalos de tempo cada vez mais curtos. Os neurônios treinados disparavam mais rapidamente em resposta aos sons,[31] processando-os em um tempo mais curto, precisando de menos tempo para "descansar" entre os estímulos. Neurônios mais rápidos acabam por levar a um pensamento mais rápido. Isso não é pouca coisa, porque a velocidade de pensamento é um componente essencial da inteligência. Os testes de QI, assim como a vida, medem não só se você pode responder corretamente, mas quanto tempo leva para fazê-lo.

Eles também descobriram que ao treinarem um animal em uma habilidade, não só faziam seus neurônios se ativarem mais rapidamente, mas, por serem mais rápidos, seus sinais se tornavam mais claros. Neurônios mais rápidos têm uma probabilidade maior de se ativar em sincronia com os outros — tornando-se uma equipe melhor —, ligam-se mais entre si e formam grupos que liberam sinais mais claros e mais poderosos. Isso é fundamental, porque um sinal poderoso tem maior impacto sobre o cérebro. Quando queremos nos lembrar de alguma coisa que ouvimos, devemos ouvi-la claramente, porque uma lembrança só pode ter o nível de clareza de seu sinal original.

Por fim, Merzenich descobriu que prestar bastante atenção é essencial para a mudança plástica de longo prazo.[32] Em vários experimentos, ele descobriu que *só* ocorriam mudanças duradouras quando os macacos prestavam muita atenção. Quando realizavam as tarefas automaticamente, sem prestar atenção, os animais mudavam seus mapas cerebrais, mas as mudanças não eram duradouras. Elogiamos frequentemente a "capacidade multitarefa". Embora você possa aprender quando divide sua atenção, a atenção dividida não leva a mudanças permanentes em seus mapas cerebrais.

Quando Merzenich era criança, uma prima da mãe, professora do ensino fundamental no Wisconsin, foi eleita professora do ano nos Estados Unidos. Depois da cerimônia na Casa Branca, ela visitou a família Merzenich no Oregon.

"Minha mãe", recorda ele, "fez a típica pergunta tola de uma conversa: 'Quais são os princípios mais importantes no ensino?' E a prima respondeu: 'Bem, você testa as crianças quando elas chegam à escola e deduz se valem o esforço. E se valerem, você realmente dá atenção a elas e não perde tempo com as que não valem.' Foi o que ela disse. E sabe de uma coisa, de uma maneira ou de outra, isso refletia como as pessoas tratavam as crianças que eram diferentes, para sempre. É igualmente destrutivo imaginar que os recursos neurológicos são permanentes e não podem ser substancialmente melhorados e alterados."

Merzenich tomou conhecimento do trabalho de Paula Tallal, na Rutgers University, que tinha começado a analisar por que algumas crianças têm problemas para aprender a ler. Algo entre 5% a 10% das crianças em idade pré-escolar têm uma disfunção de linguagem que lhes dificulta ler, escrever ou até seguir instruções. Às vezes essas crianças são chamadas de disléxicas.

Os bebês começam a falar praticando combinações de consoante e vogal, balbuciando "da, da, da" e "ba, ba, ba". Em muitas línguas, suas primeiras palavras consistem nessas combinações. Em inglês, as primeiras palavras em geral são "mama" e "dada", "pee pee" e assim por diante. A pesquisa de Tallal mostrou que as crianças com disfunções de linguagem têm problemas no processamento auditivo de combinações comuns de consoante e vogal faladas rapidamente, as chamadas "partes rápidas da fala". As crianças têm dificuldades para ouvi-las com precisão e, em consequência, reproduzi-las com precisão.

Merzenich acreditava que os neurônios do córtex auditivo dessas crianças se ativavam muito lentamente, e assim elas não conseguiam distinguir entre dois sons muito semelhantes e nem ter certeza, se dois sons ocorressem com muita proximidade, qual era o primeiro e qual era o segundo. Em geral não ouviam o início das sílabas ou as mudanças de som dentro das sílabas. Normalmente os neurônios, depois de processarem um som, estão prontos para se ativar novamente depois de um descanso de 30 milissegundos. Em 80% das crianças com alterações de linguagem, esse intervalo é pelo menos três vezes maior; assim, elas perdem uma grande quantidade de informação. Quando os padrões de ativação neuronal foram examinados, observou-se que os sinais não eram claros.

"Eles eram confusos na entrada e na saída", disse Merzenich. A audição imprópria leva à fraqueza em *todas* as tarefas da linguagem, e, portanto, as crianças eram fracas em vocabulário, compreensão, fala, leitura e escrita. Como despendiam tanta energia decodificando palavras, tendiam a usar frases mais curtas e não conseguiam exercitar a memória para frases mais longas. O processamento da linguagem era mais infantil, ou "atrasado", e elas ainda precisavam praticar para distinguir "da, da, da" de "ba ba ba".

Quando descobriu tais problemas, Tallal temeu que "essas crianças estivessem 'perdidas' e não houvesse nada que se pudesse fazer" para corrigir seu deficit cerebral básico. Mas isso foi antes de ela e Merzenich reunirem forças.

Em 1996, Merzenich, Paula Tallal, Bill Jenkins e um dos colegas de Tallal, o psicólogo Steve Miller, formaram o núcleo de uma empresa, a Scientific Learning, que se dedica inteiramente a usar a pesquisa neuroplástica para ajudar as pessoas a reestruturar seus cérebros.

Sua sede fica na Rotunda, uma obra-prima Beaux Arts com um domo de vidro elíptico, de 36 metros de altura, com as bordas ornadas por folhas de ouro de 24 quilates, no meio do centro de Oakland, na Califórnia. Ali entramos em outro mundo. A equipe da Scientific Learning inclui psicólogos infantis, pesquisadores da plasticidade, especialistas em motivação humana, fonoaudiólogos, engenheiros, programadores e animadores. De suas mesas iluminadas pela luz natural, esses pesquisadores podem olhar para o magnífico domo.

Fast ForWord é o nome do programa de treinamento que eles desenvolveram para crianças com disfunção de linguagem e deficiência de aprendizado. O programa exercita cada função cerebral básica envolvida na linguagem, da decodificação de sons à compreensão — uma espécie de treinamento multidisciplinar cerebral.

O programa propõe sete exercícios para o cérebro. Um deles ensina a criança a melhorar sua capacidade de distinguir sons curtos de longos. Uma vaca voa pela tela do computador, soltando uma série de mugidos. A criança tem de pegar a vaca com o cursor e segurá-la, apertando o botão do mouse. Depois, de repente, a extensão do mugido muda sutilmente. A essa altura a criança deve soltar a vaca e deixar que voe. Em outro jogo, a criança aprende a identificar combinações de consoante e vogal facilmente confundidas, como "ba" e "da", primeiro em velocidades mais baixas, depois na mesma velocidade da linguagem normal, em seguida em velocidades cada vez maiores. Outro jogo ensina as crianças a ouvir sons com frequências que se tornam cada vez mais altas (como um "uuuuuup" que fica mais agudo). Outro as ensina a lembrar e combinar sons. As "partes rápidas da fala" são usadas em todos os exercícios, mas tiveram sua velocidade reduzida com a ajuda de computadores, e assim as crianças com disfunção de linguagem podem ouvi-las e desenvolver mapas claros para elas; e aos poucos, com o correr dos exercícios, essas sequências são aceleradas. Sempre que um objetivo é atingido, acontece uma coisa divertida: o personagem na animação come a resposta, tem indigestão, faz uma cara engraçada ou um movimento engraçado que é inesperado o bastante para prender a atenção da criança. Essa "recompensa" é uma característica fundamental do programa, porque a cada vez que a criança é recompensada, seu cérebro secreta neurotransmissores como a dopamina e a acetilcolina, que ajudam a consolidar as mudanças no mapa que ela acabou de fazer. (A dopamina reforça a recompensa e a acetilcolina ajuda o cérebro a "sintonizar" e aguçar a memória.)

As crianças com dificuldades mais brandas em geral trabalham no *Fast ForWord* por uma hora e quarenta minutos diários, cinco dias por semana durante várias semanas, e aquelas com dificuldades mais severas trabalham de 8 a 12 semanas.

Os primeiros resultados do estudo, relatados na revista *Science*, em janeiro de 1996, foram extraordinários.[34] As crianças com disfunção de linguagem foram divididas em dois grupos: um que usou o *Fast ForWord* e um grupo de controle que usou um software similar, mas que não treinava o processamento temporal nem usava a fala modificada. Os dois grupos eram comparáveis em idade, QI e habilidades de processamento da linguagem. As crianças que usaram o *Fast ForWord* tiveram um progresso significativo em testes padronizados de fala, linguagem e processamento auditivo, terminaram com pontuações normais ou superiores e preservaram os ganhos quando testadas novamente seis semanas depois do treinamento. Elas melhoraram muito mais do que as crianças do grupo de controle.

Um estudo posterior acompanhou 500 crianças em 35 locais — hospitais, lares e clínicas. Todas fizeram testes padronizados de linguagem antes e depois do treinamento com o *Fast ForWord*. O estudo mostrou que a capacidade da maioria das crianças de compreensão da linguagem se normalizou depois do *Fast ForWord*.[35] Em muitos casos, essa compreensão subiu acima do normal. A criança mediana que usou o programa avançou 1,8 ano no desenvolvimento da linguagem em seis semanas, um progresso impressionante. Um grupo de Stanford fez exames de neuroimagem em 20 crianças disléxicas, antes e depois do trabalho com o *Fast ForWord*. Os primeiros exames mostraram que as crianças usavam para ler partes do cérebro diferentes das usadas pelas crianças normais. Depois do *Fast ForWord*, novos exames mostraram que seus cérebros tinham começado a se normalizar.[36] (Por exemplo, em média elas desenvolveram uma maior atividade no córtex temporoparietal esquerdo, e seus exames começaram a indicar padrões semelhantes aos das crianças sem problemas de leitura.)

Willy Arbor é um menino de 7 anos da Virgínia Ocidental. Ele é ruivo e tem sardas, é escoteiro, gosta de ir ao shopping e, embora mal passe de 1,20 metro de altura, adora praticar luta livre. Ele acaba de passar pelo *Fast ForWord* e foi literalmente transformado.

"O principal problema de Willy era para ouvir a fala dos outros com clareza", explica a mãe. "Eu dizia a palavra 'copy' e ele pensava que eu tinha dito 'coffee'. Se houvesse algum ruído ao fundo, era especialmente difícil para ele ouvir. O jardim de infância foi uma experiência deprimente. Dava para *ver* a insegurança dele. Ele criou hábitos nervosos, como mastigar as roupas ou a manga, porque todo mundo dava a resposta certa, e ele não. A professora considerava a possibilidade de mandá-lo de volta para a primeira série." Willy tinha problemas com a leitura silenciosa tanto quanto com a leitura em voz alta.

"Willy", continua a mãe, "não conseguia ouvir adequadamente uma mudança de entonação. Então não sabia quando uma pessoa estava fazendo uma exclamação ou só uma afirmação, nem apreendia inflexões na fala, o que tornava difícil interpretar as emoções das pessoas. Sem poder distinguir entre tons agudos e graves, ele não ouvia o *uau* quando as pessoas ficavam animadas. Era como se tudo fosse a mesma coisa."

Willy foi levado a um otologista que diagnosticou um "problema de audição" causado por uma disfunção no processamento auditivo de origem cerebral. Ele tinha dificuldade para se lembrar de sequências de palavras porque seu sistema auditivo era facilmente sobrecarregado. "Se você lhe desse mais de três instruções, como 'por favor, leve os sapatos para cima — coloque-os no armário — depois desça para jantar', ele se esquecia. Tirava os sapatos, levava para a escada e perguntava: 'Mãe, o que você queria que eu fizesse mesmo?' Os professores tinham de repetir as instruções o tempo todo." Embora ele parecesse ser uma criança inteligente — era bom em matemática —, seus problemas o atrasavam nessa matéria também.

A mãe não concordou que Willy repetisse a primeira série e no verão o mandou para trabalhar com o *Fast ForWord* por oito semanas.

"Antes de ele usar o *Fast ForWord*", lembra a mãe, "você o colocava ao computador, e ele ficava muito estressado. Com esse programa, porém, ele passou cem minutos por dia, por oito semanas inteiras, ao computador. Adorava fazê-lo e adorava o sistema de pontuação, porque ele podia ver que melhorava cada vez mais", disse a mãe. Enquanto melhorava, ele se tornou capaz de perceber inflexões na fala, melhorou a interpretação das emoções dos outros e se tornou uma criança menos ansiosa. "Muita coisa mudou nele. Quando trouxe o boletim no meio do ano, ele disse: 'Estou melhor do que no ano passado, mãe.' Ele começou a trazer quase sempre notas A e B nos trabalhos — uma diferença perceptível... Agora ele afirma: eu posso fazer isso. Esta é a minha nota. Posso fazer melhor.' Parece que minhas orações foram atendidas, o programa fez muito por ele. É maravilhoso." Um ano depois, ele continua a melhorar.

A equipe de Merzenich começou a receber informações de que o *Fast ForWord* tinha vários efeitos colaterais positivos: a caligrafia das crianças melhorava, e os pais contavam que muitos alunos começavam a mostrar uma atenção contínua e focada. Merzenich pensava que esses benefícios surpreendentes ocorriam porque o *Fast ForWord* produzia uma melhora geral no processamento mental.

Uma das atividades mais importantes do cérebro — na qual não pensamos com frequência — é a determinação da duração dos acontecimentos, o chamado processamento temporal. Você não pode se mover, perceber ou prever adequadamente se não determinar a duração dos eventos. Merzenich descobriu que quando se treina as pessoas a distinguir vibrações muito rápidas na pele, de apenas 75 milissegundos, essas mesmas pessoas também conseguem detectar *sons* de 75 milissegundos.[37] Parecia que o *Fast ForWord* melhorava a capacidade geral do cérebro de medir o tempo. Às vezes essas melhorias se estendiam ao processamento visual. Antes do *Fast ForWord*, quando Willy recebia um jogo que lhe perguntava quais itens estavam fora de lugar — uma bota numa árvore ou uma lata no telhado —, seus olhos vagavam por toda a página. Ele tentava ver a página inteira, em vez de se concentrar em uma pequena seção de cada vez. Na escola, ele pulava linhas quando lia. Depois do *Fast ForWord*, seus olhos não saltavam mais pela página, e ele era capaz de focalizar a própria atenção visual.

Várias crianças que fizeram testes padronizados logo depois de concluir o treinamento com *Fast ForWord* mostraram melhoras não só na linguagem, na fala e na leitura, mas também em matemática, ciências e estudos sociais. Talvez essas crianças estivessem ouvindo melhor o que acontecia em aula ou lessem melhor — mas Merzenich acreditava que a questão era mais complicada.

"Sabe de uma coisa", diz ele, "o QI aumenta. Usamos o teste de matrizes, que é um teste de tipo *visual* para medir o QI — e o QI aumenta."

O melhoramento de um componente *visual* do QI significava que o aumento do QI não se devia simplesmente ao fato de o *Fast ForWord* melhorar a capacidade das crianças para ler perguntas em testes verbais. Havia uma melhora geral do processamento mental, possivelmente porque o processamento temporal melhorava. E havia outros benefícios inesperados. Algumas crianças autistas começaram a progredir de forma geral.

O autismo — quando uma mente humana não consegue conceber outras mentes — é um dos mistérios mais enganadores e comoventes da psiquiatria e um dos distúrbios mais graves do desenvolvimento infantil. É chamado de "distúrbio penetrante do desenvolvimento" porque muitos aspectos do desenvolvimento são prejudicados: inteligência, percepção, habilidades sociais, linguagem e emoção.

A maioria das crianças autistas tem um QI inferior a 70. Elas têm sérios distúrbios que influem na interação social e podem, nos casos graves, tratar as pessoas como objetos inanimados, sem as cumprimentar nem reconhecê-las como seres humanos. Às vezes parece que os autistas não concebem a existência de "outras mentes" no mundo. Eles também têm dificuldades de processamento perceptivo e assim costumam ser hipersensíveis aos estímulos sonoros e táteis, que os sobrecarregam. (Este pode ser um dos motivos pelo qual as crianças autistas evitam o olho no olho: os estímulos enviados pelas pessoas é intenso demais, em especial quando envolvem muitos sentidos ao mesmo tempo.) Seus circuitos neurais parecem ser hiperativos, e muitas dessas crianças sofrem de epilepsia.

Como muitas crianças autistas têm distúrbios de linguagem, os clínicos começaram a lhes indicar o programa *Fast ForWord*. Jamais previram o que poderia acontecer. Os pais de crianças autistas que usaram o *Fast ForWord* disseram a Merzenich que os filhos se tornaram mais conectados socialmente. Ele começou a se perguntar: será que as crianças estavam simplesmente sendo treinadas para ser ouvintes mais ativas? Ele ficou fascinado de ver que os distúrbios de linguagem e os sintomas autistas pareciam sumir juntos com o *Fast ForWord*. Será que isso significava que os distúrbios de linguagem e autistas podiam ser expressões diferentes de um único problema?

Dois estudos de crianças autistas confirmaram o que Merzenich tinha ouvido. O primeiro, um estudo de linguagem, mostrou que o *Fast ForWord* rapidamente levava crianças autistas com severas deficiências de linguagem para a faixa normal.[38] Mas outro estudo piloto, envolvendo cem crianças autistas, mostrou que o *Fast ForWord* teve um impacto significativo também nos sintomas autistas.[39] A capacidade de atenção dessas crianças aumentou. O senso de humor melhorou. Elas interagiam mais com as pessoas. Desenvolveram melhor contato visual, começaram a cumprimentar as pessoas e a se dirigir a elas pelo nome, falavam com elas e se despediam no final dos encontros. Essas crianças pareciam começar a ter a experiência de um mundo povoado por outras mentes humanas.

Lauralee teve o diagnóstico de autismo moderado aos 3 anos de idade. Mesmo sendo agora uma menina de 8 anos, ela só usava a linguagem muito raramente. Não respondia a seu nome e, para os pais, parecia que ela não escutava. Às vezes ela falava, mas "tinha uma linguagem própria", diz a mãe, "que em geral era ininteligível". Se quisesse suco, ela não pedia. Fazia gestos e empurrava os pais em direção aos armários para que pegassem as coisas.

Lauralee tinha outros sintomas autistas, entre eles os movimentos repetitivos que as crianças autistas usam para tentar conter a sensação de estar sobrecarregada pelo mundo externo. Segundo a mãe, Lauralee mostrava "o quadro completo — batia as mãos, andava na ponta dos pés, tinha muita energia, mordia. E não podia me dizer o que estava sentindo".

Ela gostava muito de árvores. Quando os pais a levavam para passear à tardinha para gastar energia, ela em geral parava, tocava uma árvore, abraçava-a e falava com ela.

Lauralee era anormalmente sensível aos sons. "Tinha ouvido biônico", diz a mãe. "Quando era pequena, tapava as orelhas. Não conseguia suportar determinadas músicas no rádio, como as clássicas e as lentas." No consultório do pediatra, ela ouvia sons do andar de cima que os outros não escutavam. Em casa, enchia a pia de água e se abraçava aos canos, ouvindo a água correr.

O pai de Lauralee é da Marinha e serviu na guerra do Iraque em 2003. Quando a família foi transferida para a Califórnia, Lauralee foi matriculada numa turma de educação especial de uma escola pública que usava o *Fast ForWord*. Ela se empenhou duas horas por dia durante oito semanas para concluir o programa.

Quando o concluiu, "sua linguagem explodiu", diz a mãe, "e ela começou a falar mais e a usar frases completas. Ela podia me contar sobre seu dia na escola antes mesmo de eu lhe perguntar se teve um dia bom ou ruim. Tornara-se capaz de dizer o que fazia e se lembrava de detalhes. Se ela se metesse numa situação ruim, era capaz de me contar, e sem nenhuma insistência de minha parte. Ela também tinha mais facilidade para se lembrar das coisas." Lauralee sempre adorou ler, mas agora lia livros maiores, de não ficção e a enciclopédia. "Ela agora ouve sons mais baixos e tolera diferentes sons do rádio", diz a mãe. "Foi um despertar para ela. E, com uma comunicação melhor, foi também um despertar para todos nós. Foi uma grande bênção."

Merzenich concluiu que, para aprofundar sua compreensão do autismo e de seus vários aspectos de atrasos de desenvolvimento, ele teria de voltar ao laboratório. Pensou que a melhor maneira de abordar a questão era primeiro produzir um "animal autista" — que tivesse múltiplos atrasos de desenvolvimento, tal como as crianças autistas. Depois poderia estudá-lo e tentar tratá-lo.

Quando começou a pensar no que ele chama de "catástrofe infantil" do autismo, Merzenich tinha um palpite: alguma coisa podia dar errado na primeira infância, quando ocorre a maioria dos períodos críticos, a plasticidade está no auge e deve ocorrer um imenso desenvolvimento. Mas o autismo é em grande parte um problema herdado. Se um gêmeo idêntico é autista, a probabilidade de que o outro gêmeo também seja é de 80% a 90%. Nos casos de gêmeos *não* idênticos em que um é autista, o gêmeo não autista apresenta muitas vezes alguns problemas sociais e distúrbios de linguagem.

Entretanto, a incidência do autismo tem aumentado a uma taxa impressionante, que não pode ser explicada só pela genética. Quando o problema foi reconhecido pela primeira vez há mais de 40 anos, afetava uma em cada 5 mil pessoas. Agora, afeta 15 em cada 5 mil. Este número tem aumentado em parte porque o autismo é diagnosticado com mais frequência e também porque algumas crianças são rotuladas de ligeiramente autistas para conseguir financiamento público para o tratamento. "Mas", diz Merzenich, "mesmo quando todas as correções são feitas por epidemiologistas muito rigorosos, parece que os casos de autismo aumentaram três vezes nos últimos 15 anos. Há uma emergência mundial relacionada aos fatores de risco para o autismo."

Ele passou a pensar na probabilidade de que um fator ambiental afete os circuitos nervosos dessas crianças, levando ao encerramento precoce do período crítico, antes que os mapas cerebrais estejam plenamente diferenciados. Quando nascemos, nossos mapas cerebrais em geral são "rascunhos grosseiros" ou esboços, carecendo de detalhes, *indiferenciados*. No período crítico, quando a estrutura dos mapas cerebrais está literalmente tomando forma, graças às nossas primeiras experiências no mundo, o esboço torna-se mais detalhado e diferenciado.

Merzenich e sua equipe usaram o micromapeamento para mostrar como são formados, no período crítico, os mapas de ratos recém-nascidos. Logo depois do nascimento, no início do período crítico, os mapas auditivos não são diferenciados, tendo apenas duas amplas regiões no córtex. Metade do mapa reage a *qualquer* som de alta frequência. A outra metade reage a *qualquer* som de baixa frequência.

Quando o animal era exposto a uma determinada frequência durante o período crítico, essa organização simples mudava. Se o animal fosse repetidamente exposto a um dó agudo, depois de um tempo só alguns neurônios se ativavam, tornando-se *seletivos* para o dó agudo. O mesmo acontecia quando o animal era exposto a um ré, mi, fá e assim por diante. O mapa, então, em vez de ter duas áreas, tinha muitas áreas diferentes, cada uma delas reagindo a diferentes notas. Era agora diferenciado.

O que é extraordinário durante o período crítico do córtex é que ele é tão plástico que sua estrutura pode ser alterada pela exposição a novos estímulos. Esta sensibilidade permite que os bebês e as crianças pequenas captem sem esforço novos sons e palavras durante o período crítico do desenvolvimento da linguagem, simplesmente ouvindo os pais falarem; a mera exposição leva os mapas cerebrais a estruturarem as mudanças. Depois do período crítico, as crianças mais velhas e os adultos podem aprender línguas, evidentemente, mas têm de se *esforçar* para manter a atenção necessária. Para Merzenich, a diferença entre a plasticidade do período crítico e a plasticidade adulta é que no período crítico os mapas cerebrais podem ser alterados pela simples exposição ao mundo externo porque "a maquinaria de aprendizado está continuamente ligada".

Isso faz sentido do ponto de vista biológico, que a "maquinaria" sempre esteja ligada: como os bebês não podem saber o que será importante na vida, prestam atenção em tudo. Só um cérebro já organizado de alguma forma pode selecionar o que merece atenção.

A pista seguinte de que Merzenich precisava para entender o autismo veio de uma linha de pesquisa iniciada durante a Segunda Guerra Mundial, na Itália fascista, por uma jovem judia, Rita Levi-Montalcini, em seu esconderijo. Levi-Montalcini nasceu em Turim, em 1909, e foi aluna da escola de medicina daquela cidade. Em 1938, quando Mussolini proibiu que os judeus praticassem a medicina e fizessem pesquisa científica, ela fugiu para Bruxelas para continuar seus estudos; quando os nazistas ameaçaram a Bélgica, ela voltou a Turim e construiu um laboratório secreto em seu quarto para estudar como os nervos se formam, forjando suas ferramentas de microcirurgia com agulhas de costura. Quando os Aliados bombardearam Turim, em 1940, ela fugiu para o Piemonte. Um dia, em 1940, viajando a uma pequena aldeia italiana ao norte num vagão de gado que fora convertido em trem de passageiros, ela estava sentada no chão e lia um artigo científico de Viktor Hamburger, que fazia um trabalho pioneiro sobre o desenvolvimento de neurônios estudando embriões de galinha. Ela decidiu repetir e ampliar os experimentos dele, trabalhando numa mesa em uma casa na montanha, usando ovos de um criador local. Quando terminava cada experimento, ela comia os ovos. Depois da guerra, Hamburger convidou Levi-Montalcini a se juntar a seu grupo de pesquisadores em St. Louis, para trabalhar em sua descoberta de que as fibras nervosas de galinhas cresciam mais rápido na presença de tumores de camundongo. Levi-Montalcini especulou que o tumor provavelmente liberava uma substância que promovia o crescimento nervoso. Com o bioquímico Stanley Cohen, ela isolou a proteína responsável e a chamou de fator de crescimento do nervo, ou NGF (de *nerve growth factor*). Levi-Montalcini e Cohen receberam o prêmio Nobel em 1986.

O trabalho de Levi-Montalcini levou à descoberta de vários fatores de crescimento do nervo, um dos quais, o fator neurotrófico derivado do cérebro, ou BDNF (de *brain-derived neurotrophic factor*), chamou a atenção de Merzenich.

O BDNF tem importância fundamental ao reforçar mudanças plásticas que aconteceu no cérebro durante o período crítico.[40] Segundo Merzenich, ele age de quatro maneiras diferentes.

Quando realizamos uma atividade que requer que neurônios específicos se ativem juntos, eles liberam BDNF. Esse fator de crescimento consolida as conexões entre esses neurônios e os ajuda a se ligarem para que possam ser coativados com precisão no futuro. O BDNF também promove o crescimento da fina camada de gordura que envolve cada axônio e que acelera a transmissão de sinais elétricos.

Durante o período crítico, o BDNF ativa o núcleo basal, a parte de nosso cérebro que nos permite concentrar a atenção — *e que o mantém ativo por todo o período crítico*. Uma vez ativado, o núcleo basal nos ajuda não só a prestar atenção, mas a lembrar nossa experiência. Ele permite que a diferenciação e a mudança dos mapas ocorram sem muito esforço. Segundo Merzenich: "É como um professor no cérebro dizendo: 'Ora, *isto* é muito importante — é isto que você precisa saber para a prova da vida.'" Merzenich chama o núcleo basal e o sistema da atenção de "sistema de controle modulatório da plasticidade" — o sistema neuroquímico que, quando ativado, coloca o cérebro num estado extremamente plástico.

O quarto e último serviço prestado pelo BDNF — uma vez concluído o fortalecimento das principais conexões — é ajudar a encerrar o período crítico.[41] Uma vez que as principais conexões neuronais estão estabelecidas, há necessidade de uma maior estabilidade e, assim, de uma menor plasticidade no sistema. Quando liberado em quantidades suficientes, o BDNF desativa o núcleo basal e encerra essa época mágica de aprendizagem sem esforço. Daí em diante, o núcleo só pode ser ativado quando acontece alguma coisa importante, surpreendente ou nova, ou se nos esforçamos para concentrar a nossa atenção.

O trabalho de Merzenich sobre o período crítico e o BDNF o ajudou a desenvolver uma teoria que explica como tantos problemas diferentes podem afetar um único autista. Durante o período crítico, afirma ele, algumas situações ativam excessivamente os neurônios de crianças geneticamente predispostas ao autismo, levando a uma *liberação maciça e prematura de BDNF*. Em vez do reforço de conexões *importantes*, *todas* as conexões são reforçadas. Tanto BDNF é liberado que ele desativa o período crítico prematuramente, selando todas essas conexões: a criança fica com muitos mapas cerebrais indiferenciados, o que explica o "distúrbio penetrante do desenvolvimento". Seu cérebro é hiperexcitável e hipersensível. Se elas ouvem uma frequência, todo o córtex auditivo se ativa.[42] É o que parecia estar acontecendo com Lauralee, que tinha de tapar os ouvidos "biônicos" quando ouvia música. Outras crianças autistas são hipersensíveis ao toque e se sentem atormentadas quando as etiquetas das roupas roçam a pele. A teoria de Merzenich também explica o alto índice de epilepsia no autismo: com a liberação de BDNF, os mapas cerebrais são pouco diferenciados e, como tantas conexões no cérebro foram reforçadas indiscriminadamente, todo o cérebro pode ser ativado depois que só alguns poucos neurônios disparam. Isso também explica por que as crianças autistas têm cérebros maiores — o BDNF aumenta a camada de gordura que envolve os neurônios.[43]

Se o BDNF liberado estava contribuindo para o autismo e os distúrbios de linguagem, Merzenich precisava entender o que podia levar os neurônios jovens à "superexcitação" e à liberação de uma quantidade imensa dessa substância.

Vários estudos o alertaram para a contribuição de um fator ambiental. Um estudo intrigante mostrou que, quanto mais próximas as crianças moravam do aeroporto barulhento de Frankfurt, na Alemanha, menor era sua inteligência. Um estudo semelhante, sobre crianças de um orfanato localizado acima da via expressa Dan Ryan, em Chicago, revelou que, quanto mais perto da via expressa o andar onde a criança morava, menor era sua inteligência. Assim, Merzenich começou a se perguntar sobre o papel de um novo fator ambiental de risco que podia afetar a todos, mas tinha efeitos mais danosos sobre crianças geneticamente predispostas: o ruído de fundo contínuo de máquinas, às vezes chamado de ruído branco. O ruído branco consiste na soma de muitas frequências e é um estímulo muito potente para o córtex auditivo.

"Os bebês são criados em ambientes cada vez mais ruidosos. Sempre há uma barulheira" diz ele. O ruído branco está agora em toda parte, vindo de ventiladores, de nossos produtos eletrônicos, ar-condicionado, aquecedores e motores de carro. Como um barulho desses afeta o cérebro em desenvolvimento?", perguntou-se Merzenich.

Para testar essa hipótese, sua equipe expôs filhotes de rato a pulsos de ruído branco durante todo o período crítico e descobriu que o córtex dos filhotes ficou devastado.

"Sempre que tem um pulso", diz Merzenich, "você está excitando tudo no córtex auditivo — cada neurônio." Assim, a ativação de muitos neurônios resulta numa liberação maciça de BDNF. E, tal como previsto pelo seu modelo, essa exposição leva a um encerramento prematuro do período crítico.[44] Os animais ficam com mapas cerebrais indiferenciados e com neurônios que são ativados por qualquer frequência de forma completamente indiscriminada.[45]

Merzenich descobriu que os filhotes de rato, como as crianças autistas, eram predispostos à epilepsia e que a exposição à fala normal os levava a ter ataques epiléticos. (Os pacientes epiléticos acham que as luzes estroboscópicas nos shows de rock disparam suas crises. Essas luzes são emissões pulsadas de luz branca formada por numerosas frequências luminosas.) Merzenich agora tinha seu modelo animal para o autismo.

Recentes estudos tomográficos confirmam que as crianças autistas processam o som de uma forma anormal.[46] Merzenich acredita que o córtex indiferenciado ajuda a explicar por que elas têm problemas para aprender: um córtex indiferenciado gera muita dificuldade para prestar atenção. Quando solicitadas a se concentrar em alguma coisa, essas crianças experienciam uma confusão de estrondos e zumbidos — um motivo que explica por que as crianças autistas frequentemente se retiram do mundo e criam uma concha. Merzenich acredita que esse mesmo problema, de forma mais branda, pode contribuir para os distúrbios de atenção mais comuns.

Agora a questão para Merzenich era: alguma coisa poderia ser feita para normalizar mapas cerebrais indiferenciados depois do período crítico? Se ele e sua equipe conseguissem normalizá-los, poderiam oferecer esperança para as crianças autistas.

Usando o ruído branco, eles primeiro desdiferenciaram os mapas auditivos de ratos. Depois, após os danos, normalizaram e rediferenciaram os mapas, usando tons muito simples, um de cada vez.[47] Com treinamento, eles levaram os mapas a uma faixa acima do normal. "E é exatamente isso", disse Merzenich, "que estamos tentando fazer com essas crianças autistas." Atualmente ele está desenvolvendo uma versão do *Fast ForWord* projetada para o autismo, um refinamento do programa que ajudou Lauralee.

E se fosse possível reabrir a plasticidade do período crítico, de forma que adultos pudessem aprender idiomas como as crianças aprendem, simplesmente expondo-se a eles? Merzenich já mostrou que a plasticidade se estende à idade adulta e que, com esforço — prestando muita atenção —, podemos reestruturar nosso cérebro. Mas agora ele se perguntava: é possível estender o período crítico da aprendizagem sem esforço?

Aprender no período crítico não requer esforço porque durante esse período o núcleo basal está sempre ativado. Assim, Merzenich e seu jovem colega Michael Kilgard criaram um experimento no qual ativaram artificialmente o núcleo basal de ratos adultos e lhes deram tarefas de aprendizado que não lhes exigiam atenção e pelas quais não receberiam recompensas.

Eles implantaram microeletrodos no núcleo basal dos ratos e usaram uma corrente elétrica para mantê-lo ligado. Depois expuseram os ratos a uma frequência sonora de 9 Hz para saber se eles podiam desenvolver sem esforço um mapa cerebral específico, como os filhotes faziam durante o período crítico. Depois de uma semana, Kilgard e Merzenich descobriram que podiam expandir *enormemente* o mapa cerebral para essa frequência sonora específica. Eles tinham descoberto uma maneira de reabrir artificialmente o período crítico no cérebro adulto.[48]

Em seguida, eles usaram a mesma técnica para conseguir que o cérebro acelerasse seu tempo de processamento. Normalmente, os neurônios auditivos de um rato adulto só podem responder a sons de no máximo 12 pulsos por segundo. Pela estimulação do núcleo basal, era possível "educar" os neurônios a responder a *inputs* ainda mais rápidos.

Este trabalho abriu a possibilidade de um aprendizado de alta velocidade mesmo na idade adulta. O núcleo basal pode ser ativado por um eletrodo, por microinjeções de algumas substâncias ou por drogas. É difícil imaginar que as pessoas — apesar de todas as consequências — não venham a ser atraídas para uma tecnologia que torne relativamente fácil dominar informações sobre ciência, história ou uma profissão bastando que sejam expostas a elas brevemente. Imagine imigrantes chegando a um novo país, agora capazes de aprender um novo idioma, com facilidade e sem sotaque, em questão de meses. Imagine como a vida dos idosos que foram alijados de um emprego poderia ser transformada se eles fossem capazes de aprender uma nova habilidade com a vivacidade que tinham na primeira infância. Essas técnicas sem dúvida seriam usadas por alunos do ensino médio e da universidade em seus estudos e em exames de admissão competitivos. (Muitos alunos que não têm distúrbios de deficit de atenção já usam estimulantes para estudar.) É claro que essas intervenções agressivas podem ter efeitos adversos imprevistos no cérebro — para não falar de nossa capacidade de autodisciplina —, mas provavelmente teriam prioridade os casos de necessidade médica premente, em que as pessoas estão dispostas a assumir o risco. A ativação do núcleo basal poderia ajudar pacientes com lesão cerebral, muitos dos quais não conseguem reaprender as funções perdidas de leitura, escrita, fala ou marcha porque não conseguem prestar atenção suficiente.

Merzenich criou uma nova empresa, a Posit Science, dedicada a ajudar as pessoas a preservar a plasticidade do cérebro enquanto envelhecem e estender a expectativa de vida mental. Ele tem 61 anos, mas não reluta em se chamar de velho. "Adoro os idosos. Sempre adorei os idosos. Possivelmente meu preferido era meu avô paterno, uma das três ou quatro pessoas mais inteligentes e interessantes que conheci na vida." O avô Merzenich veio da Alemanha aos 9 anos em um dos últimos veleiros. Ele era autodidata, arquiteto e construtor. Viveu até os 79 anos, numa época em que a expectativa de vida estava mais perto dos 40.

"Estimou-se que a expectativa de vida de quem tem 65 anos agora é de chegar quase aos 90. Bom, quando você tem 85, há 47% de probabilidade de ter doença de Alzheimer." Ele ri. "Então criamos esta estranha situação em que mantemos as pessoas vivas por tempo suficiente para que, em média, metade delas vá por água abaixo antes de morrer. Temos de fazer alguma coisa pela expectativa de vida mental, estendê-la, ao longo da vida do corpo."

Merzenich acha que nosso descuido com o aprendizado intensivo à medida que envelhecemos leva a um desgaste dos sistemas cerebrais que modulam, regulam e controlam a plasticidade. Em resposta, ele desenvolveu exercícios mentais para reverter o declínio cognitivo relacionado com o envelhecimento — o declínio comum da memória, do raciocínio e da velocidade de processamento.

Merzenich ataca o declínio mental na contramão da corrente dominante da neurociência. Dezenas de milhares de artigos, escritos sobre as mudanças físicas e químicas que ocorrem no cérebro que envelhece, descrevem processos que acontecem quando os neurônios morrem. Há muitas drogas no mercado — e um monte ainda em preparação para bloquear esses processos e elevar os níveis de substâncias em queda no cérebro. No entanto, Merzenich acredita que essas drogas, que valem bilhões em vendas, só proporcionam cerca de quatro a seis meses de melhora.

"E há uma coisa muito errada em tudo isso", diz ele. "Tudo isso despreza o papel do que é preciso para *manter* habilidades e capacidades normais... É como se suas habilidades e capacidades, adquiridas pelo cérebro jovem, estivessem destinadas a se deteriorar junto com o cérebro físico." A abordagem vigente, afirma ele, não se baseia na compreensão real do que é preciso para desenvolver uma nova habilidade no cérebro, e muito menos para mantê-la. "Imagine-se", diz ele, "que se manipulássemos os níveis do neurotransmissor certo (...) a memória seria recuperada e a cognição seria eficaz, e voltaríamos a nos movimentar como uma gazela."

A abordagem dominante não leva em consideração o que é necessário para manter uma memória afiada. Uma importante razão para a perda da memória à medida que envelhecemos é que se torna difícil *registrar* novos acontecimentos em nosso sistema nervoso, porque a velocidade de processamento cai, e assim declinam a precisão, a força e a nitidez de nossas percepções. Se não podemos registrar alguma coisa com clareza, não poderemos nos lembrar bem dela.

Considere um dos problemas mais comuns do envelhecimento, a dificuldade para encontrar as palavras. Merzenich acredita que este problema acontece com frequência devido à atrofia e à deterioração progressivas do sistema cerebral da atenção do cérebro e do núcleo basal, cujo envolvimento é necessário para que ocorram mudanças plásticas. Essa atrofia nos leva a representar a linguagem falada com "engramas confusos": isso significa que as representações dos sons e das palavras não são claras porque os neurônios que decodificam esses sinais confusos não disparam com a coordenação e a rapidez necessárias para enviar sinais potentes e precisos. Como os neurônios que representam a fala transmitem sinais confusos a todos os neurônios sucessivos ("confusos na entrada, confusos na saída"), também temos problemas para lembrar, encontrar e usar as palavras. É semelhante ao problema que vemos ocorrer no cérebro de crianças com distúrbios de linguagem, que também têm "cérebro ruidoso".

Quando temos um "cérebro ruidoso", o sinal de uma nova lembrança não pode competir com a atividade elétrica cerebral de fundo, provocando um "problema de ruído no sinal".

Merzenich diz que o sistema fica mais ruidoso por dois motivos. Primeiro, porque como todo mundo sabe, "tudo está progressivamente indo para o inferno". Mas "a principal razão para ficar com mais ruído é que o cérebro não está sendo apropriadamente exercitado". O núcleo basal, que funciona pela secreção de acetilcolina — que, como vimos, ajuda o cérebro a "sintonizar" e a formar lembranças claras — foi totalmente abandonado. Em uma pessoa com disfunção cognitiva branda, a acetilcolina produzida no núcleo basal não é sequer mensurável.

"Temos um período intenso de aprendizado na infância. Todo dia é um dia de coisas novas. E depois, em nosso primeiro emprego, ficamos intensamente envolvidos em aprender e adquirir novas habilidades e capacidades. E quanto mais progredimos na vida, mais operamos como usuários de habilidades e capacidades que dominamos."

Psicologicamente, a meia-idade costuma ser uma época atraente porque, todo o resto sendo igual, ela pode ser um período relativamente plácido se comparado com o que veio antes. Nosso corpo não está mudando como aconteceu na adolescência; muito provavelmente temos um senso sólido de quem somos e temos qualificações para uma carreira. Ainda nos consideramos ativos, mas temos uma tendência a nos enganar e pensar que estamos aprendendo como antes. Raras vezes nos envolvemos em tarefas em que devemos concentrar nossa atenção ao máximo, como fazíamos quando éramos mais jovens, tentando aprender um novo vocabulário ou dominar novas habilidades. Atividades como ler jornal, praticar uma profissão por muitos anos e falar em nossa própria língua são principalmente a reprise de habilidades que dominamos, não são aprendizado. Podemos chegar aos 70 anos sem termos envolvido, sistematicamente, durante 50 anos, os sistemas cerebrais que regulam a plasticidade.

É por isso que aprender um novo idioma na velhice é tão bom para melhorar e manter a memória de modo geral. Como requer foco intenso, estudar um novo idioma ativa o sistema de controle da plasticidade e o mantém em boa forma para estabelecer todo tipo de lembranças nítidas. Sem dúvida o *Fast ForWord* é responsável por muitas melhoras gerais no raciocínio, em parte porque estimula o sistema de controle da plasticidade para que mantenha sua produção de acetilcolina e dopamina. Qualquer coisa que exija atenção muito concentrada ajudará esse sistema — aprender novas atividades físicas que exijam concentração, resolver quebra-cabeças complicados ou fazer uma mudança na carreira que requeira o domínio de novas habilidades e novos materiais. O próprio Merzenich é um defensor do aprendizado de um novo idioma na velhice. "Você aos poucos afia *tudo* de novo, e isso lhe será muito benéfico."

O mesmo se aplica à mobilidade. Só executar os movimentos de dança que você aprendeu anos atrás não ajudará o seu córtex motor a ficar em forma. Para manter a mente viva, é preciso aprender alguma coisa verdadeiramente *nova* e com grande concentração. É isso que lhe permitirá ao mesmo tempo estabelecer novas lembranças e ter um sistema que pode acessar facilmente as lembranças antigas e preservá-las.

Os *36* cientistas da Posit Science trabalham em cinco áreas que tendem a se desestruturar quando envelhecemos. A chave na elaboração dos exercícios é dar ao cérebro o estímulo certo, na ordem certa, no tempo certo para impelir a mudança plástica. Parte do desafio científico é descobrir a forma mais eficiente de treinar o cérebro, descobrindo as funções mentais a serem treinadas e aplicadas à vida real.[49]

Merzenich me disse: "Tudo que você vê acontecer num cérebro jovem pode acontecer em um cérebro mais velho." A única exigência é que a pessoa deve ser recompensada — ou punida — suficientemente para que continue prestando atenção durante uma sessão de treinamento que, de outra forma, poderia ser tediosa. Se assim for, diz ele, "a mudança pode ser tão grande quanto a que ocorre num recém-nascido".

A Posit Science tem exercícios para a memória de palavras e linguagem, usando exercícios semelhantes aos do *Fast ForWord* e jogos de computador para a memória auditiva projetados para adultos. Em vez de dar listas de palavras para memorizar às pessoas com memória debilitada, como recomendam muitos livros de autoajuda, esses exercícios reconstroem a capacidade básica do cérebro de processar o som, por meio da audição de uma fala lenta e selecionada. Merzenich não acredita que se possa melhorar uma memória debilitada pedindo às pessoas para fazer o que elas não podem. "Não queremos chutar um cachorro morto com treinamento", diz ele. Os adultos fazem exercícios que refinam sua capacidade de ouvir de uma maneira que não fazem desde o berço, quando tentavam separar a voz da mãe do ruído de fundo. Os exercícios aumentam a velocidade de processamento e fortalecem os sinais básicos, tornando-os também mais claros e precisos, enquanto estimulam o cérebro a produzir dopamina e acetilcolina.

Várias universidades agora estão testando os exercícios de memória, usando testes padronizados, e a Posit Science publicou seu primeiro estudo de testes na *Proceedings of the National Academy of Sciences, USA*.[50] Adultos com idades entre 60 e 87 anos foram treinados no programa de memória auditiva por uma hora diária, cinco dias na semana, durante oito a dez semanas — um total de 40 a 50 horas de exercícios. Antes do treinamento, a média dos participantes nos testes de memória padrão era normal para pessoas de 70 anos. Depois, a pontuação passou para a faixa de 40 a 60 anos. Assim, muitos voltaram seu relógio da memória em dez anos ou mais, e alguns voltaram quase 25 anos. Essas melhoras se mantiveram após um estudo controle de três meses. Um grupo da Universidade da Califórnia, em Berkeley, liderado por William Jagust, fez tomografias PET (tomografia por emissão de pósitrons), antes e depois de pessoas que passaram pelo treinamento e descobriu que seus cérebros não mostravam os sinais de "declínio metabólico"[51] — os neurônios aos poucos tornando-se menos ativos — que costuma ser observado nas pessoas dessa idade. O estudo também comparou participantes de 71 anos que usaram o programa de memória auditiva com outros da mesma idade que passaram o mesmo tempo lendo jornais, ouvindo audiolivros ou em jogos de computador. Aqueles que não usaram o programa mostram sinais de declínio metabólico contínuo em seus lobos frontais, enquanto os que usaram não mostraram. Os usuários do programa mostraram atividade metabólica maior em seu lobo parietal direito e em várias outras áreas do cérebro, que se correlacionam com seu melhor desempenho em testes de memória e atenção. Tais estudos mostram que os exercícios para o cérebro não só desaceleram o declínio cognitivo relacionado com a idade, mas também podem levar a melhorar seu funcionamento. E é preciso ter em mente que essas mudanças foram vistas em apenas 40 a 50 horas de exercício para o cérebro; é possível que se obtenham mudanças maiores com mais trabalho.

Merzenich diz que eles conseguiram voltar o relógio do funcionamento cognitivo das pessoas: suas lembranças, capacidade de solução de problemas e habilidades de linguagem rejuvenesceram. "Levamos as pessoas a adquirir capacidades que se aplicam a indivíduos muito mais jovens — de 20 ou 30 anos. Aos 80 anos, uma pessoa está agindo, operacionalmente, como agia quando tinha 50 ou 60." Esses exercícios estão agora disponíveis em 30 residências para idosos independentes e no website da Posit Science.

A Posit Science também está trabalhando no processamento visual. À medida que envelhecemos, paramos de ver com clareza, não só porque nossos olhos falham, mas porque os processadores visuais no cérebro se enfraquecem. Os idosos se distraem com maior facilidade e tendem a perder o controle de sua "atenção visual". A Posit Science está desenvolvendo exercícios de computador para manter a concentração visual e acelerar o processamento visual, pedindo aos participantes para procurar por vários objetos em uma tela de computador.

Há exercícios para os lobos frontais que apoiam nossas "funções executivas", como concentração em metas, extração de padrões das nossas percepções e tomada de decisão. Esses exercícios também pretendem ajudar as pessoas a classificar as coisas, seguir instruções complexas e fortalecer a memória associativa, o que ajuda a contextualizar pessoas, lugares e coisas.

A Posit Science também está trabalhando no controle motor fino. À medida que envelhecemos, muitos de nós desistem de tarefas como desenhar, tricotar, tocar instrumentos musicais ou entalhar madeira porque não conseguimos controlar os movimentos finos de nossas mãos. Esses exercícios, agora em desenvolvimento, tornarão mais precisos os mapas cerebrais enfraquecidos da mão.

Por fim, a Posit Science trabalha no "controle motor geral", uma função que declina com o envelhecimento, provocando perda de equilíbrio, tendência a cair e dificuldades com a mobilidade. Além da falha no aparelho vestibular, esse declínio é causado pela diminuição do *feedback* sensorial de nossos pés. Segundo Merzenich, os sapatos, usados por décadas, limitam o *feedback* sensorial de nossos pés para o cérebro. Se andássemos descalços, o cérebro receberia muitos tipos diferentes de *input* enquanto andássemos por superfícies irregulares. Os sapatos são plataformas relativamente planas que dispersam os estímulos, e as superfícies em que andamos são cada vez mais artificiais e perfeitamente planas. Isso nos leva à perda da diferenciação dos mapas das solas dos pés e à limitação do tato como guia no controle dos pés. Depois podemos começar a usar bengalas, andadores ou muletas ou depender dos outros sentidos para nos equilibrar. Recorrendo a essas compensações em vez de exercitar nossos sistemas cerebrais declinantes, nós aceleramos seu declínio.

À medida que envelhecemos, queremos olhar para os pés quando subimos uma escada ou caminhamos por um terreno ligeiramente acidentado porque não recebemos informação suficiente de nossos pés. Enquanto Merzenich acompanhava sua madrasta pela escada na casa de veraneio, ele a encorajou a parar de olhar para baixo e começar a sentir o caminho, para que ela pudesse manter — e desenvolver — o mapa sensorial dos pés em vez de deixar que ele se deteriorasse.

Tendo dedicado anos à ampliação de mapas cerebrais, Merzenich agora acredita que há ocasiões em que é preferível encolhê-los. Ele está trabalhando no desenvolvimento de um apagador mental capaz de eliminar um mapa cerebral problemático. Essa técnica pode ser de grande utilidade para pessoas que têm *flashbacks* pós-traumáticos, pensamentos obsessivos recorrentes, fobias ou associações mentais problemáticas. É claro que seu potencial para o abuso é de arrepiar.

Merzenich continua a contestar a concepção de que estamos presos ao cérebro que recebemos ao nascer. Do seu ponto de vista, o cérebro é estruturado por sua constante interação com o mundo, e não são apenas as partes do cérebro mais expostas ao mundo, como nossos sentidos, que são moldadas pela experiência. A mudança plástica, causada por nossa experiência, viaja fundo no cérebro e chega até nossos genes, moldando-os também — tema ao qual voltaremos em breve.

Esta casa de veraneio em estilo mediterrâneo onde ele passa tanto tempo fica em meio a montanhas baixas. Ele acabou de plantar seu próprio vinhedo e caminhamos por ele. À noite, conversamos sobre seus primeiros anos como estudante de filosofia, enquanto quatro gerações de sua animada família se provoca, dando gargalhadas. No sofá está a mais nova neta de Merzenich, de apenas alguns meses de idade e no meio de muitos períodos críticos. Ela deixa felizes todos à sua volta porque é uma boa plateia. Você pode sussurrar para ela, e ela escuta, empolgada. Você faz cócegas em seus pés, e ela fica completamente atenta. Enquanto olha a sala, ela apreende tudo.

4

Adquirindo Gostos e Afetos

O que a neuroplasticidade nos ensina sobre a atração sexual e o amor

A. era um jovem solteiro e bonito que me procurou porque estava deprimido. Tinha se envolvido amorosamente com uma linda mulher — que já tinha um namorado —, e ela começara a encorajá-lo a maltratá-la. Ela tentou convencer A. a encenar fantasias sexuais em que ela se vestia de prostituta, e ele devia "cuidar" dela; tratando-a com violência. Quando começou a sentir um desejo alarmante de submetê-la, A. ficou muito perturbado, terminou o relacionamento e procurou tratamento. Ele tinha um histórico de envolvimento com mulheres emocionalmente descontroladas que já eram ligadas a outros homens. As namoradas que havia tido ou eram exigentes e possessivas ou eram de uma crueldade castradora. No entanto, eram essas mulheres que o atraíam. Mulheres "legais", mulheres atenciosas e gentis, o entediavam, e ele via defeitos em qualquer mulher que se apaixonasse por ele de uma forma terna e descomplicada.

Durante toda a infância dele, a própria mãe foi uma alcoólatra grave, frequentemente carente, sedutora e dada a tempestades emocionais e a explosões de violência. A. lembrava-se da mãe batendo a cabeça da irmã no aquecedor e queimando os dedos de seu meio-irmão como castigo por brincar com fósforos. Ela ficava deprimida com frequência, ameaçando suicidar-se, e o papel dele era ficar atento, acalmá-la e impedi-la de se matar. Seu relacionamento com ela também era altamente sexualizado. Ela vestia camisolas transparentes e falava com ele como se fosse um amante. Ele se recordava dela convidando-o para sua cama quando era criança e tinha uma imagem de si mesmo sentado com os pés na vagina dela enquanto ela se masturbava. Ele tinha uma sensação excitante mas furtiva com a cena. Em raras ocasiões, quando o pai, que tinha se afastado da esposa, estava em casa, A. se lembrava de ficar "perpetuamente sem fôlego", tentando evitar as brigas entre os pais, que acabaram por se divorciar.

A. passou grande parte de sua infância reprimindo a raiva que sentia dos pais, muitas vezes sentindo-se como um vulcão prestes a entrar em erupção. Os relacionamentos íntimos pareciam formas de violência em que os outros ameaçavam devorá-lo vivo; no entanto, depois de atravessar a infância, ele adquirira um gosto erótico por mulheres que prometiam fazer justamente isso, e só por elas.

Os seres humanos exibem um grau extraordinário de plasticidade sexual, se comparados com outras criaturas. Variamos quanto ao que gostamos de fazer com nossos parceiros no ato sexual. Variamos sobre onde experimentamos a excitação e a satisfação sexual em nosso corpo. Mas variamos sobretudo quanto à pessoa ou coisa que nos atrai. As pessoas costumam dizer que acham um determinado "tipo" atraente, e esses tipos variam imensamente de uma pessoa para outra.

Para alguns, os tipos mudam conforme fases diferentes e novas experiências. Um homossexual tinha relações sucessivas com homens de uma raça ou grupo étnico, depois com homens de outro grupo, e em cada fase só conseguia sentir atração por homens do grupo "da vez". Depois que uma fase acabava, ele não conseguia mais se sentir atraído por um homem do grupo anterior. Ele adquiria um gosto por esses "tipos" sucessivos e parecia mais enamorado da categoria ou tipo da pessoa (isto é, "asiáticos" ou "afro-americanos") que dos próprios indivíduos. A plasticidade das preferências sexuais desse homem exagera uma verdade geral: a libido humana não é um impulso biológico estruturado e invariável, mas pode ser curiosamente inconstante, facilmente alterada por nossa psicologia e pela história de nossos encontros sexuais. Nossa libido também pode ser bem caprichosa. Muitos textos científicos sugerem o contrário e descrevem o instinto sexual como um imperativo biológico, uma besta sempre ansiosa, sempre exigindo satisfação — um glutão, não um gourmet. Mas os seres humanos estão mais para gourmets, sentem-se atraídos por determinados tipos e têm fortes preferências; ter um "tipo" nos leva a adiar a satisfação até que encontremos o que procuramos, porque a atração por um tipo é restritiva: a pessoa que fica "ligada a louras" pode tacitamente rejeitar morenas e ruivas.

Até a preferência sexual pode mudar de vez em quando.[1] Embora alguns cientistas destaquem cada vez mais a base inata de nossas preferências sexuais, também é verdade que algumas pessoas têm atração heterossexual durante parte de sua vida — sem histórico de bissexualidade — e depois "acrescentam" uma atração homossexual e vice-versa.

Pode parecer que a plasticidade sexual chegou ao seu auge naqueles que têm muitos parceiros diferentes, aprendendo a se adaptar a cada novo amante; mas pense na plasticidade necessária para um casal que envelhece junto, com uma boa vida sexual. Eles pareciam muito diferentes aos 20 anos, quando se conheceram, do que aos 60; entretanto, sua libido se adaptou, então eles ainda se sentem atraídos.

Mas a plasticidade sexual vai ainda mais além. Os fetichistas desejam objetos inanimados. Um fetichista pode ficar mais excitado com um salto alto com um forro de peles, ou com uma lingerie do que com uma mulher de verdade. Desde os tempos antigos, alguns homens das áreas rurais tinham relações sexuais com animais. Algumas pessoas parecem se sentir atraídas não tanto por pessoas, mas por roteiros sexuais complexos, nos quais os parceiros interpretam papéis, envolvendo várias perversões, combinando sadismo, masoquismo, voyeurismo e exibicionismo. Quando colocam uma nota na seção de anúncios pessoais do jornal, a descrição do que procuram em um amante mais parece a descrição de um cargo do que de uma pessoa que eles gostariam de conhecer.

Dado que a sexualidade é um instinto, e que o instinto é tradicionalmente definido como um comportamento hereditário exclusivo de uma espécie, variando pouco de um membro para outro, a variedade de nossas preferências sexuais é curiosa. Os instintos normalmente resistem a mudanças e, acredita-se, têm um propósito claro, irredutível e fisicamente estruturado, como a sobrevivência. Mas o "instinto" sexual humano parece ter se libertado de seu propósito essencial, a reprodução, e varia numa proporção desconcertante, como não acontece em outros animais, para os quais o impulso sexual parece se comportar e agir como um instinto.[2]

Nenhum outro instinto pode ser tão satisfeito sem a realização de seu propósito biológico e nenhum outro instinto é tão desligado de seu propósito. Os antropólogos mostraram que, por um longo tempo, a humanidade não sabia que o sexo era necessário para a reprodução. Esse "fato da vida" teve de ser aprendido por nossos ancestrais, assim como as crianças devem aprendê-lo hoje. Esse desligamento de seu propósito principal talvez seja o sinal definitivo da plasticidade sexual.

O amor também é extraordinariamente flexível, e sua expressão mudou ao longo da história. Embora falemos de amor romântico como o mais *natural* dos sentimentos, na realidade a concentração de nossas esperanças adultas de intimidade, ternura e desejo sexual em uma só pessoa "até que a morte nos separe" não é comum a todas as sociedades e só recentemente se tornou disseminada na nossa. Durante milênios, a maioria dos casamentos era arranjada pelos pais por motivos práticos. Certamente há histórias inesquecíveis de amor romântico ligadas ao casamento na Bíblia, como no Cântico dos Cânticos, e ligadas ao desastre na poesia medieval dos trovadores e, mais tarde, em Shakespeare. Mas o amor romântico começou a ter aprovação social na aristocracia e nas cortes da Europa no século XII — originalmente entre um homem solteiro e uma mulher casada, adúltero ou não consumado, geralmente terminando mal. Só com a divulgação dos ideais democráticos do individualismo foi que se firmou — e aos poucos começou a parecer completamente natural e inalienável — a ideia de que os amantes deviam poder escolher seus próprios cônjuges.

É razoável indagar se nossa plasticidade sexual está relacionada com a neuroplasticidade. A pesquisa mostrou que a neuroplasticidade não é compartimentalizada em departamentos cerebrais nem confinada às áreas de processamento sensorial, motor e cognitivo que já exploramos. A estrutura do cérebro que regula os comportamentos instintivos, inclusive o sexo, chamada hipotálamo, é plástica, como é a amídala, a estrutura que processa a emoção e a ansiedade.[3] Embora algumas partes do cérebro, como o córtex, possam ter mais potencial plástico porque há mais neurônios e conexões a serem alterados, até as áreas não corticais exibem plasticidade. É uma propriedade de todo o tecido cerebral. A plasticidade existe no hipocampo (a área que transforma nossas lembranças de curto prazo em recordações de longo prazo),[4] bem como em áreas que controlam nossa respiração,[5] processam as sensações primitivas[6] ou a dor.[7] Ela existe na medula espinhal[8] — como os cientistas mostraram; o ator Christopher Reeve, que sofreu uma lesão espinhal grave, demonstrou esta plasticidade quando conseguiu, por meio de incansáveis exercícios, recuperar parte da sensação e da mobilidade sete anos depois do acidente.

Merzenich coloca esse fato desta maneira: "Não é possível isolar a plasticidade (...) é absolutamente impossível." Seus experimentos mostraram que se um sistema cerebral muda, aqueles sistemas conectados com ele também se alteram.[9] As mesmas "regras plásticas" — use ou perca, ou neurônios que disparam simultaneamente se ligam entre si — são válidas em todo o cérebro. Se não fosse assim, as diferentes áreas cerebrais não poderiam funcionar juntas.

Será que as mesmas regras plásticas para os mapas cerebrais nos córtices sensorial motor e da linguagem são válidas para mapas mais complexos, como os que representam nossos relacionamentos, sexuais ou outros? Merzenich também mostrou que os mapas cerebrais complexos são regidos pelos mesmos princípios plásticos dos mapas mais simples. Os animais expostos a um único som desenvolverão um único mapa cerebral para processá-lo. Animais expostos a um padrão complexo, como uma melodia de seis sons, não só unem seis mapas diferentes, mas desenvolvem uma região que decodifica *toda* a melodia. Esses mapas "melódicos" mais complexos obedecem aos mesmos princípios plásticos dos mapas para um único som.[10]

"Os instintos sexuais", escreveu Freud, "nos são perceptíveis por sua plasticidade, sua capacidade de alterar seus alvos."[11] Freud não foi o primeiro a argumentar que a sexualidade era plástica — Platão, em seu diálogo sobre o amor, afirma que o Eros humano assume muitas formas[12] —, mas Freud deitou as fundações para a compreensão neurocientífica da plasticidade sexual e romântica.

Uma das contribuições mais importantes foi sua descoberta de períodos críticos da plasticidade sexual. Freud sustentou que a capacidade de um adulto de amar íntima e sexualmente se desenrola em fases, começando com as primeiras ligações apaixonadas do bebê com os pais. Ele aprendeu com os pacientes, e observando crianças, que a primeira infância, e não a puberdade, era o primeiro período crítico para a sexualidade e a intimidade, e que as crianças são capazes de sentimentos apaixonados e protossexuais — paixões, sentimentos amorosos e em alguns casos até excitação sexual, como no caso do paciente A. Freud descobriu que o abuso sexual de crianças é prejudicial porque influencia o período crítico da sexualidade na infância, moldando nossas ideias e tendências sexuais futuras. As crianças são carentes e em geral desenvolvem ligações passionais com os pais. Se o genitor é caloroso, gentil, confiável, a criança desenvolverá uma preferência por esse tipo de relacionamento na vida; se o genitor é desligado, frio, distante, voltado para si mesmo, colérico, ambivalente ou errático, a criança pode procurar um parceiro adulto que tenha tendências semelhantes. Existem exceções, mas um sólido conjunto de pesquisas confirma agora o *insight* básico de Freud, de que os primeiros padrões de relação e ligação com os outros, se problemáticos, podem ficar "fisicamente embutidos" em nosso cérebro na infância e se repetir na idade adulta.[13] Muitos aspectos do roteiro sexual que A. representava quando começou a se tratar comigo eram repetições de sua situação traumática na infância, levemente disfarçados — como sua atração por mulheres instáveis que atravessavam as fronteiras sexuais normais em relações furtivas, nas quais a hostilidade e a excitação sexual se fundiam, enquanto o parceiro oficial da mulher era traído e ameaçava reentrar em cena.

A ideia do período crítico foi formulada mais ou menos na época em que Freud começou a escrever sobre o sexo e o amor, por embriologistas que observaram que o sistema nervoso do embrião se desenvolve em fases e que, se essas fases são perturbadas, o animal ou a pessoa será prejudicado, muitas vezes de forma dramática, pela vida toda.[14] Embora Freud não usasse a expressão, o que ele disse sobre as primeiras fases do desenvolvimento sexual se coaduna com o que sabemos sobre os períodos críticos. São breves janelas de tempo em que os novos sistemas e mapas cerebrais se desenvolvem com a ajuda de estímulos provenientes de pessoas no próprio ambiente.[15]

Os resquícios de sentimentos infantis no amor e na sexualidade adultos podem ser detectados em comportamentos cotidianos. Na nossa cultura, durante as preliminares amorosas, ou quando expressam seu afeto mais profundo, os adultos frequentemente se tratam por "neném". Usam termos carinhosos que suas mães usavam com eles quando crianças, como "lindinho" e "amorzinho", termos que evocam os primeiros meses de vida, quando a mãe expressava seu amor alimentando, acariciando e falando docemente com o bebê — o que Freud chamou de fase oral, o primeiro período crítico da sexualidade, cuja essência é resumida nas palavras "nutrição" e "nutrir" — cuidando ternamente dele, amando *e* alimentando. O bebê se sente mesclado com a mãe, e sua confiança nos outros se desenvolve à medida que é sustentado e nutrido com um alimento adocicado, o leite. Ser amado, cuidado e alimentado são associados mentalmente e conectados no cérebro em nossa primeira experiência formadora desde o parto.

Quando falam como bebês, usando palavras como "docinho" e "neném" ao se dirigirem ao outro, e dão à conversa um sabor oral, os adultos estão, segundo Freud, "regredindo", passando de estados mentais maduros a outros relacionados com as primeiras fases da vida. Em termos de plasticidade, esta regressão, acredito, envolve o desmascaramento de antigas vias neuronais que depois disparam todas as associações da fase primeva. A regressão pode ser agradável e inócua,[16] como nas preliminares adultas, ou pode ser problemática, quando vias infantis agressivas são desmascaradas e um adulto tem ataques de raiva.

Mesmo a "conversa suja" mostra vestígios de estágios sexuais infantis. Afinal, por que o sexo deveria ser considerado "sujo"? Esta atitude reflete uma visão infantil do sexo, de uma fase em que a criança toma consciência da higiene pessoal, da micção e da defecação e fica surpresa ao saber que os genitais, que estão envolvidos na micção e ficam tão perto do ânus, também são envolvidos no sexo, e que a mamãe deixa que o papai insira seu órgão "sujo" num buraco que fica muito perto de suas nádegas. Os adultos em geral não se incomodam com isso, porque na adolescência passaram por outro período crítico de plasticidade sexual, em que o cérebro se reorganizou novamente, de modo que o prazer do sexo se torna intenso o bastante para superar qualquer repulsa.

Freud mostrou que muitos mistérios sexuais podem ser compreendidos como fixações do período crítico. Depois de Freud, não ficamos mais surpresos quando uma menina abandonada pelo pai procura, quando adulta, homens indisponíveis e velhos o bastante para serem seu pai, ou quando pessoas criadas por mães gélidas e autoritárias frequentemente procurem pessoas assim como parceiras, às vezes tornando-se elas mesmas "frias", porque, sem jamais terem vivido a empatia no período crítico, toda uma parte de seu cérebro deixou de se desenvolver. E muitas perversões podem ser explicadas em termos de plasticidade e de conflitos infantis que persistem. Mas a principal questão é que em nossos períodos críticos podemos adquirir gostos e inclinações sexuais e românticas que são embutidas estruturalmente em nosso cérebro e podem ter um forte impacto pelo resto de nossa vida. E o fato de que podemos adquirir diferentes gostos sexuais contribui para a imensa variabilidade sexual entre nós.

A concepção de que um período crítico ajuda a formar o desejo sexual em adultos contradiz o argumento hoje popular de que o que nos atrai é menos o produto de nossa história pessoal do que de nossa biologia comum. Algumas pessoas — modelos e estrelas de cinema, por exemplo — são amplamente consideradas bonitas ou *sexies*. Uma certa corrente da biologia nos ensina que essas pessoas são atraentes porque exibem sinais biológicos de resistência, que prometem fertilidade e força: uma aparência limpa e traços simétricos indicam que um potencial parceiro não tem doenças; um corpo de ampulheta é sinal de uma mulher fértil; os músculos de um homem predizem que ele será capaz de proteger uma mulher e sua prole.

Mas isso simplifica o que a biologia realmente ensina. Nem todos se apaixonam pelo corpo, como acontece quando uma mulher diz, "Eu sabia, quando ouvi *aquela* voz pela primeira vez, que ele foi feito para mim", pois a musicalidade da voz talvez seja uma melhor indicação da alma de um homem do que a superfície de seu corpo. E a preferência sexual mudou com o passar dos séculos. As beldades de Rubens eram gordas pelos padrões atuais, e com o correr das décadas as estatísticas demográficas das páginas centrais da *Playboy* e das modelos da moda passaram do tipo voluptuoso ao andrógino. A preferência sexual evidentemente é influenciada pela cultura e pela experiência e é frequentemente adquirida e depois embutida estruturalmente no cérebro.

"Gostos adquiridos" são por definição aprendidos, ao contrário dos "gostos", que são inatos. Um bebê não precisa adquirir gosto por leite, água ou doces. Estes são percebidos de imediato como agradáveis. Os gostos adquiridos são inicialmente experimentados com indiferença ou desprazer, mas posteriormente tornam-se agradáveis — os odores de queijos, de vinhos italianos, amargos e secos, cafés, patês, a sugestão de urina num rim frito. Muitas iguarias pelas quais as pessoas pagam caro, e pelas quais precisam "desenvolver um gosto", são os mesmos alimentos que nos enojavam quando crianças.

Na época elisabetana, os amantes eram tão apaixonados pelos respectivos odores corporais que era comum uma mulher manter uma maçã descascada em sua axila até que tivesse absorvido todo o suor e o cheiro. Ela daria essa "maçã do amor" para que o amante a cheirasse em sua ausência. Nós, por outro lado, usamos aromas sintéticos de frutas e flores para mascarar nosso odor corporal para nossos amantes. Não é fácil determinar qual dessas duas abordagens é adquirida e qual é natural. Uma substância que nos é tão "naturalmente" repugnante como a urina de vaca é usada pela tribo masai da África Oriental como loção para o cabelo — uma consequência direta da importância da vaca em sua cultura. Muitos gostos que consideramos "naturais" são adquiridos por aprendizado e se tornam uma "segunda natureza". Somos incapazes de distinguir nossa "segunda natureza" de nossa "natureza original" porque nosso cérebro neuroplástico, depois de reestruturado, desenvolve uma nova natureza tão biológica quanto a original.

A atual epidemia de pornografia demonstra claramente que os gostos sexuais podem ser adquiridos. A pornografia, fornecida por conexões de internet de alta velocidade, satisfaz cada um dos requisitos para a mudança neuroplástica.[17]

À primeira vista, a pornografia parece ser uma questão puramente instintiva: imagens sexualmente explícitas incitam reações instintivas, que são o fruto de milhões de anos de evolução. Mas se isso fosse verdade, a pornografia não teria se alterado. Ficaríamos excitados com os mesmos estímulos, as mesmas partes do corpo e suas proporções que excitavam nossos ancestrais. Isso é o que os produtores de material pornográfico querem nos fazer acreditar, pois alegam que estão combatendo a repressão sexual, o tabu e o medo e que seu objetivo é liberar os instintos sexuais naturais e reprimidos.

Mas, na realidade, o conteúdo da pornografia é um fenômeno *dinâmico* que ilustra perfeitamente o progresso de um gosto adquirido. Trinta anos atrás, pornografia "*hardcore*" em geral significava a representação *explícita* de atos sexuais entre dois parceiros excitados, exibindo seus genitais. A "*softcore*" significava imagens principalmente de mulheres numa cama, no banheiro ou em algum ambiente semirromântico, em vários estados de nudez, com os seios à mostra.

Agora a pornografia *hardcore* evoluiu e é cada vez mais dominada por temas sadomasoquistas de sexo forçado, ejaculações na cara das mulheres e sexo anal furioso, todos envolvendo roteiros que misturam sexo com ódio e humilhação. A pornografia *hardcore* atualmente explora o mundo da perversão, enquanto a pornografia *softcore* é o que era a *hardcore* há algumas décadas, atos sexuais explícitos entre adultos, agora disponível pela TV a cabo. As imagens comparativamente dóceis e leves do passado — mulheres em vários estágios de nudez — agora aparecem na mídia dominante o dia todo, na "pornificação" de tudo, incluindo a televisão, os videoclipes de rock, as novelas, a propaganda e assim por diante.

O crescimento da pornografia foi extraordinário; é responsável por 25% dos aluguéis de vídeo e é o quarto maior motivo para as pessoas ficarem on-line. Uma pesquisa feita entre os expectadores da MSNBC.com, em 2001, revelou que 80% sentiam que estavam passando tempo demais em sites pornográficos e assim colocavam em risco seus relacionamentos ou seus empregos. O poder da pornografia *softcore* hoje é mais profundo porque, agora que não é mais escondida, ela influencia jovens com pouca experiência sexual e especialmente mentes plásticas, em vias de formar suas preferências e seus desejos sexuais. Todavia, a influência plástica da pornografia sobre adultos também pode ser profunda, e aqueles que a usam não sabem até que ponto terão o cérebro remodelado por ela.

De meados ao final da década de 1990, quando a internet estava crescendo rapidamente e a pornografia explodia, tratei ou auxiliei no tratamento de vários homens que tinham essencialmente a mesma história. Cada um deles tinha adquirido um gosto por um tipo de pornografia que, em vários graus, criava problemas ou os enojava, produzindo um efeito perturbador sobre o seu padrão de excitação sexual, afetando seus relacionamentos e sua potência sexual.

Nenhum desses homens era fundamentalmente imaturo, socialmente problemático ou afastado do mundo por uma imensa coleção de material pornográfico para substituir os relacionamentos com mulheres reais. Eram homens agradáveis, em geral atenciosos, com relacionamentos ou casamentos razoavelmente bem-sucedidos.

Geralmente, durante o tratamento por algum outro problema, um desses homens contava, quase como um aparte e com um desconforto evidente, que se via passando cada vez mais tempo na internet, vendo pornografia e se masturbando. Ele tentava atenuar seu desconforto afirmando que todo mundo fazia isso. Em alguns casos ele começava a ver um site do tipo *Playboy*, uma imagem de nu ou videoclipe que alguém mandasse a ele só de farra. Em outros, ele visitava um site inofensivo, com um anúncio sugestivo que o redirecionava para sites indecentes, e logo ele era fisgado.

Vários desses homens também contaram outra coisa, em geral de passagem, que chamou minha atenção. Relataram uma dificuldade cada vez maior de ficar excitados com suas parceiras sexuais atuais, esposas ou namoradas, embora objetivamente ainda as considerassem atraentes. Quando perguntei se esse fenômeno tinha alguma relação com ver pornografia, eles responderam que inicialmente a pornografia os ajudava a ficar mais excitados durante o sexo, mas que com o tempo teve o efeito contrário. Agora, em vez de usar seus sentidos para curtir estar na cama, no presente, com suas parceiras, fazer amor exigia cada vez mais que eles fantasiassem fazer parte de um roteiro pornô. Alguns, gentilmente, tentavam convencer as amantes a agir como estrelas pornôs e ficavam cada vez mais interessados em "foder" em vez de "fazer amor". Sua vida de fantasia sexual era cada vez mais dominada pelos cenários que eles tinham, por assim dizer, baixado em seus cérebros, e esses novos roteiros costumavam ser mais primitivos e mais violentos do que as fantasias sexuais anteriores. Tive a impressão de que qualquer criatividade sexual que esses homens tivessem estava morrendo e que eles estavam se viciando em pornografia pela internet.

As mudanças que observei não se restringem a algumas pessoas em terapia. Está havendo uma mudança social. Embora em geral seja difícil conseguir informações sobre os costumes sexuais privados, isso não acontece com a pornografia hoje, porque seu uso é cada vez mais público. Esta mudança coincide com a mudança do termo "pornografia" para o mais informal "pornô". Para escrever seu livro sobre a vida acadêmica norte-americana, *Eu sou Charlotte Simmons*, Tom Wolfe passou vários anos observando alunos em *campi* universitários. No livro, um rapaz, Ivy Peters, entra no alojamento masculino e diz: "Alguém tem um pornô aí?"[18]

Wolfe continua: "O pedido nada tinha de estranho. Muitos alunos declaravam abertamente que se masturbavam pelo menos uma vez por dia, como se fosse uma medida salutar e prudente para a manutenção do sistema psicossexual." Um dos rapazes diz a Ivy Peters: "Procure no terceiro andar. Acho que tem algumas revistas lá em cima." Mas Peters responde: "Desenvolvi uma resistência a revistas... preciso de vídeos." Outro aluno diz: "Pelamordedeus, IP, são dez horas da noite. Daqui a uma hora os depósitos de esperma estarão aqui para passar a noite. (...) E você está procurando por vídeos pornô para bater punheta." E então Ivy dá de ombros e ergue "as palmas das mãos, como se dissesse: 'Quero ver um vídeo pornô. Qual é o problema?'"*

O problema é sua tolerância, ou "resistência". Ele reconhece que é como um viciado em drogas que não fica mais ligado em imagens que antes o excitavam. E o perigo é que essa tolerância será levada para os relacionamentos, como aconteceu com pacientes que eu atendia, conduzindo a possíveis problemas e preferência novas e às vezes indesejadas. Quando os pornógrafos se gabam de que estão rompendo barreiras ao introduzirem temas novos e mais pesados, o que eles não dizem é que precisam fazer isso, porque seus clientes estão desenvolvendo uma tolerância ao conteúdo. As últimas páginas de revistas masculinas obscenas e os sites pornôs na internet estão cheios de anúncios de drogas do tipo Viagra — um remédio desenvolvido para homens mais velhos com problemas de ereção relacionados ao envelhecimento e a distúrbios vasculares no pênis. Hoje, os jovens que navegam pela internet buscando pornografia têm um medo imenso da impotência — ou da "disfunção erétil", como é eufemisticamente chamada. A expressão enganosa implica que esses homens têm um problema em seu pênis, mas o problema está em sua cabeça, em seu mapa sexual no cérebro. O pênis funciona bem quando eles usam pornografia. Raras vezes ocorre a eles que pode haver uma relação entre a pornografia que consomem e sua impotência. (Alguns homens, porém, descreveram nitidamente suas horas ao computador em sites pornôs como "masturbação cerebral".)

---

*Tradução de Pinheiro de Lemos para a Editora Rocco, Rio de Janeiro, 2004. [*N. da T.*]

Um dos rapazes na cena de Wolfe descreve as meninas que vão fazer sexo com os namorados como "depósitos de esperma". Ele também é influenciado por imagens pornôs, pois os "depósitos de esperma", como muitas mulheres nos filmes pornôs, sempre são receptáculos ansiosos e disponíveis, sendo, portanto, desvalorizadas.

O vício em pornografia na internet não é uma metáfora. Nem todos os vícios são em drogas ou álcool. As pessoas podem ficar gravemente viciadas em apostas, até em correr. Todos os viciados mostram uma perda de controle sobre a atividade, procurando, compulsivamente por ela, apesar das consequências negativas, e desenvolvem tolerância, de modo que precisam de níveis cada vez mais altos de estímulo para ter satisfação. E sofrem de abstinência se não conseguem consumar o ato viciante.

Todo vício envolve uma mudança neuroplástica de longo prazo, às vezes por toda a vida. Para os viciados, é impossível ter moderação, e eles devem evitar inteiramente a substância ou a atividade se quiserem evitar comportamentos viciantes. Os Alcoólatras Anônimos insistem que não são "ex-alcoólatras" e fazem com que as pessoas que não tomam um drinque há décadas se apresentem nas reuniões dizendo: "Meu nome é Fulano e eu sou um alcoólatra." Em termos de plasticidade, em geral eles estão corretos.

Para determinar como uma droga recreativa é viciante, pesquisadores do National Institutes of Health (NIH), em Maryland, treinaram um rato a apertar uma barra até que ela liberasse uma dose da droga. Quanto mais o animal se empenha em pressionar a barra, mais viciante é a droga. A cocaína, quase todas as outras drogas ilegais e até vícios como correr ativam o neurotransmissor do prazer no cérebro, a dopamina.[19] A dopamina é chamada de transmissor da recompensa, porque quando realizamos alguma coisa — disputar uma corrida e vencer —, nosso cérebro estimula sua liberação. Embora exaustos, temos um pico de energia, prazer e confiança e até erguemos as mãos e damos uma volta da vitória. Por outro lado, os perdedores, que não experimentam a onda de dopamina, de imediato ficam sem energia, desabam na linha de chegada e sentem-se péssimos. Ao sequestrar nosso sistema dopaminérgico, as substâncias viciantes nos dão prazer sem que tenhamos de nos esforçar por ele.

A dopamina, como vimos no trabalho de Merzenich, também está envolvida na mudança plástica. O mesmo pico de dopamina que nos excita consolida as conexões nervosas responsáveis pelos comportamentos que nos levam a atingir nossa meta. Quando Merzenich usou um eletrodo para estimular o sistema dopaminérgico da recompensa de um animal enquanto tocava um som, a dopamina liberada estimulou a mudança plástica, aumentando a representação do som no mapa auditivo do animal.[20] Uma ligação importante com a pornografia é que a dopamina também é liberada na excitação sexual,[21] aumentando o impulso sexual nos dois sexos, facilitando o orgasmo e ativando os centros cerebrais do prazer. Daí o poder viciante da pornografia.

Eric Nestler, da Universidade do Texas, mostrou como os vícios podem causar mudanças permanentes no cérebro de animais. Uma única dose de muitas drogas viciantes produzirá uma proteína, chamada [delta-FosB], que se acumula nos neurônios. A cada vez que a droga é usada, mais delta-FosB se acumula, até que ela ativa um "interruptor" genético, que estabelece quais genes são "ligados" ou "desligados". Esse interruptor causa mudanças que persistem muito tempo depois que a droga é suspensa, levando a danos irreversíveis no sistema dopaminérgico e tornando o animal muito mais predisposto ao vício. Vícios como correr e tomar bebidas açucaradas também levam ao acúmulo de delta-FosB e às mesmas mudanças permanentes no sistema dopaminérgico.[22]

Os produtores pornográficos prometem prazer saudável e alívio da tensão sexual, mas o que eles costumam fornecer é vício, tolerância e, por fim, uma diminuição do prazer. Paradoxalmente, os pacientes homens com que trabalhei em geral ansiavam pela pornografia, mas não gostavam dela.

A visão comum é de que um viciado volta para ter mais de seu entorpecente porque ele gosta do prazer que dá e não gosta da dor da abstinência. Mas os viciados tomam droga quando *não* há perspectiva de prazer, quando sabem que têm uma dose insuficiente para deixá-los ligados e que ansiarão cada vez por mais antes que comecem a sentir a abstinência. Querer e gostar são coisas bem diferentes.

Um viciado experimenta anseios porque seu cérebro plástico se tornou sensibilizado para a droga ou a experiência.[23] A sensibilização é diferente da tolerância. À medida que a tolerância se desenvolve, o viciado precisa cada vez mais da substância ou da pornografia para ter um efeito prazeroso; à medida que se desenvolve a sensibilização, ele precisa cada vez menos da substância para ansiá-la intensamente; assim, a sensibilização leva ao aumento do desejo, embora não necessariamente do prazer ligado ao uso.[24] O que leva à sensibilização é o acúmulo de delta-FosB, causado pela exposição a uma substância ou atividade viciante.

A pornografia é mais excitante do que satisfatória porque temos dois sistemas de prazer distintos em nosso cérebro,[25] um relacionado com o prazer excitatório e outro, com o prazer satisfatório. O sistema excitatório se relaciona com o prazer "apetitivo" que temos imaginando algo que desejamos, como o sexo ou uma boa refeição. Sua neuroquímica tem forte relação com a dopamina e aumenta nosso nível de tensão.

O segundo sistema de prazer tem a ver com a satisfação, ou o prazer consumatório,[26] que acompanha uma experiência sexual real ou a consumação de uma refeição, um prazer relaxante e satisfatório. Sua neuroquímica é baseada na liberação de endorfinas, que são relacionadas com opiáceos e proporcionam um estado de alegria tranquila e eufórica.

A pornografia, ao oferecer um harém interminável de objetos sexuais, hiperativa o sistema apetitivo. Os espectadores de pornografia desenvolvem novos mapas cerebrais, baseados nas fotos e nos vídeos que veem. Como nosso cérebro obedece ao princípio "use ou perca", quando desenvolvemos um mapa, ansiamos por mantê-lo ativado. Assim como nossos músculos ficam impacientes pelo exercício se ficamos sentados o dia todo, nossos sentidos têm fome de estímulos.

Os homens vendo pornografia em seus computadores assemelhavam-se sinistramente aos ratos nas gaiolas do NIH, apertando a barra para obter uma dose de dopamina ou seu equivalente. Embora não soubessem disso, eles tinham sido induzidos a participar de sessões de treinamento pornográfico que cumpriam todas as condições necessárias para uma mudança plástica dos mapas cerebrais. Uma vez que os neurônios que se ativam simultaneamente se ligam entre si, esses homens tiveram uma quantidade imensa de treino, implantando essas imagens nos centros cerebrais do prazer, com a atenção concentrada necessária para a mudança plástica. Eles continuavam imaginando essas imagens quando se afastavam dos computadores — ou enquanto transavam com as namoradas — reforçando-as. Cada vez que se excitavam sexualmente e tinham um orgasmo quando se masturbavam, um "jato de dopamina", o neurotransmissor da recompensa, consolidava as conexões feitas no cérebro durante as sessões. A recompensa não só facilitava seu comportamento; ela não lhes provocava o constrangimento que sentiam comprando a *Playboy* numa banca. Eis um comportamento sem qualquer "punição", apenas com recompensa.

O conteúdo do que eles achavam excitante mudava à medida que os sites introduziam temas e roteiros que lhes alteravam o cérebro sem que eles tivessem consciência. Como a plasticidade é competitiva, os mapas cerebrais para imagens novas e excitantes aumentaram em detrimento dos mapas anteriores — motivo, acredito, para eles começarem a achar suas namoradas menos excitantes.

A história de Sean Thomas, publicada na *Spectator* da Inglaterra,[27] é um relato extraordinário de um homem que caiu no vício da pornografia e lança uma luz sobre como a pornografia muda os mapas cerebrais e altera as preferências sexuais, bem como sobre o papel da plasticidade do período crítico nesse processo. Thomas escreve: "Eu jamais gostei realmente de pornografia. Claro, em minha adolescência, nos anos 1970, eu tinha um ou outro exemplar da *Playboy* debaixo do travesseiro. Mas, de modo geral, eu realmente não gostava de revistas de mulher pelada ou filmes obscenos. Achava-os tediosos, repetitivos, absurdos e muito constrangedores comprá-los." Ele se nauseava com a aridez das cenas pornôs e o espalhafato dos garanhões bigodudos que as habitavam. Mas em 2001, logo depois de entrar na internet pela primeira vez, ele ficou curioso com a pornografia que todos diziam ver na rede. Muitos sites eram gratuitos — *teaser*, ou "sites *gateway*", para atrair pessoas para conteúdos mais pesados. Havia galerias de mulheres nuas, de tipos comuns de fantasias e atrações sexuais, concebidas para apertar um botão no cérebro do usuário, um botão que ele nem sabia que tinha. Havia fotos de lésbicas numa hidromassagem, desenhos pornôs, mulheres fumando na privada, universitárias, sexo grupal e homens ejaculando em asiáticas submissas. A maioria das imagens contava uma história.

Thomas achou algumas imagens e roteiros que tinham apelo para ele, e elas "me arrastaram de volta para ter mais no dia seguinte. E no outro. E no seguinte". Logo ele descobriu que sempre que tinha um minuto livre, "começava ansiosamente a conferir pornografia na rede".

Então, um dia ele deu com um site que exibia imagens de espancamento. Para sua surpresa, ele ficou muito excitado. Thomas logo descobriu todo tipo de sites relacionados, como "Bernie's Spanking Pages" e o "Spanking College".

"Foi naquele momento", escreve ele, "que o vício se estabeleceu. Meu interesse em espancamento me fez especular: que outras perversões eu estava abrigando? Que outros cantos secretos e recompensadores à espreita em minha sexualidade eu agora seria capaz de investigar na privacidade de minha casa? Muitos, como se viu. Descobri um pendor sério por, *inter alia*, ginecologia lésbica, *hardcore* inter-racial e imagens de japonesas tirando a calcinha. Eu também gostava de jogadoras de basquete sem calção, russas bêbadas se expondo e cenários complexos em que atrizes dinamarquesas submissas eram depiladas intimamente por suas parceiras dominantes no chuveiro. Em outras palavras, a internet me revelou que eu tinha uma variedade inquantificável de fantasias e artimanhas sexuais e que o processo de satisfazer esses desejos on-line só produzia mais interesse."

Até que ele por acaso se deparou com imagens de espancamento, que provavelmente despertaram alguma experiência ou fantasia infantil sobre ser punido. As imagens que ele via o interessavam, mas não o impeliam. As fantasias sexuais dos outros nos entediam. A experiência de Thomas era semelhante à de meus pacientes: sem estar plenamente conscientes do que procuram, eles percorrem centenas de imagens e cenários até que dão com uma imagem ou roteiro sexual que toca algum tema sepulto que realmente os excitava.

Depois de encontrar aquela imagem, Thomas mudou. A imagem do espancamento tinha sua *atenção focada*, a condição para a mudança plástica. Ao contrário de uma mulher de verdade, essas imagens pornôs estavam disponíveis o dia todo, a cada dia em seu computador.

Thomas tinha se tornado um dependente. Ele tentou se controlar, mas passava pelo menos cinco horas por dia com o laptop. Navegava em segredo, dormindo só três horas por noite. A namorada, percebendo sua exaustão, perguntou a si mesma se ele teria outra. Thomas ficou tão privado de sono que sua saúde sofreu e ele contraiu uma série de infecções que o levaram à emergência de um hospital e, por fim, a refletir sobre sua situação. Ele começou a perguntar aos amigos e descobriu que muitos também sofriam da mesma dependência.

Claramente, havia algo na sexualidade de Thomas, longe de sua consciência, que de repente viera à tona. A internet simplesmente revela manias e perversões ou também ajuda a criá-las? Acho que cria novas fantasias a partir de aspectos da sexualidade que estiveram fora da consciência do usuário, reunindo esses elementos e formando novas redes neurais. Não é provável que milhares de homens tenham testemunhado, ou apenas imaginado, atrizes dinamarquesas submissas sendo depiladas intimamente por parceiras dominantes no chuveiro. Freud descobriu que essas fantasias tomam a mente devido aos componentes *individuais* que têm. Por exemplo, alguns heterossexuais se interessam por cenários pornôs em que mulheres mais velhas e dominantes iniciam jovens mulheres no sexo lésbico. Pode ser assim porque os meninos, na primeira infância, em geral se sentem dominados pelas mães, que são as "chefes", e os vestem, despem e lhes dão banho. Na primeira infância, alguns meninos podem passar por um período em que se identificam fortemente com as mães e se sentem "como uma menina", e seu posterior interesse por sexo lésbico pode expressar sua identificação residual e inconsciente com as mulheres.[28] A pornografia *hardcore* desmascara alguns circuitos neurais iniciais que se formaram nos períodos críticos de desenvolvimento sexual e une todos esses elementos primitivos, esquecidos ou reprimidos, formando uma nova rede, na qual todas aquelas características são ligadas estruturalmente entre si. Os sites pornôs geram catálogos de manias comuns e os misturam em imagens. Mais cedo ou mais tarde, o usuário descobre uma combinação fatal que lhe aperta vários botões sexuais ao mesmo tempo. Depois ele reforça a rede vendo as imagens repetidas vezes, masturbando-se, liberando dopamina. Cria-se uma espécie de "neossexualidade", uma libido reconstruída que tem fortes raízes em suas tendências sexuais sepultadas. Como ele em geral desenvolve a tolerância, o prazer da descarga sexual deve ser suplementado pelo prazer de uma liberação agressiva, e cada vez mais há uma mescla de imagens sexuais e agressivas — daí o aumento dos temas sadomasoquistas na pornografia *hardcore*.

Os períodos críticos formam os alicerces de nossas características, mas apaixonar-se na adolescência ou mais tarde representa uma oportunidade para uma segunda rodada de mudanças plásticas consideráveis. Stendhal, o romancista e ensaísta do século XIX, compreendia que o amor pode levar a mudanças radicais na atração. O amor romântico incita uma emoção tão poderosa que podemos reconfigurar o que achamos atraente, superando até mesmo a beleza "objetiva". Em *Do amor*, Stendhal descreve um jovem, Alberic, que conhece uma mulher mais bonita do que sua amante. No entanto Alberic sente uma atração muito maior por sua amante do que por essa mulher, porque a amante lhe promete uma felicidade bem maior. Stendhal chama isso de "Beleza Destronada pelo Amor". O amor tem tal poder de mudar a atração que Alberic se excita por um pequeno defeito no rosto da amante, uma marca de varíola. Isso o excita porque "ele viveu tantas emoções na presença dessa marca, emoções em sua maioria intensas e de interesse mais absorvente, que quaisquer que possam ter sido suas emoções, elas eram renovadas com uma nitidez incrível à vista dessa marca, mesmo quando observada na face de outra mulher (...) e nesse caso o feio se tornava belo".[29]

Esta transformação do gosto pode acontecer porque não nos apaixonamos só pela aparência. Em circunstâncias normais, achar outra pessoa atraente pode induzir uma facilidade para se apaixonar, mas o caráter e uma série de atributos dessa pessoa, inclusive sua capacidade de fazer com que nos sintamos bem, cristaliza o processo da paixão. Assim, apaixonar-se induz um estado emocional tão prazeroso que pode tornar atraentes até mesmo marcas de varíola, reestruturando plasticamente nosso senso estético. Eis como acredito que isso funcione.

Em 1950, foram descobertos os "centros do prazer" no sistema límbico, uma região cerebral muito envolvida no processamento da emoção.[30] Nos experimentos de Robert Heath com seres humanos — um eletrodo era implantado e ativado na região septal do sistema límbico —, os pacientes viviam uma euforia tão poderosa que quando os pesquisadores tentaram dar um fim ao experimento, um deles implorou para que não o fizessem. A região septal também se ativava quando assuntos agradáveis eram discutidos com os pacientes e durante o orgasmo. Descobriu-se que esses centros de prazer faziam parte do sistema cerebral de recompensa, o sistema mesolímbico dopaminérgico. Em 1954, James Olds e Peter Milner mostraram que quando inseriam eletrodos nos centros de prazer de um animal enquanto lhe ensinavam uma tarefa, ele aprendia com mais facilidade porque o aprendizado era muito agradável e era recompensado.

Quando os centros de prazer são ativados, tudo o que vivemos nos dá prazer. Uma droga como a cocaína age em nós baixando o limiar de excitação dos nossos centros de prazer, facilitando sua ativação. Não é simplesmente a cocaína que nos dá prazer. É o fato de que nossos centros de prazer agora se excitam com tanta facilidade que qualquer experiência que tivermos parecerá ótima.[31] Não é só a cocaína que pode baixar o limiar de ativação dos nossos centros de prazer. Quando as pessoas com transtorno bipolar (antigamente chamado depressão maníaca) começam a se aproximar de seus picos maníacos, os centros de prazer começam a se ativar com mais facilidade. E apaixonar-se também baixa o limiar de ativação dos centros de prazer.[32]

Quando uma pessoa está sob o efeito da cocaína, torna-se maníaca ou se apaixona, entra num estado de entusiasmo e fica otimista em relação a tudo, porque as três condições baixam o limiar de ativação do sistema *apetitivo* do prazer, o sistema baseado na dopamina e associado ao prazer de esperar o que se deseja. O viciado, o maníaco e o apaixonado estão cada vez mais cheios de expectativa e são sensíveis a qualquer coisa que possa dar prazer — flores e ar fresco os inspiram, e um gesto leve mas atencioso os faz se deliciar com toda a humanidade. Chamo este processo de "globalização".[33]

A globalização é intensa quando nos apaixonamos e é, acredito, um dos principais motivos para que o amor romântico seja um catalisador tão poderoso para a mudança plástica. Como os centros de prazer estão se ativando tão liberalmente, o enamorado se apaixona não só pelo amado, mas pelo mundo, romantiza a visão que tem dele. Como nossos cérebros estão vivendo um surto de dopamina, que consolida a mudança plástica, quaisquer experiências e associações agradáveis que temos no estágio inicial do amor são, portanto, moldadas em nosso cérebro.

A globalização não só nos permite ter mais prazer com o mundo, como também dificulta que vivamos a dor, o desprazer ou a aversão. Heath mostrou que, quando nossos centros de prazer disparam, a ativação concomitante dos centros de dor e aversão próximos é mais difícil.[34] As coisas que normalmente nos incomodam deixam de incomodar. Nós adoramos estar apaixonados não só porque assim fica mais fácil sermos felizes, mas também porque fica mais difícil sermos infelizes.

A globalização também cria uma oportunidade para desenvolvermos novos gostos pelo que achamos atraente, como a marca de varíola que dava tanto prazer a Alberic. Os neurônios que se ativam simultaneamente se ligam entre si, e sentir prazer na presença dessa marca normalmente nada atraente leva-a a ser conectada no cérebro como uma fonte de deleite. Um mecanismo semelhante acontece quando um viciado "recuperado" em cocaína passa pela viela suja onde tomou a droga pela primeira vez e é dominado por desejos tão poderosos que volta a ela. O prazer que sentiu durante a euforia foi tão intenso que o levou, por associação, a experimentar a viela feia como atraente.

Há, portanto, uma verdadeira química do amor, e as fases de um romance refletem as mudanças em nosso cérebro não só nos momentos de êxtase, mas também nos dolorosos. Freud, uma das primeiras pessoas a descrever os efeitos psíquicos da cocaína e, quando jovem, o primeiro a descobrir suas aplicações clínicas, teve um vislumbre dessa química. Escrevendo à noiva, Martha, em 2 de fevereiro de 1886, ele contou que usara cocaína enquanto compunha a carta. Como a cocaína age no sistema nervoso muito rapidamente, a carta, em seu desenrolar, nos dá uma janela maravilhosa para seus efeitos. Ele primeiro descreve como a droga o deixa loquaz e confessional. Suas primeiras observações autodepreciativas desaparecem à medida que a carta prossegue, e logo ele se sente destemido, identificando-se com seus bravos ancestrais que defenderam o Templo de Jerusalém. Ele associa a capacidade da cocaína de curar sua fadiga à cura mágica que obtém por estar romanticamente na companhia de Martha. Em outra carta, ele escreve que a cocaína reduz sua timidez e depressão, deixa-o eufórico, aumenta sua energia, sua autoestima e seu entusiasmo, e tem um efeito afrodisíaco. Ele está descrevendo um estado semelhante à "embriaguez romântica",[35] quando as pessoas se sentem inicialmente eufóricas, conversam a noite toda e têm um aumento na energia, na libido, na autoestima e no entusiasmo, mas como acham que tudo é bom, sua capacidade de julgamento pode estar debilitada — e tudo isso ocorre porque a cocaína impede a reabsorção da dopamina. Recentes exames de IRMf (ressonância magnética funcional) em apaixonados olhando fotos de seus amados mostram que uma região cerebral com altas concentrações de dopamina é ativada: seus cérebros se parecem aos de pessoas sob o efeito da cocaína.[36]

Mas as dores do amor também têm sua química. Quando separados por muito tempo, os apaixonados desabam e vivem a abstinência, desejam ardentemente o amado, ficam ansiosos, duvidam de si mesmos, perdem a energia e ficam arrasados, se não deprimidos. Como uma pequena dose da droga, uma carta, um e-mail ou um recado telefônico do amado proporciona uma porção instantânea de energia. Caso estejam a ponto de terminar, ficam deprimidos — o oposto da euforia maníaca. Estes "sintomas de vício" — as euforias, depressões, anseios, abstinência e dilemas — são sinais subjetivos de mudanças plásticas que ocorrem na nossa estrutura cerebral, à medida que os amantes se adaptam à presença ou à ausência do amado.

Pode desenvolver-se uma tolerância, semelhante à tolerância a uma droga, nos amantes felizes à medida que se acostumam um ao outro. A dopamina gosta da novidade. Quando casais monógamos desenvolvem uma tolerância ao outro e perdem a euforia romântica que tinham antes, a mudança pode ser um sinal não de que um deles seja inadequado ou tedioso, mas de que seus cérebros plásticos se adaptaram tão bem ao outro que é mais difícil conseguir o mesmo alvoroço do passado.[37]

Felizmente, os amantes podem estimular sua dopamina, mantendo a euforia viva, pela introdução da novidade no relacionamento. Quando um casal faz uma viagem romântica de férias ou experimenta novas atividades juntos, usam novos estilos de roupa ou surpreendem o outro, estão usando a novidade para ativar seus centros de prazer, de modo que tudo o que vivam, *inclusive o outro*, lhes excite e agrade. Depois que os centros de prazer são ativados e a globalização começa, a nova imagem do amado torna-se de novo associada aos prazeres inesperados e é plasticamente estruturada no cérebro, que evoluiu para reagir à novidade. Precisamos continuar aprendendo se quisermos nos sentir totalmente vivos, e quando a vida, ou o amor, se torna previsível demais e parece haver pouco a aprender, ficamos inquietos. Um protesto, talvez, do cérebro plástico quando não consegue mais realizar essa tarefa essencial.

O amor cria um estado mental de generosidade. Como o amor nos permite considerar agradáveis situações ou características físicas que de outra forma não seriam vistas, ele também nos permite desaprender associações negativas, outro fenômeno plástico.

A ciência do desaprendizado é muito nova. Uma vez que a plasticidade é competitiva, quando uma pessoa desenvolve uma rede neural, a rede se torna eficiente e autossustentável e, tal como um hábito, é difícil desaprender. Lembremos de que Merzenich procurava por "um apagador" para ajudá-lo a acelerar a mudança e desaprender maus hábitos.

Diferentes substâncias químicas estão envolvidas no aprendizado e no desaprendizado. Quando aprendemos uma coisa nova, os neurônios disparam juntos e se ligam entre si, e ocorre um processo químico neuronal chamado "potencialização de longo prazo", ou LTP (de *long-term potentiation*), que fortalece as conexões ente os neurônios. Quando o cérebro desaprende associações e desconecta neurônios, acontece outro processo químico, chamado "depressão de longo prazo", ou LTD (de *long-term depression*, que nada tem a ver com um estado de humor deprimido). O desaprendizado e o enfraquecimento das conexões entre neurônios são um processo tão plástico, e igualmente importante, quanto o aprendizado e o fortalecimento delas. Se só fortalecêssemos as conexões, nossas redes neuronais ficariam saturadas. As evidências sugerem que é necessário desaprender lembranças existentes para dar espaço a novas lembranças em nossos circuitos.[38]

Desaprender é essencial quando estamos saindo de uma fase de desenvolvimento para outra. Quando no final da adolescência uma menina sai de casa e vai para a universidade em outro estado, por exemplo, ela e os pais são submetidos à tristeza e a uma mudança plástica intensa, na medida em que alteram antigos hábitos emocionais, rotinas e imagens que têm de si mesmos.

Apaixonar-se pela primeira vez também significa entrar em uma nova fase de desenvolvimento e exige uma quantidade imensa de desaprendizado. Quando se comprometem em relações, as pessoas devem alterar radicalmente as intenções existentes e em geral egoístas e modificar todas as outras ligações, a fim de integrar a nova pessoa em sua vida. A vida agora envolve cooperação constante, que requer uma reorganização plástica dos centros cerebrais que lidam com as emoções, a sexualidade e o ego. Milhões de conexões neurais têm de ser suprimidas e substituídas por novas conexões — um motivo para que se apaixonar pareça, para tanta gente, uma perda de identidade. Apaixonar-se também pode significar perder a paixão por um amor passado; isto também requer o desaprendizado em nível neural.

O coração de um homem reencontra a mágoa do seu primeiro amor quando seu noivado é rompido. Ele olha para muitas mulheres, mas cada uma é uma pálida recordação da noiva que ele passou a acreditar ser seu único e verdadeiro amor e cuja imagem o assombra. Ele não consegue desaprender o padrão de atração por seu primeiro amor. Uma mulher casada por 20 anos torna-se uma jovem viúva e se recusa a namorar. Ela não consegue imaginar que se apaixonará de novo, e a ideia de "substituir" o marido a ofende. Os anos passam, e os amigos lhe dizem que está na hora de seguir em frente, mas em vão.

Em geral as pessoas não conseguem seguir em frente porque ainda não conseguiram passar pelo luto; a ideia de viver sem o amado é dolorosa demais. Em termos neuroplásticos, se o romântico ou a viúva devem começar um novo relacionamento sem bagagem, cada um deles primeiro precisa reestruturar bilhões de conexões no cérebro. O processo de luto é gradual, observou Freud;[39] embora a realidade nos diga que nosso amado já se foi, "suas ordens não podem ser obedecidas de pronto". Nós sofremos trazendo à memória uma lembrança de cada vez, revivendo-a e em seguida deixando-a ir. No nível cerebral, estamos ativando cada uma das redes neurais que foram conectadas entre si para formar nossa percepção da pessoa, vivendo a lembrança com uma nitidez excepcional, depois dizendo adeus a uma rede de cada vez. No luto, nós *aprendemos* a viver sem o amado, mas o motivo pelo qual esta lição é tão difícil é que primeiro devemos *desaprender* a ideia de que a pessoa existe e de que ainda podemos nos fiar nela.

Walter J. Freeman, professor de neurociência em Berkeley, foi o primeiro a fazer a ligação entre o amor e o desaprendizado maciço. Ele reuniu vários fatores biológicos convincentes que apontam para a conclusão de que a reorganização neuronal maciça ocorre em duas fases da vida: quando nos apaixonamos e quando começamos a criar os filhos. Freeman argumenta que a reorganização cerebral plástica maciça — muito mais maciça do que no aprendizado e reaprendizado normais — é possível devido a um neuromodulador cerebral.

Os neuromoduladores são diferentes dos neurotransmissores. Enquanto os neurotransmissores são liberados nas sinapses para excitar ou inibir neurônios, os neuromoduladores aumentam ou diminuem a eficácia *global* das conexões sinápticas e criam a mudança duradoura. Freeman acredita que, quando nos apaixonamos, é liberado o neuromodulador cerebral ocitocina, permitindo que as conexões neuronais existentes se desliguem para que possam acontecer as mudanças em larga escala.

A ocitocina às vezes é chamada de neuromodulador do compromisso porque reforça os laços entre mamíferos. É liberada quando os amantes se conectam e fazem amor — na espécie humana, a ocitocina é liberada nos dois sexos durante o orgasmo[40] — e quando os casais criam e nutrem os seus filhos. Nas mulheres, a ocitocina é liberada durante o parto e a amamentação. Um estudo com IRMf mostra que quando mães olham fotos de seus filhos, regiões do cérebro ricas em ocitocina são ativadas.[41] Nos mamíferos machos, um neuromodulador estritamente relacionado chamado vasopressina é liberado quando eles se tornam pais. Muitos jovens que duvidam de que possam lidar com as responsabilidades da criação de filhos não sabem o quanto a ocitocina pode mudar seus cérebros, permitindo que eles estejam à altura do compromisso.

Estudos sobre um animal monógamo chamado arganaz-do-campo mostraram que a ocitocina, que normalmente é liberada no cérebro durante o acasalamento, torna macho e fêmea um par para toda a vida. Se uma fêmea recebe ocitocina injetada em seu cérebro, formará vínculo por toda a vida com um macho próximo. Se um macho recebe uma injeção de vasopressina, ele se acasalará com uma fêmea próxima. A ocitocina também parece ligar os filhos aos pais, e os neurônios que controlam sua secreção podem ter um período crítico próprio. As crianças criadas em orfanatos, sem contato afetivo próximo, em geral têm problemas para se vincular quando mais velhos. Seus níveis de ocitocina continuam baixos por vários anos depois de serem adotadas por famílias amorosas.[42]

Enquanto a dopamina provoca excitação, deixa-nos eufóricos e estimula a excitação sexual, a ocitocina induz um estado de espírito calmo e caloroso, que aumenta sentimentos de ternura e conexão e que pode nos levar a baixar a guarda. Um estudo recente mostra que a ocitocina também estimula a confiança. Quando as pessoas cheiram ocitocina e participam de um jogo financeiro, elas ficam mais propensas a confiar seu dinheiro aos outros.[43] Embora ainda haja muito por descobrir sobre a ocitocina na espécie humana, as evidências sugerem que seu efeito é semelhante ao que provoca nos arganazes: ela faz com que nos comprometamos com nossos parceiros e nos dediquemos aos filhos.[44]

Mas a ocitocina funciona de forma única em relação ao desaprendizado. Nas ovelhas, a ocitocina é liberada no bulbo olfativo, uma parte do cérebro envolvida com a percepção do odor, a cada nova ninhada. As ovelhas e muitos outros animais formam vínculo com sua prole pelo cheiro durante o "*imprinting*". Criam os próprios cordeiros e rejeitam os desconhecidos. Mas se é injetada ocitocina numa ovelha mãe quando exposta a um cordeiro desconhecido, ela também criará o cordeiro estranho.[45]

A ocitocina não é, porém, liberada com a primeira ninhada — só com as ninhadas seguintes —, o que sugere que a ocitocina tem o papel de *eliminar* os circuitos neurais que vinculam a mãe à sua primeira ninhada, para que ela possa formar vínculo com a segunda. (Freeman sugere que a mãe forma vínculo com a primeira ninhada usando outras substâncias neuroquímicas.)[46] A capacidade da ocitocina de eliminar o comportamento aprendido levou os cientistas a chamá-la de hormônio amnésico.[47] Freeman propõe que a ocitocina dissipa conexões neuronais que subjazem às ligações existentes, e assim novas ligações podem ser formadas.[48] A ocitocina, segundo esta teoria, não ensina os pais a serem pais. Nem torna os amantes cooperativos e gentis; ela possibilita que eles aprendam novos padrões.

A teoria de Freeman ajuda a explicar como o amor e a plasticidade se influenciam mutuamente. A plasticidade nos permite desenvolver cérebros tão únicos — em resposta às nossas experiências de vida — que em geral é difícil ver o mundo como os outros o veem, querer o que eles querem, ou cooperar. Mas o sucesso da reprodução de nossa espécie requer cooperação. O que a natureza fornece, num neuromodulador como a ocitocina, é a capacidade de dois cérebros apaixonados passarem por um período de plasticidade aumentada, permitindo que eles se moldem um ao outro e formem as intenções e percepções recíprocas. O cérebro, para Freeman, é fundamentalmente um órgão de socialização: deve haver um mecanismo que, de tempos em tempos, desfaz nossa tendência de sermos excessivamente individualistas, demasiado presos a nós mesmos ou autocentrados.

Como afirma Freeman: "O significado mais profundo da experiência sexual não está no prazer nem na reprodução, mas na oportunidade que ela dá de vencer o abismo solipsista, abrindo a porta, por assim dizer, quer se empreenda ou não a travessia. É o afeto pós-coito — e não as preliminares — que conta na formação da confiança."[49]

O conceito de Freeman nos lembra de muitas variações no amor: o homem inseguro que deixa uma mulher logo depois de fazer amor durante a noite porque teme ser abertamente influenciado por ela se ficar até a manhã; a mulher que tende a se apaixonar por quem quer que vá para a cama com ela. Ou a repentina transformação em pai dedicado de um homem que mal dava pela presença de crianças; dizemos que "ele amadureceu" e "os filhos em primeiro lugar", mas ele pode ter tido alguma ajuda da ocitocina, que permitiu ultrapassar seus padrões arraigados de preocupação egoísta. Compare-o com o solteirão inveterado que nunca se apaixona e se torna mais excêntrico e rígido a cada ano que passa, reforçando plasticamente suas rotinas por meio da repetição.[50]

O desaprendizado no amor nos permite mudar a imagem que temos de nós mesmos — para melhor, se tivermos um parceiro que nos adore. Mas também ajuda a explicar nossa vulnerabilidade quando nos apaixonamos e explica por que tantos jovens calmos, homens e mulheres, que se apaixonam por uma pessoa manipuladora, que os solapa ou os desvaloriza, em geral perdem todo o senso de identidade e ficam atormentados por dúvidas pessoais, das quais podem levar anos para se recuperar.

Compreender o desaprendizado, e alguns detalhes da plasticidade cerebral, mostrou-se essencial no tratamento de meu paciente A. Quando foi para a universidade, A. se viu reprisando a experiência do seu período crítico, sentindo-se atraído por mulheres emocionalmente perturbadas, já comprometidas, muito parecidas com sua mãe, sentindo-se no dever de amá-las e resgatá-las.

A. caiu em duas armadilhas plásticas.

Na primeira, a relação com uma mulher atenciosa e estável, que podia tê-lo ajudado a desaprender seu amor por mulheres problemáticas e ensinar-lhe uma nova maneira de amar, simplesmente não o excitava, embora ele assim desejasse. Então ele estava preso a uma atração destrutiva, formada durante o seu período crítico.

A segunda armadilha, relacionada à primeira, também pode ser compreendida do ponto de vista da plasticidade. Um dos sintomas que mais o atormentavam era a fusão, quase perfeita em sua mente, de sexo com agressão. Ele sentia que amar uma pessoa era consumi-la, devorá-la viva, e que ser amado era ser devorado vivo. E seu sentimento de que o sexo era um ato violento o perturbava muito, apesar de excitá-lo. Pensar em sexo imediatamente o levava a pensar em violência, e pensar em violência, a pensar em sexo. Quando ele era sexualmente ativo, ele se *sentia* perigoso. Era como se não tivesse mapas cerebrais separados para os sentimentos de sexo e violência.

Merzenich descreveu várias "armadilhas cerebrais" que ocorrem quando dois mapas cerebrais, que deveriam estar separados, se fundem. Como vimos, ele descobriu que se os dedos de um macaco fossem costurados e assim obrigados a se mexer ao mesmo tempo, os mapas deles se fundiam, porque seus neurônios disparavam juntos e, portanto, se ligavam entre si. Mas ele também descobriu que os mapas se fundem na vida cotidiana. Quando um músico usa dois dedos juntos com bastante frequência enquanto toca um instrumento, os mapas dos dois dedos às vezes se fundem, e quando o músico tenta mover apenas um dedo, o outro também se mexe. Os mapas dos dois dedos diferentes agora estão "desdiferenciados". Quanto mais intensamente o músico tenta produzir um único movimento, mais moverá os dois dedos, fortalecendo o mapa mesclado. Quanto mais a pessoa tenta sair da armadilha cerebral, mais fundo cai nela, desenvolvendo um problema chamado de "distonia focal". Uma armadilha cerebral semelhante ocorre nos japoneses que, quando falam inglês, não conseguem distinguir a diferença entre o *r* e o *l* porque os dois sons não são diferenciados em seus mapas cerebrais. Sempre que tentam dizer os sons adequadamente, eles o dizem de forma incorreta, reforçando o problema.

Eu acreditava que era isso que A. vivia. Toda vez que ele pensava em sexo, pensava em violência. Toda vez que pensava em violência, pensava em sexo, reforçando a conexão dos mapas mesclados.

Uma colega de Merzenich, Nancy Byl, que trabalha com medicina de reabilitação, ensina as pessoas que não conseguem controlar seus dedos a rediferenciar os mapas cerebrais.[51] O truque não é tentar mover os dedos separadamente, mas reaprender a usar as mãos, como faziam quando elas eram bebês. Quando trata violonistas com distonia focal que perderam o controle dos dedos, por exemplo, ela primeiro os instrui a parar de tocar violão por um tempo, para enfraquecer o mapa mesclado. Depois eles se limitam a segurar um violão sem cordas por alguns dias. Depois uma única corda, com uma afinação diferente da de um violão normal, é colocada no instrumento, e eles a tocam com atenção, mas com apenas um dedo. Por fim eles usam um segundo dedo, em uma corda separada. E finalmente um dia os mapas cerebrais fundidos para seus dedos se separam em dois mapas distintos, e eles podem tocar novamente.

A. começou a fazer sessões de psicanálise. Já de início tínhamos entendido por que amor e agressão haviam se fundido, localizando a origem de sua armadilha cerebral em sua experiência com a mãe bêbada, que costumava dar livre curso a seus sentimentos ao mesmo tempo sexuais e violentos. Mas enquanto ele ainda não conseguia mudar o que o atraía, fiz uma coisa semelhante ao que Merzenich e Byl fazem para rediferenciar os mapas. Por um longo tempo de terapia, sempre que A. expressava algum tipo de ternura física fora da arena sexual, sem conotação agressiva, eu a apontava e lhe pedia para observá-la mais atentamente, lembrando-lhe que ele era capaz de um sentimento positivo e íntimo.

Quando surgiam pensamentos violentos, eu o fazia pesquisar suas lembranças para descobrir um único exemplo em que a agressão ou a violência não estivessem maculadas pelo sexo ou fossem até dignas de elogios, como na legítima defesa. Sempre que essas impressões surgiam — uma ternura física mais casta ou uma agressão que não fosse destrutiva — eu chamava a atenção dele para isso. Com o passar do tempo, ele conseguiu formar dois mapas cerebrais diferentes, um para a ternura física, que nada tinha a ver com a sedução que experimentou com a mãe, e outro para a agressão — inclusive a agressividade saudável — que era bem diferente da violência insensata que ele vivia quando sua mãe ficava bêbada.

A separação entre sexo e violência em seus mapas cerebrais permitiu que ele lidasse melhor com os relacionamentos e o sexo, e a melhora aconteceu em etapas. Embora ele não tenha sido imediatamente capaz de ficar excitado ou se apaixonar por uma mulher saudável, ele se apaixonou por uma mulher que era um pouco mais saudável do que a namorada anterior e se beneficiou do aprendizado e desaprendizado proporcionado pelo amor. Esta experiência permitiu que ele começasse a ter relações cada vez mais saudáveis, desaprendendo mais a cada vez. No final da terapia, ele estava num casamento saudável e satisfatório; seu caráter e seu tipo sexual tinham sido radicalmente transformados.

A reorganização de nossos sistemas do prazer e a variedade de preferências sexuais que podemos adquirir são vistas mais drasticamente nas perversões como o masoquismo sexual, que torna a dor física um prazer sexual.[52] Para fazer isso, o cérebro deve encontrar prazer no que é inerentemente desagradável, e os impulsos que normalmente estimulam nosso sistema da dor são plasticamente reconectados com nossos sistemas do prazer.

As pessoas com perversões costumam organizar sua vida em torno de atividades que mesclam agressão e sexualidade e, em geral, celebram e idealizam a humilhação, a hostilidade, o desafio, o proibido, o furtivo, o saborosamente pecaminoso e a quebra de tabus. Elas se sentem especiais por não serem meramente "normais". Essas atitudes "transgressoras" ou desafiadoras são essenciais para desfrutar a perversão. A idealização do perverso e a desvalorização da "normalidade" são descritas com brilho no romance *Lolita*, de Vladimir Nabokov, em que um homem de meia-idade idolatra e tem uma relação sexual com uma pre-púbere, uma menina de 12 anos, enquanto ele mostra desdém por mulheres mais velhas.

O sadismo sexual ilustra a plasticidade porque funde duas tendências familiares, a sexual e a agressiva, cada uma delas podendo dar prazer separadamente, e as une, de modo que quando elas são satisfeitas, o prazer é dobrado.[53] Mas o masoquismo vai mais além, porque toma algo inerentemente desagradável, a dor, e a transforma em prazer, alterando o impulso sexual de modo mais profundo e intenso, demonstrando mais nitidamente a plasticidade de nossos sistemas de dor e de prazer.

Durante anos, a polícia, por meio de batidas em estabelecimentos sadomasoquistas, sabia mais sobre perversões sérias do que a maioria dos médicos. Enquanto os pacientes com perversões brandas em geral procuram tratamento para problemas como ansiedade e depressão, aqueles com perversões graves dificilmente procuram terapia, pois, em geral, eles gostam delas.

Robert Stoller, médico e psicanalista californiano, fez importantes descobertas por meio de visitas a estabelecimentos de sadomasoquismo (*bondage*) em Los Angeles.[54] Ele entrevistou pessoas que praticavam o sadomasoquismo *hardcore*, que inflige dor verdadeira no corpo, e descobriu que todos os participantes masoquistas haviam sofrido de graves doenças físicas quando crianças e recebido um tratamento médico contínuo, apavorante e doloroso. "Como consequência", escreve Stoller, "tiveram de ficar confinados por longos períodos em hospitais, sem a oportunidade de descarregar aberta e adequadamente sua frustração, seu desespero e raiva. Daí as perversões."[55] Quando crianças, eles conscientemente abraçaram essa dor, essa raiva inexprimível, e as remodelaram em devaneios, em estados mentais alterados ou em fantasias de masturbação, de modo que podiam reprisar a história do trauma com um final feliz e dizer a si mesmos: *Desta vez, eu venci*. E eles venciam erotizando a agonia.

De início, a ideia de que um sentimento "inerentemente" doloroso pode se tornar prazeroso pode parecer inacreditável, porque tendemos a pressupor que cada uma de nossas sensações e emoções ou é inerentemente agradável (alegria, triunfo, prazer sexual) ou dolorosa (tristeza, medo, pesar). Mas, na realidade, esse pressuposto não se sustenta. Podemos chorar lágrimas de felicidade e ter triunfos amargos; e, nas neuroses, algumas pessoas podem se sentir culpadas por ter prazer sexual, ou não ter prazer nenhum, enquanto outros sentiriam deleite. Uma emoção que consideramos inerentemente desagradável, como a tristeza, pode ser linda e sutilmente articulada em música, literatura ou arte — e parecer não apenas pungente, mas sublime. O medo pode ser excitante em filmes de terror ou numa montanha-russa. O cérebro humano parece capaz de ligar muitos de nossos sentimentos e sensações seja ao sistema do prazer, seja ao da dor, e cada uma dessas ligações ou associações mentais requer uma nova conexão plástica no cérebro.

Os masoquistas *hardcore* que Stoller entrevistou devem ter formado uma via que ligava as sensações dolorosas que sofreram aos seus sistemas do prazer sexual, resultando em uma nova experiência composta, a dor voluptuosa. O fato de todos terem sofrido na infância sugere fortemente que tal religação aconteceu durante os períodos críticos da plasticidade sexual.

Em 1997, um documentário lançou luz sobre a plasticidade e o masoquismo: *Sick: The Life and Death of Bob Flanagan, Supermasochist*. Bob Flanagan apresentou seus atos masoquistas em público como artista performático e exibicionista. O resultado era articulado, poético e às vezes muito engraçado.

Nas cenas de abertura, vemos Flanagan nu, humilhado, com tortas sendo atiradas em seu rosto, alimentado por um funil. Mas lampejam cenas nas quais ele é fisicamente ferido e sufocado, sugerindo formas muito mais perturbadoras de dor.

Bob nasceu em 1952 com fibrose cística, um distúrbio genético dos pulmões e pâncreas em que o corpo produz uma quantidade excessiva de muco anormalmente espesso que obstrui as vias aéreas, tornando impossível respirar normalmente, e que leva a problemas digestivos crônicos. Ele tinha de lutar a cada respiração e frequentemente ficava azul pela privação de oxigênio. A maioria dos pacientes que nasce com essa doença morre quando criança ou com pouco mais de 20 anos.

Os pais de Bob perceberam que ele sofria no momento em que ele veio do hospital para casa. Quando tinha 18 meses, os médicos descobriram pus entre seus pulmões e começaram a tratá-lo inserindo agulhas em seu peito. Ele começou a ter pavor destes procedimentos e gritava desesperadamente. Durante toda a infância, ele foi hospitalizado regularmente e confinado quase despido no interior de uma bolha para que os médicos pudessem monitorar sua transpiração — uma das maneiras de diagnosticar a fibrose cística —, e ele se sentia mortificado por seu corpo estar visível a estranhos. Para ajudá-lo a respirar e combater as infecções, os médicos lhe inseriam todo tipo de tubos. Ele também tinha consciência da gravidade de seu problema: duas de suas irmãs mais novas também tinham fibrose cística; uma morreu aos seis meses; a outra, aos 21 anos.

Apesar de ele ter se tornado um garoto-propaganda para a Sociedade de Fibrose Cística de Orange County, ele começou a ter uma vida secreta. Quando criança, quando seu estômago doía implacavelmente, ele estimulava o pênis para se distrair. Na época do ensino médio, ele se deitava nu à noite e secretamente se cobria com cola grossa, sem saber por quê. Ele se pendurava em uma porta por cintos, em posições dolorosas. Depois começou a inserir agulhas nos cintos para perfurar o corpo.

Quando tinha 31 anos, ele se apaixonou por Sheere Rose, que vinha de uma família muito problemática. No filme, vemos a mãe de Sheere desprezar abertamente o marido, que era, afirma Sheere, passivo e jamais demonstrou afeto por ela. Sheere descreve a si mesma como mandona desde a infância. Ela é a sádica de Bob.

No filme, Sheere usa Bob, com seu consentimento, como escravo. Ela o humilha, corta a pele dele perto dos mamilos com um canivete, coloca grampos nos mamilos, alimenta-o à força, sufoca-o com uma corda até que ele fique azul, força uma grande bola de aço — do tamanho de uma bola de sinuca — por seu ânus e coloca agulhas em suas zonas erógenas. A boca e os lábios de Bob são suturados com fios. Ele fala sobre beber a urina de Sheere em uma mamadeira. Nós o vemos com fezes no pênis. Cada orifício de seu corpo é violado. Essas atividades provocam ereções em Bob e o levam a orgasmos intensos no sexo que costuma se seguir.

Bob sobreviveu aos 20 e aos 30 anos e, no início dos 40, tornou-se o mais velho sobrevivente da fibrose cística. Ele faz uma turnê com seu espetáculo de masoquismo, a clubs sadomasoquistas e museus de arte, onde encena rituais masoquistas em público, sempre usando uma máscara de oxigênio para respirar.

Em uma das últimas cenas, um Bob Flanagan nu pega um martelo e prega o pênis, bem no meio, a uma tábua. Depois simplesmente retira o prego para que o sangue jorre por toda a lente da câmera, como uma fonte, do profundo buraco em seu pênis.

É importante descrever precisamente o que o sistema nervoso de Flanagan podia suportar, a fim de entender até que ponto circuitos cerebrais novos podem se desenvolver completamente, ligando o sistema da dor ao sistema do prazer.

A ideia de Flanagan de que sua dor devia ser agradável tingiu suas fantasias desde a primeira infância. Sua história extraordinária confirma que sua perversão desenvolveu-se a partir de sua experiência única de vida e é ligada às suas lembranças traumáticas. Quando bebê, ele era amarrado no berço do hospital para não escapar e se ferir. Aos 7 anos, seu confinamento tinha se transformado num amor pela constrição. Quando adulto, ele adorava *bondage* e ser algemado ou amarrado e pendurado por longos períodos em posições que torturadores poderiam usar para quebrar a resistência de suas vítimas. Quando criança, era exigido dele que aguentassem as poderosas enfermeiras e médicos que o machucavam; quando adulto, ele voluntariamente dava este poder a Sheere, tornando-se seu escravo, de quem ela abusaria enquanto praticasse procedimentos pseudomédicos. Até aspectos sutis de seu relacionamento precoce com os médicos eram repetidos na idade adulta. O fato de que Bob dava seu consentimento a Sheere repetia um aspecto do trauma, pois, a partir de certa idade, quando os médicos tiravam sangue, perfuravam sua pele e o feriam, ele mesmo lhes dava permissão, sabendo que sua vida dependia disso.

Esse espelhamento dos traumas da infância por meio da repetição de detalhes sutis é típico das perversões. Os fetichistas — que se sentem atraídos por objetos — têm a mesma característica. Um fetiche, disse Robert Stoller, é um objeto que conta uma história, que captura cenas de traumas de infância e os erotiza.[56] (Um homem que desenvolveu um fetiche por roupas íntimas de borracha e capas de chuva urinava na cama quando criança e tinha sido forçado a dormir em lençóis de borracha, o que ele achava humilhante e desagradável. Flanagan tinha vários fetiches, pela parafernália médica e os metais rombudos de lojas de ferragens — parafusos, pregos, grampos e martelos —, todos usados, em variadas ocasiões, em estimulações erótico-masoquistas, para penetrar, perfurar ou bater em seu corpo.)

Em Flanagan, os centros do prazer sem dúvida foram reconectados de dois modos. Primeiro, emoções como a ansiedade, que normalmente são desagradáveis, tornaram-se agradáveis. Ele explica que está constantemente flertando com a morte porque lhe garantiram uma morte precoce e ele está tentando dominar seu medo. Em seu poema de 1985, "Why", ele deixa claro que seu supermasoquismo lhe permite sentir-se triunfante, corajoso e invulnerável depois de uma vida de vulnerabilidade. Mas ele vai além de simplesmente dominar o medo. Humilhado por médicos que o despiam e o colocavam numa bolha de plástico para medir sua transpiração, ele agora se despe orgulhosamente em museus. Para superar os sentimentos de exposição e humilhação que vivenciou quando criança, ele se tornou um exibicionista triunfante. A vergonha é convertida em prazer, transformada em descaramento.

O segundo aspecto de sua reestruturação cerebral é que essa dor física se torna prazer. O metal na carne agora é bom, provoca-lhe ereções e o faz ter orgasmos. Algumas pessoas sob grande estresse físico liberam endorfinas, os analgésicos opióides que nosso corpo produz para entorpecer nossa dor e que podem nos deixar eufóricos. Mas Flanagan explica que ele não entorpece a dor — ele é atraído por ela. Quanto mais sente dor, mais sensibilizado à dor ele se torna e mais dor ele sente. Como seus sistemas da dor e do prazer são conectados, Flanagan sente uma dor real e intensa, e isso para ele é fonte de prazer.

As crianças nascem indefesas e, no período crítico da plasticidade sexual, querem fazer de tudo para evitar o abandono e ficar ligadas aos adultos, mesmo que devam aprender a amar a dor e o trauma infligidos por eles. No pequeno mundo de Bob, os adultos infligiam dor "para o bem dele". Agora, ao se tornar um supermasoquista, ele ironicamente trata a dor como se lhe fizesse bem. Ele tem plena consciência de estar preso ao passado, revivendo a infância, e diz que se fere "porque sou um bebezão e quero ficar assim". Talvez a fantasia de *permanecer* um bebê torturado seja uma forma imaginária de se manter longe da morte que o aguarda se ele se permitir crescer. Se puder continuar a ser um Peter Pan, "atormentado" interminavelmente por Sheree, pelo menos jamais crescerá nem morrerá precocemente.

No final do filme, vemos Flanagan morrendo. Ele para de fazer piadas e começa a parecer um animal acuado, dominado pelo medo. O espectador vê como ele deve ter ficado apavorado quando criança, antes de descobrir a solução masoquista para domar sua dor e seu terror. A essa altura, sabemos por Bob que Sheere falou em se separar — evocando o pior medo de sua infância sofrida, o abandono. Sheree diz que o problema é que Bob não está mais se submetendo a ela. Ele parece com coração totalmente partido — e no final ela fica cuidando ternamente dele.

Em seus últimos momentos, quase em choque, ele pergunta melancolicamente: "Estou morrendo? Não entendo... O que vai acontecer?... Eu jamais acreditei nisso." Tão poderosos eram suas fantasias, seus jogos e rituais masoquistas, nos quais ele abraçava a morte dolorosa, que Flanagan parecia acreditar que realmente a vencera.

Quanto aos pacientes que se tornaram dependentes da pornografia, a maioria pôde passar pela abstinência depois de compreender o problema e como o reforçavam plasticamente. Eles por fim se viram atraídos mais uma vez por seus parceiros. Nenhum desses homens tinha personalidade dependente ou traumas graves de infância e, quando entenderam o que lhes acontecia, pararam de usar os computadores por certo tempo para enfraquecer as redes neuronais problemáticas, e seu apetite pela pornografia enfraqueceu. Seu tratamento para os gostos sexuais adquiridos na vida adulta foi muito mais simples do que o dos pacientes que, em seus períodos críticos, adquiriram uma preferência por tipos sexuais problemáticos. E, no entanto, mesmo alguns destes últimos foram capazes, como A., de mudar seu tipo sexual, porque as mesmas leis da neuroplasticidade que nos permitem adquirir gostos problemáticos também nos permitem, em tratamento intensivo, adquirir preferências novas e mais saudáveis e, em alguns casos, até perder as antigas e problemáticas. O princípio "use ou perca" é válido até quando se trata do desejo sexual e do amor.

5

Ressurreições à Meia-noite

Vítimas de derrame reaprendem a se movimentar e a falar

Michael Bernstein, cirurgião oftalmologista e fã de tênis que jogava seis vezes por semana, estava no auge da vida aos 44 anos, casado e com quatro filhos, quando teve um derrame incapacitante. Ele havia concluído uma nova terapia neuroplástica, recuperara-se e estava de volta ao trabalho quando o conheci em seu consultório, em Birmingham, no Alabama. Devido às muitas salas em seu consultório, pensei que ele devia ter vários médicos trabalhando com ele. Não, explicou, ele tinha um monte de salas porque tinha muitos pacientes idosos e, em vez de fazer com que eles andassem, ele ia até eles.

"Esses pacientes mais velhos, alguns pelo menos, não conseguem andar muito bem. Eles tiveram derrames", disse, rindo.

Na manhã do acidente, o dr. Bernstein tinha operado sete pacientes, fazendo as cirurgias habituais de catarata, glaucoma e refrativas — procedimentos delicados dentro do olho.

Mais tarde, enquanto o dr. Bernstein relaxava jogando tênis, seu adversário lhe disse que ele estava desequilibrado e que não estava jogando como de costume. Depois do tênis, ele dirigiu até o banco e, quando tentou levantar a perna para sair do carro esporte, não conseguiu. Quando voltou ao consultório, a secretária lhe disse que ele não parecia bem. O médico da família, o dr. Lewis, que trabalhava no prédio, sabia que o dr. Bernstein era levemente diabético, que tinha problemas de colesterol e que a mãe dele tivera vários derrames; portanto, ele estava predisposto a um derrame prematuro. O dr. Lewis deu uma dose de heparina ao dr. Bernstein para evitar que o sangue coagulasse, e a esposa do dr. Bernstein o levou ao hospital.

Entre as 12 e 14 horas seguintes, o derrame se agravou, e todo o lado esquerdo do corpo ficou completamente paralisado, um sinal de que uma parte significativa de seu córtex motor tinha sido danificada.

Um exame de ressonância magnética do cérebro confirmou o diagnóstico — os médicos viram uma lesão no hemisfério cerebral direito, que rege o movimento do lado esquerdo do corpo. Ele passou uma semana na UTI, onde mostrou alguma recuperação. Depois de uma semana de terapia física, ocupacional e da fala no hospital, ele foi transferido para a reabilitação. Duas semanas depois, teve alta. Passou por mais três semanas de reabilitação como paciente ambulatorial e soube que seu tratamento terminara. Ele recebera os cuidados típicos pós-derrame.

Mas sua recuperação era incompleta. Ele ainda precisava de bengala. Sua mão esquerda mal se mexia. Ele não conseguia unir o polegar e o indicador num movimento de pinça. Embora tivesse nascido destro, ele era ambidestro e antes do derrame podia fazer uma cirurgia de catarata com a mão esquerda. Agora não conseguia usá-la para nada. Não conseguia segurar um garfo, levar uma colher à boca nem abotoar a camisa. A certa altura da reabilitação, ele foi levado numa cadeira de rodas a uma quadra de tênis e recebeu uma raquete para ver se podia segurá-la. Não conseguiu... e começou a acreditar que nunca mais jogaria tênis. Embora tivessem lhe informado que nunca mais dirigiria seu Porsche, ele esperou até que ninguém estivesse em casa: "Entrei no carro de 50 mil dólares e o tirei da garagem. E desci até o final do beco. Olhei para os dois lados, como se fosse um adolescente roubando um carro. Fui até o final da rua, e o carro morreu. No Porsche, a chave fica do lado esquerdo da coluna de direção. Eu não conseguia girar a chave com a mão esquerda. Tive de esticar o braço e girar a chave com a mão direita para dar a partida, porque não havia como deixar o carro ali e ligar para casa, dizendo para irem me buscar. E é claro que minha perna esquerda era limitada e pisar na embreagem não era fácil."

O dr. Bernstein foi uma das primeiras pessoas a ir à Taub Therapy Clinic, para a terapia de movimento induzido por restrição (CIMT), de Edward Taub, quando o programa ainda estava em sua fase de pesquisa. Ele achou que não tinha nada a perder.

O progresso do dr. Bernstein com a terapia CIM foi muito rápido. Ele assim o descreveu: "O tratamento era impiedoso. Eles começavam às 8 horas da manhã e só paravam às 4h30 da tarde. Continuavam até no almoço. Nós éramos dois, porque era a fase inicial da terapia. A outra paciente era uma enfermeira, mais nova do que eu, provavelmente com 41 ou 42 anos. Ela havia tido um derrame depois do parto. E competia comigo, por algum motivo" — ele ri — "mas nos demos muito bem e estimulamos um ao outro. Havia muitas tarefas domésticas que nos obrigavam a fazer, como levantar latas de uma prateleira para a seguinte. E como ela era baixa, eu colocava as latas o mais alto que podia."

Os dois lavavam mesas e limpavam as janelas do laboratório para envolver os braços num movimento circular. Para fortalecer as redes cerebrais das mãos e desenvolver o controle, esticavam elásticos grossos sobre os dedos fracos, depois os abriam contra a resistência do elástico. "Depois eu tinha de ficar sentado ali e fazer meu alfabeto, escrevendo com a mão esquerda." Em duas semanas ele aprendeu a escrever em letra de forma e depois em letra cursiva com a mão esquerda doente. Perto do final de sua estada, ele era capaz de jogar palavras cruzadas, pegando as pequenas peças com a mão esquerda e colocando-as corretamente no tabuleiro. Suas habilidades motoras finas estavam voltando. Quando ele foi para casa, continuou com os exercícios e continuou melhorando. E ele teve outro tratamento, de eletroestimulação do braço esquerdo, para reativar os neurônios.

Agora estava de volta ao trabalho, administrando seu consultório movimentado. Ele também jogava tênis três vezes por semana. Ainda com dificuldade para correr, tentava fortalecer uma fraqueza na perna esquerda que não foi totalmente tratada na clínica Taub — que desde então começou um programa especial para pessoas com pernas paralisadas.

Ele ainda apresenta alguns problemas residuais. Acha que seu braço esquerdo não parece muito normal, como é típico depois de uma terapia CIM. A função voltou, mas não no mesmo nível anterior. Entretanto, quando lhe pedi para escrever o alfabeto com a mão esquerda, as letras estavam bem formadas, e eu nunca teria imaginado que havia tido um derrame ou que era destro.

Embora ele tenha se saído melhor após ter reconectado seu cérebro e se sentisse pronto para voltar a fazer cirurgias, ele decidiu não voltar, mas só porque se alguém o processasse por imperícia, a primeira coisa que os advogados diriam era que ele havia tido um derrame e não devia estar operando. Quem acreditaria que o dr. Bernstein poderia ter uma recuperação tão completa como a que teve?

O derrame é um mal súbito e devastador. O cérebro é socado de dentro para fora. Um coágulo sanguíneo ou hemorragia nas artérias do cérebro interrompe a oxigenação do tecido encefálico, matando-o. As vítimas mais graves terminam como meras sombras do que foram no passado, em geral internadas em instituições, presas a seus corpos, alimentadas como bebês, incapazes de cuidar de si mesmas, movimentar-se ou falar. O derrame é uma das principais causas de incapacitação em adultos.[1] Embora afete os idosos com mais frequência, ele pode acontecer em pessoas na casa dos 40 anos ou menos. Os médicos do pronto-socorro podem evitar o agravamento de um derrame desbloqueando o coágulo ou detendo a hemorragia, mas, depois que o dano é feito, a medicina moderna é de pouca ajuda — ou era, até Edward Taub inventar seu tratamento baseado na plasticidade. Até a terapia CIM, os estudos de pacientes crônicos de derrame com braços paralisados concluíam que nenhum tratamento era eficaz.[2] Houve raras histórias de recuperação, como a do pai de Paul Bach-y-Rita. Algumas pessoas tinham recuperações espontâneas sozinhas, mas depois que paravam de melhorar, as terapias tradicionais não eram de muita utilidade. O tratamento de Taub mudou tudo isso, ajudando vítimas de derrame a reconectar o cérebro. Pacientes que ficaram paralisados por anos e haviam sido informados de que nunca mais melhorariam começaram a se movimentar novamente. Alguns recuperaram a capacidade de falar. O mesmo tratamento se mostra promissor para lesões na medula espinhal, doença de Parkinson, esclerose múltipla e até artrite.

Todavia, poucos ouviram falar das inovações de Taub, embora ele as tenha concebido e lançado suas fundações há um quarto de século, em 1981. Ele foi impedido de compartilhá-las porque se tornou um dos cientistas mais amaldiçoados de nossa época. Os macacos com que trabalhou ficaram entre os mais famosos animais de laboratório da história, não pelo que os experimentos com eles demonstraram, mas devido às alegações de que eram maltratados — alegações que impediram Taub de trabalhar por anos. Essas acusações pareciam plausíveis porque Taub estava tão à frente dos colegas que suas alegações de que pacientes crônicos de derrame podiam ser auxiliados pelo tratamento neuroplástico pareciam inacreditáveis.

Edward Taub é um homem organizado, consciencioso e muito atento aos detalhes. Ele tem mais de 70 anos, embora pareça muito mais jovem, veste-se com elegância e tem cada fio de cabelo no lugar. Na conversa, Taub fala com erudição e com um tom de voz suave, corrigindo-se enquanto prossegue para se certificar de que se exprime com precisão. Mora em Birmingham, no Alabama, onde finalmente é livre para desenvolver na universidade seu tratamento para pacientes de derrame. Sua esposa, Mildred, foi soprano, gravou com Stravinsky e cantou no Metropolitan Opera. Ela ainda é uma beldade, com uma cabeleira magnífica e a cordialidade feminina do Sul.

Taub nasceu no Brooklyn, em 1931, foi aluno de escolas públicas e completou o ensino médio com apenas 15 anos. Na Columbia University, ele estudou "behaviorismo" com Fred Keller. O behaviorismo era dominado pelo psicólogo de Harvard, B. F. Skinner, e Keller era seu principal discípulo. Os behavioristas da época acreditavam que a psicologia devia ser uma ciência "objetiva" e devia examinar apenas o que pode ser visto e mensurado: os comportamentos observáveis. O behaviorismo era uma reação contra as psicologias que se concentravam na mente porque, para os behavioristas, os pensamentos, sentimentos e desejos eram apenas experiências "subjetivas", não eram objetivamente mensuráveis. Eles tinham igual desinteresse pelo cérebro físico, argumentando que ele, como a mente, era uma "caixa preta". O mentor de Skinner, John B. Watson, escreveu com desdém: "A maioria dos psicólogos fala demais sobre a formação de novas vias no cérebro, como se ali houvesse um grupo de minúsculos serviçais de Vulcano correndo pelo sistema nervoso com martelo e cinzel, cavando novas trincheiras e aprofundando as antigas."[3] Para os behavioristas, não importava o que acontecia por dentro da mente ou do cérebro. Podia-se descobrir as leis do comportamento simplesmente aplicando um estímulo a um animal ou uma pessoa e observando a resposta.

Na Universidade de Columbia, os behavioristas faziam experimentos principalmente com ratos. Enquanto ainda era estudante de pós-graduação, Taub desenvolveu uma forma de observar ratos e registrar suas atividades usando um sofisticado "diário do rato". Mas quando usou esse método para testar certa teoria de seu mentor, Fred Keller, — para seu horror — ele não confirmou. Taub venerava Keller e hesitou em discutir os resultados do experimento, mas Keller descobriu e disse a Taub que ele devia sempre "considerar os dados tal como se apresentam".

O behaviorismo da época, ao insistir em que todo comportamento é uma resposta a um estímulo, retratava os seres humanos como passivos e portanto era bem fraco quando se tratava de explicar como podemos fazer as coisas voluntariamente. Taub percebeu que a mente e o cérebro deviam estar envolvidos na iniciação de muitos comportamentos — e que a negação da mente e do cérebro pelo behaviorismo era um erro fatal. Embora fosse uma escolha impensável para um behaviorista da época, ele assumiu um emprego de assistente de pesquisa em um laboratório de neurologia experimental, para compreender melhor o sistema nervoso. No laboratório, faziam experimentos de "deaferentação" com macacos.

A deaferentação é uma técnica antiga, já usada pelo prêmio Nobel Sir Charles Sherrington em 1895. Um "nervo aferente" significa, neste contexto, um "nervo sensorial", que transmite impulsos sensoriais para a medula e depois para o cérebro. A deaferentação é um procedimento cirúrgico em que os nervos sensoriais de entrada são seccionados para que nenhum *input* possa fazer esse percurso. Um macaco deaferentado não consegue estabelecer a posição espacial dos membros afetados, ou ter qualquer sensação ou dor quando eles são tocados. A proeza seguinte de Taub — enquanto ainda era aluno de pós-graduação — foi subverter uma das ideias mais importantes de Sherrington, estabelecendo as bases para o seu tratamento do derrame.

Sherrington sustentava a ideia de que *todos* os nossos movimentos ocorrem em resposta a algum estímulo e que nos movemos não porque nossos cérebros ordenam, mas porque nossos reflexos medulares nos mantêm em movimento. Esta concepção era chamada de "teoria do arco reflexo" e chegou a dominar a neurociência.

Um reflexo medular não envolve o cérebro. Há muitos reflexos medulares, mas o exemplo mais simples é o reflexo patelar. Quando o médico bate em seu joelho, um receptor sensorial por baixo da pele sente a batida e transmite um impulso pelo neurônio sensorial em sua coxa até a medula, que o transmite a um neurônio motor *na medula*, que, por sua vez, manda um impulso de volta ao seu músculo da coxa, fazendo-o contrair, levando sua perna a um solavanco involuntário. No caminhar, o movimento de uma perna induz o movimento da outra, por reflexo.

Essa teoria logo foi usada para explicar todos os movimentos. Sherrington baseava sua convicção de que os reflexos eram o fundamento de todo movimento em um experimento de deaferentação que realizou junto com F. W. Mott. Eles deaferentaram os nervos sensoriais do braço de um macaco, seccionando-os antes que entrassem na medula espinhal, e assim nenhum sinal sensorial podia passar para o cérebro do macaco. Descobriram que o macaco parava de usar o membro. Isto parecia estranho, porque eles tinham seccionado nervos *sensoriais* (que transmitem sensações), e não os nervos *motores* do cérebro para os músculos (que estimulam o movimento). Sherrington entendeu por que os macacos não podiam sentir, mas não por que eles não podiam se mover. Para resolver esse problema, ele propôs que o movimento era baseado no componente sensorial do reflexo medular e iniciado por ele, e que os macacos não podiam se mexer porque a deaferentação tinha destruído o componente sensorial do reflexo.

Outros pensadores logo generalizaram essa ideia, argumentando que todo movimento, e na realidade tudo o que fazemos, até o comportamento complexo, é constituído de cadeias de reflexos. Até movimentos voluntários como escrever requerem que o córtex motor modifique reflexos *preexistentes*.[4] Embora se opusessem ao estudo do sistema nervoso, os behavioristas adotaram a ideia de que todos os movimentos são baseados em respostas reflexas a estímulos anteriores, porque isso exclui a mente e o cérebro do comportamento. Isso, por sua vez, apoiou a ideia de que todo comportamento é predeterminado pelo que aconteceu conosco e que o livre-arbítrio é uma ilusão. O experimento de Sherrington tornou-se ensinamento padrão nas faculdades de medicina e nas universidades.

Taub, trabalhando com um neurocirurgião, A. J. Berman, queria verificar se podia reproduzir o experimento de Sherrington em vários macacos e esperava obter os mesmos resultados que o outro havia obtido. Dando um passo adiante, ele decidiu não só deaferentar um dos braços do macaco, mas colocar o braço bom numa funda para restringir seus movimentos. Ocorreu a Taub que os macacos podiam não estar usando o braço deaferentado porque podiam usar o bom com mais facilidade. Colocar o braço bom numa funda poderia forçar o macaco a usar o braço deaferentado para se alimentar e se mover.

Deu certo. Os macacos, incapazes de usar o braço bom, começaram a usar o braço deaferentado.[5] Taub disse: "Lembro-me disso nitidamente. Percebi que eu estivera vendo os macacos usando os membros por várias semanas, mas que não tinha verbalizado isso porque não era o que eu esperava."

Taub sabia que sua descoberta tinha importantes implicações. Se os macacos podiam mover os braços deaferentados sem ter sensação neles, então a teoria de Sherrington, e dos mestres de Taub, estava errada. Devia haver programas motores independentes no cérebro que podiam iniciar o movimento voluntário; o behaviorismo e a neurociência tinham ficado num beco sem saída por 70 anos. Taub também pensou que sua descoberta podia ter implicações para a recuperação de pessoas que haviam sofrido derrame porque os macacos, como esses pacientes, pareciam completamente incapazes de mover os braços. Talvez alguns pacientes, como os macacos, também pudessem mover os membros se fossem obrigados a isso.

Taub logo descobriu que nem todos os cientistas eram tão corteses quando suas teorias eram reprovadas, como Keller. Seguidores devotos de Sherrington começaram a encontrar defeitos no experimento, em sua metodologia e na interpretação de Taub. Agências de financiamento discutiam se o jovem aluno de pós-graduação devia receber mais dinheiro. O professor de Taub na Columbia, Nat Schoenfeld, tinha construído uma teoria behaviorista famosa com base nos experimentos de deaferentação de Sherrington. Quando chegou a hora de Taub defender a tese de doutorado, a sala, em geral vazia, estava lotada. Keller, mentor de Taub, estava ausente, e Schoenfeld, presente. Taub apresentou seus dados e sua interpretação. Schoenfeld discutiu com ele e saiu. Depois veio o exame final. Taub, nessa época, tinha mais financiamento do que muitos docentes e decidiu preparar duas importantes solicitações de financiamento durante a semana do exame final. Quando lhe foi recusado fazer segunda chamada, ele foi reprovado e fracassou por sua "insolência", Taub decidiu concluir seu doutorado na Universidade de Nova York. A maioria dos cientistas desse campo recusava-se a acreditar nas descobertas dele. Taub foi atacado em reuniões científicas e não recebeu reconhecimento do meio nem prêmios. Todavia, na NYU, Taub foi feliz. "Eu estava no paraíso. Fazia pesquisa. Não havia mais nada que quisesse."

Taub foi pioneiro em uma nova espécie de neurociência que mesclava o melhor do behaviorismo, livre de algumas de suas ideias mais doutrinárias, e a neurologia. Na realidade, era uma fusão prevista por Ivan Pavlov, fundador do behaviorismo, que — embora não seja de conhecimento da maioria das pessoas — em seus últimos anos tentou integrar suas descobertas com a neurociência e chegou a argumentar que o cérebro era plástico.[6] Ironicamente, de certo modo, o behaviorismo preparou Taub para fazer importantes descobertas sobre a plasticidade. Como os behavioristas não tinham qualquer interesse pela estrutura do cérebro, eles não concluíram, como muitos neurocientistas, que o cérebro carecia de plasticidade. Muitos acreditavam que podiam treinar um animal a fazer quase tudo e, embora não falassem de "neuroplasticidade", acreditavam na plasticidade do comportamento.

Receptivo à ideia da plasticidade, Taub prosseguiu com a deaferentação. Sustentou que se os dois braços fossem deaferentados, um macaco logo seria capaz de mover os dois, porque teria de sobreviver. Então ele deaferentou os dois braços e, de fato, os macacos conseguiram mover os dois.

Esta descoberta era paradoxal: se um braço era deaferentado, o macaco não podia usá-lo. Se os dois braços eram deaferentados, o macaco podia usar os dois!

Então Taub deaferentou toda a medula espinhal, para que não restasse um só reflexo medular no corpo e o macaco não pudesse receber *input* sensorial de nenhum dos membros. Ainda assim ele usava os membros. A teoria do arco reflexo de Sherrington estava morta.

Depois Taub teve outra revelação, aquela que transformaria o tratamento de derrames. Ele propôs que um macaco não usava seu braço depois que um membro era deaferentado porque ele tinha *aprendido* a não usá-lo no período logo depois da cirurgia, quando a medula ainda estava em "choque espinhal" devido à operação.

O choque espinhal pode durar de dois a seis meses, período em que os neurônios têm dificuldade de se ativar.[7] Um animal em choque espinhal tentará mover o braço afetado e fracassará muitas vezes nesses meses. Sem reforço positivo, o animal desiste e usa o braço bom para se alimentar, obtendo reforço positivo a cada vez que tem sucesso. E assim o mapa motor do braço deaferentado — que inclui programas para movimentos comuns do braço — começa a enfraquecer e atrofiar, segundo o princípio da plasticidade "use ou perca". Taub chamou tal fenômeno de "desuso aprendido". Argumentou que os macacos que tinham os dois braços deaferentados eram capazes de usá-los porque nunca haviam tido a oportunidade de aprender que não funcionavam bem; tinham de usá-los para sobreviver.

Mas Taub pensava que ainda tinha apenas evidências indiretas para sua teoria do desuso aprendido; assim, numa série de experimentos engenhosos, tentou evitar que os macacos "aprendessem" a não usar. Em um experimento, ele deaferentou o braço de um macaco; depois, em vez de colocar uma tipoia no braço bom para restringi-lo, colocou-a no braço deaferentado. Desta maneira o macaco não seria capaz de "aprender" que não poderia usá-lo no período do choque espinhal. E quando ele retirou a restrição três meses depois, logo que passar o choque, o macaco logo foi capaz de usar o membro deaferentado. Taub começou então a investigar que sucesso poderia ter ensinando os animais a superar o desuso aprendido. Em seguida testou se podia corrigir o desuso aprendido vários anos depois de ter se desenvolvido, obrigando o macaco a usar o braço deaferentado.[8] Deu certo e levou a melhoras que persistiam o resto da vida do macaco. Taub tinha agora um modelo animal que, além de imitar os efeitos de derrames — isto é, a interrupção dos *sinais nervosos* e a paralisia dos membros —, fornecia a oportunidade de superar o problema.

Taub acreditava que essas descobertas implicavam que as pessoas afetadas por derrame ou outros tipos de lesão cerebral, mesmo anos antes, podiam estar sofrendo de desuso aprendido.[9] Ele sabia que o cérebro de alguns pacientes de derrame com danos mínimos passava pelo equivalente do choque espinhal, o "choque cortical", que pode durar vários meses. Durante esse período, toda tentativa de mover a mão acaba em fracasso, possivelmente levando ao desuso aprendido.

Os pacientes de derrame com extensas lesões cerebrais na área motora não conseguem melhorar por um longo período e, quando o fazem, só se recuperam parcialmente. Taub raciocinou que qualquer tratamento teria de se voltar tanto para o dano cerebral maciço como para o desuso aprendido. Como o desuso aprendido pode estar mascarando a capacidade do paciente de se recuperar, as perspectivas de um paciente só poderiam ser avaliadas após ter superado o desuso aprendido. Taub acreditava que havia boas chances de que os programas motores estivessem presentes no sistema nervoso depois de um derrame. Assim, para desmascarar a capacidade motora, era necessário fazer com os seres humanos o que ele fizera com os macacos: restringir o uso do membro bom e forçar o membro afetado a começar a se mexer.

No início de seu trabalho com os macacos, Taub aprendeu uma lição importante. Se ele simplesmente lhes oferecesse *uma recompensa* por usar os braços ruins para pegar a comida — se ele tentasse fazer o que os behavioristas chamam de "condicionamento" —, os macacos não faziam progresso. Ele recorreu à outra técnica chamada "*shaping*", que molda um comportamento em passos muitos pequenos. Assim, um animal deaferentado recebia uma recompensa não só por conseguir pegar a comida, mas por fazer o primeiro gesto, mesmo o mais modesto, para alcançá-la.

Em maio de 1981, Taub tinha 49 anos, chefiava seu próprio laboratório, o Centro de Biologia do Comportamento, em Silver Spring, Maryland, e tinha grandiosos planos de transformar o trabalho que fazia com macacos em um tratamento para o derrame, quando Alex Pacheco, estudante de ciência política de 22 anos da Universidade George Washington, em Washington DC, apresentou-se para trabalhar voluntariamente em seu laboratório.

Pacheco disse a Taub que estava pensando em se tornar pesquisador médico. Taub o achou bem-apessoado e ansioso para ajudar. Pacheco não lhe disse que era cofundador e o presidente do People for the Ethical Treatment of Animals (PETA), o grupo que militava pelos direitos dos animais. Outra cofundadora do PETA era Ingrid Newkirk, de 31 anos, ex-diretora do abrigo público de Washington. Newkirk e Pacheco eram namorados e administravam o PETA em seu apartamento em Washington.

O PETA era e é contra *toda* pesquisa médica que envolva animais, mesmo a pesquisa para curar câncer, doença cardíaca e Aids (depois que foi descoberta). Opõe-se fervorosamente ao consumo de qualquer animal (por seres humanos, não por outros animais), à produção de leite e mel (descrita como "exploração" de vacas e abelhas) e à manutenção de animais de estimação (descrita como "escravidão"). Quando Pacheco se apresentou para trabalhar com Taub, seu objetivo era libertar os 17 "macacos de Silver Spring" e fazer com isso um grito de guerra de uma campanha pelos direitos dos animais.

Embora a deaferentação em geral não seja dolorosa, também não é bonita. Como os macacos deaferentados não conseguem sentir dor nos braços, podem se ferir quando esbarram em alguma coisa. Quando os braços lesionados eram enfaixados, os macacos às vezes reagiam como se os braços fossem objetos estranhos e tentavam mordê-los.

No verão de 1981, enquanto Taub estava fora, em férias de três semanas, Pacheco invadiu o laboratório e tirou fotos que pareciam mostrar os macacos sofrendo gratuitamente, feridos e abandonados, bem como sugeriam que eles eram obrigados a comer em tigelas sujas com suas próprias fezes.

Armado com as fotos, Pacheco convenceu as autoridades de Maryland a dar uma batida no laboratório para apreender os macacos, numa sexta-feira, 11 de setembro de 1981. Taub podia ser incriminado porque, ao contrário das leis em outros estados, a legislação de Maryland sobre a crueldade com animais não fazia exceção à pesquisa médica.

Quando Taub voltou ao laboratório, ficou assombrado com o circo da mídia que o recebeu e suas repercussões. A alguns quilômetros de distância, os administradores do National Institutes of Health (NIH), a maior instituição de pesquisa médica da nação, souberam da batida e ficaram assustados. Os laboratórios do NIH realizam mais experimentação biomédica em animais do que qualquer outra instituição do mundo e podiam claramente ser o próximo alvo do PETA. O NIH tinha de decidir se defendia Taub e enfrentava o PETA ou se argumentava que ele era uma maçã podre e se distanciava do caso. Ele se voltou contra Taub.

O PETA posou como o grande defensor da lei, embora se alegue que Pacheco tenha dito que incêndios premeditados, destruição da propriedade privada, invasão e roubo eram aceitáveis "quando aliviavam diretamente a dor e o sofrimento de um animal".[10] O caso de Taub tornou-se *cause célèbre* da sociedade de Washington. O *Washington Post* cobriu a controvérsia, e seus colunistas expuseram Taub ao ridículo. Taub foi demonizado por militantes dos direitos dos animais numa campanha que o descrevia como torturador, como um moderno dr. Mengele.[11] A publicidade gerada pelos "macacos de Silver Spring" foi enorme e transformou o PETA na maior organização defensora dos direitos dos animas nos EUA e Edward Taub, numa figura odiada.

Ele foi preso e levado a julgamento por crueldade com animais, acusado de 119 crimes. Antes do julgamento, dois terços do Congresso, seus membros sitiados por eleitores coléricos, aprovaram uma resolução que bloqueava os financiamentos para Taub. Ele sofreu isolamento profissional; perdeu o salário, os financiamentos e os animais; foi impedido de pesquisar e expulso de sua casa em Silver Spring. Sua esposa era assediada, e ambos eram assombrados por ameaças de morte. A certa altura alguém seguiu Mildred até Nova York, telefonou para Taub e lhe deu um relato detalhado das atividades dela. Logo depois disso, Taub recebeu outro telefonema de um homem dizendo que era policial do condado de Montgomery e que tinha acabado de ser informado pela polícia de Nova York que Mildred tivera um "infeliz acidente". Era mentira, mas Taub não tinha como saber disso.

Taub passou os seis anos seguintes de sua vida trabalhando 16 horas por dia, sete dias na semana, para limpar o nome, em geral agindo como seu próprio advogado. Antes que o julgamento começasse, ele tinha 100 mil dólares em economias. No final, tinha apenas 4 mil. Como fora banido, não conseguia emprego numa universidade. Mas aos poucos, julgamento por julgamento, apelação por apelação, acusação por acusação, ele refutou o PETA.

Taub alegou que havia alguma coisa suspeita nas fotos e que havia indícios de cumplicidade entre o PETA e as autoridades do condado de Montgomery. Taub sempre afirmou que as fotos de Pacheco eram montadas, as legendas, fabricadas e que, por exemplo, em uma foto um macaco que normalmente se sentava confortavelmente em uma cadeira de teste foi posicionado fazendo caretas, tenso e recurvado, de uma maneira que só podia ter ocorrido se vários parafusos e fivelas tivessem sido retirados e a cadeira, reajustada.[12] Pacheco negou que elas fossem montadas.

Um aspecto estranho da batida é que a polícia levou os macacos do laboratório de Taub para Lori Lehner, membro do PETA, para mantê-los em seu porão, na realidade sumindo com provas oficiais. Depois, de repente, todo o grupo de macacos desapareceu. Taub e seus defensores jamais duvidaram de que o PETA e Pacheco estivessem por trás da remoção dos macacos, mas Pacheco era arredio quando discutia o assunto. A redatora da *New Yorker*, Caroline Fraser, perguntou a Pacheco se eles haviam sido levados, como se dizia, para Gainesville, na Flórida, e ele disse que isso era "um chute bastante razoável".[13]

Quando ficou claro que Taub não podia ser processado sem os macacos e que o roubo de provas do tribunal era crime, os macacos de repente voltaram tão misteriosamente quanto tinham desaparecido e foram rapidamente devolvidos a Taub. Ninguém foi acusado, mas Taub sustentou que exames de sangue mostravam que os animais estavam extremamente estressados devido à viagem de 3 mil quilômetros e tinham um problema chamado de febre do transporte; logo depois disso, um deles, Charlie, foi atacado e mordido por outro macaco muito agitado. Charlie recebeu uma overdose de medicamento por um veterinário indicado pelo tribunal e morreu.

No final do primeiro julgamento de Taub, diante de um juiz, em novembro de 1981, 113 das 119 acusações contra ele foram retiradas.[14] Houve um segundo julgamento, em que ele fez mais progressos, seguido por uma apelação em que o Tribunal de Recursos de Maryland estabeleceu que a lei estadual anticrueldade nunca foi concebida como aplicável a pesquisadores, segundo a legislatura de Maryland. Taub foi absolvido por unanimidade.

A maré parecia estar mudando. Sessenta e sete sociedades profissionais americanas fizeram representações em defesa de Taub ao NIH, que reverteu a decisão de não o apoiar, argumentando agora que não havia provas para as acusações originais.[15]

Mas Taub ainda não tinha os macacos nem o emprego, e seus amigos lhe disseram que ninguém o queria. Quando finalmente ele foi contratado pela Universidade do Alabama, em 1986, houve manifestações contra ele, e os manifestantes ameaçaram parar toda pesquisa animal na universidade.[16]

Mas ficaram ao lado dele Carl McFarland, chefe do departamento de psicologia, e outros que conheciam seu trabalho.

Conseguindo seu primeiro descanso em muitos anos, Taub recebeu financiamento para estudar derrames e abriu uma clínica.

Luvas e tipoias são as primeiras coisas que vemos na clínica Taub: adultos, ao ar livre, com luvas nas mãos boas, tipoias nos braços bons, em 90% do tempo que passam acordados.

A clínica tem muitas salas pequenas e uma grande, onde acontecem os exercícios idealizados por Taub, desenvolvidos em colaboração com a fisioterapeuta Jean Crago. Alguns parecem versões mais intensivas das tarefas diárias usadas pelos centros de reabilitação convencionais. A clínica Taub sempre usa a técnica comportamental do *shaping*, dando uma abordagem incremental a todas as tarefas. Os adultos brincam com o que parecem jogos infantis: alguns pacientes encaixam grandes pinos em tabuleiros ou seguram bolas grandes; outros pegam as moedas ou feijões de uma pilha e os colocam num cofrinho. A semelhança com um jogo não é acidental — essas pessoas estão reaprendendo a se mexer, passando pelas mesmas etapas que todos vivemos quando bebês, a fim de recuperar os programas motores que Taub acredita que ainda estejam no sistema nervoso, mesmo depois de muitos derrames, enfermidades ou acidentes.

A sessão de reabilitação convencional em geral dura uma hora, três vezes por semana. Os pacientes de Taub se exercitam seis horas por dia, por 10 a 15 dias consecutivos. Ficam exaustos e frequentemente têm de tirar um cochilo. Os pacientes realizam de 10 a 12 tarefas por dia, repetindo cada tarefa dez vezes. A melhora começa rapidamente, depois se reduz progressivamente. Os estudos originais de Taub mostraram que o tratamento funciona praticamente para todos os sobreviventes de derrame que tenham permanecido com alguma capacidade de mover os dedos — cerca de metade dos pacientes de derrame crônico. A clínica Taub desde então aprendeu a treinar as pessoas a reusar mãos completamente paralisadas. Taub começou tratando pessoas que tinham sofrido derrames mais brandos, mas demostrou agora, com estudos controle, que 80% dos pacientes de derrame que haviam perdido a função do braço podiam melhorar substancialmente.[17] Muitas dessas pessoas haviam tido derrames graves e crônicos e mostraram uma melhora muito grande.[18] Beneficiaram-se significativamente até mesmo pacientes que haviam tido derrames, em média, mais de quatro anos antes de começar a terapia CIM.[19]

Um desses pacientes, Jeremiah Andrews (não é seu nome verdadeiro), advogado de 53 anos, sofrera derrame 45 anos antes de ir para a clínica Taub e, ainda assim, pôde ser ajudado, meio século depois de sua catástrofe da infância. Jeremiah teve o derrame quando tinha apenas 7 anos, enquanto jogava beisebol na primeira série. "Eu estava na linha lateral", disse-me ele, "e de repente caí no chão e disse: 'Não tenho braço, não tenho perna'. Meu pai me levou para casa." Ele perdeu a sensibilidade do lado direito do corpo, não conseguia erguer o pé direito nem usar o braço e desenvolveu um tremor. Teve de aprender a escrever com a mão esquerda porque a direita era fraca e incapaz de fazer movimentos motores finos. Ele fez reabilitação convencional depois do derrame, mas continuou a ter grandes dificuldades. Embora andasse com uma bengala, caía constantemente. Aos 40 anos, ele caía umas 150 vezes por ano, e quebrou, em diferentes ocasiões, a mão, o pé e, aos 49, o quadril. Depois que quebrou o quadril, a reabilitação convencional o ajudou a reduzir suas quedas para cerca de 36 por ano. Então ele foi para a clínica Taub e passou por duas semanas de treinamento para a mão direita, depois três semanas para a perna, e melhorou significativamente seu equilíbrio. Neste curto período sua mão tinha melhorado tanto que "eles me fizeram escrever meu nome com a mão direita usando um lápis para que eu pudesse reconhecê-la — foi incrível". Ele continua a fazer seus exercícios e continua melhorando: três anos depois de sair da clínica, ele caiu apenas sete vezes. "Continuo melhorando mesmo três anos depois", diz ele, "e, graças aos exercícios, estou em melhor forma, muito, muito melhor do que quando saí da Taub."

A melhora de Jeremiah na clínica Taub demonstra que, como o cérebro é plástico e capaz de reorganização, devemos ir mais devagar na hora de prever até que ponto pode progredir um paciente motivado com um derrame na área motora ou sensorial, independente do tempo que o paciente tenha vivido com a deficiência. Como o cérebro segue o princípio "use ou perca", poderíamos supor que as principais áreas do cérebro de Jeremiah para o equilíbrio, o caminhar e o uso da mão teriam desaparecido completamente, e por isso um tratamento posterior não teria sentido. Embora elas tenham desvanecido, seu cérebro, com o *input* adequado, pôde se reorganizar e encontrar uma nova maneira de realizar as funções perdidas — como agora podemos confirmar pela neuroimagem.

Taub, Joachim Liepert e colegas da Universidade de Jena, na Alemanha, demonstraram que depois de um derrame o mapa cerebral do braço afetado encolhe pela metade, e portanto um paciente só tem metade do número original de neurônios para usar. Taub acredita que isso acontece porque esses pacientes de derrame contam que usar o braço afetado requer mais esforço. Não é só a atrofia muscular que torna o movimento mais difícil, mas também a atrofia cerebral. Quando a terapia CIM restaura a área motora do cérebro ao seu tamanho normal, usar o braço passa a ser menos cansativo.

Dois estudos confirmam que a terapia CIM restaura o mapa cerebral encolhido. Um desses estudos mediu os mapas cerebrais de seis pacientes que tiveram paralisia no braço e na mão por em média seis anos — muito tempo para podermos esperar qualquer recuperação espontânea. Depois da terapia CIM, o tamanho do mapa cerebral que regia o movimento da mão duplicou.[20] O segundo estudo mostrou que as mudanças podem ser vistas nos dois hemisférios do cérebro, demonstrando a extensão da mudança neuroplástica.[21] Esses são os primeiros estudos a demonstrar que a estrutura do cérebro pode ser alterada em pacientes vítimas de derrame em resposta ao tratamento CIM e eles nos dão uma pista clara de como Jeremiah se recuperou.

Atualmente, Taub está estudando qual seria a melhor duração do treinamento. Ele começou a receber relatórios de clínicas alegando que três horas por dia podem produzir bons resultados e que aumentar o número de movimentos por hora é melhor do que submeter os pacientes a seis horas exaustivas de tratamento.

O que reconecta o cérebro dos pacientes não são as luvas nem as tipoias, é claro. Embora eles obriguem o paciente a se exercitar usando o braço danificado, a essência da cura é o treinamento *incremental* ou *shaping*, aumentando gradativamente a dificuldade. A "prática intensiva" — que junta uma quantidade extraordinária de exercícios em apenas duas semanas — ajuda a reconectar o cérebro ao estimular mudanças plásticas. A reprogramação não é perfeita depois que há morte cerebral maciça. Novos neurônios têm de assumir as funções perdidas, e é possível que eles não sejam tão eficazes como aqueles que substituíram.[22] Mas as melhoras podem ser tão significativas quanto aquelas vistas no dr. Bernstein — e em Nicole von Ruden, uma mulher que foi afetada não só por um derrame, mas por outro tipo de lesão cerebral.

Nicole von Ruden, pelo que eu soube, é o tipo de pessoa que ilumina o ambiente na hora em que chega. Nascida em 1967, foi professora do ensino fundamental, produtora da CNN e do programa de televisão *Entertainment Tonight*. Fez trabalho voluntário numa escola para cegos, com crianças que tinham câncer e com crianças que tinham Aids porque foram estupradas ou infectadas no nascimento. Ela era ousada e ativa. Adorava *rafting* e *mountain bike*, correu uma maratona e viajou ao Peru para fazer a trilha inca.

Um dia, quando tinha 33 anos, estava noiva e morava em Shell Beach, na Califórnia, ela foi a um oftalmologista para examinar uma visão dupla que a incomodava havia meses. Alarmado, o especialista a enviou para um exame de fMRI no mesmo dia. Após o exame, ela deu entrada no hospital. Na manhã seguinte, 19 de janeiro de 2000, foi informada de que tinha um tumor cerebral raro e inoperável, chamado glioma, no tronco encefálico, uma área estreita que controla a respiração. Disseram-lhe que tinha de três a nove meses de vida.

Os pais de Nicole de imediato a levaram para o hospital da Universidade da Califórnia, em São Francisco. Naquela noite, o chefe da neurocirurgia disse a ela que a única esperança de permanecer viva era receber imensas doses de radiação. Um bisturi naquela pequena área a mataria. Na manhã de 21 de janeiro ela recebeu a primeira dose de radiação e depois, nas seis semanas seguintes, recebeu a quantidade máxima que um ser humano pode tolerar, tanto que nunca mais poderia receber radiação. Também lhe administraram altas doses de esteroides para reduzir o inchaço no tronco encefálico, o que também pode ser fatal.

A radiação salvou sua vida, mas foi o início de novas aflições. "Umas duas ou três semanas depois da radiação", diz Nicole, "comecei a sentir formigamento no pé direito. Com o tempo, subiu para o lado direito de meu corpo, até o joelho, os quadris, o tronco e os braços, e depois para meu rosto." Ela logo ficou paralisada e sem sensibilidade em todo o lado direito. Ela é destra, então a perda dessa mão foi crítica. "Fiquei tão mal", disse ela, "que não conseguia me sentar nem me virar na cama. Era como quando sua perna fica dormente, você não consegue se levantar e acaba desabando." Os médicos logo determinaram que não era um derrame, mas um efeito colateral raro e grave da radiação, que tinha prejudicado seu cérebro. "Uma das pequenas ironias da vida", disse ela.

Do hospital, ela foi levada para a casa dos pais. "Tinha de ser levada numa cadeira de rodas, colocada na cama e carregada, e tinha de ser ajudada para sair da cama ou levantar de uma cadeira." Ela podia comer com a mão esquerda, mas só depois que os pais a amarravam com um lençol numa cadeira, para evitar que caísse. Uma queda era especialmente perigosa, porque ela não conseguiria se escorar com os braços. Com a imobilidade contínua e as doses de esteroides, ela passou de 60 para 95 quilos e desenvolveu o que chama de "cara de abóbora". A radiação também provocou a queda de partes de seu cabelo.

Ela estava psicologicamente arrasada e especialmente perturbada pelo sofrimento que sua doença causava aos outros. Por seis meses, Nicole ficou tão deprimida que parou de falar e até de se sentar na cama. "Eu me lembro desse período, mas não o compreendo. Lembro-me de olhar o relógio, esperando a hora passar ou ser preparada para minhas refeições, pois meus pais eram inflexíveis e queriam que eu me levantasse para fazer três refeições por dia."

Os pais tinham sido do Peace Corps e não desistiam com facilidade. O pai, clínico geral, deixou o consultório e ficou em casa para cuidar dela, apesar de seus protestos. Eles a levavam ao cinema ou para passear na praia na cadeira de rodas para mantê-la ligada à vida. "Eles me diziam que eu ia conseguir", disse ela, "que eu venceria e que aquilo passaria." Enquanto isso, amigos e familiares procuravam informações sobre tratamentos possíveis. Um deles falou a Nicole sobre a clínica Taub, e ela decidiu passar pela terapia CIM.

Ali lhe deram uma luva para impedir que ele use a mão esquerda. A essa altura, ela achou a equipe implacável. Ela ri e diz: "Eles fizeram uma coisa engraçada na primeira noite". Quando o telefone tocou no hotel em que ela estava hospedada com a mãe, Nicole tirou a luva e atendeu ao primeiro toque. "De imediato levei uma bronca de minha terapeuta. Ela estava ligando para verificar e sabia que se eu atendesse ao primeiro toque, evidentemente não estava usando o braço afetado. De pronto tomei um sermão."

Ela não só usava uma luva. "Como eu falava com as mãos e gostava de contar histórias, eles prenderam a luva na minha perna com uma tira de velcro, o que achei muito engraçado. Seu orgulho sem dúvida vai para o espaço com isso."

"Cada um de nós tinha seu terapeuta. A minha era Christine. Foi uma ligação imediata." Com a luva na mão boa, Nicole logo tentou escrever num quadro branco ou digitar num teclado com a mão paralisada. Um exercício começava pela colocação de fichas de pôquer numa grande tigela de cereais. No final da semana ela estava colocando as fichas numa pequena fenda em uma lata de bolas de tênis. Repetidas vezes ela empilhava aros coloridos numa barra e colocava prendedores de roupa numa régua, ou tentava meter um garfo em massa de modelar e levá-lo à boca. No início a equipe a ajudava. Depois ela fazia os exercícios enquanto Christine cronometrava o tempo. A cada vez que Nicole completava uma tarefa e dizia, "Isso é o máximo que posso fazer", Christine dizia, "Não é, não".

Nicole diz: "A melhora que ocorreu em apenas cinco minutos é mesmo incrível! Depois em duas semanas — é de abalar qualquer um. Eles não lhe permitem dizer 'não consigo', o que Christine chamava de 'palavrão'. Abotoar a roupa era loucamente frustrante. Um só botão parecia uma tarefa impossível. Eu tinha racionalizado que podia passar pela vida sem jamais voltar a fazer isso. E o que você aprende no final de duas semanas, enquanto está abotoando e desabotoando rapidamente um jaleco de laboratório, é que sua concepção sobre o que você é capaz de fazer pode mudar radicalmente."

Numa noite, no meio do período de duas semanas de terapia, todos os pacientes foram levados para jantar num restaurante. "Fizemos uma bagunça danada na mesa. Os garçons já haviam visto clientes da clínica Taub e sabiam o que esperar. A comida voava, enquanto todos nós tentávamos comer com os braços afetados. Éramos 16, e foi muito divertido. No final da segunda semana, eu estava fazendo um bule de café com o braço afetado. Se eu quisesse café, eles diziam: 'Adivinha só? Você tem que fazer.' Eu tinha que pegar o pó, colocar na máquina e encher de água, a coisa toda com o braço afetado. Mas não sei se o café ficava bom."

Perguntei-lhe como se sentiu quando teve alta.

"Totalmente rejuvenescida, mais mentalmente do que fisicamente. Isso me deu a vontade de melhorar e de ter uma vida normal." Ela não abraçava ninguém com o braço afetado havia três anos, mas agora podia fazer isso de novo. "Eu agora sou famosa por ter um aperto de mão mole, mas é o que faço. Não posso atirar dardos com o braço, mas posso abrir a porta da geladeira, desligar a luz ou fechar uma torneira e colocar xampu na cabeça." Essas pequenas melhoras permitem que ela viva sozinha e dirija para o trabalho pela via expressa com as duas mãos ao volante. Ela começou a fazer natação e, uma semana antes de conversarmos, havia feito esqui sem bastões em Utah.

Durante toda a provação, seus superiores e colegas de trabalho na CNN e no *Entertainment Tonight* acompanharam seu progresso e a ajudaram financeiramente. Quando apareceu um emprego *freelance* na CNN de Nova York, ela aceitou. Em setembro, voltara a trabalhar em tempo integral. Em

11 de setembro de 2001, ela estava em sua mesa olhando pela janela e viu o segundo avião atingir o World Trade Center. Na crise, ela foi designada para trabalhar na redação e preparar matérias que, em outras circunstâncias, podiam ter sido simplificadas em consideração às suas "necessidades especiais". Mas não foram. A atitude era "você tem uma mente boa, trate de usá-la". Isso, disse ela, "provavelmente foi o melhor para mim".

Quando esse trabalho chegou ao fim, Nicole voltou à Califórnia e à escola de ensino fundamental. As crianças a adotaram de imediato. Inventaram um "Dia da srta. Nicole von Ruden", no qual as crianças saíram dos ônibus escolares usando luvas de cozinha, como aquelas da clínica Taub, e ficaram com elas o dia todo. Faziam piada da escrita de Nicole e de sua mão direita fraca, então ela os fazia escrever com a mão mais fraca e menos dominante. "E", diz Nicole, "eles não podiam usar a expressão 'não consigo'. Na verdade, eu tive pequenos terapeutas. Meus alunos me obrigavam a levantar a mão acima da cabeça enquanto eles contavam. Todo dia eu tinha que levantar mais alto... Eles eram durões."

Atualmente Nicole trabalha em tempo integral como produtora do *Entertainment Tonight*. Seu trabalho inclui redigir roteiros, verificar informações e coordenar gravações. (Ela foi encarregada da cobertura do julgamento de Michael Jackson.) A mulher que não conseguia rolar na cama agora sai para trabalhar às 5 horas da manhã e trabalha mais de 40 horas por semana. Voltou ao antigo peso de 62 quilos. Ainda tem algum formigamento e fraqueza residuais no lado direito do corpo, mas pode carregar coisas com a mão direita, levantá-las, vestir-se e se cuidar de modo geral. E voltou a ajudar crianças com Aids.

Os princípios da terapia CIM foram aplicados por uma equipe chefiada pelo Dr. Friedemann Pulvermüller na Alemanha, que trabalhou com Taub, para ajudar pacientes de derrame que tinham danos na área de Broca e haviam perdido a capacidade de falar.[23] Cerca de 40% dos pacientes que sofreram derrames no hemisfério esquerdo têm essa afasia. Alguns, como o famoso paciente afásico de Broca, "Tan", só conseguem usar uma palavra; outros dispõem de um número maior de palavras, mas ainda são severamente limitados. Alguns melhoraram espontaneamente ou recuperaram algumas palavras, mas costumava-se pensar que aqueles que não melhoravam em um ano, jamais melhorariam.

O que é o equivalente a colocar uma luva na boca ou uma tipoia para a fala? Os pacientes afásicos, como aqueles paralisados, tendem a recorrer ao equivalente do braço "bom". Eles usam gestos ou desenham imagens. Se conseguem falar, tendem a repetir sempre o que é mais fácil.

A "restrição" imposta aos afásicos não é física, mas é igualmente verdadeira: uma série de regras de linguagem. Como o comportamento deve ser modelado, essas regras são introduzidas aos poucos. Os pacientes jogam com um baralho terapêutico. Quatro pessoas jogam com 32 cartas, compostas de 16 imagens diferentes, duas de cada imagem. Um paciente com uma carta que traz uma pedra deve pedir a mesma imagem aos outros. De início, a única exigência é que eles não apontem a carta, para não reforçar o desuso aprendido. Eles podem usar qualquer tipo de circunlóquio, desde que seja verbal. Se quiserem uma carta com uma imagem do sol e não conseguirem encontrar a palavra, poderão dizer "A coisa que aquece você de dia" para ter a carta que querem. Depois que casam as duas cartas, podem descartá-las. O vencedor é o jogador que se livrar primeiro de suas cartas.

A fase seguinte é nomear corretamente os objetos. Agora eles devem fazer uma pergunta precisa, como: "Alguém tem a carta do cachorro?" Em seguida devem acrescentar o nome da pessoa e uma observação educada: "Sr. Schmidt, tem uma cópia da carta do sol, por favor?" Mais tarde, no treinamento, são usadas cartas mais complexas. Introduzem-se cores e números — uma carta com três meias azuis e duas pedras, por exemplo. No início os pacientes são elogiados por realizar tarefas simples; à medida que progridem, só pelas mais difíceis.

A equipe alemã escolheu uma população muito desafiadora — pacientes que haviam sofrido derrames em média 8,3 anos mais cedo, aqueles que mais tinham desistido. Foram estudados 17 pacientes. Sete num grupo controle receberam tratamento convencional, simplesmente repetindo palavras; os outros dez fizeram terapia CIM para a linguagem e tiveram de obedecer às regras do jogo linguístico, três horas por dia, durante dez dias. Os dois grupos treinaram o mesmo número de horas, depois fizeram testes padrão de linguagem. Nos dez dias de tratamento, depois de apenas 32 horas, o grupo da terapia CIM teve uma melhora de 30% na comunicação.[24] O grupo do tratamento convencional não teve nenhum.

Com base em seu trabalho com a plasticidade, Taub descobriu vários princípios do treinamento: o treinamento é mais eficaz se a habilidade tem uma relação estreita com a vida cotidiana; o treinamento deve ser progressivo; e o trabalho deve ser concentrado em um prazo curto, uma técnica de treinamento que Taub chama de "prática intensiva", que ele descobriu ser muito mais eficaz do que o treinamento de longo prazo, mas menos frequente.

Muitos dos mesmos princípios são usados no aprendizado de "imersão completa" de uma língua estrangeira. Quantos de nós fizemos cursos de línguas por anos e não aprendemos tanto quanto aprendemos ao viajar e "imergir completamente" na língua por um período de tempo mais curto? O tempo que passamos com pessoas que não falam nossa língua nativa, nos obrigando a falar a delas, é a "restrição". A imersão diária nos permite ter uma "prática intensiva". Nosso sotaque sugere aos outros que eles podem ter de usar uma linguagem mais simples conosco; daí somos desafiados progressivamente, ou moldados. O desuso aprendido é sem efeito, porque nossa sobrevivência depende da comunicação.

Taub aplicou os princípios da terapia CIM a vários outros distúrbios. Começou trabalhando com crianças com paralisia cerebral[25] — uma deficiência complexa e trágica que pode ser provocada por danos no cérebro em desenvolvimento causados por derrame, infecção, privação de oxigênio durante o parto e outros problemas. Muitas dessas crianças não conseguem andar e ficam confinadas a cadeiras de rodas pela vida toda, não conseguem falar com clareza e nem controlar seus movimentos, e seus braços são deficientes ou paralisados. Antes da terapia CIM, o tratamento para os braços paralisados dessas crianças era considerado ineficaz. Taub fez um estudo em que metade das crianças fez reabilitação convencional para paralisia cerebral e metade recebeu terapia CIM, com o braço de melhor funcionamento colocado num gesso leve de fibra de vidro. A terapia CIM incluía estourar bolhas de sabão com os dedos afetados, colocar bolas num buraco e pegar peças de quebra-cabeças. A cada vez que uma criança tinha sucesso, eram cobertas de elogios e depois, no jogo seguinte, estimuladas a melhorar a precisão, a velocidade e a fluidez do movimento, mesmo que estivessem muito cansadas. As crianças mostraram ganhos extraordinários num período de três semanas de treinamento. Algumas começaram a engatinhar pela primeira vez. Uma criança de 18 meses foi capaz de subir uma escada engatinhando e usar a mão para colocar comida na boca pela primeira vez. Um menino de 4 anos e meio, que *nunca* tinha usado o braço nem a mão, começou a jogar bola. E havia Frederick Lincoln.

Frederick teve um derrame grave quando estava no útero da mãe. Aos 4 meses e meio, ficou claro para sua mãe que alguma coisa não estava certa. "Percebi que ele não fazia o que os outros meninos da creche faziam. Eles podiam se sentar e segurar a mamadeira, mas meu filho, não. Eu sabia que havia alguma coisa errada, mas não sabia a quem recorrer." Todo o lado esquerdo do corpo foi afetado: o braço e a perna não funcionavam bem. Seu olho esquerdo ficou caído e ele não conseguia formar sons ou palavras, porque a língua estava parcialmente paralisada. Frederick não conseguia engatinhar nem andar como outras crianças. Só conseguiu andar aos 3 anos.

Aos 7 meses, Frederick teve uma convulsão, seu braço esquerdo colou ao peito e não pôde ser afastado. Ele passou por um exame de IRM que — disse o médico à mãe — mostrava que "um quarto de seu cérebro estava morto" e que "ele provavelmente jamais engatinharia, andaria, nem falaria". O médico acreditava que o derrame tinha acontecido cerca de 12 semanas depois de Frederick ter sido concebido.

Ele recebeu o diagnóstico de paralisia cerebral, com comprometimento do lado esquerdo do corpo. A mãe, que trabalhava no Tribunal Federal

Distrital, largou o emprego para dedicar todo o seu tempo a Frederick, o que criou grandes dificuldades financeiras para a família. A incapacidade de Frederick também afetou a irmã de 8 anos e meio.

"Eu tinha de explicar à irmã dele", diz a mãe, "que o novo irmão não era capaz de cuidar de si mesmo e que a mamãe tinha de fazer isso, e que não sabíamos quanto tempo isso ia durar. Nem sabíamos se Frederick um dia seria capaz de fazer as coisas sozinho." Quando Frederick tinha 18 meses, a mãe soube da clínica Taub para adultos e perguntou se Frederick podia ser tratado. Mas vários anos se passariam antes que a clínica desenvolvesse um programa para crianças.

Quando foi para a clínica Taub, Frederick tinha 4 anos. Tinha feito algum progresso usando abordagens convencionais. Podia andar com uma tala na perna e podia falar com dificuldade, mas seu progresso chegara a um platô. Conseguia usar o braço esquerdo, mas não a mão esquerda. Como não formava pinça e não conseguia tocar com o polegar nenhum dos outros dedos, ele não podia pegar uma bola e segurá-la na palma da mão. Tinha de usar a palma da mão direita e as costas da mão esquerda.

De início Frederick não queria participar do tratamento de Taub e se rebelou, comendo o purê de batatas com a mão que tinha um gesso em vez de tentar usar a mão afetada.

Para se certificar de que Frederick tivesse 21 dias ininterruptos de tratamento, a terapia CIM não foi realizada na clínica Taub. "Para nossa conveniência", disse a mãe, "ela foi feita na creche, em casa, na igreja, na casa da avó, onde estivéssemos. A terapeuta ia à igreja conosco e trabalhava a mão dele no carro. Depois ia à escola dominical com ele e acompanhava nossos planos. Mas, de segunda a sexta-feira passávamos a maior parte do tempo na creche de Frederick. Ele sabia que estávamos tentando melhorar o 'canhoto', porque era como chamávamos sua mão."

Com apenas 19 dias de terapia, o "canhoto" desenvolveu uma pegada em pinça. "Agora", diz a mãe, "ele pode fazer qualquer coisa com a mão esquerda, mas ela é mais fraca do que a direita. Ele pode abrir um saco Ziploc e consegue segurar um bastão de beisebol. Ele continua a melhorar a cada dia. Suas habilidades motoras melhoraram drasticamente. Essa melhora começou durante o projeto com Taub e continuou desde então. Agora posso pensar em ser uma mãe normal, ajudando-o a prosseguir." Como Frederick tornou-se mais independente, a mãe pôde voltar a trabalhar.

Frederick tem hoje 8 anos e não se considera deficiente. Pratica vários esportes, inclusive vôlei, mas sempre gostou mais de beisebol. Para que fique com a luva, a mãe costurou Velcro por dentro, que se prende ao Velcro na pequena tala que ele usa no braço.

O progresso de Frederick foi fenomenal. Ele fez testes para a equipe de beisebol — a equipe comum, não aquela para crianças com necessidades especiais — e passou. "Jogou tão bem na equipe", diz a mãe, "que foi escolhido pelos treinadores para o time principal. Eu chorei por duas horas quando me contaram isso." Frederick é destro e segura o bastão normalmente. De vez em quando perde a pegada da mão esquerda, mas a mão direita agora é tão forte que ele pode girar o bastão com uma só mão.

"Em 2002", diz ela, "ele jogou na divisão de 5 a 6 anos e fez todas as partidas do time principal. Venceu três de cinco jogos — ganhou o campeonato e o título de melhor batedor. Foi maravilhoso. Tenho tudo gravado em vídeo."

A história dos macacos de Silver Spring e da neuroplasticidade ainda não terminou. Anos se passaram desde que os macacos foram retirados do laboratório de Taub. Mas nesse meio tempo os neurocientistas começaram a apreciar o que Taub, tão à frente de seu tempo, tinha descoberto. Este novo interesse no trabalho de Taub, e nos próprios macacos, levaria a um dos experimentos em plasticidade mais importantes já realizados.

Merzenich, em seus experimentos, mostrou que quando o *input* sensorial de um dedo era interrompido, as mudanças no mapa cerebral em geral ocorriam em 1 a 2 milímetros do córtex. Os cientistas pensavam que a explicação provável para este nível de mudança plástica era o crescimento de ramificações neuronais individuais. Os neurônios do cérebro, quando danificados, podem projetar pequenas brotações, ou ramificações, para se conectar com outros neurônios. Se um neurônio morre ou perde *input*, as ramificações do neurônio adjacente podem crescer de 1 a 2 milímetros para compensar. Mas se este fosse o mecanismo pelo qual acontecia a mudança plástica, então a mudança estava limitada a alguns neurônios perto da lesão. Podia haver mudança plástica entre setores próximos do cérebro, mas não entre setores distantes.

O colega de Merzenich na Vanderbilt University, Jon Kaas, trabalhou com um estudante chamado Tim Pons, que não estava convencido do limite de 1 a 2 milímetros. Seria este realmente o teto para a mudança plástica? Ou será que Merzenich só observou mudanças devido à sua técnica, na qual experimentos-chave envolviam o corte de um único nervo?

Pons se perguntou o que aconteceria no cérebro se todos os nervos da mão fossem seccionados. Será que isso afetaria mais de 2 milímetros do córtex? E seriam vistas mudanças entre vários setores?

Os animais que podiam responder a essa pergunta eram os macacos de Silver Spring, porque só eles tinham passado 12 anos sem *input* sensorial para seus mapas cerebrais. Ironicamente, a interferência do PETA por tantos anos os tornara cada vez mais valiosos para a comunidade científica. Se alguma criatura tivesse reorganização cortical maciça que pudesse ser mapeada, seria um deles.

Mas não estava claro quem era o dono dos animais, embora eles estivessem sob custódia do NIH. A instituição às vezes insistia que não os possuía — eles eram verdadeiras batatas quentes — e não se atrevia a fazer experimentos com eles porque eram o foco da campanha do PETA para sua soltura. Na época, porém, a comunidade científica séria, inclusive o NIH, estava ficando farta da caça às bruxas. Em 1987, o PETA entrou com uma ação de custódia na Suprema Corte, mas o tribunal não quis ouvir.

À medida que os macacos envelheciam, sua saúde se deteriorava, e um deles, Paul, perdeu muito peso. O PETA começou a pressionar o NIH para que ele sofresse eutanásia — uma morte misericordiosa — e para tanto tentou obter uma ordem judicial. Em dezembro de 1989, outro macaco, Billy, também estava sofrendo e morrendo.

Mortimer Mishkin, diretor da Sociedade de Neurociência e chefe do Laboratório de Neuropsicologia do Instituto de Saúde Mental do NIH, muitos anos antes havia inspecionado o primeiro experimento de deaferentação de Taub que derrubara a teoria do arco reflexo de Sherrington. Mishkin apoiara Taub durante o caso dos macacos de Silver Spring e foi um dos primeiros a se opor ao cancelamento do financiamento de Taub pelo NIH. Mishkin reuniu-se com Pons e concordou que poderiam fazer um experimento final quando os macacos fossem sofrer eutanásia. Foi uma decisão corajosa, uma vez que o Congresso tinha votado a favor do PETA; os cientistas estavam cientes de que o PETA poderia ficar furioso; então deixaram o governo de fora e conseguiram financiamento privado para o experimento.

No experimento, o macaco Billy seria anestesiado e um microeletrodo seria inserido no mapa cerebral do braço, pouco antes da eutanásia. Como havia muita pressão sobre os cientistas e cirurgiões, eles fizeram em quatro horas o que normalmente levaria mais de um dia. Retiraram parte da caixa craniana do macaco, inseriram eletrodos em 124 pontos diferentes da área do córtex sensorial que representa o braço e cutucaram o braço deaferentado. Como esperavam, o braço não enviou impulsos elétricos aos eletrodos. Depois Pons tocou o rosto do macaco — sabendo que o mapa cerebral para a face é adjacente ao mapa do braço.

Para sua surpresa, enquanto ele tocava o rosto, os neurônios do mapa do braço deaferentado também começaram a disparar — confirmando que o mapa facial tinha assumido o mapa do braço. Como Merzenich viu em seus experimentos, quando um mapa cerebral não é usado, o cérebro pode se reorganizar para que outra função mental assuma o espaço de processamento. Mais surpreendente foi a abrangência da reorganização. Quatorze milímetros do mapa do "braço" tinham se estruturado para processar *input* sensorial da face — o maior nível de reconexão que já fora mapeado.[26]

Billy recebeu uma injeção letal. Seis meses depois o experimento foi repetido em outros três macacos, com os mesmos resultados.

O experimento deu um impulso tremendo a Taub, coautor do artigo que se seguiu, e a outros cientistas neuroplásticos que tinham esperança de reconectar o cérebro de pessoas com graves danos cerebrais. Não só o cérebro podia responder aos danos, fazendo com que neurônios isolados desenvolvessem ramificações *dentro* de seus próprios setores pequenos, mas, como mostrava o experimento, a reorganização podia acontecer *através* de vários setores maiores.

Como muitos cientistas neuroplásticos, Taub participou de vários experimentos em colaboração. Ele tem uma versão de computador da terapia CIM para pessoas que não podem ir à clínica, chamado AutoCITE (Automated CI Therapy), que mostra resultados promissores. A terapia CIM agora está sendo avaliada em experimentos em todos os Estados Unidos. Taub também integra uma equipe que desenvolve um aparelho para ajudar as pessoas que estão totalmente paralisadas por esclerose lateral amiotrófica — a doença de Stephen Hawking. O aparelho transmitiria seus pensamentos por ondas cerebrais para dirigir um cursor de computador para selecionar letras e palavras e formar frases curtas. Ele está envolvido na cura para o *tinnitus*, ou tinido nos ouvidos, que pode ser causada por mudanças plásticas no córtex auditivo. Taub também quer descobrir se os pacientes de derrame podem desenvolver movimentos completamente normais com a terapia CIM. Tais pacientes recebem agora tratamento por apenas duas semanas; ele quer saber o que aconteceria com um ano de terapia.

Mas talvez sua maior contribuição seja que sua abordagem da lesão cerebral e dos problemas no sistema nervoso se aplique a tantas doenças. Até uma doença não neurológica, como a artrite, pode levar ao desuso aprendido, porque depois de uma crise os pacientes costumam parar de usar o membro ou a articulação. A terapia CIM pode ajudá-los a recuperar os movimentos.

Em toda a medicina, poucas doenças são tão apavorantes como um derrame, quando morre uma parte do cérebro. Mas Taub mostrou que mesmo neste estado, desde que haja tecido vivo adjacente, por esse tecido ser plástico, pode haver esperanças de recuperação. Poucos cientistas reuniram tanto conhecimento prático com seus animais experimentais. Ironicamente, o único episódio de tormento físico insensato aos animais em todo o caso Silver Spring aconteceu quando eles desapareceram suspeitamente nas mãos do

PETA. Foi quando eles foram aparentemente levados em uma viagem de 3 mil quilômetros de ida e volta à Flórida, o que os deixou tão fisicamente perturbados e agitados.

O trabalho de Edward Taub transforma diariamente as pessoas, a maioria delas derrotada na meia-noite de suas vidas. E cada vez que aprendem a mover o corpo paralisado e a falar, a ressurreição não é apenas delas, mas da brilhante carreira de Edward Taub.

6

Destravando o Cérebro

Usando a plasticidade para acabar com preocupações, obsessões, compulsões e maus hábitos

Todos nós temos preocupações. Nós nos preocupamos porque somos seres inteligentes. A inteligência faz predições, esta é a sua essência; a mesma inteligência que nos permite planejar, ter esperanças e teorizar também permite que nos preocupemos e consigamos prever resultados negativos. Mas há indivíduos que são "grandes apoquentados", cuja preocupação pertence a uma categoria própria. Seu sofrimento, embora "esteja todo em sua mente", vai bem além do que a maioria das pessoas vive precisamente *porque* está todo na mente e, portanto, é inescapável. Essas pessoas estão tão traumatizadas por seu próprio cérebro que frequentemente pensam em se matar. Em um caso, um universitário desesperado sentia-se tão preso às suas preocupações obsessivas e suas compulsões que colocou uma arma na boca e apertou o gatilho. O projétil passou pelo lobo frontal, provocando uma lobotomia, que na época era um tratamento para o distúrbio obsessivo-compulsivo. O rapaz foi encontrado ainda com vida, seu distúrbio estava curado, e ele voltou à universidade.[1]

Há muitos tipos de preocupações e muitos tipos de ansiedade — fobias, distúrbios de estresse pós-traumático e crises de pânico. Mas entre as pessoas que mais sofrem estão aquelas com transtorno obsessivo-compulsivo, ou TOC, que ficam apavoradas com a ideia de que algum mal ocorra — a eles ou a seus entes queridos. Embora possam ter sido razoavelmente ansiosas quando crianças, a certa altura da vida, em geral quando jovens adultos, elas têm uma "crise" que leva suas preocupações a um novo nível. Antes pessoas adultas senhoras de si, elas agora se sentem como crianças angustiadas e apavoradas. Com vergonha de terem perdido o controle, elas frequentemente escondem suas preocupações dos outros, às vezes por anos, antes de procurar ajuda. Nos piores casos, não conseguem despertar desses pesadelos por meses ou até anos. A medicação pode atenuar suas ansiedades, mas em geral não eliminam o problema.

O TOC, em geral, piora com o tempo, alterando aos poucos a estrutura do cérebro. Um paciente com TOC pode tentar obter alívio concentrando-se em sua preocupação — certificando-se de ter coberto todas as bases e não ter deixado nada ao acaso —, mas quanto mais pensa em seu medo, mais se preocupa com ele, porque, no TOC, preocupação gera preocupação.

Em geral há um gatilho emocional para a primeira crise grave. Uma pessoa pode se lembrar de que é o aniversário da morte da mãe, saber do acidente de carro de um rival, sentir uma dor ou um inchaço no corpo, ler sobre uma substância química na comida ou ver uma imagem de mãos queimadas num filme. Depois começa a se preocupar que esteja se aproximando da idade que a mãe tinha quando morreu e, embora não costume ser supersticioso, agora sente que está condenado a morrer nesse dia; ou que a morte prematura do rival espera por ele também; ou que descobriu os primeiros sintomas de uma doença intratável; ou que já foi envenenado porque não prestou muita atenção no que comia.

Todos vivemos esses pensamentos fugazmente. Mas as pessoas com TOC travam na preocupação e não conseguem se livrar dela. Seu cérebro e sua mente as levam por vários cenários pavorosos e, embora tentem resistir a pensar neles, elas não conseguem. As ameaças parecem tão reais que elas pensam que devem ficar alertas. As obsessões típicas são medos de contrair doenças terminais, ser contaminado por germes, ser envenenado por substâncias, ameaçado por radiação eletromagnética ou até traído pelos próprios genes. Às vezes, as pessoas obsessivas ficam preocupadas com a simetria; incomodam-se quando as imagens não estão perfeitamente niveladas ou se seus dentes não são perfeitamente retos, ou quando os objetos não ficam em perfeita ordem, e podem passar horas alinhando-os corretamente. Ou ficam supersticiosas com certos números e conseguem programar um despertador ou controle de volume somente em um número par. Pensamentos sexuais ou agressivos — medo de machucarem os entes queridos — podem invadir suas mentes, mas elas não sabem de onde vêm esses pensamentos. Um pensamento típico pode ser: "O baque que ouvi enquanto dirigia significa que eu posso ter atropelado alguém." Se elas são religiosas, podem surgir pensamentos blasfemos, provocando culpa e preocupações. Muitas pessoas com TOC têm incertezas obsessivas e sempre estão duvidando de si mesmas: será que apagaram o fogão, trancaram a porta ou magoaram alguém inadvertidamente?

As preocupações podem ser bizarras — e não fazer sentido nenhum nem mesmo para quem se preocupa —, mas isso não as torna menos torturantes.[2] Uma mãe e esposa amorosa se preocupa, "vou machucar meu filho" ou "vou me levantar dormindo e matar meu marido com a faca de cozinha enquanto ele dorme". Um marido tem o pensamento obsessivo de que há lâminas de barbear presas às suas unhas, então não pode tocar nos filhos, fazer amor com a mulher nem afagar o cachorro.[3] Seus olhos não veem lâminas, mas sua mente insiste que elas estão ali, e ele fica perguntando à mulher se não a machucou.

Em geral, os obsessivos temem o futuro devido a algum erro que cometeram no passado. Mas eles não são assombrados apenas pelos erros que aconteceram. Os erros que eles *imaginam* que podem cometer — se baixarem a guarda por um momento —, o que, sendo eles humanos, um dia vão fazer, também geram um pavor incontrolável. A agonia da preocupação obsessiva é que sempre que alguma coisa ruim é remotamente possível, ela *parece* inevitável.

Tive muitos pacientes cujas preocupações com a saúde eram tão intensas que eles se sentiam no corredor da morte, a cada dia esperando por sua execução. Mas seu drama não termina aí. Mesmo que sejam informados de que sua saúde é boa, eles só conseguem sentir um breve lampejo de alívio antes de se diagnosticarem severamente como "loucos" por tudo em que se meteram — embora, com frequência, esse *insight* seja a dúvida obsessiva com um novo disfarce.

Logo depois de começarem as preocupações obsessivas, os pacientes com TOC geralmente fazem algo para diminuir a preocupação, um ato compulsivo. Se sentem que foram contaminados por germes, eles se lavam; quando isso não faz com que a preocupação desapareça, eles lavam toda a roupa, o piso, depois as paredes. Se uma mulher teme matar o bebê, ela embrulha a faca de cozinha em panos, guarda numa caixa, tranca no porão, depois tranca a porta do porão. O psiquiatra da Universidade da Califórnia, em Los Angeles, Jeffrey M. Schwartz, descreve um homem que temia ser contaminado pelo ácido de bateria derramado em acidentes de carro.[4] Toda noite ficava deitado na cama procurando ouvir sirenes que indicariam um acidente próximo. Quando as ouvia, ele se levantava, independentemente da hora, colocava sapatos de corrida especiais e dirigia até encontrar o local. Depois que a polícia saía, ele esfregava o asfalto com uma escova por horas, depois voltava sorrateiramente para casa e jogava fora os sapatos que tinha usado.

Os desconfiados obsessivos desenvolvem em geral "compulsões por verificar". Se duvidam de que apagaram o fogão ou trancaram a porta, eles voltam para verificar e reverificar até cem vezes ou mais. Como a dúvida jamais cessa, eles podem levar horas para sair de casa.

As pessoas que temem que um baque ouvido enquanto dirigiam possa significar que tenham atropelado alguém, darão a volta na quadra para ter certeza de que não há um cadáver na rua. Se seu medo obsessivo é de uma doença fatal, eles examinarão o corpo repetidas vezes em busca de sintomas ou irão dezenas de vezes ao médico. Depois de um tempo, essa compulsão por verificar se torna ritualizada. Se eles sentem que ficaram sujos, devem se limpar numa ordem precisa, colocando luvas para abrir a torneira e esfregando o corpo numa sequência determinada; se têm pensamentos blasfemos ou sexuais, podem inventar um ritual, rezando um determinado número de vezes. Esses rituais provavelmente estão relacionados com crenças em magia ou superstições que abrigam os mais obcecados. Se conseguiram evitar o desastre, foi porque se certificaram de certa maneira, e sua única esperança é continuar verificando da mesma maneira sempre.

Os obsessivos-compulsivos, em geral tão cheios de dúvidas, podem ter pavor de cometer um erro e começam a corrigir a si mesmos e aos outros compulsivamente. Uma mulher levou centenas de horas para escrever cartas curtas porque se sentia incapaz de encontrar palavras que não parecessem "equivocadas". Muitos adiam uma tese de doutorado — não porque o autor seja um perfeccionista, mas porque o redator com TOC não consegue encontrar palavras que não "pareçam" totalmente erradas.

Quando alguém tenta resistir à compulsão, sua tensão alcança níveis febris. Se esforçando, ele consegue um alívio temporário, mas isso aumenta a probabilidade de que o pensamento obsessivo e o impulso compulsivo só venham a piorar quando reaparecerem.

O TOC é muito difícil de tratar. As terapias medicamentosa e comportamental são apenas parcialmente úteis para a maioria. Jeffrey M. Schwartz desenvolveu um tratamento eficaz baseado na plasticidade, que ajuda não só pacientes de transtorno obsessivo-compulsivo,[5] mas também aqueles de nós que temos preocupações mais cotidianas, quando começamos a ruminar sobre uma coisa e não conseguimos parar, embora saibamos que não tem sentido. Pode nos ajudar quando ficamos mentalmente "viscosos" e nos prendemos a preocupações ou quando nos tornamos compulsivos e somos levados por "hábitos desagradáveis", tais como roer compulsivamente as unhas, puxar os cabelos, fazer compras, jogar e comer. Mesmo algumas formas de ciúme compulsivo, abuso de substâncias, comportamentos sexuais compulsivos e preocupação excessiva com o que os outros pensam de nós, problemas com a autoimagem, o corpo e de autoestima podem ser auxiliados.

Schwartz desenvolveu novos *insights* sobre o TOC comparando exames do cérebro de pessoas com e sem TOC, depois usou esses *insights* para desenvolver uma nova forma de terapia — a primeira vez, até onde sei, que tomografias cerebrais como a PET ajudaram médicos a entender um transtorno e a desenvolver uma psicoterapia para este. Ele então testou seu novo tratamento fazendo tomografias de seus pacientes antes e depois da psicoterapia e mostrou que os cérebros normalizaram-se com o tratamento. Esta foi outra inovação — a primeira demonstração de que uma terapia verbal pode mudar o cérebro.

Normalmente, quando cometemos um erro, acontecem três coisas. Primeira, temos uma "sensação de erro", aquela sensação persistente de que alguma coisa está errada. Segunda, ficamos ansiosos, e esta ansiedade nos impele a corrigir o erro. Terceira, quando corrigimos o erro, um "câmbio automático" em nosso cérebro nos permite prosseguir com o pensamento ou atividade seguinte. Assim, a "sensação de erro" e a ansiedade desaparecem.

Mas o cérebro de um obsessivo-compulsivo não prossegue nem "vira a página". Embora tenha corrigido seu erro de ortografia, lavado os germes das mãos ou se desculpado por se esquecer do aniversário do amigo, ele continua obcecado. Seu "câmbio automático" não funciona, enquanto a sensação de erro e a ansiedade que a acompanha vão ganhando mais intensidade.

Agora sabemos, pela neuroimagem, que três partes do cérebro estão envolvidas nas obsessões.

Detectamos os erros com nosso *córtex orbital frontal*, uma área do lobo frontal situada na parte inferior do cérebro, logo atrás dos olhos. Os exames mostram que quanto mais obsessiva é a pessoa, mais ativado é o córtex orbital frontal.

Depois de induzir a "sensação de erro", o córtex orbital frontal manda um sinal para o *giro cingulado*, localizado na parte mais profunda do córtex. O giro cingulado induz uma ansiedade pavorosa, sugerindo que algo ruim está para acontecer a não ser que corrijamos o erro, e manda sinais para as vísceras e o coração, provocando as sensações físicas que associamos com o medo.

O "câmbio automático", o *núcleo caudado*, situa-se profundamente no centro do cérebro e permite que nossos pensamentos fluam, a menos que, como acontece no TOC, o núcleo caudado se torne extremamente "viscoso".[6]

Os exames de neuroimagem de pacientes com TOC mostram que essas três áreas cerebrais são hiperativas. O córtex orbital frontal e o giro cingulado se ativam e assim permanecem, como se presos na "posição ligado"

— um motivo para Schwartz chamar o TOC de "trava cerebral". Como o núcleo caudado não "troca de marcha" automaticamente, o córtex orbital frontal e o giro cingulado continuam a mandar seus sinais, aumentando a sensação de erro e a ansiedade. Como a pessoa já corrigiu o erro, tratam-se, evidentemente, de alarmes falsos. O núcleo caudado disfuncional provavelmente está hiperativo porque está bloqueado e continua sendo inundado de sinais do córtex orbital frontal.

As causas do travamento cerebral no TOC grave são várias. Em muitos casos se transmite dentro das famílias e pode ser genético, mas também pode ser provocado por infecções que incham o núcleo caudado.[7] E, como veremos, o aprendizado também participa do seu desenvolvimento.

Schwartz procurou desenvolver um tratamento que mudaria o circuito do TOC ao destravar a ligação entre o córtex orbital e o giro cingulado, normalizando o funcionamento do núcleo caudado.[8] Schwartz se perguntou se os pacientes podiam trocar a marcha do núcleo caudado "manualmente", prestando uma atenção constante e intensa, focalizando ativamente algo além da preocupação, como uma atividade nova e prazerosa. Esta abordagem tem sentido plástico porque "desenvolve" um novo circuito cerebral que dá prazer e incita a liberação de dopamina que, como vimos, recompensa a nova atividade, desenvolve e consolida novas conexões neuronais. Esse novo circuito pode finalmente competir com o mais antigo e, segundo a regra do "use ou perca", as redes patológicas enfraquecerão. Com esse tratamento não "rompemos" exatamente com os maus hábitos, mas os substituímos por hábitos melhores.

Schwartz divide a terapia em várias etapas, das quais duas são fundamentais.

Na primeira etapa, uma pessoa que passa por uma crise de TOC é levada a *reclassificar* o que está acontecendo com ela, para que perceba que o que está vivendo não é um ataque de germes, Aids, nem ácido de bateria, mas um episódio de TOC. Ela deve se lembrar de que o travamento ocorre em três partes do cérebro. Como terapeuta, estimulo os pacientes de TOC a fazerem o seguinte síntese para si mesmos: "Sim, eu *tenho* um problema real agora. Mas não são os germes, é meu TOC." Esta reclassificação lhes permite ter algum distanciamento do conteúdo da obsessão e vê-lo da mesma maneira que os budistas consideram o sofrimento na meditação: *observam* seus efeitos sobre eles e assim se desligam um pouco dele.

O paciente com TOC também deve se lembrar de que o motivo para a crise não desaparecer de imediato é o circuito defeituoso. Alguns pacientes podem achar útil, no meio de uma crise, olhar as imagens de um exame anormal de alguém com TOC no livro de Schwartz *Brain Lock* (O cérebro travado),[9] e compará-lo com os exames mais normais que os pacientes de Schwartz desenvolvem no decorrer do tratamento, para lembrar a si mesmos que é possível alterar os circuitos.

Schwartz ensina pacientes a distinguir entre a *forma* universal do TOC (pensamentos ansiosos e impulsos que invadem a consciência) e o *conteúdo* de uma obsessão (isto é, os germes perigosos). Quanto mais os pacientes se concentram no conteúdo, pior se torna o problema.

Por um longo tempo os terapeutas também se concentraram no conteúdo. O tratamento mais comum para o TOC chama-se "exposição e prevenção de resposta",[10] uma forma de terapia comportamental que ajuda cerca de metade dos pacientes com TOC a ter alguma melhora, embora a maioria não se cure. Se uma pessoa tem medo de germes, ela é *exposta aos poucos* a mais germes, numa tentativa de dessensibilizá-la. Na prática, isso pode significar fazer com que os pacientes passem algum tempo em banheiros. (Na primeira vez em que ouvi falar desse tratamento, o psiquiatra pedia a um homem para usar cuecas sujas no rosto.) Compreensivelmente, 30% dos pacientes rejeitaram esse tratamento.[11] A exposição a germes não pretende "mudar a marcha" para o pensamento seguinte; ela leva o paciente a se prolongar mais intensamente neles — por um tempo, pelo menos. A segunda parte do tratamento comportamental padrão é a "prevenção da resposta": evitar que o paciente aja de acordo com sua compulsão. Outra forma de terapia, a terapia cognitiva, baseia-se na premissa de que os distúrbios de ansiedade e de humor são causados por distorções cognitivas — pensamentos imprecisos ou exagerados. Os terapeutas cognitivos pedem para seus pacientes com TOC escreverem seus medos e listarem as razões pelas quais eles não fazem sentido. Mas este procedimento também mergulha o paciente no conteúdo do TOC. Como diz Schwartz: "Ensinar um paciente a dizer, 'minhas mãos não estão sujas', é repetir algo que ele já sabe (...) a distorção cognitiva não é uma parte intrínseca da doença; um paciente basicamente sabe que não conseguir contar as latas na despensa hoje não levará sua mãe a ter uma morte horrível no meio da noite. O problema é que ele não sente isso."[12] Os psicanalistas também se concentraram no conteúdo dos sintomas, muitos dos quais lidam com ideias perturbadoras, de natureza depressiva ou sexual. Eles descobriram que um pensamento obsessivo, como "Vou machucar meu filho", pode expressar uma raiva reprimida na infância e, nos casos brandos, este *insight* pode ser o bastante para fazer uma obsessão desaparecer. Mas isso geralmente não dá certo nos casos de TOC moderado ou grave. E embora Schwartz acredite que as origens de muitas obsessões estão relacionadas com o tipo de conflito ligado ao sexo, à agressividade e à culpa destacado por Freud, esses conflitos explicam apenas o conteúdo — e não a forma do transtorno.

Depois de o paciente reconhecer que a preocupação é um sintoma do TOC, a etapa seguinte e crucial é *refocalizar* em uma atividade positiva, salutar e agradável no momento em que ele se torna consciente de que está tendo uma crise de TOC. A atividade pode ser jardinagem, ajudar alguém, um hobby, tocar um instrumento musical, ouvir música, malhar ou jogar basquete. Uma atividade que envolve outra pessoa ajuda a manter o paciente concentrado. Se o TOC ataca quando o paciente está dirigindo um carro, ele deve estar preparado com uma atividade como um livro, uma fita ou CD. É essencial *fazer* alguma coisa, para "mudar a marcha manualmente".

Isso pode parecer óbvio e simplista, mas não é para as pessoas com TOC. Schwartz garante a seus pacientes que, embora seu "câmbio manual" esteja bloqueado, com esforço poderão "mudar de marcha" usando o córtex cerebral e um pensamento concentrado ou uma ação ao mesmo tempo.

É claro que o câmbio é uma metáfora de máquina, e o cérebro não é uma máquina; ele é plástico e vivo. A cada vez que tentam "trocar de marcha", os pacientes começam a focalizar sua "transmissão", desenvolvendo novos circuitos e alterando o núcleo caudado. Quando refocaliza, o paciente está aprendendo a não se prender ao conteúdo de uma obsessão, mas contorná-lo. Sugiro a meus pacientes que pensem no princípio do "use ou perca". A cada momento que passarem pensando no sintoma — acreditando que os germes os estão ameaçando — eles aprofundam o circuito obsessivo. Quando se desviam dele, estão a caminho de desativá-lo. Com as obsessões e compulsões, *quanto mais você faz, mais quer fazer; quanto menos faz, menos quer fazer.*

Schwartz descobriu ser essencial entender que o que conta *não é o que você sente enquanto aplica a técnica, é o que você faz.* "A luta não é fazer a sensação desaparecer; a luta é *não ceder à sensação*"[13] — dando vazão a uma compulsão ou pensando na obsessão. Esta técnica não proporciona alívio imediato porque a mudança neuroplástica duradoura leva tempo, mas estabelece os alicerces para a mudança, exercitando o cérebro de uma nova maneira. Assim, no início, uma pessoa sentirá ao mesmo tempo o impulso de agir de acordo com a compulsão e a tensão e a ansiedade que aparecem quando se resiste a ela. O objetivo é "mudar o canal" para uma nova atividade por 15 a 30 minutos quando se tem um sintoma de TOC. (Se uma pessoa não consegue resistir tanto, qualquer tempo que passe resistindo é benéfico, mesmo que seja apenas um minuto.[14] Essa resistência, esse esforço, é que parece estabelecer novos circuitos.)

Pode-se ver que a técnica de Schwartz com o TOC tem paralelos na abordagem CIM de Taub aos derrames. Ao obrigar o paciente a "mudar de canal" e refocalizar em uma nova atividade, Schwartz está impondo uma restrição, como a luva de Taub. Ao conseguir que os pacientes se concentrem intensivamente no novo comportamento, em segmentos de 30 minutos, ele está lhes dando uma prática intensiva.

No Capítulo 3, "Remodelando o Cérebro", aprendemos duas leis fundamentais da plasticidade que também subjazem a este tratamento. A primeira é que os *neurônios que disparam simultaneamente se ligam entre si.* Ao fazerem alguma coisa agradável em lugar da compulsão, os pacientes formam um novo circuito que aos poucos é reforçado em vez da compulsão. A segunda lei é que *neurônios que não disparam simultaneamente não se ligam entre si*. Quando não agem segundo suas compulsões, os pacientes enfraquecem a ligação entre a compulsão e a ideia de que esta aliviará sua ansiedade. Esse desligamento é crucial porque, como vimos, embora atenue a ansiedade a curto prazo, obedecer a uma compulsão agrava o TOC a longo prazo.

Schwartz obteve bons resultados em casos graves. Oitenta por cento de seus pacientes melhoraram quando usaram seu método em combinação com a medicação — em geral um antidepressivo como Anafranil ou Prozac. A medicação funciona como rodinhas numa bicicleta, atenuando a ansiedade ou baixando-a o bastante para que os pacientes tenham benefícios com a terapia. Com o tempo, muitos pacientes se livram dos remédios e outros nem precisam começar a usá-los.

Tenho visto a abordagem do travamento cerebral funcionar bem com problemas típicos de TOC: medo de germes, lavar as mãos, de verificar compulsões, dúvida pessoal compulsiva e medos hipocondríacos incapacitantes. À medida que os pacientes se dedicam, o "câmbio manual" torna-se cada vez mais automático. Os episódios tornam-se mais curtos e menos frequentes, e, embora possam ter recaídas em épocas de estresse, os pacientes podem recuperar o controle rapidamente usando a técnica recém-descoberta.

Quando Schwartz e sua equipe fizeram exames de neuroimagem em pacientes que haviam melhorado, descobriram que as três partes "travadas" em conjunto e ativadas simultaneamente de forma hiperativa haviam começado a se ativar separadamente, de forma normal. O travamento cerebral estava sendo aliviado.

Eu estava num jantar festivo com uma amiga, que vou chamar de Emma; seu marido escritor, Theodore; e vários outros escritores.

Emma está hoje na casa dos 40. Quando tinha 23 anos, uma mutação genética espontânea levou-a a uma enfermidade chamada retinite pigmentosa, que provocou a morte das células de sua retina. Cinco anos atrás, ela ficara totalmente cega e começara a usar um cão-guia, Matty, um Lebrador.

A cegueira de Emma reorganizou seu cérebro e sua vida. Vários dos presentes no jantar se interessavam por literatura, mas desde que ficou cega, Emma leu mais do que qualquer um de nós. Um programa de computador da Kurzweil Educational Systems lê livros em voz alta para ela num tom monótono que para nas vírgulas e pontos e vírgulas, bem como eleva o tom nas interrogações. Essa voz computadorizada é tão rápida que não consigo distinguir uma só palavra. Mas Emma aos poucos aprendeu a ouvir num ritmo cada vez mais rápido; agora ela lê cerca de 340 palavras por minuto e está avançando por todos os grandes clássicos. "Escolho um autor e leio tudo o que ele escreveu na vida, depois passo para outro." Ela leu Dostoievski (seu preferido), Gogol, Tolstoi, Turgenev, Dickens, Chesterton, Balzac, Hugo, Zola, Flaubert, Proust, Stendhal e muitos outros. Recentemente leu três romances de Trollope em um dia. Ela me perguntou como podia ler muito mais rapidamente agora do que antes de ficar cega. Minha hipótese era que seu córtex visual inteiro, que não processava mais a visão, tinha sido cooptado para o processamento auditivo.

Naquela noite, Emma me perguntou se eu sabia alguma coisa sobre a necessidade de verificar muito as coisas. Ela me disse que costuma ter muitos problemas para sair de casa, porque fica verificando o fogão e as trancas. Quando ainda trabalhava fora, podia sair para o trabalho, chegar até a metade do caminho e voltar para ter certeza de que trancara bem a porta. Quando voltava, sentia-se obrigada a verificar se o fogão, os eletrodomésticos e a água estavam desligados. Ela partia e depois tinha de repetir todo o ciclo várias vezes, o tempo todo tentando combater o impulso. Ela me disse que seu pai autoritário a deixava ansiosa quando ela estava na adolescência. Quando saiu de casa, perdeu essa ansiedade, mas percebeu que agora parecia tê-la substituído pela verificação, que ficava cada vez pior.

Expliquei-lhe a teoria do travamento cerebral. Disse a ela que em geral verificamos e reverificamos eletrodomésticos sem nos concentrar nisso. Então sugeri que ela verificasse uma vez, e só uma, com a máxima atenção.

Quando tornei a encontrá-la, ela estava deliciada. "Estou melhor", disse ela, "agora verifico uma vez e sigo em frente. Ainda sinto o impulso, mas resisto a ele, e depois ele passa. E à medida que adquiro prática, passa mais rapidamente."

Ela fez uma careta de brincadeira para o marido. Ele gracejou que não era educado incomodar um psiquiatra com suas neuroses enquanto estávamos numa festa.

"Theodore", disse ela, "não é que eu seja louca. É só meu cérebro que não estava conseguindo virar a página."

7

Dor

O lado sombrio da plasticidade

Quando queremos aperfeiçoar nossos sentidos, a neuroplasticidade é uma bênção; mas quando trabalha a serviço da dor, a plasticidade pode ser uma maldição.

Nosso guia para a dor é um dos cientistas neuroplásticos mais inspiradores, V. S. Ramachandran. Vilayanur Subramanian Ramachandran nasceu em Madras, na Índia. É neurologista, tem origem hindu e é um orgulhoso herdeiro da ciência do século XIX que enfrenta dilemas da pesquisa do século XXI.

Ramachandran é médico, especialista em neurologia, com doutorado em psicologia pelo Trinity College, de Cambridge. Conhecemo-nos em San Diego, onde ele dirige o Center for Brain and Cognition (Centro para o Estudo do Cérebro e da Cognição), da Universidade da Califórnia. "Rama" tem cabelos pretos e ondulados e usa uma jaqueta de couro preta. Sua voz troveja. Seu sotaque é britânico, mas quando ele fica empolgado, os *r*'s soam como um rufar de tambores.

Enquanto muitos cientistas neuroplásticos trabalham para ajudar as pessoas a desenvolver ou recuperar habilidades — ler, movimentar-se ou superar deficiências de aprendizado —, Ramachandran usa a plasticidade para reconfigurar o conteúdo de nossa mente. Ele mostra que podemos reestruturar nosso cérebro por meio de tratamentos comparativamente breves e indolores que usam a imaginação e a percepção.

Seu consultório não é cheio de dispositivos de alta tecnologia, mas de aparelhos simples do século XIX, as pequenas invenções que atraem as crianças para a ciência. Há um estereoscópio, instrumento ótico que faz com que duas imagens da mesma cena pareçam tridimensionais. Há um dispositivo magnético que antigamente era usado para tratar histeria, alguns espelhos deformadores de parques de diversões, lentes de aumento antigas, fósseis e o cérebro fixado de um adolescente. Também há um busto de Freud, uma pintura de Darwin e alguma arte indiana voluptuosa.

Este só podia ser o consultório de um homem, o Sherlock Holmes da neurologia moderna, V. S. Ramachandran. Ele é um detetive, resolvendo mistérios caso a caso, como se desconhecesse completamente que a ciência moderna agora é ocupada por grandes estudos estatísticos. Ele acredita que os casos individuais têm tudo a contribuir para a ciência. Como afirma: "Imagine se eu apresentasse um porco a um cientista cético, insistindo que ele podia falar inglês, depois acenasse com a mão, e o porco falasse inglês. Não faria sentido algum o cético argumentar: 'Mas é só um porco, Ramachandran. Mostre-me outro e poderei acreditar em você!"

Ele mostrou repetidamente que explicar "extravagâncias" neurológicas pode lançar uma luz sobre o funcionamento de cérebros normais. "Odeio as multidões na ciência", diz ele. Também não lhe agradam as grandes reuniões científicas. "Eu digo aos meus alunos. 'Quando vocês forem a essas reuniões, vejam que direção todos estão seguindo, assim poderão pegar a direção contrária. Não fiquem seguindo o bonde.'"

Desde os 8 anos, conta-me Ramachandran, ele evitava esportes e festas e pulava de uma paixão para a outra: paleontologia (ele coletava fósseis raros em campo), conquilologia (o estudo das conchas marinhas), entomologia (tinha um carinho especial por besouros) e botânica (cultivava orquídeas). Sua biografia está espalhada por seu consultório, na forma de belos objetos naturais — fósseis, conchas, insetos e flores. Se não fosse neurologista, disse ele, seria um arqueólogo estudando as antigas Suméria, Mesopotâmia ou o Vale do Indo.

Esses interesses tipicamente vitorianos revelam seu gosto pela ciência deste período, a era de ouro da taxonomia, quando aprendemos muito pelo mundo, usando o olho nu e o trabalho de detetive darwinista para catalogar variações e excentricidades da natureza e elaborando-as em teorias amplas que explicam os grandes temas do mundo vivo.

Ramachandran aborda a neurologia da mesma maneira. Em sua pesquisa inicial, ele investigou pacientes que viviam ilusões mentais. Estudou pessoas que, depois de lesões cerebrais, começaram a acreditar que eram profetas, bem como outras que, sofrendo de síndrome de Capgras, passaram a acreditar que os pais e os cônjuges eram impostores, réplicas exatas dos verdadeiros entes queridos. Estudou ilusões de ótica e os pontos cegos do olho. Enquanto tentava entender o que acontecia em cada uma dessas doenças — em geral sem o uso da tecnologia moderna —, ele lançou uma nova luz sobre como o cérebro normal funciona.

"Tenho um desprezo", diz ele, "por equipamento complicado porque se leva muito tempo para aprender a usá-los, e desconfio quando a distância entre os dados brutos e a conclusão final é grande demais. Isso dá muita oportunidade para manipular os dados, e os seres humanos são notoriamente suscetíveis a autoilusão, sejam cientistas ou não."

Ramachandran pega uma grande caixa quadrada com um espelho na vertical por dentro, que parece uma caixa de mágica para crianças. Usando esta caixa e seus *insights* sobre a plasticidade, ele resolveu o mistério secular dos membros fantasmas e da dor crônica que eles engendram.

Existem muitas dores fantasmas que nos atormentam por motivos que não compreendemos e que chegam não sabemos de onde — dores sem endereço de remetente. Lord Nelson, o almirante britânico, perdeu o braço direito em um ataque a Santa Cruz de Tenerife, em 1897. Logo em seguida, assinala Ramachandran, começou a viver nitidamente a presença do braço, um membro fantasma que ele podia sentir, mas não podia ver. Nelson concluiu que sua presença era "prova direta da existência da alma", raciocinando que se um braço pode existir depois de ser removido, então toda a pessoa pode existir depois da aniquilação do corpo.

Os membros fantasmas são problemáticos porque originam uma "dor fantasma" crônica em 95% dos amputados,[1] em geral persistindo por toda a vida.[2] Mas como eliminar uma dor em um órgão que não está ali?

As dores fantasmas atormentam soldados amputados e pessoas que perderam membros em acidentes, mas também fazem parte de uma classe maior de dores misteriosas que confundiram os médicos por milênios, porque eles não encontravam uma origem definida para a dor. Mesmo depois de cirurgias de rotina, algumas pessoas ficam com dores pós-operatórias igualmente misteriosas que duram a vida toda. A literatura científica sobre a dor inclui histórias de mulheres que sofrem de cólicas menstruais e dores do parto *mesmo depois* de seu útero ter sido removido,[3] de homens que ainda sentem dor de úlcera *depois* de seccionados a úlcera e seu nervo[4] e de pessoas que ficam com dor retal e hemorroidal crônica depois que o reto foi removido.[5] Há histórias de pessoas cuja bexiga foi retirada e ainda têm uma necessidade urgente e dolorosa de urinar.[6] Tais episódios são compreensíveis se nos lembrarmos de que também são dores fantasma, resultado da "amputação" de órgãos internos.

A dor normal, a "dor aguda", nos alerta para uma lesão ou doença, enviando ao cérebro um sinal que diz: "É aqui que você está ferido — cuide disso."[7] Mas às vezes uma lesão pode danificar *tanto* nossos tecidos corporais *como* os nervos em nossos sistemas de dor, resultando em uma "dor neuropática", para a qual não há causa externa. Nossos mapas da dor ficam danificados e enviam alarmes falsos incessantes, fazendo-nos acreditar que o problema está em nosso corpo, quando ele está em nosso cérebro. Muito tempo depois de o corpo se curar, o sistema da dor ainda dispara e a dor aguda continua a se manifestar.

A ideia de "membro fantasma" foi proposta pela primeira vez por Silas Weir Mitchell, médico norte-americano que tratou dos feridos de Gettysburg e ficou intrigado com uma epidemia de fantasmas. Os braços e pernas feridos de soldados da Guerra Civil ficavam muitas vezes gangrenados e, numa época anterior aos antibióticos, a única maneira de salvar a vida do soldado era amputar o membro antes que a gangrena se espalhasse. Logo os amputados começavam a relatar que esses membros tinham voltado para assombrá-los. Mitchell chamou essas experiências de "fantasmas sensoriais", depois passou a chamá-las de "membros fantasmas".

Em geral são "entidades" muito vivas. Os pacientes que perderam braços às vezes podem senti-los gesticulando enquanto falam, acenando para os amigos ou estendendo-se espontaneamente para atender ao telefone.

Alguns médicos pensavam que o fantasma era fruto de um pensamento fantasioso — uma negação da perda dolorosa de um membro. Mas a maioria supôs que as terminações nervosas na extremidade do coto do membro perdido estavam sendo estimuladas ou irritadas pelo movimento. Alguns médicos tentaram lidar com os fantasmas por meio de amputações seriadas, cortando ainda mais os membros e nervos, na esperança de que o fantasma desaparecesse. Mas depois de cada cirurgia, eles ressurgiam.

Ramachandran ficou curioso com os fantasmas desde a faculdade de medicina. E um dia, em 1991, leu o artigo de Tim Pons e Edward Taub sobre as últimas operações nos macacos de Silver Spring. Como o leitor deve se lembrar, Pons mapeou os cérebros dos macacos que tiveram todo o *input* sensorial dos braços para o cérebro eliminado por deaferentação e descobriu que o mapa cerebral do braço, em vez de desaparecer, tornara-se ativo e agora processava *input* da face — o que poderia ser esperado porque, como mostrou Wilder Penfield, os mapas da mão e da face são adjacentes.

Ramachandran de imediato pensou que a plasticidade podia explicar os membros fantasmas porque os macacos de Taub e os pacientes com braços fantasmas eram semelhantes. Os mapas cerebrais dos macacos e dos pacientes tinham sido privados de estímulos dos membros. Seria possível que os mapas da face de amputados tivessem invadido os mapas de seus braços ausentes, de modo que quando o amputado era tocado na face, sentia o braço fantasma? E onde, perguntou-se Ramachandran, os macacos de Taub sentiam isso quando sua face era tocada — na face ou em seu braço "deaferentado"?

Tom Sorenson — um pseudônimo — tinha apenas 17 anos quando perdeu o braço em um acidente de carro. Enquanto era lançado no ar, ele olhou para trás e viu sua mão, decepada do corpo, ainda segurando o estofamento do banco. O que restava de seu braço teve de ser amputado pouco abaixo do cotovelo.

Cerca de quatro semanas depois ele começou a perceber um membro fantasma que fazia muitas coisas que o braço costumava fazer. Estendia-se por reflexo para evitar uma queda ou para acariciar o irmão mais novo. Tom tinha outros sintomas, inclusive um que realmente o aborrecia. Tinha uma coceira na mão fantasma que ele não conseguia aliviar.

Ramachandran soube da amputação de Tom por colegas e pediu para trabalhar com ele. Para testar sua teoria de que os fantasmas eram causados por mapas cerebrais reestruturados, ele colocou uma venda em Tom. Depois tocou partes do tronco de Tom com um cotonete, perguntando-lhe o que ele sentia. Quando chegou ao rosto de Tom, este lhe disse que sentia o toque ali, mas também no fantasma. Quando Ramachandran tocou o lábio superior de Tom, ele sentiu ali, mas também no dedo indicador do braço fantasma. Ramachandran descobriu que quando tocava outras partes da face de Tom, ele sentia em outras partes da mão fantasma. Quando Ramachandran colocou uma gota de água quente na bochecha de Tom, ele sentiu uma gota quente descendo pelo rosto e também pelo membro fantasma. E, depois de alguma experimentação, Tom descobriu que finalmente podia aliviar a coceira intransigente que há tanto tempo o atormentava esfregando a bochecha.

Depois do sucesso com o cotonete, Ramachandran partiu para a alta tecnologia com um exame do cérebro chamado MEG, ou magnetoencefalografia. Mapeando o braço e a mão de Tom, o exame confirmou que seu mapa da mão agora era usado para processar sensações faciais. Os mapas da mão e do rosto tinham se mesclado.

A descoberta de Ramachandran no caso de Tom Sorenson, de início controversa entre os neurologistas clínicos que duvidavam de que os mapas cerebrais fossem plásticos, é amplamente aceita hoje.[8] Estudos de neuroimagem feitos por uma equipe alemã que trabalhou com Taub também confirmaram uma correlação entre o nível de mudança plástica e o grau de dor fantasma que as pessoas experimentam.[9]

Ramachandran desconfiava fortemente que um motivo para a "invasão" dos mapas é que o cérebro faz "brotar" novas conexões. Quando uma parte do corpo é perdida, acredita ele, seu mapa cerebral sobrevivente tem "fome" de estímulo e libera fatores de crescimento nervoso que convidam neurônios de mapas próximos a crescer pequenas ramificações para eles.[10]

Normalmente, essas pequenas ramificações se ligam a nervos semelhantes; nervos para o tato se ligam a outros nervos para o tato. Mas nossa pele transmite muito mais do que o tato: tem receptores distintos que detectam temperatura, vibração e dor, cada um deles com suas próprias fibras nervosas viajando até o cérebro, onde estão seus próprios mapas, alguns dos quais muito próximos uns dos outros. Às vezes, depois de uma lesão, pode haver erros de cruzamento, já que os nervos para o tato, a temperatura e a dor ficam bem próximos. Assim, Ramachandran perguntou-se, uma pessoa que é tocada, nos casos de cruzamento, sentiria dor ou calor?[11] Pode uma pessoa que foi aflorada na face sentir dor num braço fantasma?

Outro motivo para que os fantasmas sejam tão imprevisíveis e causem tantos problemas é que os mapas cerebrais são dinâmicos e sempre se alteram: mesmo em circunstâncias normais, como mostrou Merzenich, os mapas da face tendem a se deslocar um pouco no cérebro. Os mapas fantasmas se movem porque seu *input* foi radicalmente alterado. Ramachandran e outros — entre eles, Taub e seus colegas — mostraram com exames repetidos de mapas cerebrais que os contornos de fantasmas e seus mapas estão constantemente mudando. Ele pensa que um motivo para as pessoas terem dor fantasma é que quando um membro é amputado, seu mapa não só encolhe, mas fica desorganizado e para de funcionar corretamente.

Nem todos os fantasmas são dolorosos. Depois que Ramachandran publicou suas descobertas, amputados começaram a procurá-lo. Vários amputados de perna contaram, com muita vergonha, que quando fazem sexo, em geral experimentam os orgasmos nas pernas e pés fantasmas. Um homem confessou que como sua perna e seu pé eram muito maiores do que os genitais, o orgasmo era "muito maior" do que antes. Embora esses pacientes pudessem ter sido descartados por terem uma imaginação demasiado rica, Ramachandran argumentou que suas alegações tinham sentido do ponto de vista neurocientífico. O mapa cerebral de Penfield mostra que os genitais ficam perto dos pés e, como os pés não recebem mais *input*, os mapas genitais podem invadir os mapas dos pés,[12] e assim, quando os genitais têm prazer, o mesmo acontece com o pé fantasma. Ramachandran começou a se perguntar se a preocupação erótica de uma pessoa com os pés, ou os fetiches por pés, não se deveria em parte à proximidade dos pés e dos genitais no mapa cerebral.

Outros enigmas eróticos foram solucionados. Um médico italiano, Salvatore Aglioti, contou que algumas mulheres que fizeram mastectomia têm excitação sexual quando as orelhas, as clavículas e o esterno são estimulados. Os três estão próximos dos mamilos no mapa cerebral. Alguns homens com carcinoma de pênis, que tiveram o pênis amputado, experienciam não só um pênis fantasma, mas também ereções fantasma.

À medida que examinava mais amputados, Ramachandran aprendeu que cerca de metade deles tinha a desagradável sensação de que seus membros fantasmas estavam paralisados, pendurados numa posição fixa ou presos em cimento. Outros sentiam que estavam carregando um peso morto. Não há só imagens de membros paralisados sendo congeladas no tempo, mas, em alguns casos terríveis, a agonia original de perder um membro é travada. Quando granadas explodem em mãos de soldados, eles podem desenvolver uma dor fantasma que repete interminavelmente o momento doloroso da explosão. Ramachandran conheceu uma mulher cujo polegar congelado foi amputado e cujo fantasma "congelou" a dor agonizante. As pessoas são torturadas por lembranças fantasmas de gangrena, unha encravada, bolhas e cortes sentidos no membro antes de ser amputado, em especial se a dor existia no momento da amputação.[13] Esses pacientes vivem tal agonia não como "lembranças" tênues da dor, mas como se acontecesse no presente. Às vezes, um paciente pode se ver livre de dor por décadas e, então, um acontecimento, talvez uma agulha inserida em um ponto gatilho, reativa a dor meses ou anos depois.[14]

Quando Ramachandran analisou as histórias de pessoas com braços dolorosos e paralisados, descobriu que todas ficaram com os braços em tipoias ou gessos por vários meses antes da amputação. Os mapas cerebrais agora pareciam registrar, o tempo todo, as posições fixas do braço pouco antes da amputação. Ele começou a desconfiar de que era o próprio fato de o membro não existir que permitia a sensação persistente de paralisia. Normalmente, quando o centro motor cerebral envia um comando para mover um braço, o cérebro recebe *feedback* de vários sentidos, confirmando que a ordem foi executada. Mas o cérebro de uma pessoa sem um membro nunca recebe confirmação de que o braço se moveu, uma vez que não existem nem o braço nem os sensores de movimento do braço para dar esse *feedback*. Assim, o cérebro fica com a impressão de que o braço está paralisado. Como o braço ficou preso num gesso ou tipoia por meses, o mapa cerebral desenvolveu uma representação do braço como imóvel. Quando o braço foi removido, não havia novo *input* para alterar o mapa cerebral; assim, a representação mental do membro como fixo ficou paralisada no tempo — uma situação semelhante à paralisia aprendida que Taub descobriu em pacientes de derrame.

Ramachandran passou a acreditar que a ausência de *feedback* causa não só fantasmas paralisados, mas a dor fantasma. O centro motor do cérebro pode enviar comandos para os músculos da mão se contraírem, mas, sem receber *feedback* confirmando que a mão se mexeu, aumenta o comando, como quem diz: "Aperte! Você não está apertando o bastante! Ainda nem tocou a palma! Aperte o máximo que puder!" Esses pacientes sentem as unhas cravando na palma das mãos. Embora o aperto real causasse dor quando o braço estava presente, esse aperto imaginário evoca a dor porque a contração máxima e a dor estão associadas na memória.[15]

Ramachandran fez em seguida uma pergunta mais ousada: a paralisia e a dor fantasmas podem ser "desaprendidas"? Era o tipo de pergunta que psiquiatras, psicólogos e psicanalistas podiam fazer: como mudar uma situação que tem uma realidade psíquica, mas não material? O trabalho de Ramachandran começava a dissipar a fronteira entre a neurologia e a psiquiatria, realidade e ilusão.

Ramachandran teve então a ideia, digna de um mago, de combater uma ilusão com outra. E se pudesse mandar sinais falsos ao cérebro para fazer o paciente pensar que o membro inexistente estava se mexendo?

Essa pergunta o levou a inventar uma caixa com espelho projetada para enganar o cérebro do paciente. Mostraria a ele a imagem especular de sua mão boa a fim de fazê-lo acreditar que a mão amputada tinha "renascido".

A caixa de espelho é do tamanho de uma caixa de bolo grande, sem a tampa, e é dividida em dois compartimentos, um à esquerda, outro à direita. Há dois buracos na frente da caixa. Se a mão esquerda do paciente foi amputada, ele coloca a mão direita pelo buraco, no compartimento da direita. Depois é solicitado a imaginar colocar a mão fantasma no compartimento da esquerda.

A divisória que separa os dois compartimentos é um espelho vertical virado para a mão boa. Como a caixa não tem tampa, o paciente pode, inclinando-se um pouco para a direita, ver a *imagem especular* de sua mão direita, que parecerá ser a esquerda, como era antes da amputação. À medida que ele move a mão direita de um lado a outro, a mão esquerda "renascida" também parece se mexer, sobreposta à mão fantasma. Ramachandran esperava que o cérebro do paciente pudesse ter a impressão de que o braço fantasma estava se mexendo.

Para encontrar participantes para testar sua caixa, Ramachandran colocou anúncios enigmáticos no jornal da cidade: "Precisa-se de amputados." "Philip Martinez" respondeu.

Cerca de uma década mais cedo, Philip fora lançado da motocicleta enquanto andava a 70 quilômetros por hora. Todos os nervos que vão da mão e do braço esquerdo à coluna foram dilacerados pelo acidente. Seu braço ainda estava preso ao corpo, mas nenhum nervo funcional mandava sinais da espinha para o braço, e nenhum nervo entrava na espinha para transmitir a sensação ao cérebro. O braço de Philip era mais do que inútil, era um fardo imóvel que ele tinha de manter numa tipoia, e ele por fim preferiu ter o braço amputado. Mas ele ficou com uma dor fantasma terrível no cotovelo fantasma. O braço fantasma também parecia paralisado, e ele tinha a sensação de que podia aliviar a dor se pudesse movê-lo de algum modo. Esse dilema o deprimia tanto que ele pensou em se matar.

Quando Philip colocou o braço bom na caixa com espelho, não só começou a "ver" o fantasma se mexer, como o sentiu se mexendo pela primeira vez. Maravilhado e tomado de alegria, Philip disse que sentiu que o braço fantasma "estava plugado de novo".

Mas no momento em que parava de olhar a imagem especular ou fechava os olhos, o fantasma se paralisava. Ramachandran deu a Philip a caixa para levar para casa, para praticar, na esperança de que Philip pudesse desaprender sua paralisia estimulando uma mudança plástica que reestruturasse seu mapa cerebral. Philip usou a caixa por dez minutos por dia, mas ainda parecia funcionar apenas quando os olhos estavam abertos, vendo a imagem especular de sua mão boa.

E então, depois de quatro semanas, Ramachandran recebeu um telefonema animado de Philip. Não só o braço fantasma se desparalisara permanentemente, como tinha sumido — mesmo quando ele não usava a caixa. Foi-se também o cotovelo fantasma e a dor excruciante. Só ficaram dedos fantasma indolores, pendurados de seu ombro.

V. S. Ramachandran, o ilusionista neurológico, tinha se tornado o primeiro médico a realizar uma operação aparentemente impossível: a amputação bem-sucedida de um membro fantasma.

Ramachandran usou sua caixa com vários pacientes, e cerca de metade deles perdeu a dor fantasma,[16] desparalisou seus fantasmas e começou a sentir controle sobre eles. Outros cientistas também observaram uma melhora nos pacientes que treinavam com a caixa. Exames do cérebro por IRMf mostram que à medida que esses pacientes melhoram, os mapas motores relativos aos fantasmas aumentam, o encolhimento do mapa que acompanha a amputação é revertido,[17] e os mapas sensoriais e motores se normalizam.[18]

A caixa com espelho parece curar a dor alterando a percepção do paciente de sua imagem corporal. É uma descoberta extraordinária, porque lança luz sobre como nossa mente funciona e sobre como vivemos a dor.

A dor e a imagem corporal estão estreitamente relacionadas. Sempre vivemos a dor como *projetada* no corpo. Quando você estica as costas, diz, "Minhas costas estão me matando!" e não "Meu sistema da dor está me matando". Mas como mostram os fantasmas, não precisamos de uma parte do corpo nem de receptores da dor para sentir dor. Precisamos apenas de *uma imagem corporal*, produzida por nossos mapas cerebrais. As pessoas com membros reais em geral não percebem isso, porque as imagens corporais de nossos membros são *perfeitamente projetadas* em nossos membros reais, impossibilitando distinguir nossa imagem corporal de nosso corpo. "Seu corpo é um fantasma", diz Ramachandran, "um fantasma que seu cérebro construiu por pura conveniência."

As imagens corporais distorcidas são comuns e demonstram que há uma diferença entre a imagem corporal e o corpo em si. As anoréxicas consideram seus corpos gordos mesmo quando estão à beira da inanição; as pessoas com imagens corporais distorcidas, um problema chamado "distúrbio dismórfico corporal", podem experimentar como defeituosa uma parte do corpo que está perfeitamente dentro do normal. Elas pensam que suas orelhas, o nariz, os lábios, seios, pênis, vagina ou coxas são grandes ou pequenos demais, ou simplesmente "errados", e sentem uma vergonha imensa. Marylin Monroe se via com muitos defeitos corporais.[19] Essas pessoas em geral procuram a cirurgia plástica, mas ainda se sentem deformadas depois das operações. O que elas precisam é de "cirurgia neuroplástica" para mudar sua imagem corporal.

O sucesso de Ramachandran com a reconexão de fantasmas sugeriu que podia haver maneiras de reestruturar imagens corporais distorcidas. Para entender melhor o que ele queria dizer por imagem corporal, perguntei-lhe se podia demonstrar a diferença entre isso, um construto mental, e o corpo material.

Pegando uma espécie de mão de borracha falsa vendida em lojas de brinquedos, ele me fez sentar a uma mesa e colocou a mão falsa nela, os dedos em paralelo com a beira da mesa, na minha frente, a cerca de 3 centímetros da beira. Disse-me para colocar a mão na mesa, em paralelo com a mão falsa, mas a cerca de 20 centímetros da beira da mesa. Minha mão e a mão falsa estavam perfeitamente alinhadas, apontando na mesma direção. Depois ele colocou uma cartolina entre a mão falsa e a minha, de modo que eu só pudesse ver a falsa.

Em seguida, com a mão, ele tocou na mão falsa, enquanto eu olhava. Com a outra mão ele ao mesmo tempo tocou minha mão, escondida por trás da cartolina. Quando ele tocava o polegar falso, tocava meu polegar. Quando deu um tapinha no dedo mínimo falso três vezes, fez o mesmo com meu dedo mínimo, no mesmo ritmo. Quando tocou o dedo médio da mão falsa, tocou meu dedo médio.

Momentos depois desapareceu a sensação de que minha própria mão estava sendo tocada e comecei a ter a sensação de que o toque vinha da mão falsa. A mão de brinquedo tinha se tornado parte de minha imagem corporal! Esta ilusão funciona segundo o mesmo princípio que nos leva enganosamente a pensar que os bonecos de ventríloquo ou os desenhos animados e atores de cinema nos filmes estão realmente falando porque os lábios se mexem em sincronia com o som.

Depois Ramachandran fez um truque ainda mais simples. Disse-me para colocar a mão direita embaixo da mesa, para que a mão ficasse escondida. Depois deu um tapinha no tampo da mesa com a mão, enquanto com a outra dava um tapinha na minha mão embaixo da mesa, onde eu não pudesse ver, num ritmo idêntico. Quando alterava o local onde batia no tampo da mesa, um pouco para a esquerda ou direita, ele movia a mão por baixo da mesa exatamente da mesma maneira. Depois de alguns minutos parei de sentir que ele batia na minha mão embaixo da mesa e — por mais incrível que pareça — comecei a sentir que a imagem corporal de minha mão tinha se fundido com o tampo da mesa, de modo que a sensação de ser tocado parecia vir da mesa. Ele tinha criado uma ilusão: minha imagem corpória se expandira e incluía um móvel!

Ramachandran conectou pacientes a um galvanômetro de resposta cutânea, que mede as respostas ao estresse durante esse experimento da mesa. Depois de tocar no tampo da mesa e na mão do paciente sob a mesa até que sua imagem corporal incluísse a mesa, ele pegava um martelo e batia com força no tampo. A resposta ao estresse ia ao teto, como se Ramachandran tivesse esmagado a mão verdadeira do paciente.

Segundo Ramachandran, a dor, como a imagem corporal, é criada pelo cérebro e projetada no corpo. Esta afirmativa contraria o senso comum e a concepção neurológica tradicional da dor, que diz que quando nos machucamos, nossos receptores da dor mandam um sinal *de mão única* ao centro da dor no cérebro e que a intensidade da dor percebida é proporcional à gravidade da lesão. Pressupomos que a dor sempre faz um relatório preciso dos danos. Esta visão tradicional remonta ao filósofo Descartes, que via o cérebro como um receptor passivo da dor. Mas essa visão foi derrubada em 1965, quando os neurocientistas Ronald Melzack (canadense que estudou membros fantasmas e dor) e Patrick Wall (inglês que estudou a dor e a plasticidade) escreveram o artigo mais importante da história da dor.[20] A teoria de Wall e Melzack afirmava que o sistema da dor é espalhado pelo cérebro e pela medula espinhal e, longe de ser um receptor passivo da dor, o cérebro sempre controla os sinais de dor que sente.[21]

Sua "teoria do portão de controle da dor" propunha uma série de controles, ou "portões", entre o local da lesão e o cérebro. Quando são enviadas do tecido danificado pelo sistema nervoso, as mensagens de dor passam por vários "portões", a partir da medula espinhal, antes de chegarem ao cérebro. Mas essas mensagens só viajam se o cérebro lhes dá "permissão", depois de determinar que elas são importantes o bastante para serem transmitidas. Se a permissão é recebida, um portão se abrirá e aumentará a sensação de dor, permitindo que alguns neurônios se ativem e transmitam os sinais. O cérebro também pode fechar um portão e bloquear o sinal da dor liberando endorfinas, o narcótico produzido pelo corpo para atenuar a dor.

A "teoria do portão" faz sentido em todo tipo de experiências de dor. Por exemplo, quando as tropas americanas desembarcaram na Itália, na Segunda Guerra Mundial, 70% dos homens que foram gravemente feridos contaram que não sentiam dor e não queriam analgésicos.[22] Os feridos no campo de batalha em geral não sentem dor e continuam combatendo; é como se o cérebro fechasse o "portão", para manter a atenção do soldado em batalha concentrada em como se livrar do perigo.[23] Só quando ele está seguro é que os sinais da dor podem passar ao cérebro.

Há muito tempo, os médicos sabem que um paciente que espera ter sua dor aliviada com um comprimido frequentemente a tem, embora tenha tomado um placebo que não contém medicamento algum. Exames do cérebro por IRMf mostram que durante o efeito placebo o cérebro diminui suas regiões responsivas à dor.[24] Quando uma mãe acalma o filho machucado, afagando e falando docemente com ele, ela está ajudando o cérebro da criança a diminuir o volume de sua dor. O nível de dor que sentimos é determinado em grande parte por nosso cérebro e nossa mente — nosso estado de espírito, nossas experiências passadas da dor, nossa psicologia e a gravidade que julgamos ter nosso ferimento.

Wall e Melzack mostraram que os neurônios de nosso sistema da dor são muito mais plásticos do que imaginávamos,[25] que os mapas importantes da dor na medula espinhal podem mudar em resposta à lesão e que uma lesão crônica pode fazer as células do sistema da dor dispararem mais facilmente — uma alteração plástica — deixando a pessoa hipersensível à dor.[26] Os mapas também podem aumentar o campo receptor, passando a representar mais da superfície do corpo, aumentando a sensibilidade à dor.[27] À medida que os mapas mudam, os sinais de dor em um mapa podem "transbordar" pelos mapas da dor adjacentes e podemos desenvolver "dor reflexa",[28] quando nos ferimos numa parte do corpo, mas sentimos a dor em outra. Às vezes um único sinal de dor reverbera por todo o cérebro, e assim a dor persiste mesmo depois que o estímulo original cessou.

A "teoria do portão" levou a novos tratamentos para bloquear a dor. Wall foi coinventor da "estimulação elétrica transcutânea do nervo", ou TENS (de *transcutaneous electrical nerve stimulation*), que usa corrente elétrica para estimular neurônios que *inibem* a dor, ajudando a fechar o portão. A "teoria do portão" também deixou os cientistas ocidentais menos céticos a respeito da acupuntura, que reduz a dor estimulando pontos do corpo em geral distantes do local onde a dor é sentida. Pareceu possível que a acupuntura ativasse neurônios que inibem a dor, fechando portões e bloqueando a percepção da dor.

Melzack e Wall tiveram outro *insight* revolucionário: o sistema da dor inclui componentes motores. Quando cortamos um dedo, por reflexo, tendemos a pressionar a área machucada, um ato motor. Por instinto, protegemos um tornozelo ferido encontrando uma posição segura. A proteção ordena: "Não mova um músculo até que o tornozelo esteja melhor."

Estendendo a "teoria do portão", Ramachandran desenvolveu sua ideia seguinte: a dor é um sistema complexo sob controle do cérebro plástico. Ele assim resume: "A dor é uma opinião sobre o estado de saúde do organismo, não uma mera resposta reflexa à lesão."[29] O cérebro reúne evidências de muitas fontes antes de provocar a dor. Ele também disse que "a dor é uma ilusão" e que "nossa mente é uma máquina de realidade virtual", que vive o mundo indiretamente e o processa "em segunda mão", construindo um modelo em nossa cabeça. Assim a dor, como a imagem corporal, é um construto de nosso cérebro. Uma vez que Ramachandran pode usar sua caixa com espelho para modificar uma imagem corporal e eliminar um fantasma e sua dor, poderia ele também usá-la para eliminar uma dor crônica num membro real?[30]

Ramachandran pensava que talvez pudesse remediar a "dor crônica de tipo 1", vivida num distúrbio chamado "distrofia simpática reflexa", que ocorre quando uma lesão menor, um hematoma ou uma picada de inseto na ponta do dedo torna um membro inteiro tão dolorido que o "sistema de proteção" evita que o paciente se mova. O problema pode durar muito tempo depois da lesão original e, em geral, torna-se crônico, acompanhado por desconforto, ardência e dor agonizante em resposta a um leve afagar ou roçar da pele. Ramachandran teorizou que a capacidade do cérebro de reorganizar-se plasticamente provocava uma forma patológica de proteção.

Quando nos protegemos, evitamos que nossos músculos se mexam e agravem a lesão. Se tivéssemos de nos lembrar conscientemente de não nos mexermos, ficaríamos exaustos e cometeríamos deslizes, nos feriríamos e sentiríamos dor. Agora suponha, pensou Ramachandran, que o cérebro antecipe o movimento errado, provocando a dor um momento *antes* que o movimento aconteça, entre o instante em que o centro motor lança o comando para se mexer e o instante em que o movimento é realizado. Que melhor maneira de o cérebro evitar o movimento do que se assegurar de que o próprio comando motor provoque a dor?[31] Ramachandran passou a acreditar que o comando motor nos pacientes de dor crônica é embutido no sistema da dor e assim, embora o membro tenha se curado, o cérebro ainda provoca a dor quando envia um comando motor para mover o braço.

Ramachandran chamou essa condição de "dor aprendida" e se perguntou se a caixa com espelho podia ajudar a aliviá-la. Todos os remédios tradicionais tinham sido tentados nesses pacientes — interrupção da conexão nervosa para a área dolorida, fisioterapia, analgésicos, acupuntura e osteopatia — inutilmente. Em um estudo realizado por uma equipe que incluía Patrick Wall, o paciente foi instruído a colocar as duas mãos na caixa com espelho, sentando-se de modo a poder ver o braço bom e seu reflexo no espelho.[32] O paciente depois movia o braço bom (e o braço afetado, se possível) livremente por dez minutos, várias vezes por dia, por várias semanas. Talvez o reflexo do movimento, que ocorria sem a iniciação de um comando motor, estivesse induzindo o cérebro do paciente a pensar que seu braço ferido podia se mexer livremente sem dor, e talvez esse exercício estivesse permitindo ao cérebro aprender que a proteção não era mais necessária, desconectando assim a ligação neuronal entre o comando motor para mover o braço e o sistema da dor.

Os pacientes que tinham a síndrome de dor há apenas dois meses melhoraram. No primeiro dia, a dor amainou e o alívio durou mesmo depois de encerrada a sessão com a caixa. Depois de um mês, eles não sentiam mais dor. Os pacientes que tinham uma síndrome de cinco meses a um ano não se saíram tão bem, mas perderam a rigidez nos membros e puderam voltar a trabalhar. Aqueles que tinham dor há mais de dois anos não conseguiram melhorar.

Por quê? Uma explicação era de que esses pacientes de longo prazo não moveram os membros protegidos por tanto tempo que os mapas motores do membro afetado começaram a desaparecer — mais uma vez o "use ou perca". Só permaneciam as poucas ligações que eram mais ativas quando o membro foi usado pela última vez, e infelizmente eram ligações para o sistema da dor, assim como os pacientes que usavam gesso antes de amputações desenvolveram fantasmas "paralisados" onde seus braços estavam pouco antes da amputação.

Um cientista australiano, G. L. Moseley, pensou ser capaz de ajudar os pacientes que não tinham melhorado usando a caixa com espelho, em geral porque sua dor era tão grande que eles não conseguiam mover os membros na terapia do espelho.[33] Moseley pensou que podia provocar a mudança plástica reconstituindo o mapa motor do membro afetado com exercícios mentais. Ele pediu a esses pacientes para simplesmente *imaginarem* mover os membros dolorosos, sem executar os movimentos, a fim de ativar a rede motora cerebral. Os pacientes também olhavam imagens de mãos, para determinar se eram esquerda ou direita, até que pudessem identificá-las com rapidez e precisão — uma tarefa que notoriamente ativa o córtex motor. Mostraram-lhes mãos em várias posições e pediram-lhes para imaginá-las por 15 minutos, três vezes ao dia. Depois de praticar os exercícios de visualização, eles fizeram a terapia do espelho e, com 12 semanas de tratamento, a dor tinha diminuído em alguns e desaparecido na metade deles.

Pense em como isso é extraordinário — para a dor crônica mais excruciante, todo um novo tratamento que usa a imaginação e a ilusão para reestruturar plasticamente mapas cerebrais, sem medicamentos, agulhas ou eletricidade.

A descoberta de mapas da dor também levou a novas abordagens para cirurgia e ao uso de medicamentos contra a dor. A dor fantasma pós-operatória pode ser minimizada se os pacientes receberem bloqueadores nervosos ou anestésicos locais que agem sobre os nervos periféricos *antes* que a anestesia geral os coloque para dormir.[34] Os analgésicos, administrados antes da cirurgia, não só depois, parecem prevenir a mudança plástica no mapa cerebral da dor que pode "travar" na dor.[35]

Ramachandran e Eric Altschuler mostraram que a caixa com espelho é eficaz em outros problemas, como pernas paralisadas de pacientes de derrames.[36] A terapia do espelho difere da de Taub pois induz o cérebro do paciente a pensar que ele está movendo o membro afetado, e assim começa a estimular os programas motores do membro. Outro estudo mostrou que a terapia do espelho era útil na preparação para um tratamento do tipo Taub de um paciente severamente paralisado por derrame, que havia perdido o uso de um lado do corpo.[37] O paciente recuperou parte do uso do braço, a primeira ocasião em que duas novas abordagens baseadas na plasticidade — a terapia do espelho e a terapia CIM — foram usadas sequencialmente.

Na Índia, Ramachandran foi criado num mundo em que muitas coisas que parecem fantásticas aos ocidentais comuns. Ele sabia sobre iogues que aliviavam o sofrimento com meditação e andavam descalços sobre carvão em brasa ou se deitavam em pregos. Ele viu religiosos em transe colocando agulhas através do queixo. A ideia de que os seres vivos mudam de forma era aceita pela maioria; o poder da mente para influenciar o corpo era considerado certo, e a ilusão era vista como uma força tão fundamental que era representada na deidade Maya, a deusa da ilusão. Ele transpôs esse assombro das ruas da Índia para a neurologia ocidental, e seu trabalho inspira questões que mesclam as duas coisas. O que é um transe senão um fechamento de portões da dor dentro de nós? Por que devemos pensar que a dor fantasma é menos real do que a comum? E ele nos lembrou de que ainda é possível fazer grande ciência com uma simplicidade elegante.

8

A Imaginação

Como funciona o pensamento

Estou em Boston, no laboratório de estimulação magnética cerebral do Beth Israel Deaconess Medical Center, na Faculdade de Medicina de Harvard. Alvaro Pascual-Leone é diretor do centro e seus experimentos mostraram que podemos mudar nossa anatomia cerebral simplesmente usando a imaginação. Ele acaba de colocar um aparelho em formato de remo do lado esquerdo de minha cabeça. O dispositivo emite uma estimulação magnética transcraniana, ou TMS (de *transcranial magnetic stimulation*), e pode influenciar meu comportamento. Dentro do envoltório plástico do aparelho há uma bobina de fio de cobre, através da qual passa uma corrente para gerar um campo magnético variável que se espalha em meu cérebro, ao longo dos axônios — semelhantes a cabos — de meus neurônios, e dali para o mapa motor de minha mão na camada mais externa do córtex cerebral. Um campo magnético variável induz uma corrente elétrica ao seu redor,[1] e Pascual-Leone é o pioneiro no uso da TMS para ativar neurônios. Cada vez que liga o campo magnético, o quarto dedo de minha mão direita se mexe: Pascual-Leone está estimulando uma área de cerca de meio centímetro cúbico de meu cérebro, contendo milhões de células — o mapa cerebral para esse dedo.

A TMS é um engenhoso desvio para o meu cérebro. O campo magnético passa por meu corpo de forma indolor e inofensiva, só induzindo uma corrente elétrica quando o campo alcança meus neurônios. Wilder Penfield teve de abrir cirurgicamente o crânio e inserir sua sonda elétrica no cérebro para estimular o córtex sensorial ou motor. Quando Pascual-Leone liga o aparelho e faz meu dedo se mexer, experimento *exatamente* o que os pacientes de Penfield viveram quando ele lhes abriu o crânio e estimulou com grandes eletrodos.

Alvaro Pascual-Leone é jovem para tudo o que já realizou. Nasceu em 1961, em Valência, na Espanha, e fez pesquisa nesse país e nos Estados Unidos. Os pais de Pascual-Leone, ambos médicos, enviaram-no a uma escola alemã na Espanha onde ele estudou os gregos clássicos e os filósofos alemães antes de se voltar para a medicina, como fizeram muitos cientistas neuroplásticos. Ele fez o mestrado e o doutorado ao mesmo tempo em fisiologia em Freiburg, depois foi para os Estados Unidos para completar sua educação.

Pascual-Leone, que tem pele morena, cabelos escuros e uma voz expressiva, irradia uma jovialidade séria. Sua pequena sala é dominada pelo imenso monitor do computador Apple que ele usa para exibir o que vê pela janela da TMS sobre o cérebro. Chegam e-mails de colaboradores dos cantos mais distantes do mundo. Há livros sobre eletromagnetismo numa estante atrás dele e papelada por toda parte.

Pascual-Leone foi o primeiro a usar a TMS para mapear o cérebro. A TMS pode ser usada para ativar uma área cerebral ou bloquear seu funcionamento, dependendo da intensidade e da frequência utilizadas. Para determinar a função de uma área específica do cérebro,[2] Pascual-Leone dispara pulsos de TMS para bloquear temporariamente a atividade da área, depois observa qual função mental é perdida.

Ele também é um dos grandes pioneiros no uso da "TMS repetida" de alta frequência, ou rTMS.[3] A TMS repetida de alta frequência pode ativar os neurônios até o ponto que eles excitam um ao outro e continuam disparando mesmo depois de cessar a carga original de rTMS. Essa técnica ativa uma área do cérebro por um certo tempo e pode ser usada terapeuticamente. Por exemplo, em algumas depressões, o córtex pré-frontal é parcialmente inativado e subfuncional. A equipe de Pascual-Leone foi a primeira a mostrar que a rTMS é eficaz no tratamento de pacientes gravemente deprimidos.[4] Setenta por cento daqueles que não tiveram sucesso com nenhum tratamento tradicional melhoraram com rTMS e tiveram menos efeitos colaterais do que com a medicação.[5]

No início dos anos 1990, quando ainda era um jovem médico do Instituto Nacional de Distúrbios Neurológicos e Derrames, Pascual-Leone fez experimentos — de elegância elogiada pelos cientistas neuroplásticos — que aperfeiçoaram uma maneira de mapear o cérebro, possibilitaram seus experimentos com a imaginação e nos ensinaram como adquirimos habilidades.

Usando a TMS para mapear o cérebro de cegos que aprendiam a ler em Braille, ele estudou como as pessoas aprendem novas habilidades.[6] Os participantes estudaram Braille por um ano, cinco dias por semana, duas horas por dia em sala de aula, seguidas por uma hora de dever de casa. Os que leem em Braille "varrem o texto" movendo o dedo indicador por uma série de pontos em relevo: uma atividade motora. Depois sentem a disposição dos pontos: uma atividade sensorial. Esses achados estavam entre os primeiros a confirmar que quando o ser humano aprende uma nova habilidade, acontece uma mudança plástica.

Quando Pascual-Leone usou a TMS para mapear o córtex *motor*, descobriu que os mapas correspondentes ao "dedo leitor de Braille" eram maiores do que os mapas do outro indicador e também dos indicadores de pessoas que não leem em Braille.[7] Pascual-Leone também descobriu que os mapas motores cresciam à medida que os participantes aumentavam o número de palavras que podiam ler por minuto. Mas sua descoberta mais surpreendente, com importantes implicações para o aprendizado de qualquer habilidade, era a maneira como acontecia a mudança plástica no curso de cada semana.

Os participantes eram mapeados com uma TMS às sextas-feiras (no final da semana de treinamento) e às segundas-feiras (depois do descanso do fim de semana). Pascual-Leone descobriu que as mudanças eram diferentes na sexta e na segunda-feira. Desde o início do estudo, os mapas da sexta-feira mostravam uma expansão muito rápida e drástica, mas na segunda-feira esses mapas tinham voltado a seu tamanho original. Os mapas da sexta-feira continuaram a crescer por seis meses — voltando teimosamente ao original a cada segunda-feira. Depois de cerca de seis meses, os mapas das sextas-feiras ainda aumentavam, mas não tanto como nos primeiros seis meses.

Os mapas da segunda-feira mostraram um padrão oposto. Só começaram a mudar depois de seis meses de treinamento; depois aumentaram lentamente e chegaram a um platô aos dez meses. A velocidade com que os participantes podiam ler em Braille se correlacionava muito melhor com os mapas das segundas-feiras e as mudanças eram mais estáveis, embora nunca fossem tão drásticas nas segundas como nas sextas-feiras. No final de dez meses, os estudantes de Braille ficaram dois meses sem treinamento. Quando voltaram, foram remapeados, e seus mapas estavam inalterados desde o último mapeamento de segunda-feira, dois meses antes. Assim, o treinamento diário leva a mudanças drásticas de curto prazo durante a semana, mas nos fins de semana, e com o passar dos meses, foram observadas mudanças mais duradouras nas segundas-feiras.

Pascual-Leone acredita que os resultados diferentes na segunda-feira e na sexta-feira sugerem diferentes mecanismos plásticos. As mudanças mais rápidas às sextas-feiras fortalecem conexões neuronais *existentes* e desmascaram vias sepultadas. As mudanças mais lentas e mais duradouras das segundas sugerem a formação de estruturas *novas*, provavelmente a ramificação de novas conexões neuronais e sinapses.

Compreender esse "efeito tartaruga-e-lebre" pode nos ajudar a entender o que devemos fazer para verdadeiramente dominar novas habilidades. Depois de um breve período de prática, como acontece quando queimamos as pestanas para uma prova, é relativamente fácil melhorar porque é provável que estejamos fortalecendo conexões sinápticas existentes. Mas rapidamente nos esquecemos do que estudamos — porque são conexões neuronais que surgem e desaparecem facilmente e são rapidamente revertidas. Para manter a melhora e tornar permanente uma habilidade é preciso o trabalho lento e constante que provavelmente forma novas conexões. Se um aprendiz acha que não está fazendo progresso cumulativo, ou sente que sua mente parece "uma peneira", ele precisa insistir na habilidade até chegar ao "efeito segunda-feira", que os leitores de Braille atingiram em seis meses. A diferença "sexta-segunda" provavelmente explica o fato de que algumas pessoas, as "tartarugas", que parecem lentas para aprender uma habilidade, podem aprendê-la melhor do que seus amigos "lebres" — os de "estudo rápido", que não necessariamente sustentam o que aprenderam sem a prática constante que solidifica o aprendizado.

Pascual-Leone expandiu seu estudo e examinou como os leitores de Braille obtêm tanta informação pela ponta dos dedos. Sabe-se que o cego pode desenvolver sentidos não visuais e que os leitores de Braille adquirem uma sensibilidade extraordinária em seus dedos. Pascual-Leone queria saber se essa habilidade maior era facilitada por um alargamento do mapa sensorial para o tato ou por mudança plástica em outras regiões do cérebro, como o córtex visual, que podia estar subutilizado, já que não recebia *input* dos olhos.

Ele raciocinou que se o córtex visual ajudasse os participantes a ler Braille, seu bloqueio interferiria na leitura de Braille. E foi o que aconteceu: quando a equipe aplicou a TMS para bloquear o córtex *visual* de leitores de Braille, induzindo uma lesão virtual, os participantes não conseguiram ler em Braille nem sentir com o dedo relacionado. O córtex visual tinha sido recrutado para processar informações derivadas do tato. A aplicação da TMS para bloquear o córtex visual de pessoas sem deficiência visual *não teve efeito* em sua capacidade de sentir, indicando que alguma coisa única estava acontecendo aos leitores cegos: uma região do cérebro dedicada a um sentido tinha passado a se dedicar a outro — o tipo de reorganização plástica sugerido por Bach-y-Rita. Pascual-Leone também mostrou que quanto melhor a pessoa lê em Braille, mais seu córtex visual está envolvido. O empreendimento seguinte abriu um caminho totalmente novo, mostrando que nossos pensamentos podem mudar a estrutura física do cérebro.[8]

Ele estudou como os pensamentos alteram o cérebro usando a TMS para observar mudanças nos mapas dos dedos de pessoas que aprendem a tocar piano. Um dos heróis de Pascual-Leone, o grande neuroanatomista espanhol e prêmio Nobel Santiago Ramón y Cajal, que passou o final de sua vida procurando em vão pela plasticidade cerebral, propôs, em 1894, que o "órgão do pensamento é maleável, dentro de certos limites, e pode ser aperfeiçoado pelo exercício mental bem orientado".[9] Em 1904, ele argumentou que os pensamentos, repetidos no "exercício mental", devem fortalecer as conexões neuronais existentes e criar outras novas. Ele também intuiu que esse processo seria particularmente acentuado em neurônios que controlam os dedos dos pianistas, que se dedicam muitíssimo ao exercício mental.[10]

Ramón y Cajal, usando somente suas próprias suposições, pintou um retrato do cérebro plástico, mas carecia dos instrumentos para prová-lo. Pascual-Leone achou que a TMS era o instrumento para testar agora se o exercício mental e a imaginação realmente levavam a mudanças físicas.

Os detalhes do experimento sobre a imaginação foram simples e aproveitaram ideia de Cajal de usar o piano.[11] Pascual-Leone ensinou a dois grupos de pessoas, que nunca tinham estudado piano, uma sequência de notas, mostrando-lhes que dedos mexer e deixando que ouvissem as notas à medida que fossem tocadas. Depois os membros de um grupo, o do "exercício mental", sentaram-se diante de um piano elétrico, duas horas por dia, por cinco dias, e *imaginaram* tocar a sequência e ouvi-la tocando. Um segundo grupo, do "exercício físico", realmente tocou a música duas horas por dia, durante cinco dias. Os dois grupos tiveram o cérebro mapeado antes, durante e depois do experimento. Ambos os grupos foram solicitados a tocar a sequência enquanto um computador media a precisão das suas performances.

Pascual-Leone descobriu que os dois grupos aprenderam a tocar a sequência e ambos mostraram mudanças semelhantes no mapa cerebral. Notadamente, o exercício mental sozinho produziu mudanças físicas no sistema motor semelhantes às alterações geradas ao realmente tocar a peça. No final do quinto dia, as mudanças nos sinais motores para os músculos eram as mesmas nos dois grupos, e no terceiro dia os que imaginavam tocar eram tão precisos quanto os que realmente tocavam.

No grupo do exercício mental, o nível de melhora após cinco dias, embora substancial, não era tão alto quanto naqueles que praticaram o exercício físico. Mas quando o grupo do exercício mental terminou seu treinamento e fez uma sessão única de duas horas de exercício físico, sua performance geral melhorou até o nível alcançado em cinco dias pelo grupo do exercício físico. Claramente, a prática mental é uma maneira eficaz de preparar-se para aprender uma habilidade motora com um mínimo de exercício físico.

Todos fazemos o que os cientistas chamam de exercício ou ensaio mental quando decoramos respostas para uma prova, aprendemos falas de uma peça ou ensaiamos qualquer tipo de apresentação. Mas como poucos de nós fazem isso sistematicamente, nós subestimamos sua eficácia. Alguns atletas e músicos assim se preparam para as apresentações, e perto do fim de sua carreira o concertista de piano Glenn Gould dependia amplamente do exercício mental quando se preparava para gravar uma música.[12]

Uma das formas mais avançadas de exercício mental é o "xadrez mental", executado sem um tabuleiro. Os jogadores imaginam o tabuleiro e o jogo, acompanhando as posições. Anatoly Sharansky, o militante soviético pelos direitos humanos, usou o xadrez mental para sobreviver na prisão. Sharansky, especialista judeu em informática, foi falsamente acusado de ser um espião dos Estados Unidos em 1977 e passou nove anos na prisão, sendo que 400 dias em absoluto isolamento dentro de celas enregeladas e escuras de menos de 4 m². Os prisioneiros políticos em isolamento costumam ter colapso mental porque o cérebro, segundo o princípio do "use ou perca", precisa de estímulo externo para manter seus mapas. Durante esse extenso período de privação sensorial, Sharansky jogou xadrez mental por meses sem fim, o que provavelmente o ajudou a evitar a deterioração cerebral. Ele jogava com as peças brancas e pretas, mantendo o jogo em sua mente, a partir de perspectivas opostas — um desafio extraordinário para o cérebro. Sharansky certa vez me contou, meio de brincadeira, que insistiu no xadrez pensando que podia aproveitar a oportunidade para se tornar campeão mundial. Depois de libertado, graças à pressão ocidental, ele foi para Israel e se tornou ministro. Quando jogou contra o primeiro-ministro e líderes do gabinete, o campeão mundial Garry Kasparov derrotou a todos, exceto Sharansky.

Sabemos, pelos exames de neuroimagem de pessoas que recorrem intensamente ao exercício mental, o que provavelmente ocorreu no cérebro de Sharansky enquanto ele estava na prisão. Considere o caso de Rüdiger Gamm, um jovem alemão de inteligência normal que se tornou, sozinho, um fenômeno da matemática, uma verdadeira calculadora humana.[13] Embora Gamm não tenha nascido com uma capacidade extraordinária para a matemática, hoje pode calcular a nona potência ou a raiz quinta de qualquer número e resolver em cinco segundos problemas como: "Quanto dá 68 vezes 76?" A partir dos 20 anos, Gamm, que trabalhava num banco, começou a fazer quatro horas diárias de exercício de cálculo. Quando tinha 26 anos, ele se tornara um gênio do cálculo, capaz de ganhar a vida apresentando-se na televisão. Investigadores que o examinaram com uma tomografia por emissão de pósitrons (PET) enquanto ele calculava descobriram que ele conseguia recrutar cinco áreas cerebrais a mais do que as pessoas "normais". O psicólogo Anders Ericsson, experto no desenvolvimento de expertises, mostrou que pessoas como Gamm dependem da memória de longo prazo para ajudá-las a resolver problemas matemáticos, enquanto os outros dependem da memória de curto prazo. Os especialistas não guardam as respostas, mas os fatos e as estratégias principais que os ajudam a chegar às respostas e têm acesso imediato a eles, como se estivessem na memória de curto prazo. Este uso da memória de longo prazo para resolver problemas é típico de especialistas em muitos campos, e Ericsson descobriu que se tornar especialista na maioria dos campos requer em geral uma década de esforço concentrado.

Um motivo para mudarmos nosso cérebro pela simples imaginação é que, do ponto de vista da neurociência, imaginar um ato e realizá-lo não são tão diferentes quanto parecem. Quando as pessoas fecham os olhos e visualizam um objeto simples, como a letra *a*, o córtex visual primário se acende, como se os participantes estivessem realmente olhando para a letra *a*.[14] Exames do cérebro mostram que na ação e na imaginação muitas regiões idênticas do cérebro são ativadas.[15] É por isso que visualizar pode melhorar o desempenho.

Em um experimento ao mesmo tempo inacreditável e simples, os drs. Guang Yue e Kelly Cole mostraram que imaginar estar usando um músculo realmente o fortalece. O estudo examinou dois grupos, um que praticou exercícios físicos e outro que imaginou que os praticava. Os dois grupos exercitaram um músculo do dedo, de segunda à sexta-feira, por quatro semanas. O grupo físico fazia sessões de 15 contrações máximas, com um intervalo de 22 segundos entre elas. O grupo mental apenas imaginava fazer as 15 contrações máximas, com um intervalo de 20 segundos entre elas, enquanto também imaginava uma voz gritando: "Força! Força! Força!"

No final do estudo, os participantes que praticaram exercícios físicos aumentaram a potência muscular em 30%, como era de se esperar. Aqueles que só *imaginaram* fazer o exercício, pelo mesmo período de tempo, aumentaram a potência muscular em 22%.[16] A explicação está nos motoneurônios cerebrais que "programam" os movimentos. Durante essas contrações imaginárias, são ativados e fortalecidos os neurônios responsáveis pela formação de sequências de instruções para os movimentos, resultando na maior potência quando os músculos são contraídos.

Essa pesquisa levou ao desenvolvimento dos primeiros aparelhos que realmente "leem" o pensamento das pessoas. Os aparelhos de tradução do pensamento recorrem a programas motores de uma pessoa ou animal que está imaginando uma ação, decodificam o sinal elétrico peculiar desse pensamento e transmitem um comando elétrico a um dispositivo que coloca o pensamento em ação. Esses aparelhos funcionam porque o cérebro é plástico e muda fisicamente seu estado e estrutura enquanto pensamos, de uma forma que pode ser acompanhada por medições eletrônicas.

Atualmente tais dispositivos estão sendo desenvolvidos para permitir que pessoas completamente paralisadas movam objetos com o pensamento. À medida que se tornem mais sofisticados, os aparelhos poderão ler o pensamento, reconhecendo e traduzindo seu conteúdo, sendo potencialmente mais eficazes do que os detectores de mentira, que só podem detectar níveis de estresse quando uma pessoa mente.

Esses aparelhos foram desenvolvidos por meio de alguns passos simples.[17] Em meados da década de 1990, na Duke University, Miguel Nicolelis e John Chapin deram início a um experimento comportamental com o objetivo de aprender a ler os pensamentos de um animal.[18] Treinaram um rato a apertar uma barra ligada eletronicamente a um mecanismo de liberação de água. A cada vez que o rato apertava a barra, o mecanismo liberava uma gota de água para o rato beber. O rato teve uma pequena parte de seu crânio removida e alguns microeletrodos foram ligados ao córtex motor. Esses eletrodos registravam a atividade de 46 neurônios no córtex motor envolvidos no planejamento e na programação de movimentos, neurônios que normalmente enviam instruções aos músculos pela medula espinhal. Uma vez que o objetivo do experimento era registrar pensamentos, que são complexos, os 46 neurônios tinham de ser medidos simultaneamente. A cada vez que o rato movia a barra, Nicolelis e Chapin registravam a ativação de seus 46 neurônios de programação motora e os sinais eram enviados a um computador. Logo o computador "reconhecia" o padrão de ativação para pressionar a barra.

Depois que o rato se acostumou a apertar a barra, Nicolelis e Chapin desconectaram a barra de liberação da água. Agora, quando o rato apertava a barra, não vinha água nenhuma. Frustrado, ele apertava a barra várias vezes, em vão. Em seguida os pesquisadores conectaram o mecanismo de liberação da água ao computador que estava conectado aos neurônios do rato. Em teoria, agora, a cada vez que o rato pensasse "apertar a barra", o computador reconheceria o padrão de ativação neuronal e enviaria um sinal do mecanismo para liberar uma gota de água.

Depois de algumas horas, o rato percebeu que não precisava apertar a barra para conseguir água. Era suficiente imaginar sua pata apertando a barra, e a água vinha! Nicolelis e Chapin treinaram quatro ratos.

Depois começaram a ensinar macacos a fazer traduções ainda mais complexas de pensamento. Belle, uma fêmea de macaco-da-noite, foi treinada a usar um joystick para acompanhar uma luz que se movia na tela de um monitor de vídeo. Quando tinha sucesso, obtinha uma gota de suco de fruta. A cada vez que movia o joystick, seus neurônios disparavam, e o padrão era matematicamente analisado pelo computador. O padrão de ativação neuronal sempre acontecia 300 milissegundos antes de Belle realmente mover o joystick, porque era o tempo que leva o cérebro para enviar o comando pela medula espinhal aos músculos. Quando ela o movia para a direita, ocorria no cérebro um padrão de "mova o braço para a direita", e o computador o detectava; quando movia o braço para a esquerda, o computador detectava esse outro padrão. Depois o computador converteu esses padrões matemáticos em comandos que eram enviados a um braço robótico, fora da vista de Belle. Os padrões matemáticos foram também transmitidos da Duke University a um segundo braço robótico em um laboratório em Cambridge, Massachusetts. Novamente, como no experimento do rato, não havia conexão entre o joystick e os braços robóticos; os braços robóticos eram conectados ao computador, que lia os padrões neuronais de Belle. A esperança era que os braços robóticos na Duke e em Cambridge se movessem exatamente quando o braço de Belle se mexesse, 300 milissegundos depois de seu pensamento.

Enquanto os cientistas mudavam aleatoriamente os padrões de luz na tela de computador e o braço real de Belle movia o joystick, o mesmo faziam os braços robóticos, a 900 quilômetros de distância, movidos apenas pelos pensamentos transmitidos pelo computador.

A equipe desde então ensinou vários macacos a usar apenas os pensamentos para mover um braço robótico em qualquer direção no espaço tridimensional, a fim de realizar movimentos complexos — como estender o braço e pegar objetos.[19] Os macacos também jogavam videogames (e pareciam gostar), usando apenas os pensamentos para mover um cursor em um monitor de vídeo e atingir um alvo móvel.

Nicolelis e Chapin esperavam que seu trabalho ajudasse pacientes com vários tipos de paralisia. Isso aconteceu em julho de 2006, quando uma equipe chefiada pelo neurocientista John Donoghue, da Brown University, usou uma técnica semelhante com um ser humano. O homem, Matthew Nagle, de 25 anos, tinha sido esfaqueado no pescoço e ficara com os quatro membros paralisados devido à lesão espinhal. Um minúsculo e indolor chip de silicone, com cem eletrodos, foi implantado em seu cérebro e conectado a um computador. Depois de quatro dias de exercício, ele era capaz de mover um cursor, abrir e-mail, ajustar o canal e o volume de uma televisão, jogar no computador e controlar um braço robótico usando o pensamento.[20] Os pacientes com distrofia muscular, derrames e doenças do neurônio motor estão na agenda para experimentar o dispositivo de tradução do pensamento. O objetivo dessas abordagens é implantar definitivamente no córtex motor uma pequena série de microeletrodos, com baterias e um transmissor do tamanho da unha de um bebê. Um pequeno computador poderia ser conectado a um braço robótico, ou a uma cadeira de rodas com controle *wireless*, ou a eletrodos implantados em músculos para estimular movimentos. Alguns cientistas esperam desenvolver uma tecnologia menos invasiva do que os microeletrodos para detectar a ativação neuronal — possivelmente uma variação da TMS, ou um dispositivo que Taub e colegas estão desenvolvendo para detectar mudanças nas ondas cerebrais.

Esses experimentos "imaginários" mostram como imaginação e ação estão verdadeiramente integradas, apesar de nossa tendência a considerar a imaginação e a ação completamente diferentes e sujeitas a diferentes regras. Mas considere isso: em alguns casos, quanto mais rápido você consegue imaginar uma coisa, mais rápido consegue fazê-la. Jean Decety, de Lyon, na França, realizou diferentes versões de um experimento simples. Quando você cronometra quanto tempo leva para imaginar escrever seu nome com a "mão boa" e, depois, para realmente escrevê-lo, os tempos serão similares; quando imagina escrever seu nome com a mão não dominante, levará mais tempo tanto para imaginar como para de fato escrevê-lo. A maioria dos destros descobre que sua "mão mental esquerda" é mais lenta do que a "mão mental direita".[21] Estudando pacientes com derrame ou doença de Parkinson (que provoca lentidão dos movimentos), Decety observou que os pacientes levavam mais tempo para imaginar o movimento do membro afetado do que do não afetado.[22] Acredita-se que tanto a imagem mental como a ação sejam lentificadas porque ambas são produto do *mesmo* programa motor cerebral.[23] A velocidade com que imaginamos provavelmente é limitada pela frequência de ativação neuronal de nossos programas motores.

Pascual-Leone fez profundas observações sobre como a neuroplasticidade, que promove a mudança, também pode levar à rigidez e à repetição cerebrais. Esses *insights* podem dar uma solução a este paradoxo: se nosso cérebro é tão plástico e mutável, por que costumamos ficar presos na repetição rígida? A resposta está na compreensão, primeiro, do caráter extraordinário da plasticidade cerebral.

Plasticina, diz ele, é a palavra musical em espanhol para "plasticidade" e possui uma conotação que "plasticidade" não tem. *Plasticina*, em espanhol, também é a palavra para "massa de modelar" e descreve uma substância fundamentalmente maleável. Para ele, nosso cérebro é tão plástico que mesmo quando temos o mesmo comportamento dia após dia, as conexões neuronais responsáveis são um tanto diferentes a cada vez devido ao que fizemos no tempo intermédio.

"Imagino", diz Pascual-Leone, "que a atividade cerebral seja como brincar com massa de modelar o tempo todo." Tudo o que fazemos modela esse pedaço de massa. Mas, acrescenta ele, "se começamos com um pacote quadrado de massa de modelar e fazemos uma bola, é possível voltar ao quadrado depois. Mas não será o *mesmo* quadrado com que começamos". Resultados que parecem semelhantes não são idênticos. As moléculas no novo quadrado estão arranjadas de forma diferente das antigas. Em outras palavras, comportamentos semelhantes, realizados em diferentes momentos, usam circuitos diferentes. Para ele, mesmo quando um paciente com problema neurológico ou psicológico é "curado", essa cura jamais devolve o cérebro do paciente ao estado preexistente.

"O sistema é plástico, não elástico", diz Pascual-Leone numa voz de trovão. Um elástico pode ser esticado, mas sempre volta a sua forma anterior e as moléculas não são reorganizadas. O cérebro plástico é perpetuamente alterado a cada contato, a cada interação.

Assim, a questão agora é: se o cérebro é tão facilmente alterado, como nos protegemos da mudança interminável? Na realidade, se o cérebro é como massa de modelar, como é que continuamos sendo nós mesmos? Nossos genes nos ajudam a garantir um certo nível de constância, e a repetição faz o mesmo.

Pascual-Leone explica isso com uma metáfora. O cérebro plástico é como uma colina nevada no inverno. Aspectos dessa colina — a inclinação, as pedras, a consistência da neve — são, como nossos genes, determinados. Quando descemos em um trenó, podemos pilotá-lo e terminar ao pé da colina seguindo um caminho determinado por como pilotamos e pelas características da colina. É difícil prever onde exatamente terminaremos porque há muitos fatores em jogo.

"Mas", diz Pascual-Leone, "o que definitivamente acontece na *segunda vez* em que você desce a ladeira é que será bem mais provável que você se encontre em um percurso que tenha relação com o caminho que tomou da primeira vez. Não será exatamente o mesmo caminho, mas será mais perto deste do que de qualquer outro. E se você passar a tarde inteira descendo de trenó, subindo e descendo, no final terá alguns caminhos que foram muito usados, alguns que foram usados muito pouco... E haverá trilhas que você criou, e agora será muito difícil sair dessa trilhas. E essas trilhas não são mais geneticamente determinadas."

As "trilhas" mentais que ficam podem levar a hábitos, bons ou ruins. Se desenvolvermos uma postura ruim, será difícil corrigi-la. Se desenvolvermos bons hábitos, eles também serão solidificados. Seria possível, uma vez que as "trilhas" ou vias neurais tenham sido dispostas, sair desses caminhos e pegar caminhos diferentes? Sim, de acordo com Pascual-Leone, mas é difícil, porque, depois que criamos essas trilhas, elas se tornam "rápidas" e muito eficientes para guiar o trenó colina abaixo. É cada vez mais complicado tomar um caminho diferente. É necessária uma espécie de bloqueio da estrada para nos ajudar a mudar de direção.

Em seu experimento seguinte, Pascual-Leone desenvolveu o uso de bloqueios e mostrou que as alterações de vias estabelecidas e reorganizações plásticas maciças podem acontecer com uma velocidade inesperada.

Seu trabalho com bloqueios de estrada começou quando ele soube de um internato incomum, na Espanha, onde os professores que instruíam os cegos estudavam no escuro. Eram vendados por uma semana para viver a cegueira em primeira mão. Uma venda é um bloqueio para o sentido da visão: em uma semana, os sentidos táteis e sua capacidade de avaliar o espaço se tornavam extremamente aguçados. Eles eram capazes de diferenciar modelos de motos pelo som dos motores e distinguir objetos a sua frente pelo eco. Quando os professores retiravam as vendas pela primeira vez, sentiam-se profundamente desorientados e não conseguiam avaliar o espaço nem enxergar.

Quando soube dessa "escola da escuridão", Pascual-Leone pensou: "Vamos pegar pessoas de visão normal e torná-las *completamente* cegas."

Ele vendou um grupo de pessoas por cinco dias, depois mapeou seu cérebro com a TMS. Descobriu que quando bloqueava toda a luz — o "bloqueio" da estrada tinha de ser impenetrável —, o córtex "visual" dos participantes começava a processar o tato que vinha das mãos, como pacientes cegos lendo em Braille. O mais impressionante, porém, era que o cérebro se reorganizava em alguns dias. Com exames de ressonância, Pascual-Leone mostrou que o córtex "visual" podia levar dois dias para começar a processar sinais táteis e auditivos. (Assim como muitos dos participantes vendados contaram que quando se moviam, ou eram tocados, ou ouviam sons, começavam a ter alucinações *visuais* de cenas belas e complexas de cidades, céus, poentes, personagens liliputianas ou de desenho animado.) A escuridão absoluta era essencial para a mudança porque a visão é um sentido tão poderoso que se entrar qualquer luz, o córtex visual preferirá processá-la em detrimento do som e do toque. Pascual-Leone descobriu, como fizera Taub, que para desenvolver uma nova via é preciso bloquear ou limitar a concorrente, que em geral é a via mais comumente usada. Depois que as vendas foram retiradas, o córtex visual dos participantes levou de 12 a 24 horas para reagir ao estímulo tátil ou auditivo no período.

A *velocidade* com que o córtex visual passou a processar o som e o tato representou uma importante questão para Pascual-Leone. Ele acreditava que não havia tempo suficiente em dois dias para o cérebro se reconectar tão radicalmente. Quando nervos são colocados em cultura, eles crescem no máximo um milímetro por dia. O córtex "visual" só pode ter começado a processar os outros sentidos com tanta rapidez se já existissem as conexões para essas fontes. Pascual-Leone, trabalhando com Roy Hamilton, assumiu a ideia de que eram desmascaradas vias preexistentes e a levou um passo adiante, propondo a teoria de que o tipo de reorganização radical do cérebro vista na "escola da escuridão" não é a exceção, mas a regra.[24] O cérebro humano é capaz de se reorganizar tão rapidamente porque as regiões individuais não são necessariamente comprometidas no processamento de determinados sentidos. Podemos usar partes do cérebro para muitas tarefas diferentes e assim fazemos de forma corriqueira.

Como vimos, quase todas as teorias atuais do cérebro são localizacionistas e pressupõem que o córtex sensorial processa cada sentido — visão, audição, tato — em locais específicos. A expressão "córtex visual" pressupõe que o único *propósito* desta área do cérebro é processar a visão, assim como as expressões "córtex auditivo" e "córtex somatossensorial" pressupõem um único propósito para cada área respectiva.

Contudo, segundo Pascual-Leone: "Nosso cérebro não é verdadeiramente organizado em termos de sistemas que processam uma dada modalidade sensorial. Nosso cérebro é organizado em uma série de operadores específicos."

Um operador é um processador cerebral que, em vez de processar *input* de um único sentido, como visão, tato ou audição, processa informações mais abstratas. Um operador processa informações sobre *relações espaciais*; outro, sobre *movimento*, e outro, ainda, sobre *formas*. As relações espaciais, o movimento e a forma são informações processadas por vários de nossos sentidos. Podemos sentir e ver diferenças espaciais — a largura da mão de uma pessoa —, assim como podemos sentir e ver o movimento e as formas. Alguns operadores podem ser bons para um único sentido (por exemplo, o operador da cor), mas os operadores espaciais, do movimento e da forma processam sinais de mais de um sentido.

Um operador é selecionado por competição. A teoria do operador parece originar-se na teoria da seleção de grupos neuronais, desenvolvida em 1987 pelo prêmio Nobel Gerald Edelman, que propôs que para qualquer atividade cerebral, é selecionado o grupo de neurônios mais eficaz na realização da tarefa. Há uma competição quase darwiniana — um darwinismo neural, para usar a expressão de Gerald Edelman — acontecendo o tempo todo entre operadores para ver quais deles podem processar com mais eficácia sinais de um determinado sentido e em determinada circunstância.

Esta teoria proporciona uma elegante ponte entre a ênfase localizacionista de que as coisas acontecem em determinados locais típicos e a ênfase dos neuroplásticos na capacidade do cérebro de se reestruturar.

A implicação é que as pessoas que aprendem uma nova habilidade podem recrutar operadores dedicados a outras atividades, ampliando imensamente sua capacidade de processamento, uma vez que podem criar um bloqueio entre o operador que precisam e sua função habitual.

Alguém que recebe uma tarefa essencialmente auditiva, como decorar a *Ilíada* de Homero, pode se vendar para recrutar operadores habitualmente dedicados à visão, uma vez que os grandes operadores no córtex visual podem processar o som.[25] Na época de Homero, poemas longos eram compostos e transmitidos de uma geração para a outra na forma oral. (Homero, segundo a tradição, era cego.) A memorização era essencial nas culturas pré-letradas; na realidade, o analfabetismo pode ter incitado o cérebro a atribuir mais operadores às tarefas auditivas. E, no entanto, essas proezas da memória oral são possíveis em culturas alfabetizadas, se houver motivação suficiente. Por séculos os judeus iemenitas ensinaram seus filhos a decorar toda a Torá, e hoje as crianças no Irã decoram o Corão inteiro.

Vimos que imaginar um ato envolve os mesmos programas sensoriais e motores envolvidos na própria ação. Há muito tempo consideramos nossa vida imaginativa com uma espécie de assombro sagrado: nobre, pura, imaterial e etérea, separada de nosso cérebro material. Agora não podemos ter mais tanta certeza de onde traçar a linha entre as duas coisas.

Tudo o que sua mente "imaterial" imagina deixa rastros materiais. Cada pensamento altera o estado físico de suas sinapses cerebrais no nível microscópico. A cada vez que imagina mover os dedos pelo teclado do piano, você altera as gavinhas em seu cérebro vivo.

Esses experimentos não são apenas deliciosos e intrigantes, mas também derrubam séculos de confusão criada a partir do trabalho do filósofo francês René Descartes, que afirmou que a mente e o cérebro são feitos de substâncias diferentes e regidos por leis diferentes. O cérebro, afirmava ele, era uma coisa física e material, existindo no espaço e obedecendo às leis da física. A mente (ou a alma, como Descartes a chamava) era imaterial, uma coisa pensante que não ocupava o espaço nem obedecia às leis físicas.[26] Os pensamentos, argumentava ele, eram regidos pelas regras do raciocínio, do julgamento crítico e dos desejos, não pelas leis físicas de causa e efeito. Os seres humanos consistiam nesta dualidade, nesta combinação da mente imaterial com o cérebro material.

Mas Descartes — cuja divisão mente/corpo tem dominado a ciência há 400 anos — jamais pôde explicar de forma crível como a mente imaterial podia influenciar o cérebro material. Consequentemente, as pessoas começaram a duvidar de que um pensamento imaterial, ou mera imaginação, pudesse mudar a estrutura do cérebro material. A visão de Descartes pareceu abrir um abismo intransponível entre a mente e o cérebro.

Sua nobre tentativa de resgatar o cérebro do misticismo que o cercava na época fracassou, tornando-o mecânico. Em vez disso, o cérebro passou a ser visto como uma máquina inerte e inanimada, que só podia ser levada à ação pela alma imaterial e espectral que Descartes colocou nele, e passou a ser chamada de "o fantasma na máquina".

Ao retratar um cérebro mecanicista, Descartes tirou-lhe a vida e reduziu a aceitação da plasticidade cerebral mais do que qualquer outro pensador.

Qualquer forma de plasticidade — qualquer capacidade de mudar que tivermos — existia na mente, com seus pensamentos mudáveis, e não no cérebro.[27]

Mas agora podemos ver que nossos pensamentos "imateriais" também têm uma assinatura física e não podemos ter certeza de que um dia o pensamento não virá a ser explicado em termos físicos. Embora ainda tenhamos de compreender exatamente *como* os pensamentos mudam a estrutura cerebral,[28] agora está claro que eles assim o fazem, e a sólida linha que Descartes traçou entre mente e cérebro é cada vez mais uma linha pontilhada.

9

Transformando Nossos Fantasmas em Ancestrais

A psicanálise como terapia neuroplástica

O sr. L. havia sofrido de depressão recorrente nos últimos 40 anos e tinha tido dificuldades em seus relacionamentos com as mulheres. Estava no final dos 50 anos e se aposentara recentemente quando procurou minha ajuda.

Poucos psiquiatras da época, no início da década de 1990, davam importância à ideia de que o cérebro era plástico, e em geral se pensava que as pessoas que se aproximavam dos 60 anos estavam "presas demais ao seu jeito de ser" para se beneficiarem de um tratamento que objetivava não apenas livrá-las dos sintomas, mas alterar antigos aspectos de seu caráter.

O sr. L. sempre foi formal e educado. Era inteligente, sutil e falava de uma forma apocopada e seca, sem muita musicalidade na voz. Ficava cada vez mais distante quando falava de seus sentimentos.

Além das depressões profundas, que só reagiam parcialmente a antidepressivos, ele sofria de um segundo estado de espírito estranho. Em geral ele era dominado — aparentemente do nada — por um misterioso senso de paralisia, sentindo-se entorpecido e sem objetivos, como se o tempo tivesse parado. Ele também contou que bebia demais.

Ele ficava particularmente perturbado com suas relações com as mulheres. Assim que se envolvia amorosamente, começava a recuar, sentindo que "há uma mulher melhor em algum lugar que nego a mim mesmo". Ele fora infiel à esposa em várias ocasiões e em consequência perdera o casamento, um resultado do qual se arrependia imensamente. Pior ainda, não conhecia motivo para ser infiel, porque tinha muito respeito pela esposa. Ele tentou muitas vezes voltar, mas ela se recusou.

Ele não sabia o que era o amor, nunca sentira ciúme nem se sentira possessivo em relação aos outros, e sempre tinha a impressão de que as mulheres queriam ser "donas" dele. Evitava compromisso e conflito com elas. Era dedicado aos filhos, mas se sentia ligado a eles por um senso de dever e não por afeto genuíno. Esse sentimento lhe causava dor, porque eles eram amorosos e afetuosos com ele.

Quando o sr. L. tinha 26 meses, sua mãe morreu dando à luz a irmã mais nova. Ele não acreditava que a morte da mãe o tivesse afetado significativamente. Tinha sete irmãos, e então o único cuidador ficou sendo o pai, um agricultor, que cuidava da fazenda isolada em que eles viviam sem eletricidade ou água corrente, em um condado empobrecido durante a Grande Depressão. Um ano depois, o sr. L. contraiu uma doença gastrintestinal crônica, que precisava de atenção contínua. Quando tinha 4 anos, o pai, incapaz de cuidar dele e dos irmãos, enviou-o para morar com uma tia sem filhos e o marido a milhares de quilômetros. Em dois anos, tudo mudou na curta vida do sr. L. Ele perdera a mãe, o pai, os irmãos, a saúde, a casa, seu vilarejo e todo o ambiente físico familiar — tudo de que gostava e a que estava ligado.

E como cresceu entre pessoas acostumadas a suportar épocas difíceis e a não perder o ânimo, nem o pai nem a família adotiva conversavam muito sobre essas perdas com ele.

O sr. L. disse que não tinha lembranças a partir dos 4 anos ou antes, e muito poucas da adolescência. Não sentia tristeza com o que lhe aconteceu e nunca chorou, nem mesmo quando adulto — por nada. Na verdade, falava como se nada do que lhe acontecera tivesse sido registrado. Por que deveria?, perguntou ele. A mente das crianças não é ainda muito pouco desenvolvida para registrar eventos tão prematuros?

Entretanto, havia pistas de que suas perdas foram registradas. Enquanto contava sua história, ele dava a impressão, depois de todos aqueles anos, de que ainda estava em choque. Também era assombrado por sonhos em que sempre procurava por alguma coisa. Como Freud descobriu, os sonhos recorrentes, com uma estrutura relativamente inalterada, em geral contêm fragmentos de lembranças de traumas infantis.

O sr. L. descreveu um sonho típico como se segue:

> Estou procurando por alguma coisa, não sei o que é, um objeto não identificado, talvez um brinquedo, que está além do meu território familiar... Eu gostaria de tê-lo de volta.

Seu único comentário foi de que o sonho representava "uma perda terrível". Mas, surpreendentemente, ele não o associava à perda da mãe ou da família.

Por meio da compreensão desse sonho o sr. L. aprenderia a amar, mudaria aspectos importantes de seu caráter e se livraria de sintomas que o acompanhavam havia 40 anos, em uma análise que durou dos 48 aos 62 anos. Esta mudança foi possível porque a psicanálise é, na realidade, uma terapia neuroplástica.

Há anos é moda, em alguns grupos, argumentar que a psicanálise, a originária "cura pela fala", e outras psicoterapias não são maneiras sérias de tratar sintomas psiquiátricos e problemas de caráter. Os tratamentos "sérios" requerem drogas, não apenas "falar de pensamentos e sentimentos", o que não pode afetar o cérebro ou alterar o caráter. A convicção de que o caráter é um produto de nossos genes enraizava-se cada vez mais.

Foi o trabalho do psiquiatra e pesquisador Eric Kandel que me deixou interessado pela primeira vez na neuroplasticidade, quando eu era residente no Departamento de Psiquiatria da Universidade de Columbia, onde ele ensinava e era uma importante influência para todos os presentes. Kandel foi o primeiro a mostrar que nossos neurônios individuais alteram sua estrutura e fortalecem as conexões sinápticas entre eles enquanto aprendemos.[1]

Ele também foi o primeiro a demonstrar que quando formamos lembranças de longo prazo, os neurônios mudam seu formato anatômico e aumentam o número de conexões sinápticas que têm com outros neurônios — trabalho que lhe valeu o prêmio Nobel em 2000.

Kandel tornou-se médico e psiquiatra na esperança de praticar a psicanálise. Mas vários amigos psicanalistas insistiram que estudasse o cérebro, o aprendizado, a memória, algo sobre o qual pouco se sabia, a fim de aprofundar a compreensão de por que a psicoterapia é eficaz e como pode ser aprimorada. Depois de algumas descobertas iniciais, Kandel decidiu dedicar-se integralmente à pesquisa em laboratório, mas nunca perdeu o interesse em saber como a mente e o cérebro mudam na psicanálise.

Ele começou a estudar uma lesma-do-mar gigante, chamada *Aplysia*, cujos neurônios incomumente grandes — suas células têm um milímetro de extensão e são visíveis a olho nu — podem proporcionar uma janela para o funcionamento do tecido nervoso humano. A evolução é conservadora e as formas elementares de aprendizado funcionam da mesma maneira em animais com sistema nervoso simples e no ser humano.

A esperança de Kandel era "capturar" uma resposta aprendida no menor grupo possível de neurônios que pudesse encontrar e estudá-la.[2] Ele descobriu na lesma um circuito simples que podia remover parcialmente do animal por dissecação e mantê-lo vivo e intacto em água do mar. Desta maneira podia estudá-lo *in vivo* e no curso do aprendizado.

O sistema nervoso simples da lesma-do-mar tem células sensoriais que detectam o perigo e enviam sinais aos neurônios motores, que agem por reflexo para protegê-la. As lesmas-do-mar respiram expondo as guelras, recobertas de um tecido carnoso chamado sifão. Se os neurônios sensoriais no sifão detectam um estímulo desconhecido ou um perigo, eles mandam uma mensagem aos seus neurônios motores, que se ativam, levando os músculos em volta da guelra a puxarem o sifão e a guelra em segurança para dentro da lesma, onde ficam protegidos. Foi este o circuito que Kandel estudou inserindo microeletrodos nos neurônios.

Ele mostrou que enquanto a lesma aprendia a evitar choques e retraía a guelra, seu sistema nervoso mudava, aumentando as conexões sinápticas entre os neurônios motores e sensoriais e emitindo sinais mais potentes, detectados pelos microeletrodos. Esta foi a primeira prova de que o aprendizado leva à consolidação neuroplástica das conexões entre os neurônios.[3]

Se ele repetisse os choques em um curto período, as lesmas tornavam-se "sensibilizadas", de modo que desenvolviam o "medo aprendido" e uma tendência a reagir exageradamente mesmo aos estímulos mais inofensivos, como o homem faz ao desenvolver distúrbios de ansiedade. Quando as lesmas desenvolviam o medo aprendido, os neurônios pré-sinápticos liberavam mais do neurotransmissor na sinapse, emitindo um sinal mais potente.[4] Depois ele mostrou que as lesmas podiam ser ensinadas a reconhecer um estímulo como inofensivo.[5] Quando o sifão da lesma era tocado gentilmente repetidas vezes e não era seguido de um choque, as sinapses que levavam ao reflexo de retração enfraqueciam e a lesma por fim ignorava o toque. Por fim Kandel mostrou que as lesmas também podem aprender a associar dois eventos diferentes e que seu sistema nervoso muda neste processo.[6] Quando submetia a lesma a um estímulo inofensivo, seguido imediatamente por um choque na cauda, o neurônio sensorial do animal reagia ao estímulo inofensivo como se fosse perigoso, emitindo sinais muito fortes — mesmo que não fosse seguido pelo choque.

Kandel, trabalhando com Tom Carew, psicólogo e fisiologista, em seguida mostrou que as lesmas podem desenvolver memórias de curto e longo prazos. Em um experimento, a equipe treinou uma lesma a retrair a guelra depois de ser tocada dez vezes. As mudanças nos neurônios continuaram por vários minutos — o equivalente de uma memória de curto prazo. Quando tocaram a guelra dez vezes, em quatro diferentes sessões de treinamento separadas por um período que variava de várias horas a um dia, as mudanças nos neurônios persistiram até três semanas.[7] Os animais desenvolveram memórias primitivas de longo prazo.

Kandel trabalhou em seguida com o colega e biólogo molecular James Schwartz e com geneticistas para melhor compreender as *moléculas* envolvidas na formação de memórias de longo prazo nas lesmas.[8] Eles mostraram que nestes animais, para que as memórias de curto prazo passem a ser de longo prazo, uma nova proteína deve ser produzida na célula.[9] A equipe mostrou que uma memória de curto prazo torna-se de longo prazo quando uma substância no neurônio, chamada proteína quinase A, desloca-se do corpo celular para o núcleo do neurônio, onde os genes são armazenados. A proteína ativa um gene para produzir outra proteína que altera a estrutura da terminação nervosa, de forma que se desenvolvem novas conexões entre os neurônios. Depois Kandel, Carew e os colegas Mary Chen e Craig Bailey mostraram que quando um único neurônio desenvolve uma memória de longo prazo em consequência da sensibilização, pode passar a estabelecer de 1.300 a 2.700 conexões sinápticas, um nível impressionante de mudança neuroplástica.[10]

O mesmo processo ocorre na espécie humana. Quando aprendemos, alteramos os genes que são "expressos" ou ativados em nossos neurônios.

Nossos genes têm duas funções. A primeira, a "função de modelo", permite que nossos genes se repliquem, produzindo cópias deles mesmos que são transmitidas de uma geração para a outra. A função de modelo está fora de nosso controle.

A segunda é a "função de transcrição". Cada célula em nosso corpo contém todos os nossos genes, mas nem todos os genes são ativados, ou expressos. Quando é ativado, um gene produz uma nova proteína que altera a estrutura e a função da célula. Isso é chamado de função de transcrição porque quando o gene é ativado, as informações sobre como produzir essa proteína são "transcritas" ou lidas a partir do gene. Essa função de transcrição é influenciada pelo que fazemos e pensamos.

A maioria das pessoas pressupõe que nossos genes nos modelam — nosso comportamento e nossa anatomia cerebral. O trabalho de Kandel mostra que quando aprendemos, nossa mente também afeta a transcrição genética nos nossos neurônios. Assim, podemos modelar nossos genes, que, por sua vez, modelam a anatomia microscópica de nosso cérebro.

Kandel argumenta que quando a psicoterapia muda as pessoas, "presumivelmente o faz por meio do aprendizado, produzindo mudanças na expressão do gene que alteram a potência das conexões sinápticas e mudanças estruturais que alteram o padrão anatômico de interconexões entre as células nervosas do cérebro".[11] A psicoterapia funciona penetrando fundo no cérebro e em seus neurônios e mudando sua estrutura ao ativar os genes certos. A psiquiatra Susan Vaughan argumentou que a cura pela fala funciona por "falar com os neurônios",[12] e que um psicoterapeuta ou psicanalista competente é um "microcirurgião da mente", ajudando os pacientes a fazer as alterações necessárias nas redes neuronais.

Essas descobertas sobre o aprendizado e a memória no nível molecular têm suas origens na própria história de Kandel.

Kandel nasceu em 1929, em Viena, uma cidade de grande riqueza cultural e intelectual. Mas Kandel era judeu, e a Áustria na época era um país virulentamente antissemita. Em março de 1938, quando Hitler tomou Viena, anexando a Áustria ao Reich alemão, foi acolhido por multidões que o veneravam, e o arcebispo católico de Viena ordenou que todas as igrejas hasteassem a bandeira nazista. No dia seguinte, todos os colegas de turma de Kandel — a não ser uma menina, a única outra judia na turma — pararam de falar com ele e começaram a incomodá-lo. Em abril, todas as crianças judias foram expulsas da escola.

Em 9 de novembro de 1938 — a *Kristallnacht*, a "Noite dos Cristais", quando os nazistas destruíram todas as sinagogas no Reich alemão, inclusive na Áustria —, o pai de Kandel foi preso. Os judeus austríacos foram expulsos de suas casas e, no dia seguinte, 30 mil homens judeus foram mandados para campos de concentração.

Kandel escreveu: "Lembro-me da *Kristallnacht* todo dia, mais de 60 anos depois, como se fosse ontem. Caiu dois dias depois do meu aniversário de 9 anos, em que me cobriram de brinquedos da loja de meu pai. Quando voltamos ao nosso apartamento mais ou menos uma semana depois de termos sido expulsos, todas as coisas de valor tinham desaparecido, inclusive meus brinquedos... Provavelmente é inútil, mesmo para alguém treinado no pensamento psicanalítico como eu, tentar situar a origem dos complexos interesses e ações de minha vida em algumas poucas experiências de minha juventude.

Todavia, não posso deixar de pensar que as experiências de meu último ano em Viena ajudaram a determinar meus interesses posteriores na mente, em como as pessoas se comportam, na previsibilidade da motivação e na persistência da memória... Fui fisgado, como outros, pela profundidade com que esses eventos traumáticos de minha infância foram gravados na memória."[13] Ele foi atraído pela psicanálise porque acreditava que ela "esboçava a visão mais coerente, interessante e cheia de nuanças da mente humana"[14] e, de todas as psicologias, tinha a compreensão mais abrangente das contradições do comportamento humano, de como as sociedades civilizadas podem de repente promover "semelhante crueldade em tantas pessoas" e de como um país aparentemente civilizado como a Áustria pode se tornar "tão radicalmente dissociado".[15]

A psicanálise (ou "análise") é um tratamento que ajuda as pessoas que estão profundamente perturbadas não só por sintomas, mas por aspectos de seu próprio caráter. Esses problemas ocorrem quando temos fortes conflitos internos, nos quais, como afirma Kandel, parte de nós torna-se radicalmente "dissociada", ou desligada do resto de nós.

Enquanto a carreira de Kandel o levou da clínica ao laboratório de neurociência, Sigmund Freud começou sua carreira como neurocientista laboratorial, mas, como era pobre demais para continuar, seguiu na direção contrária e se tornou neurologista em consultório particular, a fim de ter renda suficiente para sustentar a família.[16] Um de seus primeiros empreendimentos foi mesclar o que aprendera sobre o cérebro como neurocientista com o que estava aprendendo sobre a mente ao tratar os pacientes. Como neurologista, Freud logo ficou desencantado com o localizacionismo da época, baseado no trabalho de Broca e outros, e percebeu que a concepção do cérebro fixamente estruturado não explicava adequadamente como eram possíveis atividades complexas e culturalmente adquiridas, como a leitura e a escrita. Em 1891, ele escreveu um livro intitulado *A afasia*,[17] que mostrava as falhas nas evidências existentes para "uma função, uma localização" e propunha que fenômenos mentais complexos como a leitura e a escrita não se restringiam a áreas corticais distintas, e que não fazia sentido argumentar, como os localizacionistas, que havia um "centro" cerebral para a alfabetização, uma vez que esta não é inata. Em vez disso, o cérebro, no curso de nossa vida, deve se reorganizar dinamicamente —, e se reconectar — para realizar tais funções culturalmente adquiridas.

Em 1895, Freud concluiu o "Projeto para uma Psicologia Científica",[18] um dos primeiros modelos neurocientíficos abrangentes a integrar cérebro e mente, ainda hoje admirado por sua sofisticação.[19] Aqui Freud propôs a "sinapse", vários anos antes de Sir Charles Sherrington, que levou o crédito. No "Projeto", Freud chegou a descrever como as sinapses, que ele chamou de "barreiras de contato", podem ser alteradas pelo que aprendemos, antecipando o trabalho de Kandel. Ele também começou a propor ideias neuroplásticas.

O primeiro conceito plástico desenvolvido por Freud é a lei de que neurônios que disparam simultaneamente se ligam entre si, em geral chamada de lei de Hebb, embora Freud a tivesse proposto em 1888, 60 anos antes de Hebb.[20] Freud declarou que quando dois neurônios disparam *simultaneamente*, isso facilita sua sucessiva *associação*. Freud destacou que o que ligava os neurônios era sua ativação conjunta *no tempo* e chamou este fenômeno de lei da associação por simultaneidade. A lei da associação explica a importância da ideia de Freud da "livre associação", em que os pacientes psicanalíticos deitam-se no divã e "associam livremente", ou dizem tudo o que lhe vêm à mente, por mais desagradável ou banal que seja. O analista senta-se atrás do paciente, fora de seu campo de visão, e em geral pouco fala. Freud descobriu que, se não interferisse, surgiam nas associações do paciente vários sentimentos bem guardados e ligações interessantes — pensamentos e sentimentos que o paciente normalmente rejeitava. A livre associação é baseada na compreensão de que todas as associações mentais, mesmo as aparentemente "fortuitas" e aparentemente sem sentido, são expressões de ligações formadas em nossos circuitos de memória.[21] Sua lei da associação por simultaneidade conecta implicitamente mudanças nos circuitos neuronais a mudanças em nossos circuitos de memória,[22] de modo que os neurônios que se ativaram simultaneamente permaneçam ligados anos depois: frequentemente essas conexões originais ainda são operacionais e aparecem nas livres associações do paciente.

A segunda ideia plástica de Freud é a do período psicológico crítico e a ideia relacionada de plasticidade sexual.[23] Como vimos no Capítulo 4, "Adquirindo Gostos e Afetos", Freud foi o primeiro a argumentar que a sexualidade humana e a capacidade de amar têm períodos críticos na primeira infância, que ele chamou de "fases de organização". O que acontece durante esses períodos críticos tem um efeito incomensurável em nossa capacidade de amar e estabelecer relações na vida adulta.[24] Se alguma coisa sai errada, é possível fazer mudanças mais tarde, mas é muito mais difícil alcançar a mudança plástica depois de encerrado um período crítico.

A terceira ideia de Freud foi uma visão plástica da memória. A concepção que Freud herdou de seus professores era de que os eventos que vivemos podem deixar *rastros de memória permanentes* em nossa mente. Mas quando ele começou a trabalhar com os pacientes, observou que as memórias não são escritas de uma vez, ou "gravadas", permanecendo inalteradas para sempre, mas podem ser alteradas por eventos subsequentes e *retranscritas*. Freud observou que os eventos podem assumir um significado alterado para o paciente anos depois de sua ocorrência, e que por isso os pacientes alteravam suas lembranças desses eventos. As crianças que sofriam abusos quando muito novas e eram incapazes de compreender o que lhes fora feito nem sempre ficavam transtornadas na época, e suas lembranças iniciais nem sempre eram negativas. Mas depois que amadureciam sexualmente, elas viam o incidente de forma renovada e lhe davam um novo significado, e sua lembrança dos maus-tratos mudava. Em 1896, Freud escreveu que de tempos em tempos os rastros de memória estão sujeitos a "um *rearranjo* de acordo com novas circunstâncias[25] — a uma *retranscrição*. Assim o que é essencialmente novo em minha teoria é a tese de que a memória não está presente de forma unívoca, mas múltipla". As lembranças são constantemente remodeladas, "análogas em cada maneira ao processo pelo qual uma nação constrói lendas sobre sua história".[26] Para que sejam alteradas, argumentou Freud, as lembranças tinham de ser conscientes e precisavam ser focalizadas pela nossa atenção, como os neurocientistas mostraram desde então.[27] Infelizmente, como no caso do sr. L., algumas lembranças traumáticas de eventos da primeira infância não estão facilmente acessíveis à consciência, e portanto não mudam.

A quarta ideia neuroplástica de Freud ajudou a explicar como é possível tornar conscientes lembranças traumáticas inconscientes e retranscrevê-las. Ele observou que na privação sensorial branda criada ao se sentar fora do campo de visão dos pacientes e comentar apenas quando tinha *insights* sobre os problemas deles, os pacientes começavam a considerá-lo uma pessoa importante de seu passado, em geral os pais, em especial em relação aos períodos psicológicos críticos. Era como se os pacientes estivessem revivendo lembranças do passado, mas sem terem consciência disso. Freud chamou esse fenômeno inconsciente de "transferência" porque os pacientes transferiam cenas e formas de perceber do passado para o presente. Estavam "revivendo" em vez de se "lembrar" deles. Um analista que não é visto e fala pouco se torna uma tela em branco em que o paciente começa a projetar sua transferência. Freud descobriu que os pacientes projetavam essas "transferências" não só nele, mas em outras pessoas na vida, sem estar conscientes disso, e que ver os outros de uma forma distorcida os colocava frequentemente em dificuldades. Ajudar os pacientes a compreender suas transferências lhes permitiu melhorar seus relacionamentos. Mais importante, Freud descobriu que as transferências de cenas traumáticas da infância podiam ser alteradas se ele assinalasse aos pacientes o que acontecia quando a transferência se ativava e se eles se concentrassem nisso. Assim, os circuitos neuronais subjacentes, e as lembranças associadas, podiam ser retranscritos e alterados.

Aos 26 meses, idade em que o sr. L. perdeu a mãe, a mudança plástica em uma criança está no auge: novos sistemas cerebrais estão se formando e consolidando conexões neurais, e mapas diferenciam-se e completam sua estrutura básica com a ajuda de estímulos externos e da interação com o mundo. O hemisfério cerebral direito acaba de completar um surto de crescimento e o hemisfério esquerdo está começando o dele.[28]

O hemisfério direito em geral processa a comunicação não verbal; ele nos permite reconhecer rostos e ler expressões faciais e nos conecta com as outras pessoas.[29] Ele processa assim os sinais visuais não verbais entre uma mãe e seu bebê. Também processa o componente musical da fala, ou o tom, pelo qual transmitimos emoção.[30] Durante o surto de crescimento do hemisfério direito, do nascimento ao segundo ano de vida, essas funções passam por períodos críticos.

O hemisfério esquerdo em geral processa os elementos *verbo-linguísticos* da fala, ao contrário dos musico-emocionais, e analisa problemas usando o processamento *consciente*. Os bebês têm um hemisfério direito maior até o final do segundo ano, e como o hemisfério esquerdo está apenas começando seu surto de crescimento, o direito domina o cérebro pelos três primeiros anos da vida.[31] As crianças de 26 meses são criaturas emocionais complexas e de "cérebro direito", mas não conseguem falar de suas experiências, uma função típica do hemisfério esquerdo. Exames de neuroimagem mostram que durante os dois primeiros anos de vida, a mãe comunica-se essencialmente de forma não verbal utilizando seu hemisfério direito para alcançar o hemisfério direito do bebê.[32]

Um período crítico particularmente importante vai aproximadamente dos 10-12 meses aos 16-18 meses, durante os quais uma área fundamental do lobo frontal direito está se desenvolvendo e modelando os circuitos cerebrais que permitirão que os bebês mantenham as ligações humanas e ao mesmo tempo regulem suas emoções.[33] Esta área em amadurecimento, a parte do cérebro por trás do olho direito, é chamada de *sistema orbitofrontal direito*.[34] (O sistema orbitofrontal tem sua área central no córtex orbitofrontal, que discutimos no Capítulo 6, "Destravando o Cérebro", mas o "sistema" inclui ligações com o sistema límbico, que processa a emoção.) Esse sistema nos permite decodificar a expressão facial das pessoas e, em consequência, suas emoções, bem como entender e controlar nossas próprias emoções. O pequeno L., aos 26 meses, teria concluído o desenvolvimento do sistema orbitofrontal, mas ainda não teria tido a oportunidade de consolidá-lo.

Uma mãe que está com seu filho durante o período crítico para desenvolvimento emocional e afetivo está constantemente ensinando a criança o que são as emoções, usando a musicalidade da linguagem e as expressões gestuais não verbais. Quando olha seu filho que engole um pouco de ar com o leite, ela pode dizer: "Pronto, pronto, meu amor, você está tão aborrecido, não fique com medo, sua barriguinha dói porque você comeu rápido demais. A mamãe vai botar você para arrotar e vai lhe dar um abraço, e você vai ficar bem." Ela está dizendo à criança o *nome da emoção* (medo), que existe um *gatilho* (ele comeu rápido demais), que a emoção é *comunicada por expressão facial* ("você parece tão aborrecido"), que ela é associada a uma *sensação corporal* (uma dor de barriga) e que *procurar ajuda nos outros em geral é útil* ("A mamãe vai colocar você para arrotar e lhe dar um abraço"). Essa mãe está dando a seu filho um curso intensivo sobre os muitos aspectos das emoções transmitindo-os não só por palavras, mas pela música amorosa de sua voz e a tranquilização de seus gestos e seu toque.

Para que conheçam e regulem suas emoções, e para que sejam socialmente conectadas, as crianças precisam viver esse tipo de interação centenas de vezes no período crítico e depois reforçá-las mais tarde na vida.

O sr. L. perdeu a mãe apenas alguns meses depois de ter concluído o desenvolvimento de seu sistema orbitofrontal. Assim coube a outras pessoas, que também estavam de luto e provavelmente menos sintonizadas com ele do que a mãe, ajudá-lo a usar e exercitar seu sistema orbitofrontal, antes que começasse a enfraquecer. A criança que perde a mãe em tão tenra idade quase sempre recebe dois golpes arrasadores: perde a mãe para a morte, e o pai para a depressão. Se outras pessoas não conseguirem ajudá-la a se acalmar e regular suas próprias emoções como a mãe fazia, ela aprenderá a "autorregular-se", desligando suas emoções.[35] Quando o sr. L. procurou tratamento, ainda tinha esta tendência a desligar as próprias emoções e a ocultar sua incapacidade de manter ligações.

Muito antes que fossem possíveis os exames de neuroimagem do córtex orbitofrontal, os psicanalistas tinham observado as características de crianças privadas da mãe em seus primeiros períodos críticos. Durante a Segunda Guerra Mundial, René Spitz estudou bebês criados por suas próprias mães na prisão, comparando-os com aqueles criados em orfanatos, onde uma enfermeira era responsável por sete bebês.[36] Os bebês de orfanato pararam de se desenvolver intelectualmente, eram incapazes de controlar as emoções e em vez disso balançavam-se interminavelmente de um lado para o outro ou faziam movimentos estranhos com as mãos. Eles também entraram em estados de "desligamento" e eram indiferentes ao mundo, não reagiam às pessoas que tentavam abraçá-los e confortá-los. Nas fotografias, esses bebês tinham um olhar assombrado e distante. Os estados de desligamento ou de "paralisia" aconteciam quando as crianças abandonavam toda a esperança de encontrar o genitor perdido. Mas como o sr. L., que viveu estados semelhantes, pode ter registrado cada experiência infantil em sua memória?

Os neurocientistas reconhecem dois sistemas de memória principais. Ambos são plasticamente alterados pela psicoterapia.

O sistema de memória já bem desenvolvido aos 26 meses de idade é chamado de memória "procedural" ou "implícita". Esses termos são frequentemente usados de forma intercambiável por Kandel. A memória procedural/implícita funciona quando aprendemos um procedimento ou grupo de ações automáticas, que ocorrem fora de nossa atenção concentrada, em que palavras em geral não são necessárias. Nossas interações não verbais com as pessoas e muitas de nossas lembranças emocionais fazem parte de nosso sistema de memória procedural. Como afirma Kandel: "Durante os 2-3 primeiros anos de vida, quando a interação de uma criança com a mãe é particularmente importante, o bebê depende principalmente da memória procedural."[37] As memórias procedurais em geral são inconscientes. Pedalar uma bicicleta depende da memória procedural, e a maioria das pessoas que pedalam facilmente teria problemas para explicar conscientemente e com precisão como fazem isso. O sistema de memória procedural confirma que podemos ter lembranças inconscientes, como propôs Freud.

A outra forma de memória é chamada de "explícita" ou "declarativa", que ainda está começando a se desenvolver aos 26 meses. A memória explícita recorda conscientemente fatos, eventos e episódios específicos. É a memória que usamos quando descrevemos e tornamos explícito o que fizemos no fim de semana, com quem e por quanto tempo. Ela nos ajuda a organizar nossas lembranças no tempo e no espaço.[38] A memória explícita é apoiada pela linguagem e se torna mais importante depois que a criança consegue falar.

As pessoas que sofreram traumas nos três primeiros anos de vida podem ter poucas memórias explícitas, ou nenhuma, de seus traumas. (O sr. L. disse que não tinha uma só lembrança de seus quatro primeiros anos.) Mas as memórias procedurais/implícitas para esses traumas existem e são comumente *evocadas* ou incitadas quando as pessoas entram em situações semelhantes ao trauma. Essas memórias em geral parecem vir a nós "do nada" e não parecem ser classificadas temporal, espacial e contextualmente, como são muitas memórias explícitas. As memórias procedurais de interações emocionais em geral se repetem na transferência, ou na vida.

A memória explícita foi descoberta pela observação do caso mais famoso de memória na neurociência — um jovem chamado H. M., que tinha epilepsia grave. Para tratá-la, os médicos retiraram cirurgicamente uma parte de seu cérebro do tamanho do polegar, o hipocampo. (Na verdade, há dois "hipocampos", um em cada hemisfério, e ambos foram removidos.) Depois da cirurgia, H. M. de início parecia normal. Reconheceu a família e conseguia conversar. Mas logo ficou evidente que, desde a operação, ele não conseguia apreender nenhuma informação nova. Quando os médicos o visitavam, conversavam, saíam e depois voltavam, ele não tinha lembrança nenhuma do encontro anterior. Aprendemos pelo caso de H.M. que o hipocampo converte nossas lembranças explícitas de curto prazo em lembranças explícitas de longo prazo de pessoas, lugares e coisas — as lembranças às quais temos acesso consciente.

A análise ajuda os pacientes a colocar suas lembranças procedurais e ações inconscientes em palavras e em contexto; assim, eles podem compreendê-las melhor. No processo, eles retranscrevem plasticamente essas lembranças procedurais, de forma que se tornam lembranças conscientes e explícitas, às vezes pela primeira vez; dessa forma, eles não precisam mais "revivê-las" ou "reencená-las", especialmente se foram traumáticas.

O sr. L. partiu para a análise e a livre associação rapidamente e começou a descobrir, como muitos pacientes, que os sonhos da noite anterior lhe vinham à mente com frequência. Logo começou a contar seu sonho recorrente sobre procurar por um objeto indefinido, mas acrescentou novos detalhes — o "objeto" podia ser uma pessoa:

> O objeto perdido pode ser parte de mim, talvez não, talvez um brinquedo, um bem ou uma pessoa. Eu preciso tê-lo. Vou saber o que é quando o encontrar. Mas às vezes não tenho certeza de que existe, e então não sei se há alguma coisa perdida.

Assinalei a ele que estava surgindo um padrão. Ele contou não só desses sonhos, mas também de suas depressões e sensações de paralisia depois de feriados que interrompiam nosso trabalho. De início ele não acreditou em mim, mas as depressões e sonhos de perda — possivelmente de uma pessoa — continuaram a aparecer nas interrupções. Depois ele se lembrou de que as interrupções no trabalho também o levavam a depressões misteriosas.

Os pensamentos sonhados da *procura desesperada* estavam associados, em sua memória, a *interrupções nos cuidados que recebia*, e os neurônios que codificavam essas lembranças presumivelmente tinham se ligado no início de seu desenvolvimento. Mas ele não tinha mais consciência — se é que um dia a teve — dessa ligação passada. O "brinquedo perdido" no sonho era a pista de que seu sofrimento atual era tingido por perdas da infância, mas o sonho implicava que a perda estava acontecendo agora. Passado e presente eram misturados e uma transferência era ativada. A esta altura eu, um analista, fiz o que uma mãe sintonizada faz quando desenvolve o sistema orbitofrontal, apontando os "fundamentos" emocionais: ajudando-o a nomear suas emoções e respectivos gatilhos, e a entender como influenciavam seus estados mentais e corporais. Logo ele foi capaz de identificar sozinho os gatilhos e as emoções.

As interrupções evocavam três tipos diferentes de memória procedural: um estado de ansiedade, no qual o sr. L. procurava aflitamente pela mãe e pela família perdidas; um estado depressivo, em que ele perdia todas as esperanças de encontrar o que buscava; e um estado de paralisia, quando ele se fechava e o tempo parava, provavelmente porque ele se sentia totalmente derrotado.

Ao falar dessas experiências, o sr. L. pôde, pela primeira vez em sua vida adulta, relacionar sua busca desesperada com a sua verdadeira origem, a perda de uma pessoa, e perceber que sua mente e seu cérebro ainda misturavam a ideia de separação com a ideia da morte da mãe. Ao estabelecer esses elos, e também perceber que não era mais uma criança indefesa, o sr. L. se sentiu menos sobrecarregado.

Em termos neuroplásticos, ativar e *concentrar a atenção* na ligação entre as separações cotidianas e sua reação catastrófica a elas permitiu ao sr. L. desfazer a conexão e modificar o padrão.

Quando se conscientizou de que reagia às nossas curtas separações como se fossem perdas importantes, o sr. L. teve o seguinte sonho:

> Estou com um homem que move uma grande caixa de madeira contendo algo pesado.

As livres associações ao sonho fizeram emergir vários pensamentos. A caixa o lembrava uma caixa de brinquedo, mas também um caixão. O sonho parecia estar dizendo em imagens simbólicas que ele carregava o peso da morte da sua mãe. Mais tarde, o homem no sonho dizia:

> "Veja quanto pagou por esta caixa." Começo a me despir, e minha perna está péssima, com cicatrizes, coberta de crostas e com uma protuberância cicatrizada que é uma parte morta de mim. Eu não sabia que o preço seria tão alto.

As palavras "eu não sabia que o preço seria tão alto" estavam ligadas em sua mente à crescente percepção de que ele ainda era influenciado pela morte da mãe. Ele fora ferido e ainda estava com "cicatrizes". Logo depois de articular o pensamento, ele ficou em silêncio e teve uma das maiores revelações de sua vida.

"Sempre que estou com uma mulher", disse ele, "logo penso que ela não serve para mim e imagino que outra mulher ideal está em algum lugar lá fora, esperando." Depois, parecendo completamente chocado, ele disse. "Acabo de perceber que essa outra mulher parece ser uma vaga lembrança da mãe que eu tive quando criança, e é a *ela* que devo ser fiel, mas nunca a encontro. A mulher com quem estou torna-se minha mãe adotiva, e amá-la é trair minha mãe verdadeira."

O sr. L. de repente percebeu que sua necessidade de trair tinha emergido justamente quando ele se sentia mais próximo da esposa, ameaçando seu vínculo sepultado com a mãe. Sua infidelidade sempre esteve a serviço de uma fidelidade "superior", porém inconsciente. Esta revelação também era o primeiro indício de que ele tinha estabelecido um tipo de ligação com a mãe.

Quando em seguida me perguntei em voz alta se ele podia estar me vendo como o homem (em seu sonho) que o fez perceber o quanto se sentia ferido, o sr. L. irrompeu em lágrimas pela primeira vez na sua vida adulta.

O sr. L. não melhorou de repente. Teve primeiro de viver ciclos de separação, sonhos, depressões e *insights* — a repetição, ou "trabalho", necessária para a mudança neuroplástica de longo prazo. Novas maneiras de se relacionar tinham de ser aprendidas, estabelecendo novas conexões neuronais, e as antigas maneiras de reagir tinham de ser desaprendidas, enfraquecendo os correspondentes nexos neuronais. Como o sr. L. tinha ligado as ideias de separação e morte, elas foram ligadas em suas redes neuronais. Agora que tinha consciência de sua associação, podia desaprendê-la.

Todos temos mecanismos de defesa — padrões de reação, na realidade — que escondem da consciência ideias, sentimentos e lembranças insuportavelmente dolorosos. Uma destas defesas é chamada de "dissociação", que mantém ideias ou sentimentos ameaçadores separados do resto da psique. Na análise, o sr. L. começou a ter a oportunidade de reviver lembranças autobiográficas dolorosas de busca pela mãe, que ficaram paralisadas no tempo e dissociadas de suas lembranças conscientes.[39] A cada vez que fazia isso, ele se sentia melhor, enquanto os grupos neuronais que codificavam suas lembranças desconectadamente passavam a se reconectar.

Os psicanalistas, desde Freud, observaram que alguns pacientes em análise desenvolvem fortes sentimentos em relação ao analista. Isso aconteceu no caso do sr. L. Um certo calor e um sentimento positivo de proximidade se desenvolveu entre nós. Freud pensava que esses sentimentos de transferência poderosos e positivos tornavam-se um dos principais motores que promoviam a cura. Em termos neurocientíficos, isso acontece porque as emoções e os padrões que exibimos nos relacionamentos fazem parte do sistema de memória procedural. Quando esses padrões são estimulados em terapia, o paciente tem a oportunidade de olhar para eles e mudá-los, pois, como vimos no Capítulo 4, "Adquirindo Gostos e Afetos", os laços positivos parecem facilitar a mudança neuroplástica incitando o desaprendizado e dissolvendo circuitos neuronais existentes, para que o paciente possa alterar suas próprias intenções.[40]

"Não há mais nenhuma dúvida", escreve Kandel, "de que a psicoterapia pode resultar em mudanças detectáveis no cérebro."[41] Recentes exames de neuroimagem feitos antes e depois da psicoterapia mostram que o cérebro se reorganiza plasticamente no tratamento e que quanto mais bem-sucedido o tratamento, maior a mudança. Quando pacientes revivem seus traumas e têm *flashbacks* e emoções incontroláveis, o fluxo de sangue para os lobos pré-frontal e frontal, que ajudam a regular nosso comportamento, diminui, indicando que essas áreas são menos ativadas.[42] Segundo o neuropsicanalista Mark Solms e o neurocientista Oliver Turnbull, "o objetivo da cura pela fala (...) do ponto de vista neurobiológico [é] ampliar a esfera funcional de influência dos lobos prefrontais".[43]

Um estudo de pacientes deprimidos tratados com psicoterapia interpessoal — um tratamento breve que se baseia em parte no trabalho teórico de dois psicanalistas, John Bowlby e Harry Stack Sullivan — mostrou que a atividade do lobo pré-frontal se normalizava com o tratamento.[44] (O sistema orbitofrontal direito, tão importante no reconhecimento e na regulação das emoções e dos relacionamentos — uma função que estava perturbada no sr. L. — faz parte do córtex pré-frontal.) Um estudo mais recente do cérebro de pacientes ansiosos e com distúrbio de pânico usando exames de IRMf revelou que a tendência do sistema límbico desses pacientes a ser anormalmente ativado por estímulos potencialmente ameaçadores tinha sido reduzida com a terapia psicanalítica.[45]

À medida que compreendia seus próprios sintomas pós-traumáticos, o sr. L. começou a "regular" melhor suas emoções. Contou que fora da análise ele tinha mais autocontrole. Seus misteriosos estados de paralisia diminuíram. Quando tinha sentimentos dolorosos, ele não recorria à bebida, como sempre fazia. Agora o sr. L. começava a baixar a guarda e ficar menos receoso. Ficava mais à vontade expressando raiva, quando era necessário, e se sentia mais próximo dos filhos. Cada vez mais usava suas sessões para enfrentar a dor em vez de se desligar completamente dela. Agora o sr. L. caía em longos silêncios que tinham uma propriedade de profunda resolução. Sua expressão facial mostrava que sentia uma dor extraordinária, uma tristeza terrível que ele não discutiria.

Como seus sentimentos com relação à perda da mãe não eram discutidos enquanto ele crescia, e a família lidava com sua dor como se nada fosse, e como ele ficou em silêncio por tanto tempo, arrisquei-me e tentei colocar em palavras o que ele transmitia de forma não verbal. Eu disse: "É como se você estivesse me dizendo, como talvez quisesse dizer a sua família no passado: 'Não estão vendo como estou deprimido depois dessa perda terrível?'"

Ele caiu em prantos pela segunda vez na análise. Começou a projetar a língua involuntária e ritmadamente em meio ao choro, fazendo-o parecer um bebê de quem o seio fora retirado e que projetava a língua para encontrá-lo. Depois cobriu o rosto, pôs a mão na boca como um menino de 2 anos e explodiu num choro alto e primitivo. Ele disse: "Eu queria ser consolado por minhas dores e perdas, mas nada pode me consolar. Quero ficar sozinho com minha infelicidade soturna. Você não pode entender isso, porque eu mesmo não entendo. É uma tristeza grande demais."

Ao ouvir isso, nós dois percebemos que ele sempre assumia a atitude de "rejeitar o consolo" e que isso contribuía para a "distância" de seu caráter. Ele acionava um mecanismo de defesa que estivera em operação desde a infância e que o ajudara a bloquear a imensidão de sua perda. Essa defesa, ao ser repetida muitas milhares de vezes, tinha sido plasticamente reforçada. Este traço mais pronunciado de seu caráter, a distância, não era geneticamente predeterminado, mas plasticamente aprendido. Agora estava sendo desaprendido.

Pode parecer insólito que o sr. L. chorasse e mostrasse a língua como um bebê, mas foi a primeira de várias experiências "infantis" que ele teria no divã. Freud observou que pacientes que tiveram traumas na infância em momentos-chave frequentemente "regridem" (para usar o termo dele) e não só se lembram de episódios da infância, como brevemente os revivem como se fossem crianças. Isto faz sentido do ponto de vista da neuroplástica. O sr. L. tinha renunciado a uma defesa que usava desde a infância — negar o impacto emocional da perda —, e isso revelava as lembranças e a dor emocional que a defesa tinha ocultado. Lembremos que Bach-y-Rita descreveu algo muito parecido em pacientes que passavam por uma reorganização cerebral. Se uma rede cerebral estabelecida é bloqueada, as redes mais antigas, formadas muito antes das estabelecidas, precisam ser usadas. Ele chamava isto de "desmascaramento" das vias neuronais mais antigas; segundo ele, era uma das principais maneiras de o cérebro se reorganizar. No nível neuronal, a regressão na análise é, creio eu, um exemplo de desmascaramento que em geral precede a reorganização psicológica. Foi o que aconteceu com o sr. L.

Em sua sessão seguinte ele contou que seu sonho recorrente tinha mudado. Desta vez ele foi visitar sua antiga casa, procurando por "posses adultas". O sonho indicava que a parte dele que tinha morrido voltava à vida:

> Vou visitar uma casa antiga. Não sei de quem é, mas é a minha casa. Estou procurando alguma coisa — agora não são brinquedos, mas objetos de adultos. Há o degelo de primavera, do final do inverno. Entro na casa, é a casa onde nasci. Eu pensava que a casa estava vazia, mas minha ex-mulher — que eu percebia como uma boa mãe para mim — apareceu dos fundos, que estavam inundados. Ela me recebeu e ficou contente em me ver, e eu fiquei exultante.

Ele está emergido de uma sensação de isolamento, de desligamento das outras pessoas e de partes de si mesmo. O sonho tratava de seu "degelo" emocional e de uma pessoa parecida com a mãe que estava com ele na casa onde passou o início da infância. Não estava vazia, afinal. Seguiram-se sonhos semelhantes, em que ele resgatava o passado, a própria identidade e o senso de ter tido uma mãe.

Um dia ele citou um poema sobre uma mãe indiana faminta que, antes de morrer, deu seu último bocado de comida à filha. Ele não conseguia entender por que o poema o comovia. Depois parou e explodiu num grito ensurdecedor: "Minha mãe sacrificou a vida dela por mim!" Ele gemeu, e todo seu corpo tremia. Ficou em silêncio, depois gritou: "Eu quero a minha mãe!"

O sr. L. não cedeu à histeria, mas agora vivia toda a dor emocional que suas defesas tinham rejeitado, aliviando pensamentos e sentimentos que tivera quando criança — estava regredindo e desmascarando circuitos de memória mais antigas, até mesmo o jeito de falar. Mas, outra vez, seguiu-se uma reorganização psicológica de nível superior.

Depois de reconhecer seu sentimento profundo de perda da mãe, ele foi visitar seu túmulo pela primeira vez. Era como se uma parte de sua mente tivesse permanecido presa à ideia mágica de que sua mãe ainda vivia. Agora ele era capaz de aceitar, no âmago de seu ser, que ela morrera.

No ano seguinte o sr. L. se apaixonou profundamente pela primeira vez na sua vida adulta. Também se tornou possessivo com sua amante e sofria de um ciúme normal, também pela primeira vez. Ele agora entendia por que as mulheres ficavam tão furiosas com sua indiferença e falta de compromisso e se sentia triste e culpado. Também achava que tinha descoberto uma parte de si que estivera ligada à mãe e à perda quando ela morreu. Descobrir essa parte de si, que antes amara uma mulher, permitiu que se apaixonasse novamente.

Depois ele teve o último sonho durante a análise:

> Vi minha mãe tocando piano, depois saí para receber alguém; quando voltei, ela estava num caixão.

Na livre associação em relação ao sonho, ele ficou sobressaltado com a imagem dele mesmo sendo erguido para ver a mãe no caixão aberto, estendendo o braço para ela e sendo dominado pela percepção pavorosa de que ela não responderia. Ele soltou um gemido alto e lhe sobreveio uma dor ancestral: todo o seu corpo tremeu por dez minutos. Quando se aquietou, ele disse: "Acredito que foi uma lembrança do velório de minha mãe, durante o qual o caixão foi mantido aberto."[46]

O sr. L. sentia-se melhor e diferente. Vivia uma relação estável e amorosa com uma mulher, sua ligação com os filhos se aprofundara significativamente, e ele não ficava mais distante. Em sua última sessão, ele contou que tinha falado com um irmão mais velho, que confirmou que havia um caixão aberto no velório da mãe e que ele estivera presente. Quando nos despedimos, o sr. L. estava conscientemente triste, mas não mais deprimido ou paralisado com a ideia da separação permanente. Dez anos se passaram desde que ele concluiu sua análise, e ele continua livre de suas profundas depressões. Disse que a análise "mudou minha vida e meu deu controle sobre ela".

Muitos, devido à nossa amnésia infantil, podem duvidar de que os adultos consigam se lembrar de um passado tão distante como fez o sr. L. Essa dúvida antigamente era tão disseminada que nenhuma pesquisa foi feita para investigar a questão, mas novos estudos mostram que os bebês, no primeiro e no segundo anos de vida, podem guardar fatos e eventos, inclusive os traumáticos.[47] Embora o sistema de memória explícita não seja robusto nos primeiros anos, uma pesquisa realizada por Carolyn Rovee-Collier e outros mostra que ele existe, até em bebês pré-verbais ou no início da verbalização.[48] Os bebês podem recordar-se de eventos dos primeiros anos de vida se fossem lembrados.[49] Crianças mais velhas conseguem se lembrar de eventos que aconteceram antes que elas pudessem falar e, depois que aprendem a falar, podem colocar essas lembranças em palavras.[50] Às vezes o sr. L. fazia isso, colocando pela primeira vez em palavras eventos que vivera. Em outras ocasiões ele desbloqueava acontecimentos que haviam sido sepultados em sua memória explícita por muito tempo, como o pensamento *Minha mãe se sacrificou por mim* ou a lembrança de estar no velório da mãe, conferida de forma independente. E em outras ocasiões ainda, ele "retranscrevia" experiências de seu sistema de memória procedural para o sistema explícito. É interessante observar que seu sonho essencial parecia registrar que ele tinha grandes problemas com a memória — ele procurava por uma coisa, mas não conseguia se lembrar do que era —, embora sentisse que a reconheceria, se a encontrasse.[51]

Por que os sonhos são tão importantes na análise, e qual é sua relação com a mudança plástica? Os pacientes são assombrados frequentemente por sonhos recorrentes de seus traumas e acordam apavorados. Enquanto continuarem doentes, esses sonhos não mudarão sua estrutura básica. A rede neural que representa o trauma — como o sonho do sr. L. em que ele sentia a falta de alguma coisa — é reativada constantemente, sem ser retranscrita. Se esses pacientes traumatizados melhoram, os pesadelos aos poucos se tornam menos assustadores, até que por fim o paciente sonha com algo como *De início penso que o trauma é recorrente, mas não é; agora passou, eu sobrevivi*. Esse tipo de série progressiva de sonhos revela a mudança progressiva da mente e do cérebro, à medida que o paciente entende que agora está seguro.[52] Para que isto aconteça, as redes neuronais devem desaprender algumas associações — como o sr. L. desaprendeu sua associação entre a separação e a morte — e mudar conexões sinápticas existentes para dar espaço ao novo aprendizado.

Que evidências físicas existem de que os sonhos mostram nosso cérebro no processo de mudança plástica, alterando lembranças até então sepultadas e emocionalmente significativas, como no caso do sr. L.?

Os mais recentes exames de neuroimagem mostram que, quando sonhamos, está bastante ativa a região do cérebro que processa as emoções, os instintos sexuais, os ligados à sobrevivência e à agressividade.[53] Ao mesmo tempo, o sistema do córtex pré-frontal, responsável pela inibição de nossas emoções e instintos, mostra uma atividade mais baixa. Com instintos ativados e inibições desativadas, o cérebro sonhador pode revelar impulsos que normalmente são bloqueados da consciência.

Muitos estudos mostram que o sono nos ajuda a consolidar o aprendizado e a memória e efetua mudanças plásticas.[54] Quando aprendemos uma habilidade durante o dia, estaremos melhor no dia seguinte se tivermos uma boa noite de sono.[55] "Dormir com uma ideia na cabeça" em geral funciona.

Uma equipe chefiada por Marcos Frank mostrou também que o sono aumenta a neuroplasticidade durante o período crítico, quando acontece a maior parte da mudança plástica.[56] Lembremos que Hubel e Wiesel bloquearam um dos olhos de um filhote de gato no período crítico e mostraram que o mapa cerebral para o olho bloqueado foi dominado pelo olho bom — um caso de "use ou perca". A equipe de Frank fez o mesmo experimento com dois grupos de filhotes de gato, um grupo foi privado de sono; o outro dormiu o quanto quis. Descobriram que quanto mais os gatos dormiam, maior era a mudança plástica em seu mapa cerebral.

O estado de sono também facilita a mudança plástica. O sono é dividido em duas fases, e a maior parte de nossos sonhos acontece durante uma delas, chamada de sono de movimento rápido dos olhos, ou sono REM (de *rapid eye movement*). Os bebês passam muito mais horas em sono REM do que os adultos, e é durante a primeira infância que ocorre mais rapidamente a mudança neuroplástica. Na realidade, o sono REM é indispensável para o desenvolvimento plástico do cérebro na infância. Uma equipe chefiada por

Gerald Marks fez um estudo semelhante ao de Frank, examinando os efeitos do sono REM em filhotes de gato e em sua estrutura cerebral.[57] Marks descobriu que nos gatos privados de sono REM, os neurônios do córtex visual eram menores. Assim, o sono REM parece necessário para que os neurônios cresçam normalmente. O sono REM também se mostrou particularmente importante para melhorar nossa capacidade de reter lembranças emocionais[58] e para permitir que o hipocampo transforme lembranças diárias de curto prazo em lembranças diárias de longo prazo[59] (isto é, ajuda a tornar as lembranças mais permanentes, levando a mudanças estruturais no cérebro).

A cada dia, na análise, o sr. L. trabalhava em seus conflitos íntimos, nas lembranças e nos traumas, e à noite os sonhos evidenciavam não só suas emoções sepultadas, mas também que seu cérebro consolidava o aprendizado e o desaprendizado que ele fizera.

Entendemos por que o sr. L., no início da análise, não tinha lembranças conscientes dos quatro primeiros anos de vida: a maior parte de suas lembranças do período eram procedurais e inconscientes — sequências automáticas de interações emocionais —, e as poucas lembranças explícitas que ele tinha eram tão dolorosas que ele as reprimia. No tratamento, ele teve acesso às lembranças procedurais e explícitas de seus quatro primeiros anos. Mas por que ele era incapaz de se lembrar de sua adolescência? Uma possibilidade é que ele tenha reprimido parte das lembranças da adolescência; em geral, quando reprimimos uma coisa, como uma perda catastrófica na infância, reprimimos outros eventos frouxamente associados a ela, para bloquear o acesso ao evento original.

Mas há outra causa possível. Recentemente se descobriu que os traumas da primeira infância provocam uma mudança plástica maciça no hipocampo, encolhendo-o de modo que lembranças explícitas de longo prazo não possam ser formadas. Animais afastados de suas mães soltam gritos desesperados, depois entram num estado de desligamento — como fizeram os bebês de Spitz — e liberam um hormônio do estresse chamado "glicocorticoide". Os glicocorticoides matam células no hipocampo, impedindo-o de criar as conexões sinápticas nos circuitos neuronais responsáveis pelo aprendizado e pela memória explícita de longo prazo. Esses traumas infantis predispõem os animais privados da mãe a doenças relacionadas com estresse pelo resto da vida.[60] Quando sujeitos a longas separações, é ativado o gene que induz a produção de glicocorticoide, e assim ele permanece por um longo período.[61] O trauma na infância parece levar a uma hipersensibilização — uma alteração plástica — dos neurônios cerebrais que regulam os glicocorticoides. Uma pesquisa recente com seres humanos mostra que os adultos que passaram por maus-tratos na infância também apresentam sinais de hipersensibilidade duradoura aos glicocorticoides.[62]

O encolhimento do hipocampo é uma importante descoberta neuroplástica e pode ajudar a explicar por que o sr. L. tinha tão poucas lembranças explícitas da adolescência. A depressão, o estresse elevado e os traumas de infância liberam glicocorticoides e matam células no hipocampo, levando à perda de memória.[63] Quanto mais tempo as pessoas ficam deprimidas, menor fica seu hipocampo.[64] O hipocampo de adultos deprimidos que sofreram de trauma pré-púbere é 18% menor do que o de adultos deprimidos sem trauma de infância[65] — uma desvantagem do cérebro plástico: em resposta à doença, nós literalmente perdemos um patrimônio cortical essencial.

Se o estresse é breve, a diminuição no tamanho é temporária. Se ele é prolongado demais, o dano é permanente.[66] À medida que as pessoas se recuperam da depressão, suas lembranças retornam, e a pesquisa sugere que seu hipocampo pode crescer novamente.[67] Na realidade, o hipocampo é uma das duas áreas onde novos neurônios são criados a partir de nossas células-tronco como parte do funcionamento normal. Se o sr. L. tinha danos no hipocampo, ele se recuperou quando começou a reformar lembranças explícitas.

Os antidepressivos aumentam o número de células-tronco que se tornam novos neurônios no hipocampo. Ratos que receberam Prozac por três semanas tiveram um aumento de 70% no número de células em seu hipocampo.[68] Em geral é preciso passar por três a seis semanas de antidepressivos para que funcione em seres humanos — talvez por coincidência, o mesmo tempo necessário para que os neurônios recém-formados no hipocampo amadureçam, estendam suas projeções e se conectem com outros neurônios. Assim, sem saber, estamos ajudando pessoas a sair da depressão pelo uso de medicamentos que fomentam a plasticidade cerebral. E já que as pessoas que melhoram com a psicoterapia também descobrem que sua memória melhora, talvez ela também estimule o crescimento neuronal no hipocampo.

As muitas mudanças que o sr. L. realizou podiam ter surpreendido Freud, dada a idade do sr. L. na época da análise. Freud usava o termo "plasticidade mental" para descrever a capacidade das pessoas de mudar e reconhecia que a capacidade geral para a mudança parecia variar. Ele também observou que um "esgotamento da plasticidade" tendia a acontecer em muitas pessoas mais velhas, levando-as a se tornar "inalteráveis, fixadas e rígidas".[69] Ele atribuía esse aspecto à "força do hábito" e escreveu: "Há, porém, algumas pessoas que mantêm a plasticidade mental muito além do limite da idade habitual, e outras que a perdem muito prematuramente."[70] Essas pessoas, observou ele, têm muita dificuldade para se livrar de suas neuroses no tratamento psicanalítico. Elas podem ativar transferências, mas têm dificuldade para mudá-las. O sr. L. certamente tinha uma estrutura de caráter fixa havia mais de 50 anos. Como foi capaz de mudar?

A resposta faz parte de um enigma maior, que chamo de "paradoxo plástico" e que considero uma das lições mais importantes deste livro. O paradoxo plástico diz que as mesmas propriedades neuroplásticas que nos permitem mudar nosso cérebro e produzir comportamentos mais flexíveis também nos permitem produzir comportamentos mais rígidos. Todas as pessoas começam com um potencial plástico. Alguns se tornam crianças cada vez mais flexíveis e assim permanecem por toda a vida adulta. Para outros, a espontaneidade, a criatividade e imprevisibilidade da infância dá lugar a uma existência rotineira, que repete o mesmo comportamento e nos transforma em caricaturas rígidas de nós mesmos. Qualquer coisa que envolva a repetição invariável — nossa profissão, atividades culturais, habilidades e neuroses — pode levar à rigidez. Por termos um cérebro neuroplástico é que podemos desenvolver esses comportamentos rígidos. Como ilustra a metáfora de Pascual-Leone, a neuroplasticidade é como a neve fofa numa colina. Quando descemos a colina de trenó, podemos ser flexíveis porque temos a opção de tomar, a cada vez, caminhos diferentes pela neve macia. Mas se escolhermos o mesmo caminho numa segunda ou terceira ocasião, as trilhas começarão a se desenvolver, e logo tenderemos a ficar presos numa rotina — nossa rota agora será bem rígida, como os circuitos neuronais, depois de estabelecidos, tendem a se tornar *autossustentáveis*. Como nossa neuroplasticidade pode levar tanto à flexibilidade mental quanto à rigidez mental, tendemos a subestimar nosso potencial para a flexibilidade, que a maioria de nós experimenta somente em lampejos.

Freud tinha razão quando disse que a ausência de plasticidade parecia estar relacionada com a força do hábito. As neuroses tendem a ficar arraigadas por força do hábito porque envolvem padrões repetitivos de que não temos consciência, fazendo com que seja quase impossível interrompê-los e redirecioná-los sem técnicas especiais. Depois que pôde entender as causas de seus hábitos defensivos, e sua visão de si e do mundo, o sr. L. pôde fazer uso de sua plasticidade inata, apesar da idade.

Quando começou a análise, o sr. L. percebia a mãe como um fantasma que não podia ver; uma presença ao mesmo tempo viva e morta; alguém a quem ele era fiel, mas que nunca existira. Ao aceitar que ela realmente morrera, ele deixou de percebê-la como um fantasma e passou a sentir que realmente tivera uma mãe substancial, uma boa pessoa, que o amara pelo tempo em que vivera. Ele só se libertou para ter um relacionamento íntimo com uma mulher quando seu fantasma foi transformado num ancestral amoroso.

A psicanálise frequentemente diz respeito a transformar nossos fantasmas em ancestrais, até para pacientes que não perderam entes queridos para a morte. Quase sempre somos assombrados por relacionamentos importantes do passado, que nos influenciam inconscientemente no presente. À medida que os resolvemos, eles deixam de nos assombrar e se tornam simplesmente parte de nossa história. Podemos transformar nossos fantasmas em ancestrais porque podemos transformar as lembranças implícitas — que em geral não existem na consciência, até que sejam evocadas e pareçam chegar "do nada" — em lembranças declarativas que agora têm um contexto claro, tornando mais fácil recordá-las e revivê-las como parte do passado.

H. M., o mais famoso caso da neuropsicologia, ainda está vivo, aos 70 anos sua mente está presa na década de 1940, no momento antes de se submeter a uma cirurgia e perder os dois hipocampos, os portais pelos quais as lembranças devem passar para que sejam preservadas e se concretize a mudança plástica de longo prazo. Incapaz de converter lembranças de curto prazo em outras de longo prazo, a estrutura do seu cérebro e da memória, bem como as imagens física e mental de si mesmo, congelaram-se onde estavam antes da cirurgia. Infelizmente, ele não consegue se reconhecer no espelho. Eric Kandel, que nasceu mais ou menos na mesma época, continua a sondar o hipocampo, e a plasticidade da memória, alcançando o nível de modificações moleculares. Chegou a lidar com suas lembranças dolorosas da década de 1930 ao escrever suas memórias pungentes e esclarecedoras, *In Search of Memory*. O sr. L. — agora também com mais de 70 anos — não está mais preso emocionalmente à década de 1930 porque conseguiu trazer à consciência eventos de quase 60 anos atrás, retranscrevê-los e, ao longo desse processo, reconectar seu cérebro plástico.

10

Rejuvenescimento

A descoberta das células-tronco neurais e algumas lições para preservar nosso cérebro

O dr. Stanley Karansky, de 90 anos, parece incapaz de acreditar que só porque é velho, o ritmo de sua vida deve se reduzir. Ele tem 19 descendentes — cinco filhos, oito netos e seis bisnetos. A esposa de 53 anos morreu de câncer em 1995 e ele agora mora na Califórnia, com a segunda esposa, Helen.

Nascido em Nova York, em 1916, ele foi para a faculdade de medicina da Duke University, fez residência em 1942, e na Segunda Guerra Mundial serviu como médico no desembarque do Dia D. Serviu como oficial médico na infantaria, no teatro de guerra europeu, por quase quatro anos, depois foi enviado ao Havaí, onde por fim se estabeleceu. Trabalhou como anestesiologista até se aposentar aos 70 anos. Mas a aposentadoria não combinava com ele, então ele se reeducou como médico de família e atendeu numa pequena clínica por mais dez anos, até completar 80.

Conversei brevemente com o dr. Karansky depois de ele concluir uma série de exercícios mentais que a equipe de Merzenich desenvolveu para a Posit Science. O dr. Karansky não notara qualquer declínio cognitivo, embora acrescente: "Minha letra era boa, mas não tão boa quanto antes." Ele simplesmente esperava manter o cérebro em forma.

Ele começou o programa de memória auditiva em agosto de 2005 inserindo um CD em seu computador e achou os exercícios "sofisticados e divertidos". Exigiam que ele determinasse se a frequência dos sons aumentava ou diminuía, escolhesse a ordem em que ouvia determinadas sílabas, identificasse sons similares e ouvisse histórias e respondesse a perguntas sobre elas — tudo a fim de aguçar os mapas cerebrais e estimular os mecanismos que regulam a plasticidade cerebral. Ele trabalhou nos exercícios por uma hora e quinze minutos, três vezes por semana, durante três meses.

"Não percebi nada nas seis primeiras semanas. Lá pela sétima semana comecei a perceber que eu estava mais alerta do que antes. E eu podia dizer, pelo programa em si, pelo modo como eu monitorava meu progresso, que eu estava melhorando nas respostas corretas e me sentia melhor com relação a tudo. Minha atenção na direção do carro, durante o dia e à noite, também melhorou. Eu conversava mais com as pessoas e falava com mais facilidade. Nas últimas semanas acho que minha letra melhorou. Quando assino meu nome, acho que estou escrevendo como fazia há vinte anos. Minha mulher Helen me disse: 'Acho que você está mais alerta, mais ativo, mais atento.'" Ele pretende esperar vários meses, depois refazer os exercícios para permanecer em forma. Embora os exercícios sejam para a memória auditiva, ele vem obtendo benefícios gerais, como as crianças que fazem o *Fast ForWord*, porque está estimulando não apenas a memória auditiva, mas também os centros cerebrais que regulam a plasticidade.

Ele também pratica exercícios físicos. "Minha esposa e eu fazemos exercícios musculares três vezes por semana nas máquinas CYBEX, seguidos por 30 a 35 minutos de bicicleta ergométrica."

O dr. Karansky descreve a si mesmo como um autodidata por toda a vida. Lê matemática avançada e adora jogos, quebra-cabeças com palavras, acrósticos e Sudoku.

"Gosto de ler sobre história", diz ele. "Tendo a me interessar por um período, por algum motivo, começo e escavo esse período por um tempo, até achar que aprendi o bastante sobre ele para partir para outra coisa." O que pode ser considerado diletantismo tem o efeito de mantê-lo constantemente exposto às novidades e aos novos assuntos, o que evita a atrofia do sistema regulatório da plasticidade e da dopamina.

Cada novo interesse se transforma numa paixão envolvente. "Fiquei interessado em astronomia há cinco anos e me tornei astrônomo amador. Comprei um telescópio porque na época estávamos morando no Arizona e as condições naturais de visão eram muito boas." Ele também é um colecionador de rochas e passou grande parte do que muitos chamariam de terceira idade engatinhando por minas a procura de exemplares.

"A longevidade é característica de sua família?", pergunto. "Não", diz ele. "Minha mãe morreu no final dos 40 anos. Meu pai morreu na casa dos 60... ele tinha hipertensão."

"Como anda sua saúde?"

"Bom, eu morri uma vez." Ele ri. "Perdoe-me por ser o tipo de pessoa que gosta de assustar os outros. Eu costumava correr longas distâncias, e em 1982, quando tinha 65 anos, tive um episódio de fibrilação ventricular" — uma arritmia cardíaca em geral fatal — "num treino em Honolulu, e literalmente morri na calçada. O rapaz que corria comigo foi sensato o suficiente para me aplicar RCP (Ressuscitação Cardiopulmonar) na rua e alguns corredores ligaram para os paramédicos, que me aplicaram rapidamente a desfibrilação, normalizando o ritmo sinusal, e me levaram ao hospital Straub." Depois disso ele passou por uma cirurgia de ponte de safena. Envolveu-se ativamente na reabilitação e se recuperou rapidamente. "Não corro mais em competições, mas corro uns 30 quilômetros por semana num ritmo mais lento." Ele teve outro ataque cardíaco, em 2000, aos 83 anos.

Ele é sociável, mas não gosta de estar no meio de multidões. "Não gosto de ir a festas, onde as pessoas se reúnem e conversam. Tendo a não gostar desse tipo de coisa. Prefiro me sentar com alguém, encontrar um tema de interesse comum e explorá-lo profundamente com a pessoa, ou talvez com duas ou três. Não uma conversa na qual você diz como se sente."

Ele diz que ele e a mulher não viajam muito, mas essa é uma questão de opinião. Quando tinha 81 anos, ele aprendeu um pouco de russo e depois embarcou num navio científico russo para visitar a Antártida.

"Para quê?, pergunto.

"Porque ela existe."

Nos últimos anos ele esteve em Yucatán, Inglaterra, França, Suíça e Itália, passou seis semanas na América do Sul, visitou a filha nos Emirados Árabes e viajou a Omã, Austrália, Nova Zelândia, Tailândia e Hong Kong.

Ele sempre está procurando coisas novas para fazer e, depois que se envolve em alguma atividade, volta toda a sua atenção para ela — a condição necessária para a mudança plástica. Ele diz: "Estou sempre disposto a dar atenção e me concentrar intensamente em algo que me interesse no momento. Depois que acho que cheguei a um nível máximo, não dou muita atenção a essa atividade e começo a esticar meus tentáculos para outra coisa de interesse."

Sua atitude filosófica também protege seu cérebro porque ele não se aborrece com pequenas coisas — por menor que seja, pois o estresse libera glicocorticoides, que podem matar células no hipocampo.

"Você parece menos ansioso e nervoso do que a maioria das pessoas", digo eu.

"Vi que isso é muito benéfico."

"Você é um otimista?"

"Não muito, mas acho que entendo o que são eventos aleatórios. Acontecem muitas coisas que podem me afetar e estão além de meu controle. Não posso controlá-las, só o modo como reajo a elas. Passo meu tempo me preocupando com coisas que posso controlar e cujo resultado posso influenciar, e consegui desenvolver uma filosofia que me permite lidar com elas."

No início do século XX, o neuroanatomista de maior destaque no mundo, o prêmio Nobel Santiago Ramón y Cajal, que lançou as bases para nossa compreensão da estrutura dos neurônios, voltou sua atenção para um dos problemas mais insidiosos da anatomia cerebral humana. Ao contrário do cérebro dos animais mais simples, como os lagartos, o cérebro humano parecia incapaz de se regenerar depois de uma lesão. Esta incompetência não é típica de todos os órgãos humanos. Nossa pele, quando cortada, pode se curar, produzindo novas células cutâneas; nossos ossos fraturados podem se emendar; nosso fígado e revestimento intestinal podem se reparar; o sangue perdido pode ser reabastecido porque as células na medula óssea podem se tornar glóbulos brancos ou vermelhos. Mas nosso cérebro parece ser uma exceção perturbadora. Sabia-se que milhões de neurônios morrem à medida que envelhecemos. Enquanto outros órgãos fazem novos tecidos a partir de células-tronco, nenhuma pôde ser encontrada no cérebro. A principal explicação para a ausência era que o cérebro humano, à medida que evoluiu, deve ter se tornado tão complexo e especializado que perdeu a capacidade de produzir células de reposição. Além disso, perguntam os cientistas, como poderia um novo neurônio entrar em uma rede complexa e existente e criar mil conexões sinápticas sem provocar o caos na rede? Supunha-se que o cérebro humano era um sistema fechado.

Ramón y Cajal dedicou a última parte de sua carreira procurando por um sinal de que ou o cérebro ou a medula espinhal podiam mudar, regenerar-se ou reorganizar sua estrutura. Ele fracassou.

Em sua obra-prima, de 1913, *Degeneration and Regeneration of the Nervous System*, ele escreveu: "Nos centros [encefálicos] adultos, as vias nervosas são fixas, concluídas, imutáveis. Tudo pode morrer, nada pode ser regenerado. Cabe à ciência do futuro mudar, se possível, esta dura sentença."[1]

O problema continuava sem solução.

Estou olhando por um microscópio no mais avançado centro de pesquisa que já conheci, os Salk Laboratories, em La Jolla, Califórnia, examinando células-tronco neuronais humanas vivas em uma placa de Petri no laboratório de Frederick "Rusty" Gage. Em 1998, ele e o sueco Peter Eriksson descobriram essas células, no hipocampo.[2]

As células-tronco neurais que vejo estão vibrando de vida. São chamadas de células-tronco "neurais" porque podem se dividir e se diferenciar em neurônios ou em células gliais, que dão suporte aos neurônios no cérebro. As que vejo ainda não se diferenciaram em neurônios ou células gliais e ainda não se "especializaram", e assim todas parecem idênticas. Mas o que falta de personalidade às células-tronco, elas compensam em imortalidade. Pois as células-tronco não têm de se especializar, mas podem continuar a se dividir, produzindo réplicas exatas delas mesmas, e podem fazer isso interminavelmente, sem nenhum sinal de envelhecimento. Por esse motivo, as células-tronco são descritas como as células-bebê, eternamente jovens, do cérebro. Esse processo de rejuvenescimento é chamado de "neurogênese" e continua até o dia de nossa morte.[3]

As células-tronco neuronais há muito tempo passaram despercebidas, em parte porque contrariavam a teoria de que o cérebro era como uma máquina complexa ou computador, e as máquinas não desenvolvem peças novas. Em 1965, quando Joseph Altman e Gopal D. Das, do Massachusetts Institute of Technology, descobriram-nas em ratos, seu trabalho foi desacreditado.[4]

Mais tarde, na década de 1980, Fernando Nottebohm, especialista em aves, ficou impressionado com o fato de as aves canoras entoarem novas melodias a cada estação. Ele lhes examinou o cérebro e descobriu que todo ano, durante a estação em que mais cantam, as aves desenvolvem novas células cerebrais na área responsável pelo aprendizado do canto. Inspirado pela descoberta de Nottebohm, cientistas começaram a examinar animais que eram mais parecidos com a espécie humana. Elizabeth Gould, de Princeton, foi a primeira a descobrir células-tronco neuronais em primatas. Em seguida, Eriksson e Gage encontraram uma maneira engenhosa de tingir células-tronco com um marcador, chamado BrdU, que entra nos neurônios apenas no momento em que são formados e fica iluminado sob o microscópio. Eriksson e Gage pediram permissão a doentes terminais para neles injetar o marcador. Quando esses pacientes morreram, Eriksson e Gage examinaram seus cérebros e descobriram novos neurônios-bebê recém-formados em seu hipocampo. Assim aprendemos, graças a esses pacientes moribundos, que neurônios vivos nascem em nós até o fim de nossa vida.

Continua a pesquisa por células-tronco neuronais em outras partes do cérebro humano. Até agora, também foram encontradas células ativas no bulbo olfativo (área que processa o olfato) e células dormentes e inativas no septo (que processa a emoção), no striatum (que processa o movimento) e na medula espinhal. Gage e outros estão trabalhado em tratamentos farmacológicos que possam ativar células-tronco dormentes, úteis no caso de a área onde estão sofrer danos. Eles também tentam descobrir se as células-tronco podem ser transplantadas para áreas cerebrais lesionadas ou até mesmo ser induzidas a se deslocar para essas áreas.

Para descobrir se a neurogênese pode fortalecer a capacidade mental, a equipe de Gage tem procurado compreender como aumentar a produção de células-tronco neuronais. Gerd Kempermann, colega de Gage, criou camundongos envelhecidos em ambientes estimulantes, cheios de brinquedos, como bolas, tubos e rodas, por apenas 45 dias. Quando Kempermann sacrificou os camundongos e examinou seus cérebros, descobriu um aumento de 15% no volume do hipocampo e 40 mil novos neurônios, representando também um aumento de 15%, se comparados com os camundongos criados em gaiolas normais.[5]

Os camundongos viveram cerca de dois anos. Quando a equipe testou camundongos mais velhos criados em ambientes estimulantes por dez meses na segunda metade de sua vida, havia quintuplicado o número de neurônios do hipocampo.[6] Esses camundongos se saíram melhor em testes de aprendizado, exploração, movimento e outras medidas de inteligência do que os criados em condições normais. Eles desenvolveram novos neurônios, embora não com a velocidade dos camundongos mais jovens, provando que uma estimulação de longo prazo tem um efeito imenso na promoção da neurogênese em um cérebro idoso.

Em seguida, a equipe procurou saber que atividades causavam crescimento celular nos camundongos e descobriu que havia duas maneiras de aumentar o número geral de neurônios no cérebro: criando novos neurônios ou estendendo a vida dos já existentes.

Uma colega de Gage, Henriette van Praag, mostrou que o que mais estimula a proliferação de *novos* neurônios era a roda de correr. Depois de um mês na roda, o camundongo duplicava o número de novos neurônios no hipocampo.[7] Os camundongos não corriam realmente nas rodas, disse-me Gage; só davam a impressão de correr, porque a roda oferecia pouquíssima resistência. Em vez disso, eles andavam rapidamente.

A teoria de Gage é de que em um ambiente natural, a caminhada rápida e longa levaria o animal a um novo ambiente diferente que exigiria novo aprendizado, incitando o que ele chama de "proliferação antecipatória".

"Se vivêssemos só nesta sala", disse-me ele, "e esta fosse toda a nossa experiência, não precisaríamos de neurogênese. Saberíamos tudo sobre este ambiente e poderíamos viver com todo o conhecimento básico que tivéssemos."

Essa teoria, de que ambientes novos podem incitar a neurogênese, é coerente com a descoberta de Merzenich de que devemos aprender alguma coisa nova para manter o cérebro em forma, em vez de simplesmente repassar habilidades que já dominamos.

Mas, como dissemos, há uma segunda maneira de aumentar o número de neurônios no hipocampo: estendendo a vida de neurônios que já estão ali. Estudando os camundongos, a equipe descobriu que aprender a usar os outros brinquedos, bolas e tubos não produzia novos neurônios, mas prolongava a vida dos novos neurônios da área. Elizabeth Gould também descobriu que o aprendizado, mesmo num ambiente não estimulante, aumenta a sobrevivência das células-tronco. Assim, o exercício físico e o aprendizado trabalham de forma complementar: o primeiro para produzir novas células-tronco, o segundo para prolongar sua sobrevivência.

Embora a descoberta das células-tronco neuronais seja importante, é apenas uma das maneiras de o cérebro envelhecido rejuvenescer e melhorar. Paradoxalmente, às vezes, perder neurônios pode melhorar a função cerebral, como acontece na "poda" maciça que ocorre durante a adolescência, quando morrem as conexões sinápticas e os neurônios que não tenham sido amplamente usados, talvez o caso mais drástico do princípio de "use ou perca". Sustentar neurônios não utilizados com sangue, oxigênio e energia é um desperdício, e se livrar deles mantém o cérebro mais focalizado e eficiente.

Dizer que ainda temos alguma neurogênese na velhice não é negar que nosso cérebro, como os outros órgãos, decline aos poucos. Mas mesmo durante esse declínio, o cérebro passa por uma reorganização plástica maciça, possivelmente para se adaptar às perdas. Os pesquisadores Melanie Springer e Cheryl Grady, da Universidade de Toronto, mostraram que, à medida que envelhecemos, tendemos a realizar atividades cognitivas em lobos cerebrais diferentes do que usávamos quando éramos jovens.[8] Quando os jovens participantes da pesquisa de Springer e Grady, com idades entre 14 e 30 anos, fizeram uma variedade de testes cognitivos, exames de neuroimagem mostraram que eles as realizaram, em grande parte, nos lobos temporais, nas laterais da cabeça, e que quanto mais instrução tivessem, mais usavam esses lobos.

Os participantes de mais de 65 anos mostraram um padrão diferente. Os exames de neuroimagem mostraram que eles realizaram as mesmas tarefas cognitivas em grande parte nos lobos frontais e, de novo, quanto mais instrução tinham, mais usavam esses lobos.

Esse deslocamento da atividade cerebral é outro sinal de plasticidade — mudar áreas de processamento de um lobo para outro é a migração mais notável que uma função pode fazer. Ninguém sabe por que tal deslocamento acontece nem por que tantos estudos sugerem que as pessoas com mais instrução parecem estar mais protegidas do declínio mental. A teoria mais popular é de que os anos de instrução criam uma "reserva cognitiva" — muito mais redes dedicadas à atividade mental — à qual podemos recorrer à medida que nosso cérebro declina.

Outra reorganização cerebral importante acontece enquanto envelhecemos. Como vimos, muitas atividades cerebrais são "lateralizadas". A fala é basicamente uma função do hemisfério esquerdo, enquanto o processamento visual-espacial é uma função do hemisfério direito, um fenômeno chamado "assimetria hemisférica". Mas pesquisa recente de Robert Cabeza e outros pesquisadores da Duke University mostram que se perde alguma lateralização à medida que envelhecemos. As atividades pré-frontais que acontecem em um hemisfério agora passam a acontecer nos dois. Embora não saibamos por que isto acontece, uma teoria é a de que à medida que ficamos mais velhos e um de nossos hemisférios começa a perder eficácia, o outro hemisfério compensa o declínio — sugerindo que o cérebro se reestrutura em resposta às suas próprias fraquezas.[9]

Agora sabemos que os exercícios e a atividade mental em animais geram e sustentam mais células cerebrais, e temos muitos estudos confirmando que as pessoas que levam uma vida mentalmente ativa têm uma função cerebral melhor. Quanto mais instrução temos, quanto mais ativos somos social e fisicamente e quanto mais participamos de atividades mentalmente estimulantes, menor probabilidade teremos de sofrer doença de Alzheimer ou demência.[10]

Nesse aspecto, nem todas as atividades são iguais. Aquelas que envolvem concentração genuína — estudar um instrumento musical, participar de jogos de tabuleiro, ler e dançar — estão associadas a um risco menor de demência.[11] A dança, que requer o aprendizado de novos movimentos, é ao mesmo tempo um desafio físico e mental e requer muita concentração. Atividades menos intensas, como jogar boliche, cuidar de bebês e jogar golfe, não estão associadas a uma incidência reduzida de Alzheimer.

Esses estudos são sugestivos, mas não provam que podemos evitar a doença de Alzheimer com exercícios cerebrais. Essas atividades estão associadas ou correlacionam-se com uma menor incidência de Alzheimer, mas as correlações não provam a causalidade. É possível que as pessoas com um início muito prematuro, mas indetectável, de Alzheimer comecem a diminuir o ritmo cedo na vida e deixem de ser ativas.[12] No momento, o máximo que podemos dizer sobre a relação entre exercícios cerebrais e Alzheimer é que ela parece muito promissora.

Porém, como mostrou o trabalho de Merzenich, um problema muitas vezes confundido com a doença de Alzheimer, e muito mais comum — a perda de memória relacionada com a idade, um declínio típico da memória que ocorre na idade avançada —, parece quase certamente reversível com os exercícios mentais corretos. Embora não se queixasse de um declínio cognitivo geral, o dr. Karansky vivia certos "momentos de velho", que faziam parte da perda de memória relacionada com a idade, e os benefícios que auferiu dos exercícios certamente mostraram que ele tinha outros déficits cognitivos reversíveis dos quais até então não tinha consciência.

O dr. Karansky estava fazendo tudo certo para combater a perda de memória relacionada com a idade, o que faz dele um modelo exemplar para as práticas comuns que todos devemos buscar.[13]

A atividade física é útil não só porque cria novos neurônios, mas porque a mente é baseada no cérebro, e o cérebro precisa de oxigênio. Caminhar, pedalar ou fazer exercícios cardiovasculares fortalecem o coração e os vasos sanguíneos que abastecem o cérebro e ajudam as pessoas que se envolvem nessas atividades a se sentirem mentalmente mais afiadas — como observou o filósofo romano Sêneca, há 2 mil anos. Uma pesquisa recente mostra que os exercícios estimulam a produção e a liberação do fator de crescimento neuronal BDNF[14] que, como vimos no Capítulo 3, "Remodelando o Cérebro", tem importância central na mudança plástica. Na realidade, o que quer que mantenha aptos o coração e os vasos sanguíneos revigora o cérebro, inclusive uma dieta saudável. Uma malhação intensa não é necessária — é suficiente manter o movimento natural e constante dos membros. Como descobriram Van Praag e Gage, o simples caminhar, num bom ritmo, estimula o crescimento de novos neurônios.

Os exercícios estimulam os córtices sensorial e motor e mantêm o sistema do equilíbrio. Essas funções começam a se deteriorar à medida que envelhecemos, tornando-nos propensos a cair e ficarmos presos em casa.

Nada acelera mais a atrofia cerebral do que ficar imobilizado no mesmo ambiente; a monotonia solapa nossa dopamina e os sistemas de atenção cruciais para manter a plasticidade cerebral. Uma atividade física rica do ponto de vista cognitivo, como aprender novas danças, provavelmente ajudará a evitar problemas de equilíbrio e tem o benefício adicional da sociabilidade, o que também preserva a saúde do cérebro.[15] O tai chi, embora não tenha sido estudado, requer concentração intensa nos movimentos motores e estimula o sistema cerebral do equilíbrio. Também tem um aspecto meditativo, que se provou muito eficaz na redução do estresse e provavelmente na preservação da memória e dos neurônios do hipocampo.[16]

O dr. Karansky está sempre aprendendo coisas novas, o que contribui para ser feliz e saudável na velhice, segundo o dr. George Vaillant, psiquiatra de Harvard que chefia o maior e mais longo estudo do ciclo de vida humana, o Harvard Study of Adult Development.[17] Ele estudou 824 pessoas do final da adolescência até a velhice, em três grupos: pós-graduados de Harvard, bostonianos pobres e mulheres com QI extremamente alto. Algumas dessas pessoas, agora em seus 80 anos, foram acompanhadas por mais de seis décadas. Vaillant concluiu que a velhice não é simplesmente um processo de declínio e decadência, como pensam muitos jovens. Pessoas mais velhas em geral desenvolvem novas habilidades e são mais sensatas e mais socialmente aptas do que quando eram jovens adultos. Esses idosos tendem menos à depressão do que os mais novos e, em geral, não sofrem de doenças incapacitantes até terem sua doença final.

É claro que as atividades mentalmente desafiadoras aumentarão a probabilidade de sobrevivência de nossos neurônios do hipocampo. Uma abordagem é usar exercícios mentais testados, como os desenvolvidos por Merzenich. Mas a vida é para ser vivida e não para fazer exercícios, e assim é melhor que as pessoas também escolham fazer algo que sempre quiseram fazer, porque elas estarão mais motivadas, o que é fundamental. Mary Fasano conquistou seu diploma de graduação em Harvard aos 89 anos. David Ben-Gurion, o primeiro a ocupar o cargo de primeiro-ministro de Israel, aprendeu sozinho grego antigo na velhice para dominar os clássicos no original.

Podemos pensar: "para quê? A quem estou enganando? Estou no fim da estrada." Mas esse pensamento é uma profecia que se cumpre sozinha, que acelera o declínio mental do cérebro por meio do "use ou perca".

Aos 90 anos, o arquiteto Frank Lloyd Wright projetou o Museu Guggenheim. Aos 78, Benjamin Franklin inventou a lente bifocal. Em estudos sobre a criatividade, H. C. Lehman e Dean Keith Simonton descobriram que embora as idades dos 35 aos 45 anos sejam o pico de criatividade na maioria dos campos, as pessoas na casa dos 60 e dos 70, embora trabalhem numa velocidade menor, são tão produtivas quanto eram aos 20 anos.[18]

Quando o violoncelista Pablo Casals tinha 91 anos, foi abordado por um estudante que perguntou: "Mestre, por que continua a estudar?" Casals respondeu: "Porque estou progredindo."[19]

11

Mais do Que a Soma de Suas Partes

Uma mulher mostra como o cérebro pode ser radicalmente plástico

A mulher que brinca comigo do outro lado da mesa nasceu com metade do cérebro. Algo aconteceu enquanto ela estava no útero da mãe, embora ninguém saiba o que foi. Não foi um derrame, porque este derrame destrói tecido saudável, e o hemisfério esquerdo de Michelle Mack simplesmente nunca se desenvolveu. Os médicos especularam que a artéria carótida esquerda, que fornece sangue ao hemisfério esquerdo, pode ter ficado bloqueada enquanto Michelle ainda era um feto, impedindo a formação do hemisfério. Ao nascimento, os médicos fizeram os exames de sempre e disseram à mãe, Carol, que ela era um bebê normal. Mesmo hoje um neurologista não poderia adivinhar, sem um exame de neuroimagem, a falta de todo um hemisfério. Eu me perguntei quantos outros viveram sua vida sem metade do cérebro, sem que eles mesmos ou qualquer pessoa soubesse disso.

Estou visitando Michelle para descobrir como tal mudança neuroplástica é possível em um ser humano cujo cérebro perdeu um hemisfério. A doutrina localizacionista, que postula que cada hemisfério é geneticamente estruturado para ter determinadas funções, é ela mesma seriamente contestada se Michelle pode "funcionar" com apenas um. É difícil imaginar um exemplo melhor, ou uma demonstração mais convincente, da neuroplasticidade humana.

Embora só tenha um hemisfério, Michelle não é uma criatura desesperada que só consegue sobreviver com a ajuda de máquinas. Tem 29 anos. Seus olhos azuis espiam por trás de lentes grossas. Ela usa calça jeans azul, dorme num quarto azul e fala normalmente. Tem um emprego de meio expediente, lê e gosta de cinema e de ficar com a família. Pode fazer tudo isso porque seu hemisfério direito assumiu o lugar do esquerdo, e funções mentais essenciais, como a fala e a linguagem, passaram para o lado direito. Seu desenvolvimento deixa claro que a neuroplasticidade não é um fenômeno de menor importância operando à margem: ela permitiu que Michele obtivesse uma reorganização cerebral maciça.

O hemisfério direito de Michelle não só deve realizar as principais funções do esquerdo, como também deve economizar em suas "próprias" funções. Em um cérebro normal, cada hemisfério ajuda a refinar o desenvolvimento do outro, mandando sinais elétricos que informam ao parceiro de suas atividades, de modo que os dois venham a funcionar de forma coordenada. Em Michelle, o hemisfério direito teve de evoluir sem as informações vindas do lado esquerdo e aprender a viver e operar sozinho.

Michelle tem habilidades de cálculo extraordinárias — habilidades encontradas nos *savants* — que emprega à velocidade da luz. Ela também tem necessidades especiais e incapacidades. Não gosta de viajar e se perde facilmente em ambientes estranhos. Tem problemas para entender alguns tipos de raciocínio abstrato. Mas sua vida interior é rica e ela lê, reza e ama. Fala normalmente, exceto quando está frustrada. Ela adora as comédias de Carol Burnett. Acompanha o noticiário e o basquete e vota nas eleições. Sua vida é uma demonstração de que o todo é mais do que a soma de suas partes e que meio cérebro não quer dizer meia mente.

Há 140 anos, Paul Broca abriu a era do localizacionismo ao afirmar, "Fala-se com o hemisfério esquerdo", e iniciou não só o localizacionismo, mas a teoria relacionada da "lateralidade", que explorou a diferença entre os hemisférios esquerdo e direito. O esquerdo passou a ser associado ao domínio verbal, onde acontecem atividades simbólicas como a linguagem e a aritmética; o direito abrigava muitas de nossas funções "não verbais", inclusive atividades visual-espaciais (como quando olhamos um mapa ou nos orientamos espacialmente), e atividades mais "imaginativas" e "artísticas".

A experiência de Michelle nos lembra o quanto somos ignorantes a respeito de alguns dos aspectos mais fundamentais das funções cerebrais humanas. O que acontece quando as funções dos dois hemisférios devem competir pelo mesmo espaço? O que deve ser sacrificado, se assim tiver de ser? Quanto cérebro é necessário para sobreviver? Quanto cérebro é necessário para desenvolver sagacidade, empatia, gosto pessoal, anseio espiritual e sutileza? Se podemos sobreviver e viver sem metade do tecido cerebral, por que ele existe inteiro?

Enfim, devemos perguntar: como é ser igual a Michelle?

Estou na sala de estar da família de Michelle, em sua casa de classe média em Falls Church, na Virgínia, vendo o filme de sua IRM, ilustrando a anatomia de seu cérebro. À direita posso ver as circunvoluções cinzentas de um hemisfério direito normal. À esquerda, a não ser por uma península caprichosa e fina de tecido cerebral cinzento — a minúscula quantidade de hemisfério esquerdo que se desenvolveu — só há o preto profundo que denota o vazio. Michelle nunca havia visto o filme.

Ela chama esse vazio de "meu cisto" e, quando fala do "meu cisto" ou "o cisto", parece que se tornou substancial para ela, um personagem sinistro de um filme de ficção científica. E, de fato, ver seu exame é uma experiência sinistra. Quando olho para Michelle, vejo todo o seu rosto, os olhos e o sorriso, e não consigo deixar de projetar a mesma simetria no cérebro. O exame é um duro despertar.

O corpo de Michelle mostra alguns sinais de seu hemisfério ausente. O pulso direito é curvo e meio retorcido, mas ela consegue usá-lo — embora normalmente quase todas as instruções para o lado direito do corpo venham do hemisfério esquerdo. Provavelmente ela desenvolveu um filamento muito fino de fibras nervosas do hemisfério direito para a mão direita. A mão esquerda é normal, e ela é canhota. Quando ela se levanta para andar, percebo que uma tala sustenta sua perna direita.

Os localizacionistas mostraram que tudo que vemos a nossa direita — nosso "campo visual direito" — é processado do lado esquerdo do cérebro. Mas como Michelle não tem o hemisfério esquerdo, ela tem problemas para ver coisas que vêm pela direita e é cega no campo visual direito. Os irmãos costumavam lhe roubar batatas fritas pelo seu lado direito, mas ela os flagrava porque o que faltava de visão, ela compensava com uma audição afiada. Ouvia com tanta precisão que podia escutar com clareza os pais conversando na cozinha quando ela estava no segundo andar, na outra extremidade da casa. O hiperdesenvolvimento da audição, tão comum nos que são inteiramente cegos, é outro sinal da capacidade do cérebro de se adaptar a uma situação alterada. Mas essa sensibilidade tem um custo. No trânsito, quando tocam uma buzina, ela tapa os ouvidos para evitar a sobrecarga sensorial. Na igreja, ela escapa ao som do órgão, saindo de fininho pela porta. Os exercícios anti-incêndio da escola a apavoravam por causa do barulho e da confusão.

Ela também é supersensível ao toque. Carol corta as etiquetas das roupas de Michelle para que ela não as sinta. É como se seu cérebro não tivesse um filtro para excluir a sensação excessiva, então Carol costuma "filtrar" por ela, protegendo-a. Se Michelle tem um segundo hemisfério, este é sua mãe, Carol.

"Sabe de uma coisa", disse Carol, "eu não podia ter filhos, então adotei dois", os irmãos mais velhos de Michelle, Bill e Sharon. Como acontece com frequência, Carol depois descobriu que estava grávida de um menino, Steve, que nasceu saudável. Carol e o marido, Wally, queriam mais filhos, mas de novo tiveram problemas para conceber.

Um dia, sentindo o que parecia ser uma crise de enjoo matinal, ela fez um teste de gravidez, mas deu negativo. Sem acreditar muito no resultado, ela fez mais testes, com um estranho resultado a cada vez. Uma tira de testes que mudava de cor em dois minutos indicou uma gravidez. Cada um dos testes de Carol deu negativo até dois minutos e dez segundos, e depois dava positivo.

Nesse meio tempo, Carol estava tendo sangramentos intermitentes. Ela me disse: "Voltei ao médico três semanas depois dos testes de gravidez, e a essa altura o médico disse: 'Pouco me importa o que os testes disseram, você está com três meses de gravidez.' Na época não pensamos grande coisa disso, mas agora estou convencida de que meu corpo tentava abortar espontaneamente devido ao dano que Michelle sofria no útero. Não aconteceu."

"Ainda bem que não!", disse Michelle.

"Você tem razão", disse Carol.

Michelle nasceu em 9 de novembro de 1973. Os primeiros dias de sua vida são um borrão para Carol. No dia em que ela trouxe Michelle do hospital, a mãe de Carol, que morava com eles, teve um derrame. A casa ficou um caos.

O tempo passou, e Carol começou a perceber problemas. Michelle não ganhava peso. Não era ativa e mal pronunciava sons. Também não parecia acompanhar objetos em movimento com os olhos. Então Carol começou o que se tornaria uma série interminável de consultas a médicos. A primeira pista de que podia haver algum dano cerebral veio quando Michelle tinha 6 meses. Carol, pensando que Michelle tinha um problema com os músculos oculares, levou-a a um oftalmologista, que descobriu que os dois nervos óticos estavam danificados e muito pálidos, embora não totalmente brancos, como nas pessoas cegas. Ele disse a Carol que a visão de Michelle nunca seria normal. Os óculos não ajudariam, porque os danos eram nos nervos óticos, não nos cristalinos. Ainda mais perturbadores foram os indícios de um problema grave com origem no cérebro de Michelle, que provocava o definhamento dos nervos óticos.

Mais ou menos na mesma época, Carol observou que Michelle não estava se virando e que sua mão direita estava cerrada. Exames determinaram que ela era "hemiplégica", o que significava que metade de seu corpo era parcialmente paralisada. A mão direita retorcida se assemelhava a de uma pessoa que teve um AVE no hemisfério esquerdo. A maioria das crianças começa a engatinhar por volta dos 7 meses. Mas Michelle ficava sentada e se virava pegando coisas com o braço bom.

Embora ela não se enquadrasse numa categoria clara, o médico a diagnosticou com a síndrome de Behr; assim ela poderia receber assistência médica e ajuda para deficientes. Na realidade, Michelle tinha alguns sintomas coerentes com a síndrome de Behr: atrofia ótica e problemas de coordenação de base neurológica. Mas Carol e Wally sabiam que o diagnóstico era absurdo, porque a síndrome de Behr é uma doença genética rara e nenhum dos dois apresentava qualquer vestígio dela em suas famílias. Aos 3 anos, Michelle foi enviada a uma instituição que tratava de paralisia cerebral, embora ela também não tivesse esse diagnóstico.

Na infância de Michelle, a tomografia axial computadorizada, ou CAT, acabara de se tornar disponível. Esse exame sofisticado tira numerosas fotografias de raios-X da cabeça em seção transversal e alimenta o computador com estas. Os ossos são brancos; o tecido cerebral, cinza, e as cavidades corporais, pretas. Michelle fez uma CAT quando tinha 6 meses, mas os primeiros exames tinham uma resolução tão baixa que os dela mostraram apenas um emaranhado cinza, a partir do qual os médicos não conseguiam chegar a conclusão nenhuma.

Carol ficou arrasada com a perspectiva de sua filha nunca enxergar bem. Então, um dia, Wally estava andando pela sala de jantar enquanto Carol dava o café da manhã a Michelle, e Carol percebeu que ela o acompanhava com os olhos.

“Os cereais foram parar no teto, de tão eufórica que eu fiquei”, diz ela, “porque isso significava que Michelle não era totalmente cega, que conseguia ver alguma coisa.” Algumas semanas depois, quando Carol estava sentada na varanda com Michelle, uma moto passou pela rua, e Michelle a seguiu com os olhos.

E um dia, quando Michelle tinha cerca de 1 ano, seu braço direito cerrado, que ela sempre mantinha junto do coração, se abriu.

Quando tinha uns 2 anos de idade, a menina que mal falava começou a se interessar pela linguagem.

“Eu chegava em casa” disse Wally, “e ela dizia, ‘ABC! ABC!’” Sentada em seu colo, ela colocava os dedos em seus lábios para sentir as vibrações enquanto ele falava. Os médicos disseram a Carol que Michelle não tinha distúrbios de aprendizagem e, na realidade, parecia ter uma inteligência normal.

Mas aos 2 anos ela ainda não engatinhava, então Wally, que sabia que ela adorava música, colocava seu disco preferido para tocar e quando a música acabava, Michelle gritava: "Hmmmm, hmmm, hmmmm, quer de novo!" Wally então insistia que ela engatinhasse até o toca-discos antes de colocar a música novamente. O padrão geral de aprendizado de Michelle estava ficando claro — um atraso significativo no desenvolvimento. Os médicos disseram aos pais que se acostumassem com isso, mas que depois, de algum modo, Michelle acabaria por sair disso. Carol e Wally ficaram mais esperançosos.

Em 1977, quando Carol estava grávida pela terceira vez, do irmão de Michelle, Jeff, um dos médicos a convenceu a fazer outra CAT. Ele disse que Carol devia isso ao filho que ainda não nascera: tentar determinar o que tinha acontecido com Michelle no útero a fim de evitar que acontecesse novamente.

Agora a resolução da CAT tinha melhorado radicalmente e quando Carol viu o novo exame, "as imagens mostraram — era como noite e dia; cérebro e nada de cérebro". Ela ficou em choque. Carol me disse: "Se tivessem me mostrado essas imagens quando fizemos o CAT aos 6 meses, acho que não teria conseguido lidar com aquilo." Mas aos 3 anos e meio, Michelle já mostrava que seu cérebro podia se adaptar e mudar, então Carol sentiu que podia haver esperança.

Michelle sabe que os pesquisadores do National Institute of Health (NIH), sob a direção do dr. Jordan Grafman, a estão estudando. Carol levou Michelle ao NIH porque leu um artigo na imprensa sobre neuroplasticidade no qual o dr. Grafman contradizia muitas coisas que ela soubera sobre problemas cerebrais. Grafman acreditava que, com ajuda, o cérebro pode se desenvolver e mudar por toda a vida, mesmo depois de sofrer lesões. Os médicos disseram a Carol que o desenvolvimento mental de Michelle cessaria aos 12 anos, mas ela agora já estava com 25. Se o dr.

Grafman tivesse razão, Michelle tinha perdido muitos anos durante os quais outros tratamentos poderiam ter sido tentados, uma percepção que despertou culpa em Carol, mas também esperança.

Uma das coisas em que Carol e o dr. Grafman trabalharam juntos foi ajudar Michelle a entender melhor seu problema e controlar melhor seus sentimentos.

Michelle nos desarma com a sinceridade de suas emoções. "Por muitos anos", disse ela, "desde que eu era pequena, sempre que eu não conseguia o que queria, eu tinha um ataque. No ano passado fiquei cansada de as pessoas sempre pensarem que eu precisava ter tudo do meu jeito, senão o meu cisto tomaria conta." Mas ela acrescenta: "Desde o ano passado tenho tentado dizer a meus pais que meu cisto pode aguentar mudanças."

Embora ela possa repetir a explicação do dr. Grafman de que seu hemisfério direito agora lida com atividades do esquerdo, como falar, ler e fazer cálculos matemáticos, ela às vezes fala do cisto como se tivesse substância, como se fosse uma espécie de alienígena com personalidade e vontade próprias, em vez de um vazio dentro de seu crânio, onde deveria estar o hemisfério esquerdo. Ela tem uma memória superior para detalhes concretos, mas dificuldade com o pensamento abstrato. Ser concreta tem algumas vantagens. Michelle soletra maravilhosamente e consegue se lembrar da disposição das letras na página, porque, como muitos pensadores concretos, pode registrar eventos na memória e mantê-los *novos* e *nítidos*, como no momento em que os percebeu. Mas ela pode achar difícil entender uma história que ilustre uma moral subjacente, um tema ou um ponto principal que não seja explicitamente demonstrado, porque isto envolve abstração.

Repetidas vezes vi exemplos de como Michelle interpreta símbolos concretamente. Quando Carol estava falando de como ficou chocada ao ver a segunda CAT sem hemisfério esquerdo, ouvi um barulho. Michelle, que estivera ouvindo, começou a sugar e soprar na garrafa da qual bebia.

"O que está fazendo?", perguntou-lhe Carol.

"Ah, bom, olha só, hummm, estou jogando meus sentimentos na garrafa", disse Michelle, como se pensasse que seus sentimentos podiam ser quase literalmente "soprados" para dentro da garrafa.

Perguntei a Michelle se a descrição que a mãe fez da CAT era perturbadora.

"Não, não, não, hummm, hummm, olha só, é importante que isso seja dito, estou mantendo meu lado direito sob controle" — um exemplo da crença de Michelle de que quando ela se aborrece, o cisto "toma conta".

Às vezes ela usa palavras absurdas, não tanto para se comunicar, mas para descarregar as emoções. Ela falou de passagem que adorava fazer palavras cruzadas e caça-palavras, mesmo enquanto assistia à TV.

"É porque quer melhorar seu vocabulário?", perguntei.

Ela respondeu, "Na verdade — FAZER COMO AS ABELHAS! FAZER COMO AS ABELHAS — eu faço isso enquanto vejo seriados na televisão para não deixar minha mente ficar entediada."

Ela cantou "FAZER COMO AS ABELHAS!" em voz alta, um trecho de música enfiado na resposta. Pedi a ela para explicar.

"Completo absurdo, quando, quando, quando, quando, quando me perguntam coisas que me frustram", disse Michelle.

Ela em geral escolhe as palavras não tanto por seu significado abstrato, mas por sua qualidade física, o som rimado semelhante — um sinal de seu caráter concreto. Certa vez, enquanto saía do carro, ela começou a cantar, "BURRICO NO SEU FURICO". Ela em geral canta as exclamações em voz alta nos restaurantes, e as pessoas olham para ela. Antes que começasse a cantar, ela trincava o queixo com tanta força quando ficava frustrada que quebrou dois dentes da frente, depois quebrou a ponte que os substituiu várias vezes. De certo modo, cantar absurdos a ajuda a romper o hábito de morder. Perguntei a ela se cantar absurdos a acalmava.

"SEI DO SEU XERETA!", cantou ela. "Quando eu canto, meu lado direito está controlando meu cisto."

"E isso a acalma?", insisti.

"Acho que sim", disse ela.

Os absurdos muitas vezes têm uma característica brincalhona, como se ela estivesse tentando superar a situação, mas usando palavras engraçadas. Mas isso em geral ocorre quando ela sente que sua mente está falhando e ela não consegue entender por quê.

"Meu lado direito", diz ela, "não pode fazer algumas coisas que o lado direito das outras pessoas fazem. Posso tomar decisões simples, mas não decisões que exijam muita reflexão subjetiva."

É por isso que ela não gosta simplesmente — ela as adora — das atividades repetitivas que deixam os outros malucos, como entrada de dados. Ela atualmente digita e mantém todos os dados da lista de 5 mil paroquianos na igreja onde a mãe trabalha. No computador, ela me mostra um de seus passatempos preferidos — jogar paciência. Eu a observo e fico surpreso em ver a rapidez com que ela joga. Nesta tarefa, na qual as avaliações "subjetivas" não são necessárias, ela é *extremamente* decidida.

"Oh! Oh! Olha, oh, oh, olha aqui!" Enquanto grita de prazer, gritando os nomes das cartas e colocando-as em grupos, ela começa a cantar. Percebo que ela visualiza *todo* o baralho na cabeça. Ela sabe a posição e a identidade de cada carta que vê, esteja ela virada ou não.

A outra tarefa repetitiva de que Michelle gosta é dobrar. Toda semana, com um sorriso na cara, ela dobra, à velocidade da luz, mil folhetos da igreja em meia hora — usando apenas uma das mãos.

Seu problema de abstração pode ser o preço mais alto que ela pagou por ter um hemisfério direito sobrecarregado. Para dar maior valor à sua capacidade com abstrações, peço a ela para explicar alguns provérbios.

O que significa "Não chorar sobre o leite derramado"?

"Significa não perder seu tempo se preocupando com uma coisa."

Peço a ela para me falar mais, na esperança de que possa acrescentar que é inútil se concentrar nas infelicidades sobre as quais nada podemos fazer.

Ela começou a respirar com dificuldade e a cantar, numa voz transtornada: "NÃO GOSTO DE FESTAS, FESTAS, UUUUU".

Depois disse que só conhecia uma expressão simbólica: "É assim que a bola quica", que ela disse significar "É assim que as coisas são".

Em seguida pedi a ela para interpretar um provérbio que ela não conhecia: "Quem tem telhado de vidro não atira pedra no telhado do vizinho."

Novamente ela começou a respirar com dificuldade.

Como vai à igreja, perguntei-lhe sobre Jesus, dizendo: "Aquele que nunca pecou, que atire a primeira pedra", lembrando a ela da história em que ele disse isso.

Ela suspirou e respirou pesado. "ACHEI SUAS ERVILHAS! Esta é uma coisa em que tenho que pensar muito."

Então perguntei sobre semelhanças e diferenças entre objetos, um teste de abstração que não é tão desafiador quanto interpretar provérbios ou alegorias, que envolvem sequências mais longas de símbolos. As semelhanças e diferenças trabalham muito mais estreitamente com os detalhes.

Aqui, ela teve um desempenho muito mais rápido do que a maioria das pessoas. Qual é a semelhança entre uma cadeira e um cavalo? Rapidamente, ela disse: "Os dois têm quatro pernas e podemos nos sentar neles." "E a diferença?" "Um cavalo está vivo, e uma cadeira, não. E um cavalo pode se mexer." Segui com várias dessas perguntas, e ela respondeu a todas com perfeição e à velocidade da luz. Desta vez não houve cantoria de absurdos. Dei a ela alguns problemas de aritmética e de memória, e ela respondeu a todos também com perfeição. Ela me disse que na escola a aritmética era sempre muito fácil e ela era tão boa nisso que a tiraram de uma turma de educação especial e a colocaram numa turma comum. Mas na oitava série, quando foi introduzida a álgebra, que é mais abstrata, ela achou muito difícil. O mesmo aconteceu com a história. De início ela brilhou, mas quando os conceitos históricos foram introduzidos na oitava série, ela os achou difíceis de apreender. Surgiu uma imagem coerente: sua memória para os detalhes era excelente; o raciocínio abstrato era um desafio.

Comecei a desconfiar de que Michelle tinha algumas capacidades mentais extraordinárias quando, em nossas conversas, quase como um aparte, ela corrigiu a mãe discretamente, mas com uma precisão e uma confiança incomuns, sobre a data de um determinado evento. A mãe mencionou uma viagem à Irlanda e perguntou a Michelle quando foi.

"Maio de 1987", disse Michelle de imediato.

Perguntei-lhe como sabia disso.

"Lembro-me da maioria das coisas... Acho que são lembranças mais nítidas ou coisa assim." Ela disse que sua memória nítida remonta aos 18 anos, a meados dos anos 1980. Perguntei se ela teria uma fórmula ou regra para deduzir datas, como muitos *savants* fazem. Ela disse que em geral se lembra do dia e do evento sem calcular, mas também sabe que o calendário segue um padrão de seis anos e depois passa a um padrão de cinco anos, dependendo de quando aconteça o ano bissexto. "Como hoje é 4 de junho, quarta-feira. Seis anos atrás, 4 de junho também caiu numa quarta-feira."

"Existem outras regras?", perguntei. "Quando caiu 4 de junho três anos atrás?"

"Foi numa segunda-feira."

"Você usa alguma regra?", perguntei.

"Não, não uso. Só me vem à lembrança."

Impressionado, perguntei se ela um dia se sentira fascinada por calendários. Ela respondeu simplesmente que não. Perguntei se gostava de se lembrar das coisas.

"É só uma coisa que eu faço."

Perguntei rapidamente uma série de datas que eu pudesse verificar depois.

"Dia 2 de março de 1985?"

"Foi um sábado." Sua resposta foi *imediata* e correta.

"Dia 17 de julho de 1985?"

"Uma quarta-feira." Imediata e correta. Percebi que era mais difícil para mim pensar em datas ao acaso do que para ela responder.

Como Michelle disse que em geral podia se lembrar de dias até meados da década de 1980 sem usar qualquer fórmula, tentei pressionar sua memória e pedi o dia da semana de 22 de agosto de 1983.

Desta vez ela levou meio minuto e claramente estava calculando, cochichando consigo mesma, em vez de se lembrar.

"Dia 22 de agosto de 1983, hummm, caiu numa terça-feira."

"E por que desta vez foi mais difícil?"

"Porque em minha mente eu só volto ao outono de 1984. É até quando me lembro bem das coisas." Ela explicou que tinha uma lembrança clara de cada dia e do que aconteceu nele durante o período em que ela estava na escola, e que usava esses dias como âncora.

"Agosto de 1985 começou numa quinta. Então o que fiz foi voltar dois anos. Agosto de 1984 começou numa quarta-feira."

Depois ela disse: "Eu fiz bobagem", e riu. "Eu disse que 22 de agosto de 1983 caiu numa terça-feira. Na verdade, foi segunda." Verifiquei, e sua correção estava certa.

Sua velocidade de cálculo era deslumbrante, mas mais impressionante era a maneira nítida com que ela se lembrava de eventos que tinham acontecido em todos os 18 anos anteriores.

Às vezes os *savant* têm um jeito incomum de representar as experiências. O neuropsicólogo russo Aleksandr Luria trabalhou com um mnemonista, ou artista da memória, "S", que conseguia decorar longas tabelas de números aleatórios e apresentava ao vivo essas habilidades. S. tinha uma memória fotográfica, voltando até a infância, e também era um "sinesteta", de modo que certos sentidos, que não se relacionam normalmente, eram "interligados". Os sinestetas de alto nível podem experimentar conceitos, como os dias da semana, como se tivessem cores, o que lhes permite ter experiências e lembranças particularmente nítidas. S. associava alguns números com cores e, como Michelle, em geral não conseguia chegar ao ponto principal do que se diz.

"Existem certas pessoas", disse eu a Michelle, "que, quando imaginam um dia da semana, veem uma cor — o que torna o dia mais nítido. Elas podem pensar nas quartas-feiras como vermelho, nas quintas como azul, nas sextas como preto..."

"Oooh, oooh!", disse ela. Perguntei se ela teria essa capacidade.

"Bom, não um código de cores assim." Michelle tinha *cenas* para os dias da semana. "Para segunda-feira, imagino minha sala de aula no Centro de Desenvolvimento Infantil. Para a palavra 'olá', imagino a salinha à direita do saguão do Belle Willard."

"Santo Deus!", exclama Carol. Ela explicou que Michelle foi ao Belle Willard, um centro de educação especial, desde os 14 meses até os 2 anos e 10 meses de idade.

Repassei os dias da semana com ela. Cada um deles era ligado a uma cena. *Saturday*. Ela explicou que vê um carrossel com uma base verde-clara e um topo amarelo com buracos, perto de onde ela mora. Ela imagina ter se "sentado" [*sat*] num carrossel quando criança e "sat é a primeira sílaba de Saturday", e é por isso que ela acha que associa os sábados a tal cena. *Sunday*, tem uma cena com sol, e o som "sun" parece ser a ligação. Mas há cenas que ela não consegue explicar. *Friday*. "Uma visão de relance do grill de panquecas que ficava na nossa antiga cozinha", que ela viu pela última vez 18 anos atrás, antes que a cozinha fosse reformada. (Talvez ela associe *Fri*-day com o grill porque ele fritava, *fry*, a comida.)

Jordan Grafman é o pesquisador que tenta entender como funciona o cérebro de Michelle. Depois de ler seu artigo sobre a plasticidade, Carol entrou em contato e marcou uma consulta com ele. Desde então, Michelle tem ido fazer exames, e ele tem usado o que descobre para ajudá-la a se adaptar à sua situação e a entender melhor como seu cérebro se desenvolveu.

Grafman tem um sorriso caloroso, uma voz musical e cabelos louros, e seu corpo largo, de 1,80 metro e vestido de branco, enche a pequena sala revestida de livros no NIH. Ele é diretor da Seção de Neurociências Cognitivas do Instituto Nacional de Distúrbios Neurológicos e Derrames. Tem dois interesses principais: entender os lobos frontais e a neuroplasticidade — dois temas que reunidos ajudam a explicar as capacidades extraordinárias e as dificuldades cognitivas de Michelle.

Por vinte anos Grafman serviu como capitão na Força Aérea dos Estados Unidos, no Comando de Ciências Biomédicas. Recebeu uma medalha de mérito em serviço por seu trabalho como chefe do Estudo de Lesões na Cabeça no Vietnã. Provavelmente viu mais pessoas com lesões no lobo frontal do que qualquer outro especialista no mundo.

Sua própria vida é uma história impressionante de transformação. Quando Jordan estava no ensino fundamental, o pai teve um derrame arrasador que provocou um tipo de dano cerebral, na época mal compreendido pelos médicos, que mudou sua personalidade. Ele tinha explosões emocionais e o que na neurologia era eufemisticamente chamado de "desinibição social" — o que significa a liberação de instintos agressivos e sexuais normalmente reprimidos ou inibidos. Ele também não conseguia apreender a essência do que as pessoas diziam. Jordan não entendia o que provocava o comportamento do pai. A mãe de Jordan se divorciou do marido, que passou o resto da vida em um hotel para viajantes em Chicago, onde morreu de um segundo derrame, sozinho, em uma viela.

Jordan, tomado por uma dor profunda, parou de frequentar a escola e se tornou um delinquente juvenil. Mas algo nele ansiava por mais, e ele começou a passar as manhãs na biblioteca pública lendo, descobrindo Dostoievski e outros grandes romancistas. À tarde, visitava o Art Institute até saber que era local de patrulha da polícia em que os jovens eram alvos. Ele passava as noites em clubs de jazz e blues da cidade. Nas ruas, recebeu uma verdadeira educação psicológica, aprendendo por tentativa e erro o que motiva as pessoas. Para evitar ser enviado ao reformatório St. Charles, basicamente uma cadeia para meninos com menos de 16 anos, ele passou quatro anos em um orfanato para meninos e num internato, onde fazia psicoterapia com um assistente social. Ele acredita que essa terapia o resgatou e "preparou-me para o resto de minha vida". Ele completou o ensino médio e fugiu do que tinha se tornado para ele uma Chicago sombria para uma colorida Califórnia. Apaixonou-se por Yosemite e decidiu se tornar geólogo, mas por acaso fez um curso de psicologia dos sonhos e achou tão fascinante que mudou sua área de especialidade para psicologia.

Seu primeiro encontro com a neuroplasticidade se deu em 1977, quando estava na pós-graduação na Universidade do Wisconsin, trabalhando com uma mulher afro-americana com lesão cerebral que teve uma recuperação inesperada. "Renata", como ele a chama, tinha sido estrangulada num assalto no Central Park em Nova York e foi largada ali, quase morta. O ataque interrompera o fornecimento de oxigênio para seu cérebro o suficiente para causar lesão anóxica — a morte neuronal por falta de oxigênio. Grafman a vira pela primeira vez mais de cinco anos após o ataque, depois que os médicos desistiram dela. Seu córtex motor tinha sido tão gravemente lesionado que Renata tinha muitos problemas para se movimentar, era deficiente e andava de cadeira de rodas, e seus músculos eram atrofiados. A equipe acreditava que ela provavelmente tivera danos no hipocampo. Ela tinha graves problemas de memória e mal conseguia ler. Desde o assalto, sua vida vinha sendo uma espiral descendente. Não conseguia trabalhar e perdeu os amigos. Supunha-se que pacientes como Renata estavam além de qualquer ajuda, uma vez que a lesão anóxica provoca vastos danos ao tecido cerebral e a maioria dos clínicos acredita que o cérebro não consegue se recuperar quando o tecido cerebral morre.

Todavia, a equipe em que Grafman trabalhava começou a fazer um treinamento intensivo com Renata — o tipo de reabilitação física em geral ministrado a pacientes só nas primeiras semanas após as lesões. Grafman andara fazendo alguma pesquisa sobre a memória, entendia de reabilitação e se perguntou o que aconteceria se os dois campos fossem integrados. Ele sugeriu que Renata começasse a fazer exercícios para a memória, leitura e raciocínio.[1] Grafman não fazia ideia de que o pai de Paul Bach-y-Rita tinha se beneficiado de um programa semelhante vinte anos antes.

Ela começou a se movimentar mais e se tornou mais comunicativa e mais capaz de se concentrar e pensar, bem como de se lembrar de acontecimentos cotidianos. Por fim pôde voltar a estudar, conseguiu um emprego e voltou ao mundo. Embora Renata nunca tenha se recuperado plenamente, Grafman ficou impressionado com o progresso dela, dizendo que essas intervenções "tinham melhorado sua qualidade de vida de um modo assombroso".

A Força Aérea dos EUA colocou Grafman no curso de pós-graduação. Em troca, ele recebeu a patente de capitão e foi diretor do componente neuropsicológico do Estudo de Lesões na Cabeça em veteranos do Vietnã,[2] onde teve sua segunda exposição à plasticidade cerebral. Como os soldados ficam de frente para o campo de batalha, os estilhaços de metal danificam em geral o tecido da parte frontal do cérebro, o lobo frontal, que coordena outras regiões cerebrais e ajuda a mente a se concentrar na essência de uma situação, compor metas e tomar decisões duradouras.

Grafman queria entender que fatores mais afetavam a recuperação de lesões do lobo frontal, então começou a examinar como a saúde, a genética, o status social e a inteligência do soldado antes da lesão podiam influir na sua possibilidade de recuperação. Como todos em serviço tinham feito o Teste de Qualificação para as Forças Armadas (mais ou menos equivalente a um teste de QI), Grafman podia estudar a relação de inteligência pré-lesão com aquela depois da recuperação. Ele descobriu que, além do tamanho dos ferimentos e da localização da lesão, o QI de um soldado era um elemento muito importante de como ele se sairia na recuperação das funções cerebrais perdidas.[3] Ter mais capacidade cognitiva — inteligência de sobra — permitia ao cérebro reagir melhor a um trauma grave. Os dados de Grafman sugeriam que soldados muito inteligentes pareciam mais capazes de reorganizar suas capacidades cognitivas em apoio às áreas que tinham sofrido lesão.

Como vimos, segundo o localizacionismo estrito, cada função cognitiva é processada em um local diferente e geneticamente predeterminado. Se o local é eliminado por um projétil, o mesmo deve acontecer com sua função — para sempre —, a não ser que o cérebro seja plástico e capaz de se adaptar e criar novas estruturas para substituir aquelas danificadas.

Grafman queria explorar os limites da plasticidade e seu potencial, descobrir quanta reorganização estrutural é necessária e entender se existem diferentes tipos de plasticidade. Ele refletiu que, como cada pessoa com lesão cerebral é afetada em diversas áreas, concentrar-se em cada caso costumava ser mais produtivo do que estudar grandes grupos.

A visão de Grafman a respeito do cérebro integra uma versão não ortodoxa do localizacionismo com a plasticidade.

O cérebro é dividido em áreas e, durante o desenvolvimento, cada área adquire uma responsabilidade principal por um determinado tipo de atividade mental. Em atividades complexas, várias áreas devem interagir. Quando lemos, o significado de uma palavra é armazenado ou "mapeado" em uma área do cérebro; a aparência visual das letras é armazenada em outra, e seu som, em uma terceira. Cada área é unida a uma mesma rede e assim, quando encontramos a palavra, podemos vê-la, ouvi-la e entendê-la. Os neurônios de cada área têm de ser ativados ao mesmo tempo — uma coativação — para que possamos ver, ouvir e entender a um só tempo.

As regras do armazenamento de toda esta informação refletem o princípio do "use ou perca". Quanto maior a frequência de uso da palavra, mais facilmente ela será encontrada. Até pacientes com danos cerebrais para a área da palavra são mais capazes de recuperar palavras que usavam com maior frequência antes da lesão do que as que usavam com pouca frequência.

Grafman acredita que, em qualquer área cerebral que se realize uma atividade, tal como o armazenamento de palavras, os neurônios no centro dessa área são os mais comprometidos com a tarefa. Aqueles que ficam nas margens estão bem menos comprometidos, e assim áreas cerebrais adjacentes competem para recrutar esses neurônios limítrofes. As atividades diárias determinam que área do cérebro vence essa competição. Para um trabalhador dos correios, que olha os endereços nos envelopes sem pensar em seu significado, os neurônios na fronteira entre a área visual e a área do significado se tornarão comprometidos em representar a "aparência" da palavra. Para um filósofo, interessado no significado das palavras, esses neurônios limítrofes se tornarão comprometidos em representar o significado. Grafman acredita que tudo o que sabemos dessas áreas fronteiriças por meio da neuroimagem nos diz que elas podem se expandir rapidamente, em minutos, em reação a nossas necessidades momentâneas.

A partir de sua pesquisa, Grafman identificou quatro tipos de plasticidade.[4]

A primeira é a "expansão do mapa", descrita anteriormente: acontece amplamente nos limites entre as áreas do cérebro, como resultado de atividades diárias.

A segunda é a "redistribuição sensorial": acontece quando um sentido é bloqueado, como na cegueira. Quando privado de seus *inputs* normais, o córtex visual pode receber novos *inputs* de outro sentido, como o do tato.

A terceira é a "estratégia compensatória": tira proveito do fato de que há mais de uma maneira de seu cérebro abordar uma tarefa. Algumas pessoas usam marcos visuais para se deslocar de um local a outro. Outras com "um bom senso de direção" têm um forte senso espacial e assim, se o perderem por causa de uma lesão cerebral, podem recorrer novamente aos marcos. Até que a neuroplasticidade fosse reconhecida, a estratégia compensatória — também chamada de compensação ou "estratégias alternativas", como utilizar gravações em áudio para pessoas com problemas de leitura — era o principal método para ajudar crianças com dificuldades de aprendizagem.

O quarto tipo de plasticidade é a "ativação de áreas-espelho": quando parte de um hemisfério falha, a área-espelho do hemisfério oposto se adapta, assumindo sua função mental da melhor maneira possível.

Esta última ideia surgiu do trabalho de Grafman e seu colega Harvey Levin com um menino que vou chamar de Paul, envolvido num acidente de carro quando tinha 7 meses de idade.[5] Um golpe na cabeça empurrou os ossos de seu crânio fraturado para o lobo parietal *direito*, a parte central e superior do cérebro, atrás dos lobos frontais. A equipe de Grafman entrou em contato com Paul pela primeira vez quando ele tinha 17 anos.

Surpreendentemente, ele tinha problemas com cálculo e processamento de números. As pessoas com lesões parietais *direitas* costumam ter problemas para processar informações visual-espaciais. Grafman e outros determinaram que é o lobo parietal *esquerdo* do cérebro que normalmente armazena dados matemáticos e faz cálculos envolvidos em aritmética simples; no entanto, o lobo esquerdo de Paul não sofrera lesão alguma.

Um exame de CAT mostrou que Paul tinha um cisto no lado direito lesionado. Então Grafman e Levin fizeram uma IRMf (ressonância magnética funcional) e, enquanto o cérebro de Paul era examinado, deram-lhe problemas simples de aritmética. O exame mostrou que havia uma ativação *muito fraca* na área parietal esquerda.

Eles concluíram, a partir desses resultados estranhos, que a área esquerda era fracamente ativada durante o cálculo aritmético porque agora ela processava informações visual-espaciais que não podiam mais ser processados pelo lobo parietal direito.

O acidente de carro ocorreu antes que Paul, que tinha só 7 meses, aprendesse aritmética, e, portanto, *antes* que o lobo parietal esquerdo se especializasse no processamento do cálculo. No período entre 7 meses e 6 anos, quando ele começou a aprender aritmética, era muito mais importante mover-se: uma habilidade que exigia o processamento visual-espacial. Assim, essa função estabeleceu-se na parte do cérebro mais próxima do lobo parietal direito — o lobo parietal esquerdo. Paul agora podia mover-se no espaço, mas isso tinha um custo. Quando ele teve de aprender aritmética, a parte central do setor parietal esquerdo já estava comprometida com o processamento visual-espacial.

A teoria de Grafman dá uma explicação de como o cérebro de Michelle evoluiu. A perda de tecido cerebral que Michelle sofreu ocorreu antes que seu hemisfério direito pudesse assumir uma funcionalidade significativa. Como a plasticidade está em seu auge nos primeiros anos de vida, o que provavelmente salvou Michelle da morte certa foi que seus danos ocorreram muito precocemente. Quando seu cérebro ainda estava em formação, o hemisfério direito teve tempo para se adaptar no útero, e Carol estava presente para cuidar dela.

É possível que seu hemisfério direito, que normalmente processa atividades visual-espaciais, fosse capaz de processar a fala porque, sendo parcialmente cega e mal capaz de engatinhar, Michelle aprendeu a falar antes de aprender a ver e a andar. A fala teria vencido as necessidades visual-espaciais em Michelle, assim como as necessidades visual-espaciais venceram as necessidades aritméticas de Paul.

A migração de uma função mental para o hemisfério oposto pode acontecer[6] porque no início do desenvolvimento nossos hemisférios são muito parecidos, e só mais tarde eles se especializam, aos poucos. Os exames de neuroimagem de bebês em seu primeiro ano mostram que eles processam novos sons nos dois hemisférios. Aos 2 anos, eles em geral processam esses novos sons no hemisfério esquerdo, que começou a se especializar na fala.

Grafman pergunta-se se a capacidade visual-espacial, como a linguagem nos bebês, está presente inicialmente nos dois hemisférios e depois é inibida no lado esquerdo, à medida que o cérebro se especializa. Em outras palavras, cada hemisfério *tende* a se especializar em determinadas funções, sem estar estruturado para isso. A idade em que aprendemos uma habilidade mental influencia fortemente a área em que ela é processada. Quando bebês, somos *lentamente* expostos ao mundo e, enquanto aprendemos novas habilidades, as áreas mais adequadas ao seu processamento, e que ainda não assumiram outra funcionalidade, são usadas para processar essas habilidades.

"O que significa", afirma Grafman, "que se você tomar um milhão de pessoas e examinar as mesmas áreas cerebrais, verá que essas áreas estão mais ou menos empenhadas em realizar as mesmas funções ou processos." Mas ele acrescenta: "Elas podem não estar exatamente no mesmo lugar. E nem deveriam, uma vez que cada um de nós tem experiências de vida diferentes."

O enigma da relação entre as capacidades extraordinárias e as dificuldades de Michelle é explicado pelo trabalho de Grafman sobre o lobo frontal. Especificamente, seu trabalho com o córtex pré-frontal ajuda a explicar o preço que Michelle tem de pagar para sobreviver. Os lobos pré-frontais são as áreas do cérebro mais genuinamente humanas, já que são mais desenvolvidas no ser humano em relação a outros animais.

A teoria de Grafman é de que durante a evolução, o córtex pré-frontal desenvolveu a capacidade de capturar e reter informações por períodos de tempo cada vez mais longos, permitindo que a espécie humana desenvolvesse previsão e memória. O lobo frontal esquerdo tornou-se especializado em armazenar lembranças de *eventos individuais*, e o direito, em *extrair um aspecto central* ou essência de uma série de eventos ou de uma história.

A previsão envolve a extração de um aspecto central de uma série de eventos antes que eles se desenrolem completamente, e esta é uma grande vantagem na vida: pode ser útil para sua sobrevivência saber que quando um tigre se agacha, ele está se preparando para atacar. A pessoa capaz de prever não tem de viver toda uma série de eventos para saber o que está por vir.

As pessoas com lesões pré-frontais direitas têm dificuldade para fazer previsões. Podem ver um filme, mas não conseguem apreender o ponto principal ou ver aonde a trama vai levar. Não planejam bem, uma vez que o planejamento envolve ordenar uma série de eventos que levem a um resultado, objetivo ou ponto principal desejado. E as pessoas com lesões frontais direitas também não executam bem seus planos. Incapazes de se concentrarem no ponto principal, elas se distraem facilmente. Em geral são socialmente inadequadas porque não apreendem os aspectos-chave das interações sociais, que também constituem uma série de eventos, e têm dificuldades para compreender metáforas e alegorias, que requerem extrair o elemento central dentre vários detalhes. Se um poeta diz, "Um casamento é uma zona de batalha", é importante saber que o poeta não quis dizer que o casamento consiste em explosões reais e cadáveres, mas que marido e esposa lutam intensamente.

Todas as áreas em que Michelle tem dificuldades — apreender os pontos principais, compreender provérbios, metáforas, conceitos e raciocínio abstrato — são atividades pré-frontais direitas. O teste psicológico padronizado de Grafman confirmou que ela tem dificuldade de planejamento, de entender situações sociais, compreender motivações (uma versão de compreender o ponto principal, aplicada à vida social) e também problemas de empatia e dificuldades para prever o comportamento dos outros. A ausência relativa da capacidade de previsão, acredita Grafman, aumenta seu nível de ansiedade e torna mais difícil para ela controlar seus impulsos. Por outro lado, ela tem uma capacidade de *savant* para se lembrar de cada acontecimento e das datas exatas em que ocorreram — uma função típica do lobo pré-frontal esquerdo.

Grafman acredita que Michelle tem o mesmo tipo de adaptação especular de Paul, mas que os locais-espelho são os lobos pré-frontais. Como em geral se domina o registro de ocorrência de eventos antes de se aprender a extrair seus pontos principais, o registro de eventos — mais frequentemente uma função pré-frontal esquerda — ocupou tanto o lobo pré-frontal direito de Michelle que a capacidade de atenção aos pontos principais nunca teve a oportunidade de se desenvolver plenamente.

Quando conheci Grafman depois de ver Michelle, perguntei a ele por que ela se lembra de eventos do passado muito melhor do que o resto de nós. Por que não é uma capacidade normal?

Grafman crê que sua capacidade superior para se lembrar de eventos pode estar relacionada com o fato de que ela só tem um hemisfério. Normalmente, os dois hemisférios estão em constante comunicação. Cada um deles não só informa o outro de suas atividades, como também corrige o parceiro, às vezes restringindo-o e equilibrando suas excentricidades. O que acontece quando esse hemisfério é afetado e não pode mais inibir o parceiro?

Um exemplo dramático foi descrito pelo dr. Bruce Miller, professor de neurologia na Universidade da Califórnia, em São Francisco. Ele mostrou que algumas pessoas com demência frontotemporal no hemisfério *esquerdo* perdem a capacidade de entender o significado das palavras, mas desenvolvem *espontaneamente* habilidades incomuns, artísticas, musicais e de ritmo — habilidades em geral processadas nos lobos temporal e parietal direitos. Miller argumenta que o hemisfério esquerdo normalmente age como um "valentão", inibindo e reprimindo o direito. Quando o hemisfério esquerdo falha, pode surgir o potencial desinibido do direito.

Na realidade, as pessoas sem incapacidades podem se beneficiar da liberação de um hemisfério. O popular livro de Betty Edwards, *Drawing on the Right Side of the Brain*, escrito em 1979, anos antes da descoberta de Miller, ensinava as pessoas a desenhar desenvolvendo maneiras de impedir o hemisfério esquerdo, analítico e verbal, de inibir as tendências artísticas do hemisfério direito.[7] Inspirada pela pesquisa neurocientífica de Roger Sperry, Edwards ensinava que o hemisfério esquerdo, "verbal", "lógico" e "analítico", de certo modo percebe que realmente interfere no desenho e tende a sobrepujar o hemisfério direito, que é melhor no desenho. A principal tática de Edwards era desativar a inibição do hemisfério esquerdo pelo direito, dando ao estudante uma tarefa que o hemisfério esquerdo seria incapaz de entender e, por isso, de "reprimir". Por exemplo, ela fazia os estudantes desenharem um quadro de Picasso enquanto o olhavam de cabeça para baixo: eles descobriam que faziam um trabalho muito melhor assim do que quando olhavam o quadro na posição correta. Os estudantes desenvolviam um jeito repentino para desenhar em vez de adquirir a habilidade aos poucos.

Na opinião de Grafman, a formidável capacidade de Michelle para recordar os eventos pode ter se desenvolvido porque, depois que essa capacidade se desenvolveu no hemisfério direito, não havia hemisfério esquerdo para inibi-la, como em geral acontece depois que o ponto principal foi extraído e os detalhes não são mais importantes.[8]

Uma vez que há milhares de atividades cerebrais acontecendo ao mesmo tempo, precisamos de forças para inibir, controlar e regular nosso cérebro a fim de continuarmos sãos, organizados e controlados, para que nós não "disparemos em todas as direções aos mesmo tempo". Poderia parecer que a coisa mais apavorante numa doença cerebral é a possibilidade de ela apagar algumas funções mentais. Mas igualmente arrasador é uma doença cerebral que faz emergir partes de nós que preferimos que não existam. Grande parte do cérebro é inibitório, e impulsos e instintos indesejados surgem com força total quando perdemos essa inibição, envergonhando-nos e acabando com nossos relacionamentos e nossas famílias.

Alguns anos atrás, Jordan Grafman conseguiu obter os registros do hospital onde seu próprio pai recebeu o diagnóstico do derrame que o levou a perder a inibição e a sua deterioração definitiva. Ele descobriu que o derrame do pai tinha sido no córtex frontal direito, a área que Grafman tinha passado um quarto de século estudando.

Antes de ir embora, vou conhecer o refúgio de Michelle. "Este é o meu quarto", diz ela com orgulho. É pintado de azul e apinhado com sua coleção de bichos de pelúcia, Mickey e Minnie Mouse e Pernalonga. Na estante há centenas de livros da série Baby-Sitters Club, que em geral é apreciada por meninas pré-adolescentes. Ela tem uma coleção de fitas de Carol Burnett e adora rock suave das décadas de 1960 e 1970. Vendo o quarto, eu me pergunto sobre sua vida social. Carol explica que ela cresceu solitária; adorava os livros.

"Você não parecia querer ter ninguém por perto", diz ela a Michelle. Um médico pensava que ela demonstrava alguns comportamentos autistas, mas que ela não era autista, e vejo que não é. Ela é cortês, reconhece as idas e vindas das pessoas e é calorosa e conectada com os pais. Ela deseja se ligar às pessoas e se magoa quando não a olham nos olhos, como frequentemente acontece quando "pessoas normais" encontram as que têm deficiências.

Ao ouvir o comentário sobre o autismo, Michelle intromete-se: "Minha teoria é de que eu sempre gostei de ficar sozinha porque assim não causaria nenhum problema." Ela tem muitas lembranças dolorosas de quando tentou brincar com outras crianças e elas não souberam brincar com alguém com suas dificuldades — em particular sua hipersensibilidade aos sons. Pergunto se ela tem algum amigo do passado com quem ainda mantenha contato.

"Não," diz ela.

"Nadinha, ninguém," sussurra Carol solenemente.

Pergunto a Michelle se ela se interessou em namorar durante a sexta ou sétima série, quando meninos e meninas ficam mais sociáveis.

"Não, não me interessei." Ela diz que nunca ficou a fim de ninguém. Nunca se interessou realmente.

"Já sonhou se casar?"

"Acho que não."

Há um tema para suas preferências, gostos e anseios. O Baby-Sitters Club, o humor inofensivo de Carol Burnett, a coleção de bichos de pelúcia e tudo o mais que vi no quarto azul de Michelle faziam parte da fase de desenvolvimento chamada de "latência", o período relativamente calmo que antecede a tempestade da puberdade, com seus instintos em erupção. Michelle, assim me pareceu, mostrava muitas paixões da latência, e eu me pergunto se a ausência do lobo esquerdo tinha afetado seu desenvolvimento hormonal, embora ela fosse uma mulher plenamente desenvolvida. Talvez essas preferências fossem o resultado de sua criação protegida, ou talvez sua dificuldade de entender os motivos dos outros a tivesse levado a um mundo em que os instintos estão atenuados e onde o humor é suave.

Carol e Wally, pais amorosos de uma criança com dificuldades, acreditam que devem preparar Michelle para depois que eles partirem. Carol está fazendo o máximo para arregimentar a ajuda dos irmãos de Michelle, para que a filha não fique só. Ela tem esperanças de que Michelle seja capaz de conseguir um emprego na casa funerária da cidade, quando a mulher que insere os dados se aposentar, poupando Michelle da viagem que ela teme.

Os Mack têm outras ansiedades e quase tragédias para suportar. Carol teve câncer. O irmão de Michelle, Bill, que Carol descreve como um viciado em emoções fortes, teve muitos incidentes. No dia em que foi escolhido capitão do time de rúgbi, seus companheiros o giraram no ar para comemorar e ele caiu de cabeça, quebrando o pescoço. Felizmente, uma equipe cirúrgica de primeira o salvou de uma vida de paralisia. Enquanto Carol começava a me contar como ia ao hospital para dizer a Bill que Deus tentava chamar sua atenção, olhei para Michelle. Ela parecia serena e um sorriso estampava seu rosto.

— No que está pensando, Michelle? — perguntei.

— Eu estou bem — disse ela.

— Mas está sorrindo, está achando isso interessante?

— Estou — disse ela.

— Aposto que sei no que ela está pensando — disse Carol.

— No quê? — disse Michelle.

— No paraíso — disse Carol.

— Acho que sim, é.

— Michelle — disse Carol — tem uma fé profunda. De muitas maneiras, é uma fé muito simples.

Michelle tem uma ideia de como vai ser o paraíso e sempre que pensa nisso, "você vê esse sorriso".

— Você sonha à noite? — perguntei.

— Sim — respondeu ela — em pequenos trechos. Mas pesadelos, não. Principalmente devaneios.

— Sobre o quê? — pergunto.

— Sobre lá em cima. O paraíso.

Pedi a ela para me falar disso, e ela ficou animada.

— Tá legal, tudo bem! — disse ela. — Há algumas pessoas por quem tenho muita consideração e meu desejo é que essas pessoas vivam juntas, unissexualmente, próximas, as mulheres num lugar, os homens em outro. E dois dos homens entrariam em acordo para que eu recebesse uma oferta para viver com as mulheres. — A mãe e o pai também estão presentes. Todos vivem num prédio alto, mas os pais ficam em um andar inferior e Michelle mora com as mulheres.

— Ela me saiu com essa um dia desses — disse Carol. — Ela disse: "Espero que não se importe, mas quando todos formos para o paraíso, não quero morar com vocês". Eu disse: "Tudo bem".

Perguntei a Michelle o que as pessoas farão para se divertir, e ela respondeu:

— Coisas que elas fariam normalmente de férias aqui. Sabe como é, como jogar minigolfe. Nada de trabalho.

— Os homens e mulheres namorariam?

— Não sei. Sei que eles ficariam juntos. Mas só para se divertirem.

— Você vê coisas materiais no paraíso, como árvores e pássaros?

— Ah, sim, sim! E outra coisa no paraíso é que toda a comida lá é gratuita e sem calorias, então poderíamos comer tudo o que quiséssemos. E não teríamos de usar dinheiro para pagar por nada. — E depois ela acrescenta uma coisa que a mãe sempre lhe disse sobre o paraíso. — Sempre há felicidade no paraíso. Não existe nenhum problema de saúde. Só felicidade.

Vejo o sorriso — um transbordamento da paz interior. No paraíso de Michelle, todas as coisas pelas quais ela luta —, mais contato humano, sugestões vagas de relações mais intensas, mas seguramente circunscritas, entre homens e mulheres, tudo o que lhe dá prazer. Mas tudo isso ocorre em um mundo além do nosso, onde, embora seja mais independente, Michelle pode encontrar os pais que ama tanto não muito longe. Ela não tem problemas de saúde, nem deseja ter a outra metade do seu cérebro. Ela está bem exatamente como é.

Apêndice 1

O Cérebro Culturalmente Modificado

Não só o cérebro modela a cultura; a cultura também modela o cérebro

Qual é a relação entre cérebro e cultura?

A resposta convencional dos cientistas tem sido de que o cérebro humano, do qual emana todo pensamento e ação, produz cultura. A julgar pelo que aprendemos sobre a neuroplasticidade, essa resposta não é mais adequada.

A cultura não só é produzida pelo cérebro; também é, por definição, uma série de atividades que modelam a mente. O *Oxford English Dictionary* dá uma definição importante de "cultura": "O cultivo ou desenvolvimento (...) da mente, faculdades, maneiras etc. (...) aprimoramento ou refinamento por educação e treinamento (...) o treinamento, desenvolvimento e refinamento da mente, dos gostos e das maneiras." Nós nos tornamos cultos por treinamento em várias atividades, como costumes, artes, maneiras de interagir com as pessoas, o uso de tecnologias e o aprendizado de ideias, crenças, filosofias e religião.

A pesquisa neuroplástica tem mostrado que toda atividade contínua já mapeada — inclusive atividades físicas, sensoriais, de aprendizado, raciocínio e imaginação — muda o cérebro e a mente. As ideias e atividades culturais não são exceção. Nosso cérebro é modificado pelas nossas atividades culturais — sejam elas ler, estudar música ou aprender uma nova língua.

Todos temos o que pode ser chamado de "cérebro culturalmente modificado", e as culturas, à medida que evoluem, levam continuamente a novas mudanças no cérebro. Como afirmou Merzenich: "Nosso cérebro é amplamente diferente, nos menores detalhes, do cérebro de nossos ancestrais... em cada fase de desenvolvimento cultural (...) a média do ser humano tem de aprender novas habilidades e capacidades complexas que envolvem uma maciça mudança cerebral (...). Em nossas vidas, cada um de nós pode aprender um conjunto incrivelmente elaborado de habilidades e capacidades que se desenvolveram em épocas ancestrais, de certo modo recriando a história da evolução cultural por meio da neuroplasticidade".[1]

Assim, a visão neuroplástica da cultura e do cérebro implica uma via de mão dupla: o cérebro e a genética produzem a cultura, mas a cultura também modela o cérebro. Às vezes essas mudanças podem ser drásticas.

Os Ciganos do Mar

Os ciganos do mar são um povo nômade que vive em um grupo de ilhas tropicais no arquipélago birmanês e na costa oeste da Tailândia. Uma tribo que vaga pela água, eles aprendem a nadar antes de aprender a andar e passam mais da metade da vida em barcos no mar aberto, onde frequentemente nascem e morrem. Sobrevivem da coleta de moluscos e pepinos-do-mar. As crianças mergulham até 9 metros de profundidade, e colhem sua comida, inclusive pequenos bocados de vida marinha, e vêm fazendo isso há séculos. Aprendendo a reduzir o batimento cardíaco, eles podem ficar debaixo da água duas vezes mais tempo do que a maioria dos nadadores. Fazem isso sem nenhum equipamento de mergulho. Uma tribo, a sulu, mergulha mais de 20 metros para coletar pérolas.

Mas, para nossos propósitos, o que distingue essas crianças é que elas podem enxergar com clareza nessas grandes profundidades, sem óculos de proteção. A maioria das pessoas não consegue ver claramente debaixo da água porque ao passar pela água, a luz do sol se curva, ou "refrata", e assim a luz não cai onde deve na retina.[2]

A pesquisadora sueca Anna Gislén estudou a capacidade dos ciganos do mar de ler placas debaixo da água e descobriu que eles eram duas vezes mais habilidosos do que as crianças europeias.[3] Os ciganos aprenderam a controlar o formato de seus cristalinos e, mais importante, a controlar o tamanho das pupilas, contraindo-as em 22%. Esta é uma descoberta extraordinária, porque as pupilas humanas, por reflexo, ficam maiores debaixo da água, e se pensava que o ajuste da pupila era um reflexo inato e imutável, controlado pelo cérebro e pelo sistema nervoso.[4]

Essa capacidade dos ciganos do mar de enxergar sob a água não é produto de um dom genético único. Gislén desde então ensinou crianças suecas a contrair as pupilas para enxergar debaixo da água — mais um exemplo de que o cérebro e o sistema nervoso mostram resultados de treinamento inesperados, que alteram o que pensávamos ser um circuito rígido e inalterável.

Atividades Culturais Mudam a Estrutura Cerebral

A visão subaquática dos ciganos do mar é apenas um exemplo de como as atividades culturais podem mudar circuitos cerebrais, neste caso levando a uma mudança perceptiva inédita e aparentemente impossível. Embora os cérebros dos ciganos do mar ainda precisem ser examinados por neuroimagem, há estudos que mostram alterações da estrutura cerebral provocadas por atividades culturais. A música exige muito do cérebro. Um pianista que toca a décima primeira variação do Sexto Estudo sobre Paganini, de Franz Lizt, deve tocar impressionantes mil e oitocentas notas por minuto.[5] Estudos de Taub e outros sobre músicos que tocam instrumentos de corda mostraram que quanto mais os músicos praticam, maiores ficam os mapas cerebrais para a mão esquerda ativa, e os neurônios e mapas que respondem a timbres de corda aumentam;[6] em trompetistas, aumentam os neurônios e mapas que respondem aos sons estridentes.[7] Exames de neuroimagem mostram que os músicos têm várias áreas do cérebro — o córtex motor e o cerebelo, entre outras — que diferem daquelas de não músicos. Os exames também mostram que os músicos que começam tocando antes dos 7 anos têm áreas cerebrais maiores interconectadas entre os dois hemisférios.[8]

O historiador da arte Giorgio Vasari conta-nos que quando Michelangelo pintou a Capela Sistina, construiu um andaime quase até o teto e pintou poi vinte meses. Como escreve Vasari: "O trabalho foi executado com grande desconforto, já que Michelangelo tinha de manter a cabeça lançada para trás, e ele alterou tanto sua visão que por vários meses só conseguia ler e ver desenhos nesta posição."[9] Pode ter sido um caso de reorganização do cérebro, para ver apenas na estranha posição à qual tinha se adaptado. A alegação de Vasari pode parecer inverossímil, mas estudos mostram que quando usam "óculos de inversão", que viram o mundo de cabeça para baixo, as pessoas descobrem que seu cérebro muda e os centros de percepção "se invertem" depois de um curto período de tempo, e assim elas percebem o mundo do jeito certo e até leem livros de cabeça para baixo.[10] Quando tiram os óculos, veem o mundo como se estivesse de cabeça para baixo, até se readaptarem, como fez Michelangelo.

Não são apenas as atividades "cultas" que reprogramam o cérebro. Exames de neuroimagem de taxistas londrinos mostram que, quanto mais anos um motorista passa andando pelas ruas da cidade, maior o volume de seu hipocampo, aquela parte do cérebro que armazena representações espaciais.[11] Até as atividades de lazer mudam nosso cérebro; os praticantes e mestres de meditação têm uma ínsula mais espessa, uma parte do córtex ativada quando se presta muita atenção.[12]

Ao contrário dos músicos, dos taxistas e dos mestres de meditação, os ciganos do mar constituem um povo inteiro de caçadores-coletores em mar aberto e todos possuem visão subaquática.

Em todas as culturas, seus membros tendem a partilhar determinadas atividades, a "assinatura de uma cultura". Para os ciganos do mar, essa assinatura é enxergar debaixo da água. Para os que vivem na era da informação, as atividades características incluem ler, escrever, dominar um computador e usar a mídia eletrônica. Essas atividades peculiares diferem de atividades humanas universais como enxergar, ouvir e caminhar, que se desenvolvem com estímulo mínimo e são partilhadas por toda a humanidade, até pelas raras pessoas que foram criadas fora de uma cultura. As atividades típicas requerem treinamento e experiência cultural e levam ao desenvolvimento de um cérebro novo e especialmente estruturado. O ser humano não evoluiu para enxergar com clareza sob a água — deixamos nossos "olhos aquáticos" para trás com as escamas e nadadeiras, quando nossos ancestrais saíram do mar e evoluíram para enxergar em terra firme. A visão subaquática não é um dom da evolução; o dom é a plasticidade cerebral, que nos permite a adaptação a uma ampla gama de ambientes.

Estaria o Cérebro Preso ao Pleistoceno?

Uma explicação popular de como nosso cérebro passa a realizar atividades culturais é proposta pelos psicólogos evolucionistas, um grupo de pesquisadores que afirma que todo ser humano partilha dos mesmos módulos cerebrais fundamentais (departamentos no cérebro), ou *hardware* cerebral, e esses módulos se desenvolveram para realizar tarefas culturais específicas: alguns para a linguagem, alguns para o acasalamento, outros para classificar o mundo e assim por diante. Esses módulos evoluíram no Pleistoceno, entre cerca de 1,8 milhão e 10 mil anos atrás, quando a humanidade vivia da caça e coleta, e os módulos foram transmitidos geneticamente inalterados. Como todos partilhamos esses módulos, os principais aspectos da natureza e da psicologia humanas são universais. Assim, como corolário, esses psicólogos observam que o cérebro humano adulto é, portanto, anatomicamente inalterado desde o Pleistoceno. Mas esse corolário vai longe demais, porque não considera a plasticidade, também parte de nossa herança genética.[13]

O cérebro do caçador-coletor era um cérebro plástico como o nosso e não estava "preso" ao Pleistoceno, mas era capaz de reorganizar sua estrutura e suas funções para responder às condições cambiantes. Na realidade, foi essa capacidade de se modificar que nos permitiu sair do Pleistoceno, um processo que foi chamado de "fluidez cognitiva" pelo arqueólogo Steven Mithen[14] e que, afirmaria eu, provavelmente tem sua base na plasticidade cerebral. Todos os nossos módulos cerebrais são plásticos até certo ponto e podem ser combinados e diferenciados no curso de nossa vida para realizar várias funções — como no experimento de Pascual-Leone, em que ele vendou pessoas e demonstrou que seu lobo occipital, que normalmente processa a visão, podia processar o som e o tato. A mudança modular é necessária para a adaptação ao mundo moderno, que nos expõe a coisas que nossos ancestrais caçadores-coletores nunca tiveram de enfrentar. Um estudo com IRMf mostra que reconhecemos carros e caminhões com o mesmo módulo cerebral que usamos para reconhecer rostos.[15] É evidente que o cérebro do caçador-coletor não evoluiu para reconhecer carros e caminhões. É provável que o "módulo para rostos" fosse mais adaptado, em termos de competição, para processar essas formas — os faróis são bem parecidos com os olhos, o capô parece um nariz, a grade do radiador, uma boca — de modo que o cérebro plástico, com um pouco de treinamento e alteração estrutural, pode processar a imagem de um carro com o sistema de reconhecimento facial.

Os muitos módulos cerebrais que uma criança deve usar para ler, escrever e trabalhar no computador evoluíram milênios antes da alfabetização, que tem apenas vários milhares de anos. A disseminação da alfabetização foi tão rápida que o cérebro não teve a possibilidade de desenvolver um módulo genético específico para a leitura. A alfabetização, afinal, pode ser ensinada a tribos de caçadores-coletores analfabetos em uma única geração, e não há como toda uma tribo desenvolver um gene para um módulo de leitura em tão pouco tempo. Uma criança de hoje, quando aprender a ler, recapitula as fases pelas quais passou a humanidade. Há 30 mil anos, a humanidade aprendeu a desenhar em paredes de cavernas, o que exigia a formação e a consolidação de ligações entre as funções visuais (que processam imagens) e as funções motoras (que movem a mão). Em cerca de 3000 a.C., esta fase foi seguida pela invenção dos hieróglifos, em que imagens simples e padronizadas eram usadas para representar objetos — não foi uma grande mudança. Em seguida, essas imagens hieroglíficas foram convertidas em letras e se desenvolveu o primeiro alfabeto fonético, representando sons em vez de imagens visuais. Essa mudança exigiu a consolidação de conexões neuronais entre diferentes módulos que processam as imagens das letras, seu som e seu significado, bem como funções motoras que movem os olhos pela página.

Como compreenderam Merzenich e Tallal, é possível ver os circuitos de leitura por meio da neuroimagem. Assim, as atividades culturais características dão origem a circuitos cerebrais característicos que não existiam em nossos ancestrais. Segundo Merzenich: "Nosso cérebro é diferente daqueles de todos os humanos antes de nós (...). Nosso cérebro é modificado em uma escala substancial, física e funcionalmente, a cada vez que aprendemos uma nova habilidade ou desenvolvemos uma nova capacidade. Mudanças imensas estão associadas com nossas especializações culturais modernas."[16] E embora nem todos usem as mesmas áreas cerebrais para ler, porque o cérebro é plástico, existem circuitos típicos para a leitura — evidências físicas de que a atividade cultural leva a estruturas cerebrais modificadas.

Por Que o Ser Humano Tornou-se o Portador de Cultura?

Pode-se perguntar, com razão: por que o ser humano, e não outros animais que também têm um cérebro plástico, desenvolveu a cultura? É verdade que outros animais, como o chimpanzé, têm formas rudimentares de cultura e podem fazer ferramentas e ensinar seus descendentes a usá-las ou realizar operações rudimentares com símbolos. Mas são muito limitados. Como assinala o neurocientista Robert Sapolsky, a resposta está em uma variação genética muito leve entre nós e os chimpanzés.[17] Compartilhamos 98% de nosso DNA com os chimpanzés. O "projeto genoma humano" permitiu que os cientistas determinassem precisamente quais genes diferem, e viu-se que um deles é um gene que determina quantos neurônios faremos. Nossos neurônios são basicamente idênticos àqueles dos chimpanzés e até de lesmas-do-mar. No embrião, todos os neurônios partem de uma única célula, que se divide e produz duas células, depois quatro e assim por diante. Um gene regulatório determina quando parará este processo de divisão, e é este gene que difere entre humanos e chimpanzés. O processo continua por ciclos suficientes até que o ser humano tenha cerca de 100 bilhões de neurônios. Ele para alguns ciclos antes nos chimpanzés, e assim seu cérebro tem um terço do tamanho do nosso. O cérebro do chimpanzé é plástico, mas a diferença quantitativa entre o nosso e o dele leva a "um número exponencialmente maior de interações", porque cada neurônio pode ser conectado com milhares de células.

Como observou o cientista Gerald Edelman, só o córtex humano tem 30 bilhões de neurônios e é capaz de estabelecer 1 quatrilhão de conexões sinápticas. Edelman escreve: "Se considerássemos o número de possíveis circuitos nervosos, estaríamos lidando com números hiperastronômicos: um 10 seguido de pelo menos um milhão de zeros. (Existem 10 seguido de 79 zeros, mais ou menos, de partículas no universo conhecido.)"[18] Esse número impressionante explica por que o cérebro humano pode ser descrito como o objeto conhecido mais complexo no universo e por que ele é capaz de mudanças contínuas e maciças, em nível microestrutural, e capaz de realizar tantas funções mentais e comportamentos diferentes, inclusive nossas diferentes atividades culturais.

Uma Maneira Não Darwinista de Alterar as Estruturas Biológicas

Até a descoberta da neuroplasticidade, os cientistas acreditavam que a única maneira de o cérebro mudar sua estrutura era por meio da evolução das espécies, que na maioria dos casos leva milhares de anos. Segundo a moderna teoria evolucionista darwinista, desenvolvem-se novas estruturas cerebrais biológicas em uma espécie quando surgem mutações genéticas, criando variação no *pool* de genes. Se essas variações tiverem valor para a sobrevivência, é mais provável que sejam transmitidas à geração seguinte.

Mas a plasticidade cria uma nova maneira — além da mutação genética e das variações — de introduzir novas estruturas biológicas cerebrais em indivíduos por meios não darwinistas. Quando um pai lê, a estrutura microscópica de seu cérebro é alterada. A leitura pode ser ensinada ao filhos e isso muda a estrutura biológica de seus cérebros.

O cérebro é alterado de duas maneiras. Os menores detalhes dos circuitos que conectam os módulos são modificados — por menor que seja o detalhe. É este o caso dos módulos cerebrais originais dos caçadores-coletores, porque, no cérebro plástico, a mudança em uma área ou função cerebral "flui" pelo cérebro, em geral alterando os módulos que estão conectados a ela.

Merzenich demonstrou que uma mudança no córtex auditivo — um aumento da frequência de ativação — leva a mudanças no lobo frontal conectado ao córtex: "Não se pode mudar o córtex auditivo primário sem mudar o que acontece no córtex frontal. É absolutamente impossível." O cérebro não tem um conjunto de regras plásticas para uma parte e um segundo conjunto para outra. (Se fosse assim, as diferentes partes do cérebro não poderiam interagir.) Quando dois módulos são ligados de uma nova maneira numa atividade cultural — como acontece quando a leitura liga pela primeira vez os módulos visual e auditivo —, os módulos para as duas funções são alterados pela interação, criando um novo todo, maior do que a soma das partes. Uma visão do cérebro que leve em conta a plasticidade e o localizacionismo vê o cérebro como um sistema complexo no qual, como afirma Gerald Edelman, "as menores partes formam um conjunto heterogêneo de componentes que são mais ou menos independentes. Mas quando essas partes se conectam em agregados cada vez maiores, suas funções tendem a integrar-se, gerando novas funções que dependem dessa ordem de interação superior".[19]

Da mesma forma, quando um módulo falha, outros conectados a ele são alterados. Quando perdemos um sentido — a audição, por exemplo —, outros sentidos tornam-se mais ativos e mais aguçados para compensar a perda. Mas eles aumentam não só a *quantidade* de processamento, como também a *qualidade*, tornando-se mais parecidos com o sentido perdido. Os pesquisadores da plasticidade Helen Neville e Donald Lawson (medindo a frequência de ativação neuronal para determinar quais áreas do cérebro são ativas) descobriram que os surdos intensificam sua visão periférica para compensar o fato de que não conseguem ouvir coisas que lhes vêm de longe.[20] As pessoas que podem ouvir usam o córtex parietal, na parte superior do cérebro, para processar a visão periférica, enquanto o surdo usa o córtex visual, na parte posterior do cérebro. Uma mudança num módulo cerebral — neste caso, uma diminuição do *output* — leva a mudanças estrutural e funcional em outro módulo, e assim os olhos do surdo passam a se comportar mais como os ouvidos, mais capazes de perceber a periferia.

Plasticidade e Sublimação: Como Civilizamos Nossos Instintos Animais

O princípio segundo o qual os módulos que trabalham juntos se modificam mutuamente pode até explicar como é possível que misturemos instintos brutais de dominação e de predação (processados por módulos do instinto) com nossa esfera cognitivo-cerebral (processada por módulos da inteligência), como fazemos nos esportes e nos jogos competitivos como o xadrez, ou em competições artísticas, para realizar atividades que expressem ao mesmo tempo o instintivo e o intelectual.

Uma atividade desse tipo é chamada de "sublimação", até agora um processo misterioso pelo qual os instintos animais brutos são "civilizados". A sublimação sempre foi um enigma. Claramente, grande parte da criação dos filhos envolve "civilizar" as crianças, ensinando-as a reprimir ou canalizar esses instintos em expressões aceitáveis, como nos esportes de contato, jogos de tabuleiro e de computador, teatro, literatura e arte. Em esportes agressivos como o futebol americano, o hóquei, o boxe e o futebol, os torcedores em geral expressam esses desejos brutos ("Acaba com ele! Arrasa! Arrebenta com ele!" e assim por diante), mas as regras civilizatórias modificam a expressão do instinto, e assim os torcedores saem satisfeitos se seu time marca pontos.

Por mais de um século, pensadores influenciados por Darwin admitiram que temos dentro de nós instintos animais brutos, mas eles não conseguiram explicar como pode ocorrer a sublimação desses instintos. Neurologistas do século XIX, como John Hughlings Jackson e o jovem Freud, seguidores de Darwin, dividiram o cérebro em partes "inferiores", que partilhamos com os animais e que processam nossos instintos primordiais, e partes "superiores", que são exclusivamente humanas e que podem inibir a expressão de nossa brutalidade. Na realidade, Freud acreditava que a civilização se baseia na inibição parcial dos instintos sexuais e agressivos. Ele também acreditava que podemos ir longe demais na repressão de nossos instintos, levando-nos a desenvolver neuroses. A solução ideal era expressar esses instintos de maneiras que fossem aceitáveis e até recompensadas por nossos companheiros humanos, o que era possível porque os instintos, sendo plásticos, podem mudar de alvo. Ele chamava esse processo de "sublimação", mas, como ele próprio admitiu, ele nunca explicou exatamente como um instinto pode ser transformado em algo mais cerebral.

O cérebro plástico resolve o enigma da sublimação. Áreas que evoluíram para realizar tarefas de caça e coleta, como perseguir a presa, podem, porque são plásticas, ser sublimadas em jogos competitivos, uma vez que nosso cérebro evoluiu para relacionar diferentes grupos neuronais e módulos de novas maneiras. Não há motivo para que os neurônios de partes instintivas do cérebro não possam se conectar a áreas mais cognitivas e aos centros do prazer, de forma que literalmente sejam interconectados entre si, formando novos todos.

Esses todos são mais do que a soma de suas partes e são diferentes delas. Lembremo-nos do que afirmaram Merzenich e Pascual-Leone, uma regra fundamental da plasticidade cerebral: quando duas áreas começam a interagir, *elas se influenciam mutuamente e formam um novo todo*. Quando um instinto, como perseguir uma presa, é relacionado a uma atividade civilizada, como acuar o rei do adversário num tabuleiro de xadrez, e os circuitos neuronais para o instinto e a atividade intelectual também são ligados, as duas atividades parecem moderar uma à outra — jogar xadrez não é mais uma perseguição sangrenta, embora ainda tenha parte das emoções empolgantes da caça. A dicotomia entre o instinto "inferior" e o cérebro "superior" começa a desaparecer. Sempre que inferior e superior se transformam mutuamente para criar um novo todo, podemos falar de sublimação.

A civilização representa uma série de técnicas em que o cérebro de caçador-coletor ensina a si mesmo a se reorganizar. E uma triste prova de que a civilização é um composto de funções cerebrais superiores e inferiores é vista quando as civilizações irrompem em guerras civis e os instintos brutais aparecem com toda força, e roubo, estupro, destruição e assassinato tornam-se lugar-comum. Como o cérebro plástico sempre pode permitir a separação de funções cerebrais que foram criadas juntas, sempre é possível haver uma regressão ao barbarismo: a civilização sempre será uma questão delicada, que deve ser ensinada a cada geração e sempre alcança, no máximo, uma geração.

Quando o Cérebro Fica Preso entre Duas Culturas

O cérebro culturalmente modificado é sujeito ao paradoxo plástico (discutido no Capítulo 9, "A Transformação de Nossos Fantasmas em Ancestrais"): pode se tornar mais flexível ou mais rígido ainda — um importante problema quando as culturas mudam num mundo multicultural.

A imigração é uma difícil prova para o cérebro plástico. O processo de aprender uma cultura — a aculturação — é uma experiência "aditiva", de aprender novas coisas e fazer novas conexões neuronais enquanto "adquirimos" a cultura. A plasticidade aditiva também acontece quando a mudança cerebral envolve crescimento. Mas a plasticidade também é "subtrativa" e pode envolver "livrar-se de coisas", como ocorre quando o cérebro adolescente "poda" neurônios e quando se perdem as conexões neuronais que não são usadas. A cada vez que o cérebro plástico adquire uma cultura e a usa repetidamente, há um custo de oportunidade: o cérebro perde parte da estrutura nervosa no processo, porque a plasticidade é competitiva.

Patricia Kuhl, da Universidade de Washington, em Seattle, fez estudos de ondas cerebrais que mostram que os bebês humanos são capazes de ouvir *qualquer* diferença de som em todas as milhares de línguas de nossa espécie. Mas depois que se encerra o período crítico do desenvolvimento do córtex auditivo, um bebê criado em uma única cultura perde a capacidade de ouvir muitos desses sons, e neurônios não utilizados são "podados" até que o mapa cerebral seja dominado pela língua de sua cultura. Seu cérebro passa a filtrar os milhares de sons. Uma japonesa de 6 meses de idade ouve a distinção *r-l* do inglês tão bem quanto uma criança norte-americana. Com 1 ano de idade, ela não pode mais fazer isso. Se essa criança imigrar mais tarde, terá dificuldade para ouvir e falar novos sons corretamente.

A imigração em geral representa um esforço interminável e brutal para o cérebro adulto, exigindo uma reorganização maciça de vastas áreas corticais. É uma questão muito mais difícil do que simplesmente aprender novas coisas, porque a nova cultura está em competição plástica com as redes neurais que tiveram seu período crítico de desenvolvimento na terra natal. A assimilação de sucesso, com poucas exceções, requer pelo menos uma geração. Só crianças imigrantes que passam por seu período crítico na nova cultura podem ter esperanças de achar a imigração menos desorientadora e menos traumatizante. Para a maioria das pessoas, o choque cultural é um choque cerebral.[21]

As diferenças culturais são tão persistentes porque quando aprendemos, e estruturamos em nosso cérebro, nossa cultura natal, ela se torna uma "segunda natureza", aparentemente tão "natural" quanto muitos instintos com os quais nascemos. Os gostos criados por nossa cultura — alimentares, familiares, amorosos, musicais — em geral parecem "naturais", embora possam ser gostos adquiridos. O modo como conduzimos a comunicação não verbal — o quanto nos aproximamos dos outros, os ritmos e o volume de nossa fala, quanto tempo esperamos antes de interromper uma conversa — todos nos parecem "naturais", porque são profundamente embutidos em nossos cérebro. Quando mudamos de cultura, ficamos chocados em saber que esses costumes não são nada naturais. Na realidade, mesmo quando fazemos uma mudança modesta, como para uma nova casa, descobrimos que uma coisa básica, como nossos senso de espaço, que nos parece tão natural, e várias rotinas das quais nem tínhamos consciência devem lentamente ser alterados enquanto o cérebro se reorganiza.

Sentir e Perceber São Plásticos

O "aprendizado perceptivo" é o tipo de aprendizado que acontece sempre que o cérebro aprende a perceber com mais acuidade ou de uma nova maneira, como ocorre com os ciganos do mar. Neste processo o cérebro desenvolve novos mapas e estruturas. O aprendizado perceptivo também está envolvido na mudança estrutural baseada na plasticidade que acontece quando o *Fast ForWord* de Merzenich ajuda crianças com problemas de discriminação auditiva a desenvolver mapas cerebrais mais refinados, para que possam ouvir a fala normal pela primeira vez.

Há muito se pressupõe que absorvemos a cultura por meio de nosso equipamento perceptivo humano padrão e universal, mas o aprendizado perceptivo mostra que este pressuposto não é inteiramente exato. *Em um grau maior do que suspeitamos, a cultura determina o que podemos ou não perceber.*

Uma das primeiras pessoas a começar a pensar em como a plasticidade deve mudar a maneira como pensamos a cultura foi o neurocientista canadense Merlin Donald, que afirmou, em 2000, que a cultura muda nossa arquitetura cognitiva *funcional*, o que significa que funções mentais são reorganizadas, como acontece com o aprendizado da leitura e da escrita.[22] Agora sabemos que as estruturas anatômicas também devem mudar para que isso ocorra. Donald também argumentou que atividades culturais complexas como a alfabetização e a linguagem mudam as funções cerebrais, mas nossas funções cerebrais mais fundamentais, como a visão e a memória, não são alteradas. Como ele afirma: "Ninguém sugere que a cultura determina uma coisa fundamental como a visão ou a capacidade básica de memória. Porém, isso obviamente não é verdadeiro para a arquitetura funcional da alfabetização e provavelmente não para a linguagem."

Entretanto, nos poucos anos desde essa declaração, ficou claro que mesmo funções mentais fundamentais, como o processamento visual e a capacidade de memória, são até certo ponto neuroplásticos. A ideia de que a cultura pode mudar atividades cerebrais tão fundamentais como visão e percepção é radical. Embora quase todos os cientistas sociais — antropólogos, sociólogos, psicólogos — admitam que diferentes culturas interpretem o mundo de forma diferente, por vários milhares de anos a maioria dos cientistas e das pessoas comuns — como afirma o psicólogo social da Universidade de Michigan Richard E. Nisbett — pressupôs que "as pessoas de uma cultura diferem de outra em suas crenças não porque tenham diferentes processos cognitivos. Na realidade, elas devem ter sido expostas a diferentes aspectos do mundo ou aprenderam coisas diferentes".[23] O psicólogo europeu mais famoso de meados do século XX, Jean Piaget, acreditava ter mostrado, numa série de experimentos brilhantes com crianças europeias, que perceber e raciocinar se desenvolvem da mesma maneira para todos os seres humanos e que esses processos são universais. Na verdade, acadêmicos, viajantes e antropólogos há muito observaram que as pessoas do Oriente (povos asiáticos que foram influenciados pelas tradições chinesas) e as do Ocidente (herdeiros das tradições da Grécia antiga) percebem de maneiras diferentes,[24] mas os cientistas supuseram que essas diferenças eram baseadas em *interpretações* diferentes do objeto, não em diferenças microscópicas em seu equipamento e estrutura de percepção.

Por exemplo, sempre se observou que os ocidentais abordam o mundo "analiticamente", dividindo o que observam em partes individuais.[25] Os orientais tendem a abordar o mundo de forma mais "holística", percebendo as coisas como um "todo" e dando destaque à inter-relação de todas as coisas.[26] Também se observou que os diferentes estilos cognitivos do Ocidente analítico e do Oriente holístico têm paralelo nas diferenças entre os dois hemisférios cerebrais. O hemisfério esquerdo tende a realizar o processamento mais sequencial e analítico, enquanto o direito em geral se envolve no processamento simultâneo e holístico.[27] Seriam essas diferentes maneiras de ver o mundo baseadas em diferentes interpretações do que é visto, ou ocidentais e orientais na verdade veem coisas diferentes?

A resposta não estava clara porque quase todos os estudos sobre a percepção foram feitos por acadêmicos ocidentais — em geral, com universitários americanos — até que Nisbett projetou experimentos para comparar a percepção no Oriente e no Ocidente, trabalhando com universitários dos Estados Unidos, China, Coreia e Japão. Ele fez isso com relutância, porque acreditava que todos percebemos e raciocinamos da mesma maneira.[28]

Em um experimento típico, um estudante japonês de Nisbett, Take Masuda, mostrou a alunos nos Estados Unidos e no Japão oito animações em cores de peixes nadando. Cada cena tinha um "peixe focal" que se movia mais rápido e era maior, mais claro ou mais evidente do que outros peixes menores no cardume.

Quando solicitados a descrever a cena, os americanos em geral referiam-se ao peixe focal. Os japoneses referiam-se aos peixes menos destacados, às pedras do fundo, plantas e animais com uma frequência 70% maior do que os americanos. Os participantes em seguida viam alguns desses objetos isoladamente, não como parte da cena original. Os americanos reconheceram os objetos sempre que eram exibidos na cena original ou não. Os japoneses eram mais capazes de reconhecer um objeto se ele fosse exibido na cena original. Eles percebiam o objeto em termos do que estava "associado" a ele. Nisbett e Masuda também mediram a velocidade com que os participantes reconheciam objetos — um teste do quanto o processamento perceptivo era *automático*. Quando os objetos eram colocados sobre um novo fundo, os japoneses cometiam erros; os americanos, não. Esses aspectos da percepção não estão sob nosso controle consciente e dependem de circuitos neuronais treinados e mapas cerebrais.

Esses experimentos e muitos outros semelhantes confirmam que os orientais percebem holisticamente, vendo os objetos relacionados entre si num contexto, enquanto os ocidentais os percebem isoladamente. Os orientais veem por uma lente grande angular; os ocidentais usam uma estreita, com um foco mais agudo. Tudo o que sabemos sobre a plasticidade sugere que essas diferentes maneiras de perceber, repetidas centenas de vezes por dia, numa prática maciça, deve levar a mudanças nas redes neuronais responsáveis por sentir e perceber. A questão poderia ser resolvida por neuroimagem de alta resolução de pessoas orientais e ocidentais enquanto sentissem e percebessem.

Experimentos posteriores da equipe de Nisbett confirmaram que quando as pessoas mudam de cultura, aprendem a perceber de uma nova maneira.[29] Depois de vários anos nos Estados Unidos, os japoneses começam a perceber de uma forma indistinguível dos americanos; assim, claramente as diferenças perceptivas não são baseadas na genética. Os filhos de imigrantes asiático-americanos percebem de uma maneira que reflete as duas culturas.[30] Como estão sujeitos a influências orientais em casa e a influências ocidentais na escola e em outros lugares, às vezes eles processam cenas holisticamente e às vezes focalizam em objetos de destaque. Outros estudos mostram que as pessoas criadas em uma situação bicultural alternam entre a percepção ocidental e oriental.[31] Os nativos de Hong Kong, tendo vivido sob influência britânica e chinesa, podem ser "preparados" a perceber como ocidentais ou orientais por experimentos que lhes mostram uma imagem ocidental de Mickey Mouse ou do Capitólio, ou uma imagem oriental de um templo ou um dragão. Nisbett e seus colegas assim estão procedendo nos primeiros experimentos que demonstram o "aprendizado perceptivo" intercultural.

A cultura pode influenciar o desenvolvimento do aprendizado perceptivo porque a percepção não é (como supõem muitos) um processo passivo, "de cima para baixo", que começa quando a energia do mundo atinge receptores dos sentidos, depois transmite sinais aos centros de percepção "superiores" no cérebro. O cérebro perceptivo é ativo e sempre está se adaptando. Ver é uma atividade como tocar, quando passamos os dedos sobre um objeto e descobrimos sua textura e formato. Na realidade, um olho estacionário é praticamente incapaz de perceber um objeto complexo.[32] O córtex sensorial e o motor sempre estão envolvidos na percepção.[33] Os neurocientistas Manfred Fahle e Tomaso Poggio mostraram experimentalmente que os níveis "superiores" de percepção afetam o desenvolvimento da mudança neuroplástica nas partes sensoriais "inferiores" do cérebro.[34]

O fato de que as culturas diferem na modalidade perceptiva não prova que um ato perceptivo é tão bom quanto o seguinte ou que "tudo é relativo" quando se trata da percepção. Claramente, alguns contextos apelam por um ângulo de visão mais estreito e alguns por uma percepção mais ampla e holística. Os ciganos do mar sobreviveram usando uma combinação de sua experiência no mar e a percepção holística. São tão sintonizados com o comportamento do mar que quando o tsunami de 26 de dezembro de 2004 atingiu o oceano Índico, matando milhares de pessoas, todos sobreviveram. Eles viram que o mar tinha começado a recuar de uma forma estranha, e este recuo foi seguido por uma onda incomumente pequena; eles viram os golfinhos começarem a nadar para águas mais profundas, enquanto os elefantes começaram a subir para terreno mais alto, e ouviram as cigarras se calarem. Os ciganos do mar começaram a falar de sua antiga história da "Onda que Devora Pessoas", dizendo que ela estava voltando. Bem antes que a ciência moderna entendesse tudo, eles tinham fugido do mar para a costa, procurando terreno mais alto, ou foram para águas mais profundas, onde também sobreviveram. O que eles foram capazes de fazer, como não puderam as pessoas mais modernas sob a influência da ciência analítica, foi reunir todos esses eventos incomuns e ver o todo, usando uma lente grande angular excepcional até para os padrões orientais. Na realidade, os barqueiros birmaneses também estavam no mar quando desses eventos extraordinários, mas não sobreviveram.

Indagaram a um cigano do mar como é que os birmaneses, que também conheciam o mar, pereceram. Ele respondeu: "Eles estavam olhando as lulas. Não estavam olhando nada. Não viram nada, não olharam para nada. Eles não sabem olhar."[35]

Neuroplasticidade e Rigidez Social

Bruce Wexler, psiquiatra e pesquisador da Yale University, afirma, em seu livro *Brain and Culture*, que o relativo declínio da neuroplasticidade com o envelhecimento explica muitos fenômenos sociais.[36] Na infância, nosso cérebro se modela prontamente em resposta ao mundo, desenvolvendo estruturas neuropsicológicas, que incluem nossas imagens e representações do mundo. Essas estruturas formam a base neuronal de todos os nossos hábitos perceptivos e crenças, até as ideologias complexas. Como todos os fenômenos plásticos, essas estruturas tendem a se reforçar cedo, se repetidas, e se tornam autossustentáveis.

Com o envelhecimento e o declínio da plasticidade, é cada vez mais difícil mudarmos em resposta ao mundo, mesmo que queiramos. Descobrimos tipos familiares de estímulo prazerosos; procuramos pessoas de mentalidade semelhante para associação, e a pesquisa mostra que tendemos a ignorar ou esquecer, ou tentar desacreditar, informações que não combinam com nossas crenças ou percepção do mundo porque é muito aflitivo e difícil pensar e perceber de novas maneiras. Cada vez mais, o indivíduo que envelhece procura preservar as estruturas internas e, quando ocorre um descompasso entre suas estruturas neurocognitivas internas e o mundo, ele procura mudar o mundo. Num âmbito menos abrangente, começa a microgerenciar o ambiente, a controlá-lo e a torná-lo familiar. Mas esse processo, em grande escala, frequentemente leva grupos culturais inteiros a tentar impor sua visão de mundo a outras culturas e costumam se tornar violentos, em especial no mundo moderno, onde a globalização tem aproximado cada vez mais as culturas, exacerbando o problema. A ideia de Wexler, então, é a de que grande parte do conflito intercultural que vemos é fruto da relativa diminuição da plasticidade.

Podemos acrescentar que os regimes totalitários têm uma intuição de que é cada vez mais difícil as pessoas mudarem depois de certa idade, e é por isso que despendem tanto esforço para doutrinar os jovens desde cedo. Por exemplo, a Coreia do Norte, o regime mais inteiramente totalitário existente, coloca crianças dos 2 anos e meio aos 4 anos na escola; [37] elas passam quase todo o tempo de vigília imersas em um culto de adoração ao ditador Kim Jong Il e seu pai, Kim Il Sung. Só podem ver os pais nos fins de semana. Praticamente toda história lida para eles trata de seu líder. Quarenta por cento dos livros didáticos da escola de ensino fundamental são dedicados integralmente a descrever os dois Kim. Isso continua por toda a escolaridade. O ódio ao inimigo é também inculcado por meio de um "exercício intensivo", e assim é formado um circuito cerebral ligando automaticamente a percepção do "inimigo" a emoções negativas. Um típico quiz matemático pergunta: "Três soldados do Exército Popular da Coreia mataram trinta soldados americanos. Quantos soldados americanos foram mortos por cada um deles, se todos mataram igual número de soldados inimigos?" Essas redes de emoção perceptiva, depois de estabelecidas nas pessoas doutrinadas, não levam apenas a meras "diferenças de opinião" entre elas e seus adversários, mas a diferenças anatômicas baseadas na plasticidade, que são muito mais difíceis de transpor ou superar com as formas comuns de persuasão.

Waxler enfatiza o relativo afunilamento da plasticidade à medida que envelhecemos, mas devemos dizer que algumas práticas usadas por cultos, ou na lavagem cerebral, que obedecem às leis da neuroplasticidade demonstram que às vezes as identidades podem ser alteradas na idade adulta, mesmo contra a vontade da pessoa. Os seres humanos podem ser destroçados para depois desenvolver, ou pelo menos "acrescentar", estruturas neurocognitivas, se sua vida cotidiana for totalmente controlada, se forem condicionados por recompensa ou castigo severo e se forem submetidos a rituais de massa, em que são obrigados a repetir ou recitar mentalmente várias declarações ideológicas. Em alguns casos, esse processo pode levá-los a "desaprender" suas estruturas mentais preexistentes, como observou Walter Freeman.[38] Este resultado desagradável não seria possível se o cérebro adulto não fosse plástico.

Um Cérebro Vulnerável — Como a Mídia o Reorganiza

A internet é só uma das possibilidades que o homem contemporâneo tem para viver milhões de "práticas", às quais o homem médio de mil anos atrás não tinha acesso algum. Nosso cérebro é maciçamente remodelado por tal exposição — mas também pela leitura, televisão, videogames, eletrônica moderna, música contemporânea, "ferramentas" contemporâneas etc.[39]

MICHAEL MERZENICH, 2005

Já discutimos os vários motivos pelos quais a plasticidade não foi descoberta antes — como a falta de uma janela para o cérebro vivo e o domínio das versões mais simplistas do localizacionismo. Mas há outro motivo para não reconhecermos a plasticidade, motivo que é particularmente relevante para o cérebro culturalmente modificado. Quase todos os neurocientistas, como escreve Merlin Donald, têm uma visão do cérebro como um órgão isolado, quase como se estivesse contido numa caixa, e acreditam que "a mente existe e se desenvolve inteiramente na cabeça e que sua estrutura básica é um fato biológico".[40] Os behavioristas e muitos biólogos defenderam essa visão. Entre os que a rejeitaram estavam os psicólogos do desenvolvimento, porque eles geralmente eram sensíveis aos modos como as influências externas podem prejudicar o cérebro em desenvolvimento.

Ver televisão, uma das atividades características de nossa cultura, tem correlação com problemas cerebrais. Um recente estudo de mais de 26 mil crianças mostra que a exposição precoce à televisão, entre as idades de 1 e 3 anos, correlaciona-se com problemas para prestar atenção e controlar impulsos numa fase posterior da infância.[41] Para cada hora de TV que os bebês assistiam a cada dia, aumentava em 10% a probabilidade de desenvolverem graves dificuldades de atenção aos 7 anos. Esse estudo, como argumenta o psicólogo Joel T. Nigg, não controlou perfeitamente outros possíveis fatores que influenciam a correlação entre ver TV e problemas posteriores de atenção.[42] Pode-se argumentar que os pais de crianças com maiores dificuldades de atenção lidam com o problema colocando-as diante de aparelhos de televisão. Ainda assim, as descobertas do estudo são extremamente sugestivas e, dada a ascensão do uso da televisão, exigem mais investigação. Quarenta e três por cento das crianças americanas de até 2 anos veem televisão diariamente,[43] e 25% tem televisores no quarto.[44] Cerca de vinte anos depois da disseminação da TV, professores de crianças novas começaram a perceber que seus alunos tinham se tornado mais inquietos e tinham uma dificuldade cada vez maior de prestar atenção. A educadora Jane Healy documentou essas mudanças em seu livro *Endangered Minds*, especulando que eram fruto de mudanças plásticas no cérebro das crianças.[45] Quando essas crianças entravam na faculdade, os professores se queixavam de ter de "baixar o nível" de seus cursos a cada ano, porque os alunos estavam cada vez mais interessados em "fragmentos sonoros" e ficavam intimidados pela leitura, qualquer que fosse sua extensão. Enquanto isso, o problema foi sepultado pelas "notas escolares inflacionadas" (grade inflation) e acelerado pela pressão por "computadores em cada sala de aula", que objetivava aumentar a memória RAM e os gigabytes nos computadores das salas em vez de a capacidade de atenção e a memória dos alunos. O psiquiatra de Harvard Edward Hallowell, especialista em distúrbio de déficit de atenção (DDA), que é genético, relacionou a mídia eletrônica ao aumento de características de déficit de atenção, que não são genéticas, em grande parte da população.[46] Ian H. Robertson e Redmond O'Connell obtiveram resultados promissores usando exercícios mentais para tratar o distúrbio de déficit de atenção[47] e, se isso pode ser feito, podemos ter esperanças de que as meras tendências também possam ser tratadas.

A maioria das pessoas pensa que os riscos criados pela mídia são resultado do conteúdo. Mas Marshall McLuhan, o canadense que fundou os estudos sobre a mídia nos anos 1950 e previu a internet vinte anos antes de ser inventada, foi o primeiro a intuir que a mídia muda nosso cérebro independente de conteúdo e disse, como ficou notório: "O meio é a mensagem."[48] McLuhan estava afirmando que cada meio reorganiza nossa mente e nosso cérebro de maneira única e que as consequências dessas reorganizações são muito mais significativas do que os efeitos do conteúdo ou da "mensagem".

Erica Michael e Marcel Just, da Universidade Carnegie Mellon, fizeram um estudo de neuroimagem para testar se o meio é realmente a mensagem.[49] Demonstraram que diferentes áreas cerebrais estão envolvidas em ouvir a fala e ler, e *diferentes centros de compreensão* em ouvir palavras e lê-las. Como afirma Just: "O cérebro construiu a mensagem (...) com formas diferentes para ler e ouvir. A implicação pragmática é de que o meio é parte da mensagem. Ouvir um audiolivro deixa um conjunto diferente de lembranças do que a leitura de um livro. Um noticiário ouvido no rádio é processado de forma diferente das mesmas palavras lidas em um jornal." Esta descoberta refuta a teoria convencional da compreensão, segundo a qual um único centro do cérebro compreende palavras, não importa como (por qual sentido ou meio) a informação entra no cérebro, porque ela será processada da mesma maneira e no mesmo lugar. O experimento de Michael e Just mostra que cada meio cria uma experiência sensorial e semântica diferente — e, podemos acrescentar, desenvolve diferentes circuitos no cérebro.

Cada meio leva a uma mudança no equilíbrio de cada um de nossos sentidos, aumentando alguns à custa de outros. Segundo McLuhan, o homem pré-letrado vivia com um equilíbrio "natural" de audição, visão, tato, olfato e paladar. A palavra escrita levou o homem pré-letrado de um mundo de sons para um mundo visual, mudando da fala para a leitura; a tipografia e a imprensa aceleraram esse processo. Agora a mídia eletrônica está trazendo de volta o som e, de certo modo, restaurando o equilíbrio original. Cada novo meio cria uma forma única de consciência, em que alguns sentidos são "aumentados" e outros são "reduzidos". McLuhan disse: "A proporção entre nossos sentidos é alterada."[50] Sabemos pelo trabalho de Pascual-Leone com as pessoas vendadas (visão reduzida) com que rapidez podem acontecer as reorganizações sensoriais.

Afirmar que um meio cultural, como televisão, rádio ou internet, altera o equilíbrio dos sentidos não prova que ele seja prejudicial. Grande parte dos danos causados pela televisão e outras mídias eletrônicas, como clipes de música e jogos de computador, vêm do efeito que têm sobre a atenção. As crianças e adolescentes que se sentam diante de jogos de luta se envolvem numa prática intensiva e são recompensadas gradualmente. Os videogames, como a pornografia na internet, reúnem todas as condições para a mudança plástica de um mapa cerebral. Uma equipe do Hospital Hammersmith, em Londres, projetou um videogame típico em que um comandante de tanque atira no inimigo e foge do fogo inimigo. O experimento mostrou que a dopamina — o neurotransmissor da recompensa, também estimulado por drogas viciantes — é liberada no cérebro durante esses jogos.[51] As pessoas que são viciadas em jogos de computador mostram todos os sinais de outros vícios: anseio quando param, descuido de outras atividades, euforia quando estão no computador e uma tendência a negar ou minimizar seu verdadeiro envolvimento.

A televisão, os clips de música e videogames, todos que usam técnicas de televisão, desenrolam-se em um ritmo muito mais rápido do que a vida real e estão ficando mais rápidos, o que leva as pessoas a desenvolverem um apetite cada vez maior por transições de alta velocidade nessas mídias.[52] É a *forma* do meio de televisão — cortes, edições, zooms, panorâmicas e ruídos súbitos — que altera o cérebro, ativando o que Pavlov chamou de "reflexo de orientação", que acontece sempre que sentimos uma mudança repentina no mundo, especialmente um movimento súbito. Por instinto, interrompemos o que estivermos fazendo para nos virar, prestar atenção e nos orientarmos. O reflexo de orientação evoluiu, sem dúvida nenhuma, porque nossos antepassados eram ao mesmo tempo predadores e presa e precisavam reagir a situações que podiam ser perigosas ou podiam se mostrar oportunidades repentinas de comida ou sexo, ou simplesmente situações novas. A resposta é fisiológica: o batimento cardíaco diminui por 4 a 6 segundos. A televisão estimula essa resposta a uma taxa muito mais rápida do que experimentamos na vida, e é por isso que não conseguimos desgrudar os olhos da tela da TV, mesmo no meio de uma conversa íntima, e é por isso também que as pessoas veem TV por muito mais tempo do que pretendem. Como os clipes de música, sequências de ação e comerciais estimulam reflexos de orientação a uma taxa de um por segundo, assisti-los nos coloca irrecuperavelmente em reflexo de orientação contínuo. Não admira que as pessoas falem de se sentir esgotadas de tanto ver TV. Entretanto, adquirimos um gosto por ela e achamos tediosas as mudanças mais lentas. O preço a pagar é a dificuldade crescente em atividades como ler, manter uma conversa complexa ou assistir às aulas.

O *insight* de McLuhan foi que a mídia de comunicação ao mesmo tempo estende nosso alcance e nos implode por dentro. Sua primeira lei é de que toda mídia é a extensão de aspectos do homem: escrever amplia a memória, quando usamos um papel e uma caneta para registrar nossos pensamentos; o carro estende os pés; a roupa, a pele. A mídia eletrônica é uma extensão de nosso sistema nervoso: o telégrafo, o rádio, o telefone estendem o raio de ação da audição humana, a câmera de televisão estende os olhos e a visão, o computador estende a capacidade de processamento de nosso sistema nervoso central. McLuhan afirmava que o processo de extensão do nosso sistema nervoso também o altera.

A implosão da mídia dentro de nós, afetando nosso cérebro, é menos evidente, mas temos visto muitos exemplos. Quando Merzenich e seus colegas elaboraram o implante coclear, um meio que traduz ondas sonoras em impulsos elétricos, o cérebro de um paciente se reorganiza para ler esses impulsos.

O *Fast ForWord* é um meio que, como o rádio ou um jogo de computador interativo, transmite linguagem, sons e imagens e, no decorrer deste processo, reorganiza radicalmente o cérebro. Quando Bach-y-Rita ligou pessoas cegas a uma câmera e elas foram capazes de perceber formas, rostos e perspectiva, ele demonstrou que o sistema nervoso pode se tornar parte de um sistema eletrônico maior. Todos os dispositivos eletrônicos reorganizam o cérebro. As pessoas que escrevem num computador frequentemente ficam perdidas quando têm de escrever à mão ou ditar, porque seu cérebro não está programado para traduzir pensamentos em escrita cursiva ou em discurso rápido. Quando os computadores quebram e as pessoas têm minicolapsos nervosos, há mais do que uma pequena verdade em suas queixas: "Parece que perdi minha mente!" À medida que usamos a mídia eletrônica, nosso sistema nervoso se estende para fora e a mídia se estende para dentro.

A mídia eletrônica é tão eficaz na alteração do sistema nervoso porque ambos trabalham de maneira semelhante, são basicamente compatíveis e, portanto, relacionam-se facilmente. Ambos envolvem a transmissão instantânea de sinais elétricos para estabelecer ligações. Como nosso sistema nervoso é plástico, ele pode tirar proveito dessa compatibilidade e se fundir com a mídia eletrônica, formando um sistema maior e único. Na realidade, a fusão é da natureza desses sistemas, quer sejam biológicos ou feitos pelo homem. O sistema nervoso é uma mídia interna, transmitindo mensagens de uma área do corpo a outra, e evoluiu para fazer, por organismos multifacetados como o nosso, o que a mídia eletrônica faz pela humanidade — conectar partes díspares. McLuhan expressou essa extensão eletrônica do sistema nervoso e do *self* em termos cômicos: "Agora o homem está começando a usar o cérebro por fora do crânio e os nervos por fora da pele."[53] Em uma formulação famosa, ele disse: "Hoje, depois de mais de um século de tecnologia elétrica, estendemos nosso sistema nervoso central em um abraço global, abolindo espaço e tempo no que diz respeito ao nosso planeta."[54] Espaço e tempo são abolidos porque a mídia eletrônica liga lugares distantes instantaneamente, dando ensejo ao que ele chamou de "aldeia global". Essa extensão é possível porque nosso sistema nervoso plástico pode se integrar com um sistema eletrônico.

Apêndice 2

A Plasticidade e a Ideia de Progresso

A ideia do cérebro plástico apareceu em épocas pregressas, em lampejos, depois desapareceu. Mas embora agora seja estabelecida como um fato da ciência dominante, esses aparecimentos anteriores deixaram seus rastros e possibilitaram alguma receptividade à ideia, apesar da enorme oposição que cada um dos cientistas neuroplásticos enfrentou de colegas cientistas.

Já em 1762, o filósofo suíço Jean-Jacques Rousseau (1712-1778), que criticou a visão mecanicista da natureza de sua época, argumentou que a natureza era viva, tinha uma história e mudava com o tempo;[1] nosso sistema nervoso não é como a máquina, disse ele, mas é vivo e capaz de mudar.[2] Em seu livro *Émile, ou Sobre a educação* — o primeiro livro detalhado sobre desenvolvimento infantil já escrito — ele propôs que a "organização do cérebro" era afetada por nossa experiência e que precisamos "exercitar" nossos sentidos e capacidades mentais como exercitamos nossos músculos.[3] Rousseau sustentava que até as emoções e paixões são em grande parte aprendidas no início da infância. Ele imaginou transformar radicalmente a educação e a cultura humanas, com base na premissa de que muitos aspectos de nossa natureza que pensamos ser fixos são, na realidade, mutáveis e que esta maleabilidade é uma característica que define a espécie humana. Ele escreveu: "Para entender um homem, veja o homem; e para entender os homens, veja os animais". Quando nos comparamos com outras espécies, vemos o que ele chamou de "perfectibilidade" humana — e colocou a palavra francesa *perfectibilité* em moda[4] — usando-a para descrever uma plasticidade ou maleabilidade especificamente humana, que nos distingue dos animais. Vários meses depois do nascimento de um animal, observou ele, já se estabelece a maior parte do que ele será pelo resto da vida. Mas o ser humano muda a vida toda devido à sua "perfectibilidade".

Foi nossa "perfectibilidade", afirmou ele, que nos permitiu desenvolver diferentes tipos de faculdades mentais e alterar o equilíbrio entre nossas faculdades mentais e sentidos existentes, mas isso também pode ser problemático porque rompeu o equilíbrio natural de nossos sentidos. Como nosso cérebro era tão sensível à experiência, ele também era mais vulnerável a ser modelado por ela. Escolas como a montessoriana, com sua ênfase na educação dos sentidos, desenvolveram-se a partir das observações de Rousseau. Ele também foi o precursor de McLuhan, que afirmaria séculos depois que algumas tecnologias e meios de comunicação alteram a proporção ou o equilíbrio entre os sentidos. Quando dizemos que a mídia eletrônica instantânea, os fragmentos sonoros da televisão e o afastamento da leitura criaram pessoas demasiado "conectadas" e agitadas, com limitada capacidade de atenção, estamos falando a linguagem de Rousseau, sobre um novo tipo de problema ambiental que interfere em nossa capacidade cognitiva. Rousseau também se preocupou com o fato de que o equilíbrio entre nossos sentidos e nossa imaginação pudesse ser perturbado pelos tipos errados de experiência.[5]

Em 1783, Charles Bonnet (1720-1793),[6] contemporâneo de Rousseau, também filósofo suíço e naturalista familiarizado com os escritos de Rousseau, escreveu a um cientista italiano, Michele Vincenzo Malacarne (1744-1816), propondo a hipótese de que o tecido nervoso podia reagir a exercícios, tal como os músculos.[7] Malacarne procurou testar experimentalmente a hipótese de Bonnet. Pegou pares de aves que vinham do mesmo ninho de ovos e criou metade delas em ambientes estimulantes e sob treinamento intensivo por vários anos. A outra metade não teve treinamento. Ele fez o mesmo experimento com duas ninhadas de cachorro. Quando Malacarne sacrificou os animais e comparou o tamanho do cérebro, descobriu que os animais que receberam treinamento tinham cérebros maiores, particularmente em uma parte do cérebro chamada de cerebelo, demonstrando a influência de "ambientes estimulantes" e do "treinamento" no desenvolvimento do cérebro de um indivíduo. O trabalho de Malacarne foi completamente esquecido, até ser redescoberto e aprofundado por Rosenzweig e outros no século XX.[8]

Perfectibilité — Uma Bênção Ambígua

Rousseau, que morreu em 1778, pode não ter conhecido os resultados de Malacarne, mas mostrou uma capacidade misteriosa de prever o que significaria a *perfectibilité* para a humanidade. Ela dá esperanças, mas nem sempre é uma bênção. Como podemos mudar, nem sempre sabemos o que era natural em nós e o que foi adquirido de nossa cultura. Como podemos mudar, podemos ser abertamente modelados pela cultura e a sociedade, até sermos afastados demais de nossa verdadeira natureza e nos tornarmos alienados de nós mesmos.

Embora possamos nos alegrar com a ideia de que o cérebro e a natureza humana possam ser "melhorados", a ideia da perfectibilidade humana ou plasticidade agita um ninho de vespa de problemas morais.

Os primeiros pensadores, desde Aristóteles, que não falavam de um cérebro plástico, afirmavam que havia um ideal óbvio ou um desenvolvimento mental "perfeito". Nossas faculdades mentais e emocionais eram dadas pela natureza e alcançava-se um desenvolvimento mental saudável usando-se essas faculdades e aperfeiçoando-as. Rousseau compreendia que se a vida emocional e mental e o cérebro humanos são maleáveis, não podemos mais ter certeza do que seria um desenvolvimento mental normal ou perfeito; poderia haver muitos tipos diferentes de desenvolvimento. Devido à perfectibilidade, não podemos mais ter certeza do que significa o aperfeiçoamento pessoal. Percebendo este problema moral, Rousseau usou o termo "perfectibilidade" em um sentido irônico.[9]

Da Perfectibilidade à Ideia de Progresso

Qualquer mudança em nossa compreensão do cérebro acaba afetando nossa compreensão da natureza humana. Depois de Rousseau, a ideia da perfectibilidade rapidamente foi ligada à ideia de "progresso". Condorcet (1743-1794), filósofo e matemático francês, importante participante da Revolução Francesa, afirmou que a história humana era a história do progresso e a ligou a nossa perfectibilidade. Ele escreveu: "A natureza não estabelece um término para a perfeição das faculdades humanas (...); a perfectibilidade do homem é verdadeiramente indefinida e (...) o progresso desta perfectibilidade (...) não tem outro limite senão a duração do globo sob o qual a natureza nos lançou."[10] A natureza humana podia ser aprimorada continuamente em termos intelectuais e morais, e os homens não devem dar a si mesmos limites fixos para sua possível perfeição. (Esta visão era um tanto menos ambiciosa do que a busca da perfeição definitiva, mas ainda era uma utopia ingênua.)

As ideias gêmeas de progresso e perfectibilidade chegaram aos Estados Unidos por intermédio do pensamento de Thomas Jefferson, que parece ter sido apresentado a Condorcet por Benjamin Franklin.[11] Entre os pais fundadores americanos, Jefferson era o mais aberto à ideia e escreveu: "Estou entre aqueles que pensam bem do caráter humano de modo geral (...) acredito também, como Condorcet (...), que a mente humana é aperfeiçoável até um grau do qual não podemos ainda fazer ideia."[12] Nem todos os pais fundadores concordavam com Jefferson, mas Alexis de Tocqueville, visitando os Estados Unidos ao vir da França, em 1830, observou que os americanos, bem ao contrário dos outros povos, pareciam acreditar na "perfectibilidade indefinida do homem".[13] Foi essa ideia de progresso científico e político — e sua constante aliada, a ideia da perfectibilidade individual — que pode ter tornado os americanos tão interessados no aperfeiçoamento e na transformação pessoal, e nos livros de autoajuda, assim como em resolver problemas e ter uma atitude otimista.

Embora isso pareça dar esperanças, a ideia teórica da perfectibilidade humana também tem um lado sombrio na prática. Quando os revolucionários utópicos na França e na Rússia, apaixonados pela ideia de progresso e abraçando uma fé ingênua na plasticidade do ser humano, olharam em volta e viram uma sociedade imperfeita, tenderam a culpar os indivíduos por "atrapalhar a marcha do progresso". Seguiram-se o Terror e o Gulag. Devemos ter cuidado também clinicamente ao falarmos da plasticidade cerebral, para não culparmos aqueles que, apesar dessa nova ciência, não conseguem extrair benefícios nem mudar. Claramente a neuroplasticidade ensina que o cérebro é mais maleável do que alguns pensavam, mas passar de "maleável" a "aperfeiçoável" suscita expectativas em um nível perigoso. O paradoxo plástico ensina que a neuroplasticidade pode ser também responsável por muitos comportamentos rígidos e mesmo algumas patologias, junto com toda a flexibilidade potencial que está dentro de nós. Como a ideia da plasticidade se torna o foco da atenção humana em nossa época, seria sensato nos lembrarmos de que ela é um fenômeno que produz efeitos que consideramos bons e ruins — rigidez e flexibilidade, vulnerabilidade e uma fonte de recursos inesperada.

O economista e acadêmico Thomas Sowell observou: "Embora o uso da palavra 'perfectibilidade' tenha esmaecido com o passar dos séculos, o conceito sobreviveu, em grande parte intacto, até o presente. A noção de que 'o ser humano é um material altamente plástico' ainda é central entre muitos pensadores contemporâneos (...)."[14] O estudo detalhado de Sowell, *A Conflict of Visions*, mostra que muitos importantes filósofos políticos ocidentais podem ser classificados, e mais bem compreendidos, levando-se em conta até que ponto eles rejeitam ou aceitam a plasticidade humana e têm uma visão mais ou menos limitada da natureza humana. Embora frequentemente os pensadores mais "conservadores" ou "de direita", como Adam Smith ou Edmund Burke, parecessem defender a visão restrita da natureza humana, enquanto pensadores "liberais" ou "de esquerda", como Condorcet ou William Godwin, tendessem a acreditar que ela é menos limitada, há épocas ou questões sobre as quais os conservadores parecem ter uma visão mais plástica, e os liberais, uma visão mais restrita. Por exemplo, recentemente, vários críticos conservadores argumentaram que a orientação sexual é uma questão de escolha e falaram como se pudesse ser mudada por esforço ou experiência — isto é, de que é um fenômeno plástico — enquanto muitos críticos liberais tendiam a argumentar que ela é "estruturada" e está "toda nos genes". Mas nem todos os pensadores propõem uma visão estritamente limitada ou ilimitada da natureza humana; e ainda há aqueles que mesclaram as visões de maleabilidade, de perfectibilidade e de progresso.

O que aprendemos ao examinar atentamente a neuroplasticidade e o paradoxo plástico é que a neuroplasticidade humana contribui para os aspectos restritos e irrestritos de nossa natureza. Assim, embora seja verdade que grande parte da história do pensamento político ocidental gira em torno das atitudes que várias épocas e pensadores sustentaram sobre a questão da plasticidade humana, a elucidação da neuroplasticidade humana em nossa época, se cuidadosamente pensada, mostra que a plasticidade é um fenômeno sutil demais para apoiar de forma inequívoca uma visão mais limitada ou ilimitada da natureza humana, porque, na realidade, ela contribui tanto para a rigidez como para a flexibilidade dos homens, dependendo de como seja cultivada.

Agradecimentos

Minhas dívidas são grandes e amplamente distribuídas. Antes de tudo, são para com duas pessoas.

Karen Lipton-Doidge, minha esposa, deu orientação e assistência diárias neste livro, discutiu as ideias comigo enquanto eram formadas, ajudou incansavelmente com a pesquisa, leu cada rascunho incontáveis vezes e proporcionou cada tipo concebível de apoio intelectual e emocional.

Meu editor, James H. Silberman, de imediato intuiu a importância da neuroplasticidade e trabalhou comigo por mais de três anos, estimulando-me desde as primeiras partes deste projeto, informando-se do andamento durante minhas viagens, observando-me — possivelmente apavorado — quando eu esquecia de como escrever enquanto internalizava a linguagem da neuroplasticidade na esperança de aprender o tema em seus próprios termos, e me ajudando a lentamente voltar a falar inglês. Ele foi mais atento, dedicado, franco e incansavelmente devotado a este projeto do que imaginei que um editor seria, e sua presença, seus conselhos e suas habilidade estão em cada página. Foi uma honra trabalhar com ele.

Agradeço a todos os cientistas neuroplásticos e seus colegas, assistentes, pacientes e participantes de pesquisa, que partilharam comigo as histórias contadas nestes capítulos. Eles dedicaram seu tempo, e espero ter transmitido a empolgação que sentiram com o nascimento desse novo campo. Enquanto este livro seguia para o prelo, foi com muita tristeza que eu soube que Paul Bach-y-Rita, o iconoclasta gentil e engenhoso que de muitas maneiras foi o pai da ideia da neuroplasticidade em nossa época, faleceu depois de uma batalha de vários anos contra o câncer. Incrivelmente, ele trabalhou até três dias antes de morrer. Em nossas reuniões, eu o achei um ser humano singularmente receptivo, sem afetação, aventuroso, afetuoso, compassivo e com uma mente panorâmica. Várias histórias de mudanças neuroplásticas de meus pacientes são contadas neste livro e sou imensamente grato a eles. Há também muitos outros pacientes que conversaram comigo ao longo dos anos e cujas mudanças ajudaram a aprofundar minha compreensão do potencial e dos limites da neuroplasticidade humana.

O espírito generoso das seguintes pessoas foi um grande estímulo, e nenhuma delas deve subestimar o quanto foi útil. Arthur Fish defendeu este projeto desde o início. Geoffrey Clarfield, Jacqueline Newell, Cyril Levitt, Corine Levitt, Philip Kyriacou, Jordan Peterson, Gerald Owen, Neil Hrab, Margaret-Ann Fitzpatrick-Hanly e Charles Hanly leram rascunhos e fizeram comentários úteis. Waller Newell, Peter Gellman, George Jonas, Maya Jonas, Mark Doidge, Elizabeth Yanowsky, Donna Orwin, David Ellman, Stephan Connell, Kenneth Green e Sharon Green deram apoio moral.

Agradeço aos meus colegas médicos e professores do Centro de Treinamento e Pesquisa Psicanalíticos da Universidade de Columbia, Departamento de Psiquiatria, onde nasceu a linha de pensamento que sustento neste livro: os drs. Meriamne Singer, Mark Sorensen, Eric Marcus, Stan Bone, Robert Glick, Lila Kalinich, Donald Meyers, Roger MacKinnon e Yoram Yovell. Embora eu não tenha trabalhado com ele, Eric Kandel, por suas publicações e imensa influência na Columbia, atraiu-me para lá para melhor compreender o projeto que ele defendia — um desejo de integrar biologia, psiquiatria e psicanálise.

Dianne de Fenoyl, Hugo Gurdon, John O'Sullivan, Dianna Symonds, Mark Stevenson e Kenneth Whyte, do *National Post*, *Saturday Night* e *Macleans* apoiaram os meus escritos sobre neurociência e neuroplasticidade para o grande público. Algumas das ideias sobre neuroplasticidade aqui apresentadas foram discutidas primeiro nessas publicações. O Capítulo 2 apareceu em uma versão um tanto diferente em *Saturday Night*.

Jay Grossman, Dan Kiesel, James Fitzpatrick e Yaz Yamaguchi foram de grande ajuda para mim neste período e generosos com seu tempo e suas conversas.

Entre os que entrevistei que não foram mencionados nos capítulos, ou são mencionados só de passagem, agradeço a Martha Burns por passar tanto tempo discutindo comigo exercícios mentais, e a Steve Miller e William Jenkins da Scientific Learning, Jeff Zimman e Henry Mahncke da Posit Science e Gitendra Uswatte da Taub Clinic Therapy.

Gerald Edelman, prêmio Nobel que desenvolveu a teoria mais ambiciosa da consciência e deu um papel central à neuroplasticidade, foi generoso com seu tempo quando o visitei. Embora não haja um só capítulo neste livro dedicado ao seu trabalho — porque preferi descrever a plasticidade combinando o trabalho de um cientista ou clínico com a experiência de um paciente sempre que possível, e seu trabalho é teórico —, a teoria do dr. Edelman assoma por trás dessas histórias e mostra até que ponto pode ir uma teoria plástica do cérebro. Agradeço a V. S. Ramachandran não só pelo tempo que passamos juntos, mas por marcar um almoço memorável com Francis Crick, codescobridor do DNA, e a filósofa Patricia Churchland, em que tivemos uma discussão animada sobre o trabalho do dr. Edelman, permitindo-me ver em ação a extraordinária comunidade neurocientífica de San Diego.

Vários acadêmicos e outros estudiosos responderam às minhas perguntas por e-mail, inclusive Walter J. Freeman, Mriganka Sur, Richard C. Friedman, Thomas Pangle, Ian Robertson, Nancy Byl, Orlando Figes, Anna Gislén, Cheryl Grady, Adrian Morrison, Eric Nestler, Clifford Orwin, Allan N. Schore, Myrna Weissman e Yuri Danilov. Vários organismos me concederam financiamento ao longo dos anos, que me permitiram avançar em meu desenvolvimento científico e publicações, inclusive o National Institute of Health de Washington, DC, e o Programa Nacional para o Desenvolvimento e a Pesquisa de Saúde do Canadá.

Sou imensamente grato a Chris Calhoun, meu agente na Sterling Lord, por sua perspicácia, seu entusiasmo, interesse intelectual e orientação em todo o processo. Na Viking, a editora Hilary Redmon fez um trabalho extraordinário enquanto revisava os originais, dando várias sugestões úteis para padronizá-lo. Agradeço a Janet Biehl e Bruce Giffords por seu copidesque astuto e instruído e sua produção editorial (e a Bruce por ser tão razoável, paciente e meticuloso em todo o processo), e a Holly Lindem e Jaya Miceli pela capa mágica, que captura, numa única imagem, o tema deste livro e até o estado de espírito que espero que ele crie. Agradeço também à sempre prestativa Jacqueline Powers e a Spring Hoteling, a produtora gráfica do livro.

Por fim, gostaria de agradecer à minha filha, Brauna Doidge, por ajudar nas transcrições, e ao meu filho, Joshua Doidge, que experimentou diferentes tipos de exercícios mentais comigo e me mostrou que eles realmente funcionam.

Apesar desta montanha de apoio, errar é tão humano quanto o desejo de fugir da responsabilidade pelos erros. Ainda assim, a responsabilidade por quaisquer omissões ou erros é minha.

Notas e Bibliografia

Capítulo 1
Uma Mulher em Constante Queda...

1. N. R. Kleinfeld, 2003. "For elderly, fear of falling is a risk in itself." *New York Times*, 5 de março.
2. P. Bach-y-Rita, C. C. Collins, F. A. Saunders, B. White e L. Scadden, 1969. "Vision substitution by tactile image projection." *Nature*, 221 (5184): 963-64.
3. Os gregos, que inventaram a ideia de natureza, viam toda a natureza como um vasto *organismo vivo*. Todos os seres, uma vez que ocupavam o espaço, eram feitos de matéria; como se moviam, eram vivos; e como eram organizados, participavam da inteligência. Esta foi a primeira grande ideia de natureza desenvolvida pela humanidade. Na realidade, os gregos se projetavam no macrocosmo e diziam que ele era vivo e um reflexo deles mesmos. Como a natureza era viva, eles não teriam se oposto, em princípio, à ideia de plasticidade nem à ideia de que o órgão do pensamento pode se desenvolver. Sócrates, na *República*, argumentou que uma pessoa podia treinar sua mente como os ginastas treinavam os músculos.

   Depois das descobertas de Galileu, surgiu a segunda grande ideia de natureza, a *natureza como mecanismo*. Os mecanicistas projetaram uma imagem de uma máquina no cosmos, descrevendo o universo como um vasto "relógio cósmico". Depois internalizaram essa imagem e a aplicaram ao ser humano. Por exemplo, o médico Julien Offray de la Mettrie (1709-1751) escreveu *O homem-máquina* (*L'Homme-machine*), reduzindo os seres humanos a mecanismos.

   Mas depois surgiu uma terceira grande e nova ideia de natureza, inspirada por Buffon e outros, que lhe restaurava a vida; era a ideia da natureza como um processo histórico que se desenrola, ou a *natureza como história*. Nesta concepção, o universo não é um mecanismo, mas um processo histórico em evolução, mudando com o tempo. A ideia da história natural compõe a fundação da teoria da evolução de Darwin. Mas o principal ponto para nossos propósitos é que essa visão não se opunha, em princípio, à noção de mudança plástica. Isto é discutido em maiores detalhes no Apêndice 2 e na primeira nota do Apêndice. Ver R. G. Collingwood, 1945. *The Idea of Nature*, Oxford: Oxford University Press; R. S. Westfall, 1977. *The Construction of Modern Science: Mechanisms and Mechanics*. Cambridge: Cambridge University Press, 90.

4. A metáfora da máquina conduziu a realizações importantes; ela possibilitou um estudo mais sóbrio do cérebro, baseado na observação, sem misticismo. Mas sempre foi uma forma empobrecida de ver o cérebro vivo e os mecanicistas sabiam disso. Harvey tinha interesse tanto nas forças vitais como nos mecanismos, e Descartes notoriamente argumentou que a máquina complexa do cérebro que ele descreveu era animada e movida pela alma, embora ele nunca tenha explicado como. O custo foi alto, pois ele nos "dissecou" em uma alma imaterial que era viva e podia mudar, e um cérebro material que não podia. Em outras palavras, ele colocou, como disse o perspicaz filósofo Gilbert Ryle, "um fantasma na máquina". Aliás, o modelo de Descartes do sistema nervoso foi inspirado pelas fontes hidráulicas de Saint-Germain-en-Laye, onde a água bombeada automatizava estátuas de figuras mitológicas.
5. A partir do início do século XIX os cientistas tentaram compreender o que torna diferente cada um de nossos sentidos e assim teve início um grande debate. Alguns afirmavam que nossos nervos transportam o *mesmo* tipo de energia e que a única diferença entre a visão e o tato é quantitativa: o olho pode pegar o choque de luz porque é muito mais delicado e sensível do que o tato. Outros afirmaram que os nervos de cada sentido transportam uma forma *diferente* de energia, específica para aquele sentido, e que os nervos de um sentido não podem substituir ou desempenhar a função dos nervos de outro sentido. Esse ponto de vista venceu e foi cultuado como "a lei da energia específica dos nervos", proposta por Johannes Müller, em 1826. Ele escreveu: "O nervo de cada sentido parece ser capaz de apenas uma determinada espécie de sensação, e não daquelas apropriadas a outros órgãos dos sentidos; o nervo de um sentido não pode assumir o lugar e realizar a função do nervo de outro sentido." J. Müller, 1838. *Handbuch der Physiologie des Menschen*, v. 5, Coblenz, reimpresso em R. J. Herrnstein e E. G. Boring, orgs., 1965. *A Source Book in the History of Psychology*. Cambridge, MA: Harvard University Press, 26-33, especialmente 32.

Mas Müller limitou sua lei e concordou que ele não tinha certeza se a energia específica de um determinado nervo era causada pelo nervo em si, pelo cérebro ou pela medula espinhal. Essa limitação foi frequentemente esquecida.

Emil du Bois-Reymond (1818-1896), aluno e sucessor de Müller, especulou que se fosse possível conectar os nervos ótico e auditivo, seríamos capazes de ver sons e ouvir impressões luminosas. E. G. Boring, 1929. *A History of Experimental Psychology*, 1994. *Origins of Neuroscience: A History of Explorations into Brain Function*. Nova York: Oxford University Press, 135.

6. Tecnicamente, uma imagem pode se formar nas superfícies bidimensionais da pele e da retina porque as duas podem detectar informações *simultaneamente*. Como ambas também podem detectar informações *sequencialmente*, ou seja, no decorrer do tempo, elas podem formar imagens em movimento.
7. S. Finger e D. Stein, 1982. *Brain Damage and Recovery: Research and Clinical Perspectives*. Nova York: Academic Press, 45.
8. A. Benton e D. Tranel, 2000. "Historical notes on reorganization of function and neuroplasticity". In: H. S. Levin e J. Grafman, orgs., *Cerebral Reorganization of Function after Brain Damage*. Nova York: Oxford University Press.
9. O. Soltmann, 1876. "Experimentelle Studien über die Functionen des Grosshirns der Neugeborenen." *Jahrbuch für kinderheilkunde und physusche Erzeihung*, 9: 106-48.
10. K. Murata, H. Cramer e P. Bach-y-Rita, 1965. "Neuronal convergence of noxious, acoustic and visual stimuli in the visual cortex of the cat". *Journal of Neurophysiology*, 28 (6): 1223-39; P. Bach-y-Rita, 1972. *Brain Mechanisms in Sensory Substitution*. Nova York: Academic Press, 43-45, 54.
11. A relativa homogeneidade do córtex é demonstrada pelo fato de que os cientistas que trabalham com ratos podem transplantar pequenas partes do córtex "visual" para a área do cérebro que normalmente processa o tato, e os tecidos transplantados começarão a processar o tato. Ver J. Hawkins e S. Blakeslee, 2004. *On Intelligence*. Nova York: Times Books, Henry Holt & Co., 54.
12. Em 1977, uma nova técnica mostrou que (ao contrário da afirmativa de Broca de que falamos com o hemisfério esquerdo) 95% dos destros saudáveis têm a linguagem processada em seu hemisfério esquerdo, e os restantes 5% o processam no hemisfério direito. Setenta por cento dos canhotos têm processamento da linguagem no hemisfério esquerdo, mas 15% a processam no direito, e 15% a processam bilateralmente. S. P. Springer e G. Deutsch, G., 1999. *Left Brain Right Brain: Perspectives from Cognitive Neuroscience*. Nova York: W. H. Freeman and Company, 22.

13. Flourens mostrou que se ele removesse grandes partes do cérebro de uma ave, as funções mentais se perdiam. Mas como observou seus animais por um ano inteiro, ele também descobriu que as funções perdidas voltavam frequentemente. Concluiu que o cérebro tinha se reorganizado, uma vez que as partes restantes foram capazes de assumir o controle das funções perdidas. Flourens argumentou que o sistema nervoso e o cérebro têm de ser compreendidos como um todo dinâmico, mais do que a soma de suas partes, e que é prematuro pressupor que as funções mentais têm uma localização invariável no cérebro. (M.-J.-P. Flourens, 1824/1842. *Recherches expérimentales sur les propriétés et les fonctions du système nerveux dans les animaux vertébrés.* Paris: Ballière). Bach-y-Rita também se inspirou nos cientistas Karl Lashley, Paul Weiss e Charles Sherrington. Todos eles mostraram que o cérebro e o sistema nervoso podem readquirir funções perdidas se partes forem retiradas ou desconectadas.
14. Este artigo foi publicado finalmente como P. Bach-y-Rita, 1967. "Sensory plasticity: Applications to a vision substitution system". *Acta Neurologica Scandinavica*, 43: 417-26.
15. P. Bach-y-Rita, 1972. *Brain Mechanisms and Sensory Substitution.* Nova York: Academic Press. Este artigo foi sua primeira discussão sistemática a ser publicada.
16. M. J. Aguilar, 1969. "Recovery of motor function after unilateral infarction of the basis pontis." *American Journal of Physical Medicine*, 48: 279-88; P. Bach-y-Rita, 1980. "Brain plasticity as a basis for therapeutic procedures. In: P. Bach-y-Rita, org., *Recovery of Function: Theoretical Considerations for Brain Injury Rehabilitation.* Berna: Hans Huber Publishers, 239-41.
17. S. I. Franz, 1916. "The function of the cerebrum". *Psychological Bulletin*, 13: 149-73; S. I. Franz, 1912. "New phrenology". *Science*, 35 (896): 321-28, ver 322.
18. Agora suspeitamos que, durante o período de consolidação do aprendizado, os neurônios estão produzindo novas proteínas e mudando sua estrutura. Ver E. R. Kandel, 2006. *In Search of Memory.* Nova York: W. W. Norton & Co., 262.
19. Maurice Ptito, do Canadá, em colaboração com Ron Kupers, da Universidade de Århus, Dinamarca.
20. M. Sur, 2003. *How Experience Rewires the Brain.* Apresentação na Conferência Sobre "Reprogramação do Cérebro Humano", Centro de Saúde do Cérebro, Universidade do Texas, em Dallas, 11 de abril.
21. A. Clark, 2003. *Natural-born Cyborgs: Minds, Technologies, and the Future of Human Intelligence.* Oxford: Oxford University Press.

Capítulo 2
Aprimorando o Próprio Cérebro

1. K. Kaplan-Solms e M. Solms, 2000. *Clinical Studies in Neuro-Psychoanalysis: Introduction to a Depth Neuropsychology.* Madison, CT: International Universities Press, 26-43; O. Sacks, 1998. "The other road: Freud as neurologist". In: M. S. Roth, org., *Freud: Conflict and Culture.* Nova York: Alfred A. Knopf, 221-34.
2. D. Bavalier e H. Neville, 2002. "Neuroplasticity, developmental". In: V. S. Ramachandran, org., *Encyclopedia of the Human Brain*, vol. 3. Amsterdã: Academic Press, 561.
3. M. J. Renner e M. R. Rosenzweig, 1987. *Enriched and Impoverished Environments.* Nova York: Springer-Verlag.
4. M. R. Rosenzweig, D. Krech, E. L. Bennet e M. C. Diamond, 1962. "Effects of environmental complexity and training on brain chemistry and anatomy: A replication and extension". *Journal of Comparative and Physiological Psychology*, 55: 429-37; M. J. Renner e M. R. Rosenzweig, 1987, 13.
5. M. J. Renner e M. R. Rosenzweig, 1987, 13-15.
6. W. T. Greenough e F. R. Volkmar, 1973. "Pattern of dendritic branching in occipital cortex of rats reared in complex environments". *Experimental Neurology*, 40: 491-504; R. L. Hollaway, 1966. "Dendritic branching in the rat visual cortex. Effects of extra environmental complexity and training". *Brain Research*, 2(4): 393-96.
7. M. C. Diamond, B. Lindner e A. Raymond, 1967. "Extensive cortical depth measurements and neuron size increases in the cortex of environmentally enriched rats". *Journal of Comparative Neurology*, 131(3): 357-64.
8. A. M. Turner e W. T. Greenough, 1985. "Differential rearing effects on rat visual cortex synapses. I. Synaptic and neuronal density and synapses per neuron". *Brain Research*, 329: 195-203.
9. M. C. Diamond, 1988. *Enriching Heredity: The Impact of the Environment on the Anatomy of the Brain.* Nova York: Free Press.
10. M. R. Rosenzweig, 1996. "Aspects of the search for neural mechanisms of memory". *Annual Review of Psychology*, 47: 1-32.
11. M. J. Renner e M. R. Rosenzweig, 1987, 54-59.
12. B. Jacobs, M. Schall e A. B. Scheibel, 1993. "A quantitative dendritic analysis of Wernicke's area in humans. II. Gender, hemispheric, and environment factors". *Journal of Comparative Neurology*, 327(1): 97-111.

13. M. J. Renner e M. R. Rosenzweig, 1987, 44-48; M. R. Rosenzweig, 1996; M. C. Diamond, D. Krech e M. R. Rosenzweig, 1964. "The effects of an enriched environment on the histology of rat cerebral cortex". *Journal of Comparative Neurology*, 123: 111-19.

Capítulo 3
Remodelando o Cérebro

1. M. M. Merzenich, P. Tallal, B. Peterson, S. Miller e W. M. Jenkins, 1999. "Some neurological principles relevant to the origins of — and the cortical plasticity-based remediation of — developmental language impairments". In: J. Grafman e Y. Christen, orgs., *Neuronal Plasticity: Building a Bridge from the Laboratory to the Clinic*. Berlim: Springer-Verlag, 169-87.
2. M. M. Merzenich, 2001. "Cortical plasticity contributing to childhood development". In: J. L. McClelland e R. S. Siegler, orgs., *Mechanisms of Cognitive Development: Behavioral and Neural Perspectives*. Mahwah, NJ: Lawrence Erlbaum Associates, 68.
3. O córtex somatossensorial foi mapeado pela primeira vez por Wade Marshall em gatos e macacos.
4. W. Penfield e T. Rasmussen, 1950. *The cerebral cortex of man*. Nova York: Macmillan.
5. J. N. Sanes e J. P. Donoghue, 2000. "Plasticity and primary motor cortex". *Annual Review of Neuroscience*, 23: 393-415, especialmente 394; G. D. Schott, 1993. "Penfield's homunculus: A note on cerebral cartography". *Journal of Neurology, Neurosurgery and Psychiatry*, 56: 329-33.
6. O prêmio Nobel Eric Kandel escreve, "Quando eu era estudante de medicina na década de 1950, ensinavam-nos que o mapa do córtex somatossensorial (...) era fixo e imutável por toda a vida". Ver E. R. Kandel, 2006. *In Search of Memory*. Nova York: W. W. Norton & Co., 216.
7. G. M. Edelman e G. Tononi, 2000. *A Universe of Consciousness*. Nova York: Basic Books, 38.
8. Os exames de neuroimagem, como a ressonância magnética nuclear funcional, podem medir a atividade em uma área cerebral de 1 milímetro. Mas um neurônio em geral tem um *milésimo* de milímetro. S. P. Springer e G. Deutsch, 1099. *Left Brain Right Brain: Perspectives from Cognitive Neuroscience*. Nova York: W. H. Freeman & Co., 65.

9. P. R. Huttenlocher, 2002. *Neural Plasticity: The Effects of Environment on the Development of the Cerebral Cortex.* Cambridge, MA: Harvard University Press, 141, 149, 153.
10. T. Graham Brown e C. S. Sherrington, 1912. "On the instability of a cortical point." *Proceedings of the Royal Society of London, Series B, Containing Papers of a Biological Character*, 85(579): 250-77.
11. D. O. Hebb, 1963, comentários da introdução a K. S. Lashley, *Brain Mechanisms and Intelligence: A Quantitative Study of the Injuries to the Brain.* Nova York: Dover Publications, xii. (Edição original, University of Chicago Press, 1929.)
12. R. L. Paul, H. Goodman e M. M. Merzenich, 1972. "Alterations in mechanoreceptor input to Brodmann's areas 1 and 3 of the postcentral hand area of *Macaca mulatta* after nerve section and regeneration." *Brain Research*, 39(1): 1-19. Ver também R. L. Paul, M. M. Merzenich e H. Goodman, 1972. "Representation of slowly and rapidly adapting cutaneous mechanoreceptors of the hand in Brodmann's areas 3 and 1 of *Macaca mulatta.*" *Brain Research*, 36(2): 229-49.
13. R. P. Michelson, 1985. "Cochlear implants: Personal perspectives." In: R. A. Schindler e M. M. Merzenich, orgs., *Cochlear Implants.* Nova York: Raven Press, 10.
14. M. M. Merzenich, J. H. Kaas, J. Wall, R. J. Nelson, M. Sur e D. Fellman, 1983. "Topographic reorganization of somatosensory cortical areas 3b and 1 in adult monkeys following restricted deafferentation." *Neuroscience*, 8(1): 33-55.
15. M. M. Merzenich, R. J. Nelson, M. P. Stryker, M. S. Cynader, A. Schoppmann e J. M. Zook, 1984. "Somatosensory cortical map changes following digit amputation in adult monkeys." *Journal of Comparative Neurology*, 224(4): 591-605.
16. T. N. Wiesel, 1999. "Early explorations of the development and plasticity of the cortex visual: A personal view." *Journal of Neurobiology*, 41(1): 7-9.
17. Jon Kaas tentou lidar desde o início com o viés antiplasticidade na idade adulta no âmbito da neurociência visual. Ele mapeou o córtex visual adulto, depois interrompeu o *input* da retina para ele. Mostrou com o remapeamento que, em questão de semanas, os novos campos receptores moveram-se no espaço do mapa cortical da área lesionada. Um resenhista na *Science* considerou a descoberta impossível. Por fim foi publicada em J. H. Kaas, L. A. Krubitzer, Y. M. Chino, A. L. Langston, E. H. Polley e N. Blair, 1990. "Reorganization of retinotopic cortical maps in adult mammals after lesions of the retina." *Science*, 248(4952): 229-31. Merzenich reuniu as evidências científicas para a plasticidade em D. V. Buonomano e M. M. Merzenich, 1998. "Cortical plasticicy: From synapses to maps." *Annual Review of Neuroscience*, 21: 149-86.

18. M. M. Merzenich, J. H. Kaas, J. T. Wall, M. Sur, R. J. Nelson e D. Felleman, 1983. "Progression of change following median nerve section in the cortical representation of the hand in areas 3b and 1 in adult owl and squirrel monkeys." *Neuroscience*, 10(3): 639-65.
19. Lembrando que Bach-y-Rita pensava que uma maneira de o cérebro se reestruturar era "desmascarando" outras vias, e que se uma via neuronal é interrompida, vias preexistentes são usadas, tal como os motoristas descobrem antigas estradas secundárias do interior quando a rodovia é bloqueada. E como as antigas estradas do interior, esses mapas mais antigos eram mais primitivos do que o mapa que eles substituíram, talvez por falta de uso.
20. M. M. Merzenich, J. H. Kaas, J. T. Wall, M. Sur, R. J. Nelson e D. Felleman, 1983. "Progression of change following median nerve section in the cortical representation of the hand in areas 3b and 1 in adult owl and squirrel monkeys." *Neuroscience*, 10(3): 649.
21. D. O. Hebb, 1949. *The Organization of Behaviour: A Neuropsychological Theory.* Nova York: John Wiley & Sons, 62.
22. Freud declarou que quando dois neurônios se ativam *simultaneamente*, esta ativação facilita sua *associação*. Em 1888, ele chamou esse princípio de "lei da associação por simultaneidade". Freud destacava que o que ligava os neurônios era sua ativação *simultânea*. Ver P. Amacher, 1965. *Freud's Neurological Education and its Influence on Psychoanalythic Theory.* Nova York: International Universities Press, 57-59; K. H. Pribram e M. Gill, 1976. *Freud's "Project" Re-Assessed: Preface to Contemporary Cognitive Theory and Neuropsychology.* Nova York: Basic Books, 62-66; S. Freud, 1885. "Project for a Scientific Psychology." Traduzido por J. Strachey. In: *Standard Edition of the Complete Psychological Works of Sigmund Freud*, vol. 1. Londres: Hogarth Press, 281-397.
23. M. M. Merzenich, W. M. Jenkins e J. C. Middlebrooks, 1984. "Observations and hypotheses in special organizational features of the central auditory nervous system." In: G. Edelman, W. Einar Gall e W. M. Cowan, orgs., *Dynamic Aspects of Neocortical Function.* Nova York: Wiley, 397-424; M. M. Merzenich, T. Allard e W. M. Jenkins, 1991. "Neural ontogeny of higher brain function: implications of some recent neurophysiological findings." In: O. Franzén e J. Westman, orgs., *Information Processing in the Somatosensory System.* Londres: Macmillan, 193-209.
24. S. A. Clark, T. Allard, W. M. Jenkins e M. Merzenich, 1988. "Receptive fields in the body-surface map in adult cortex defined by temporally correlated inputs." *Nature*, 332(6163): 444-45; T. Allard, S. A. Clark, W. M. Jenkins e M. M. Merzenich, 1991.

"Reorganization of somatosensory area 3b representations in adult owl monkeys after digital syndactyly." *Journal of Neurophysiology*, 66(3): 1048-58.

25. A técnica de varredura usada é chamada de magnetoencefalografia (MEG). A atividade neuronal gera atividade elétrica e campos magnéticos. Um magnetoencefalógrafo detecta esses campos magnéticos e pode nos dizer onde ocorre a atividade. A. Mogilner, J. A. Grossman, U. Ribary, M. Joliot, J. Volkmann, D. Rapaport, R. W. Beasley e R. Llinás, 1993. "Somatosensory cortical plasticity in adult humans revealed by magnetoencephalography." *Proceedings of the National Academy of Sciences*, EUA, 90(8): 3593-97.
26. X. Wang, M. M. Merzenich, K. Sameshima e W. M. Jenkins, 1995. "Remodelling of hand representation in adult cortex determined by timing of tactile stimulation." *Nature*, 378(6552): 71-75.
27. S. A. Clark, T. Allard, W. M. Jenkins e M. M. Merzenich, 1986. "Cortical map reorganization following neurovascular island skin transfers on the hand of adult owl monkeys." *Neuroscience Abstracts*, 12: 391.
28. Para fazer mapas topográficos, a natureza realiza duas traduções engenhosas: uma organização espacial (dos dedos da mão) se traduz em uma sequência temporal ordenada, que depois se transforma numa organização espacial (dos dedos no mapa cerebral). A capacidade do cérebro de recriar sua ordem topográfica foi demonstrada de uma forma extraordinária na França. Um homem de Lyon teve as duas mãos amputadas em 1996 e depois transplantou duas novas mãos para substituir as perdidas. Enquanto ainda estava amputado, seus médicos franceses realizaram uma IRMf para mapear o córtex motor, que mostrou, como se esperava, que ele tinha desenvolvido um mapa topográfico anormalmente organizado em resposta à perda total de *input* nervoso das mãos. Em 2000, depois do transplante bilateral de mãos, eles o mapearam depois de dois, quatro e seis meses, e descobriram que as mãos enxertadas passaram a ser "reconhecidas e ativadas normalmente pelo córtex sensorial" e o mapa desenvolveu uma topografia normal. P. Giraux, A. Sirigu, F. Schneider e J-M. Dubernard, 2001. "Cortical reorganization in motor cortex after graft of both hands." *Nature Neuroscience*, 4(7): 691-92.
29. Ao perceber que nossos mapas são formados segundo a ordem temporal do *input*, Merzenich resolveu o mistério de seu primeiro experimento, quando seccionou nervos da mão de um macaco e eles se embaralharam — os "fios foram cruzados" — e, no entanto, o macaco ainda tinha um mapa topográfico de organização normal. Mesmo depois que os nervos foram embaralhados, os sinais dos dedos tendiam a seguir em uma sequência de tempo fixa — polegar, indicador,

depois dedo médio —, levando a uma organização do mapa topográfico. Ver M. M. Merzenich, 2001, 69.

30. W. M. Jenkins, M. M. Merzenich, M. T. Ochs, T. Allard e E. Guíc-Robles, 1990. "Functional reorganization of primary somatosensory cortex in adult owl monkeys after behaviorally controlled tactil stimulation." *Journal of Neurophysiology*, 63(1): 82-104.
31. M. M. Merzenich, P. Tallal, B. Peterson, S. Miller e W. M. Jenkins, 1999. "Some neurological principles relevant to the origins of — and the cortical plasticity-based remediation of — developmental language impairments." In: J. Grafman e Y. Christen, orgs., *Neuronal Plasticity: Building a Bridge from the Laboratory to the Clinic.* Berlim: Springer-Verlag, 169-87, especialmente 172. A equipe descobriu que os neurônios podiam processar um segundo sinal 15 milissegundos depois do primeiro. Também determinou que a unidade de tempo em que um cérebro pode processar e integrar informações vai de décimos de milissegundos a décimos de segundos. Esta descoberta veio em resposta à questão: Quando dizemos que os neurônios que disparam juntos se ligam entre si, o que exatamente queremos dizer por se ativar "juntos"? De modo exatamente simultâneo? Ao analisar seu trabalho e o trabalho de terceiros, Merzenich e Jenkins determinaram que "juntos" quer dizer que os neurônios têm de se ativar dentro de uma faixa de milésimos a décimos de segundos. M. M. Merzenich e W. M. Jenkins, 1995. "Cortical plasticity, learning, and learning dysfunction." In: B. Julesz e I. Kovács, orgs., *Maturational Windows and Adult Cortical Plasticity. SFI Studies in the Sciences of Complexity.* Reading, MA: Addison-Wesley, 23: 247-64.
32. M. P. Kilgard e M. M. Merzenich, 1998. "Cortical map reorganization enabled by nucleus basalis activity." *Science*, 279(5357): 1714-18; analisado em M. M. Merzenich et al., 1999.
33. M. Barinaga, 1996. "Giving language skills a boost." *Science*, 271(5245): 27-28.
34. P. Tallal, S. L. Miller, G. Bedi e M. M. Merzenich, 1996. "Language comprehension in language-learning impaired children improved with acoustically modified speech." *Science*, 271(5245): 81-84.
35. Este estudo do *Fast ForWord* sofreu um teste de campo de âmbito nacional nos EUA. Outro estudo de 452 estudantes apresentou resultados semelhantes: S. L. Miller, M. M. Merzenich, P Tallal, K. DeVivo, K. LaRossa, N. Linn, A. Pycha, B. E. Peterson e W. M. Jenkins, 1999. "*Fast ForWord* training in children with low reading performance." *Nederlandse Vereniging voor Lopopedie en Foniatrie: 1999 Jaarcongres Auditieve Vaardigheden en Spraak-taal.* [Atas da Reunião Anual da Associação de Fala e Linguagem da Holanda, 1999.]

36. E. Temple, G. K. Deutsch, R. A. Poldrack, S. L. Miller, P. Tallal, M. M. Merzenich e J. Gabrieli, 2003. "Neural deficits in children with dyslexia ameliorated by behavioral remediation: Evidence from functional MRI." *Proceedings of the National Academy of Sciences*, EUA, 100(5): 2860-65.
37. S. S. Nagarajan, D. T. Blake, B. A. Wright, N. Byl e M. M. Merzenich, 1998. "Practice-related improvements in somatosensory interval discrimination are temporally specific but generalize across skin location, hemisphere, and modality." *Journal of Neuroscience*, 18(4): 1559-70.
38. M. M. Merzenich, G. Saunders, W. M. Jenkins, S. L. Miller, B. E. Peterson e P. Tallal, 1999. "Pervasive developmental disorders: Listening training and language abilities." In: S. H. Broman and J. M. Fletcher, orgs., *The Changing Nervous System: Neurobehavioral Consequences of Early Brain Disorders*. Nova York: Oxford University Press, 365-85, especialmente 377.
39. M. Melzer e G. Poglitch, 1998. "Functional changes reported after *Fast ForWord* for 100 children with autistic spectrum disorders." Apresentação na Associação Norte-americana de Fala, Linguagem e Audição, novembro.
40. Z. J. Huang, A. Kirkwood, T. Pizzorusso, V. Porciatti, B. Morales, M. F. Bear, L. Maffei e S. Tonegawa, 1999. "BDNF regulates the maturation of inhibition and the critical period of plasticity in mouse visual cortex." *Cell*, 98: 739-55. Ver também M. Fagioli e T. K. Hensch, 2000. "Inhibitory threshold for critical-period activation in primary visual cortex." *Nature*, 404(6774): 183-86; E. Castrén, F. Zafra, H. Thoenen e D. Lindholm, 1992. "Light regulates expression of brain-derived neurotrophic factor mRNA in rat visual cortex." *Proceedings of the National Academy of Sciences*, EUA, 89(20): 9444-48.
41. M. Ridley, 2003. *Nature via Nurture: Genes, Experience, and What Make us Human*. Nova York: HarperCollins, 166 [Ed. bras.: *O que nos faz humanos: genes, natureza e experiência*, 2003. Rio de Janeiro: Record]; J. L. Hanover, Z. J. Huang, S. Tonegawa e M. P. Stryker, 1999. "Brain-derived neurotrophic factor overexpression induces precocious critical period in mouse visual cortex." *Journal of Neuroscience*, 19: RC40: 1-5.
42. J. L. R. Rubenstein e M. M. Merzenich, 2003. "Model of autism: Increased ratio of excitation/inhibition in key neural systems." *Genes, Brain and Behavior*, 2: 255-67.
43. Os estudos de neuroimagem mostraram que as crianças autistas têm cérebros maiores do que o normal. A diferença, segundo Merzenich, é quase inteiramente causada pelo crescimento desmesurado da camada de gordura em volta dos nervos, que ajuda a conduzir os sinais mais rapidamente. Essas diferenças surgem, segundo ele, "entre seis e dez meses de idade", quando o BDNF é liberado em grandes quantidades.

44. L. I. Zhang, S. Bao e M. M. Merzenich, 2002. "Disruption of primary auditory cortex by synchronous auditory inputs during a critical period." *Proceedings of the National Academy of Sciences*, EUA, 99(4): 2309-14.
45. Não é apenas o ruído externo que pode arrasar um córtex. Merzenich acredita que muitos problemas herdados interferem na capacidade de neurônios de produzir sinais claros e fortes que se destaquem em meio ao fundo de outras atividades cerebrais, criando no cérebro o mesmo efeito do ruído branco. Ele chama este problema de ruído *interno*.
46. N. Boddaert, P. Belin, N. Chabane, J. Poline, C. Barthélémy, M. Mouren-Simeoni, F. Brunelle, Y. Samson e M. Zilbovicious, 2003. "Perception of complex sounds: Abnormal pattern of cortical activation in autism." *American Journal of Psychiatry*, 160: 2057-60.
47. S. Bao, E. F. Chang, J. D. Davis, K. T. Gobeske e M. M. Merzenich, 2003. "Progressive degradation and subsequent refinement of accoustic representations in the adult auditory cortex." *Journal of Neuroscience*, 23(34): 10765-75.
48. M. P. Kilgard e M. M. Merzenich, 1998. "Cortical map reorganization enabled by nucleus basalis activity." *Science*, 279(5357): 1714-18.
49. Para ser útil, um exercício mental deve "generalizar". Por exemplo, digamos que você esteja tentando treinar pessoas a melhorar o processamento temporal. Se você tiver de treiná-las a melhorar o reconhecimento de cada intervalo de tempo conhecido (75 milissegundos, 80, 90 e assim por diante), precisaria de uma vida inteira de treinamento para melhorar o processamento temporal. Mas a equipe de Merzenich descobriu que só precisava treinar o cérebro a reconhecer alguns intervalos com eficiência, e isso basta para permitir que as pessoas reconheçam muitos outros intervalos. Em outras palavras, o treinamento generaliza, e as pessoas melhoram seu processamento temporal para uma ampla gama de intervalos de tempo.
50. H. W. Mahncke, B. B. Connor, J. Appelman, O. N. Ahsanuddin, J. L. Hardy, R. A. Wood, N. M. Joyce, T. Boniske, S. M. Atkins e M. M. Merzenich, 2006. "Memory enhancement in healthy older adults using a brain plasticity—based training program: A randomized, controlled study." *Proceedings of the National Academy of Sciences*, EUA, 103(33): 12523-28.
51. W. Jagust, B. Mormino, C. DeCarli, J. Kramer, D. Barnes e B. Reed, 2006. "Metabolic and cognitive changes with computer-based cognitive therapy for MCI." Apresentação de painéis na Décima Conferência Internacional de Alzheimer e Distúrbios Relacionados, Madri, Espanha, 15-20 de julho.

Capítulo 4
Adquirindo Gostos e Afetos

1. Sabe-se da tendência de alguns heterossexuais para desenvolver uma atração homossexual quando membros do sexo oposto não estão disponíveis (isto é, na prisão e nos quartéis), e essas atrações tendem a ser "acréscimos". Segundo Richard C. Friedman, pesquisador da homossexualidade masculina, quando homossexuais homens desenvolvem uma atração heterossexual, quase sempre também é uma atração "acrescentada", não uma substituição (comunicação pessoal).
2. Esta plasticidade é um motivo pelo qual Freud chama o sexo de uma "pulsão", e não de instinto. Uma pulsão é um poderoso impulso que tem origem instintiva, mas é mais plástico do que a maioria dos instintos e é mais influenciado pela mente.
3. O hipotálamo também regula a deglutição, o sono e hormônios importantes. G. I. Hatton, 1997. "Function-related plasticity in hypothalamus." *Annual Review of Neuroscience*, 20: 375-97; J. LeDoux, 2002. *Synaptic Self: How Our Brains Become Who We Are.* Nova York: Viking. S. Maren, 2001. "Neurobiology of Pavlovian fear conditioning." *Annual Review of Neuroscience*, 24: 897-931, especialmente 914.
4. B. S. McEwen, 1999. "Stress and hippocampal plasticity." *Annual Review of Neuroscience*, 22: 105-22.
5. J. L. Feldman, G. S. Mitchell e E. E. Nattie, 2003. "Breathing: Rhythmicity, plasticity, chemosensitivity." *Annual Review of Neuroscience*, 26: 239-66.
6. E. G. Jones, 2000. "Cortical and subcortical contributions to activity-dependent plasticity in primate somatosensory cortex." *Annual Review of Neuroscience*, 23: 1-37.
7. G. Baranauskas, 2001. "Pain-induced plasticity in the spinal cord." In: C. A. Shaw e J. C. McEachern, orgs., *Toward a Theory of Neuroplasticity.* Filadélfia: Psychology Press, 373-86.
8. J. W. McDonald, D. Becker, C. L. Sadowsky, J. A. Jane, T. E. Conturo e L. M. Schultz, 2002. "Late recovery following spinal cord injury: Case report and review of the literature." *Journal of Neurosurgery (Spine 2)* 97: 252-65; J. R. Wolpaw e A. M. Tennissen, 2001. "Activity-dependent spinal cord plasticity in health and disease." *Annual Review of Neuroscience*, 24: 807-43.
9. Merzenich fez experimentos que mostram que quando a mudança ocorre em uma área de processamento sensorial — o córtex auditivo — há mudanças no lobo frontal, uma área envolvida no planejamento, à qual o córtex auditivo é

conectado. "Não se pode mudar o córtex auditivo primário", diz Merzenich, "sem mudar o que acontece no córtex frontal. É absolutamente impossível."

10. M. M. Merzenich, comunicação pessoal; H. Nakahara, L. I. Zhang e M. Merzenich, 2004. "Specialization of primary auditory cortex processing by sound exposure in the 'critical period'." *Proceedings of the National Academy of Sciences*, EUA, 101(18): 7170-74.
11. S. Freud, 1932/1933/1964. *New Introductory Lectures on Psycho-Analysis*." Traduzido por J. Stratchey. In: *Standard Edition of the Complete Psychological Works of Sigmund Freud*, vol. 22. Londres: Hogarth Press, 97.
12. O Eros de Platão não é idêntico à libido de Freud (ou mais tarde Eros), mas há alguns aspectos comuns. O Eros platônico é o desejo que sentimos em resposta à consciência da nossa incompletude como seres humanos. É um desejo de completar a nós mesmos. Uma maneira de tentarmos superar nossa incompletude é encontrar outra pessoa para amar e ter sexo. Mas os oradores no *Simpósio* de Platão também destacavam que este mesmo Eros pode assumir muitas formas, algumas que não parecem eróticas à primeira vista, e esse desejo erótico pode ter muitos objetos diferentes.
13. A. N. Schore, 1994. *Affect Regulation and the Origin of the Self: The Neurobiology of Emotional Development*. Hillsdale, NJ: Lawrence Erlbaum Associates; A. N. Schore, 2003. *Affect Dysregulation and Disorders of the Self*. Nova York: W. W. Norton & Co.; A. N. Schore, 2003. *Affect Regulation and the Repair of the Self*. Nova York: W. W. Norton & Co.
14. M. C. Dareste, 1891. *Recherches sur la production artificielle des monstruosités*. Paris: C. Reinwald; C. R. Stockard, 1921. "Developmental rate and structural expression: An experimental study of twins, 'double monsters', and single deformities and their interaction among embryonic organs during their origin and development." *American Journal of Anatomy*, 28(2): 115-277.
15. No primeiro ano de vida, o peso do cérebro normal varia de 400 gramas ao nascimento a 1.000 gramas aos 12 meses. Somos tão dependentes do amor e dos cuidados dos outros no início da vida em parte porque grandes áreas de nosso cérebro só começam a se desenvolver depois do nascimento. Os neurônios no córtex prefrontal, que nos ajudam a regular nossas emoções, estabelecem conexões nos dois primeiros anos de vida, mas só com a ajuda dos outros, o que na maioria dos casos significa a mãe, que literalmente modela o cérebro do bebê.
16. Às vezes a regressão é quase imprevisível, e adultos maduros ficam chocados com o fato de seu comportamento se tornar "infantil".
17. No Capítulo 8, "Imaginação", forneço evidências científicas que provam que podemos mudar nossos mapas cerebrais simplesmente imaginando coisas.

18. T. Wolfe, 2004. *I Am Charlotte Simmons*. Nova York: HarperCollins, 92-93.

19. E. Nestler, 2001. "Molecular basis of long-term plasticity underlying addiction." *Nature Reviews Neuroscience*, 2(2): 119-28.

20. S. Bao, V. T. Chan, L. I. Zhang e M. M. Merzenich, 2003. "Suppression of cortical representation through backward conditioning." *Proceedings of the National Academy of Sciences*, EUA, 100(3): 1405-8.

21. T. L. Crenshaw, 1996. *The Alchemy of Love and Lust*. Nova York: G. P. Putnam's Sons, 135.

22. E. Nestler, 2003. *Brain plasticity and drug addiction*. Apresentação na Conferência "Reprogramming the Human Brain", Center for Brain Health, Universidade do Texas, Dallas, 11 de abril.

23. K. C. Berridge e T. E. Robinson, 2002. "The mind of an addicted brain: Neural sensitization of wanting versus liking." In: J. T. Cacioppo, G. G. Bernston, R. Adolphs et al., orgs. *Foundations in Social Neuroscience*. Cambridge, MA: MIT Press, 565-72.

24. É possível avaliar se um animal ou pessoa gosta do sabor de uma comida por sua expressão facial. Berridge e Robinson mostraram, manipulando níveis de dopamina enquanto animais comiam, que é possível fazer com que eles queiram mais comida, mesmo que não gostem dela.

25. N. Doidge, 1990. "Appetitive pleasure states: A biopsychoanalytical model of the pleasure threshold, mental representations, and defense." In: R. A. Glick e S. Bone, orgs., *Pleasure Beyond the Pleasure Principle*. New Haven: Yale University Press, 138-73.

26. Algumas pessoas deprimidas têm problemas para experimentar qualquer prazer e seus sistemas apetitivo e consumatório não funcionam. Elas não têm a expectativa de uma diversão e devem ser arrastadas a uma refeição ou a outras atividades prazerosas, ou não as desfrutarão. Mas algumas pessoas que são deprimidas, embora incapazes de esperar se divertir, se arrastadas a uma refeição ou evento social veem-se de espírito elevado porque, embora o sistema apetitivo não funcione adequadamente, o sistema consumatório funciona.

27. S. Thomas, 2003. "How Internet porn landed me in hospital." *National Post*, 30 de junho, A14. Estas citações são da versão *National Post* de um artigo originalmente publicado na *Spectator*, 28 de junho de 203, intitulado "Self abuse".

28. E. Person, 1986. "The omni-available woman and lesbian sex: Two fantasy and their relationship to the male developmental experience." In: G. I. Fogel, F. M. Lane e R. S. Liebert, orgs., *The Psychology of Men*. Nova York: Basic Books, 71-94, especialmente 90.

29. Stendhal também descreveu como as jovens no teatro se apaixonam por atores notoriamente "feios", como Le Kain, que em suas apresentações evocava emoções intensas e agradáveis. No final da apresentação, as meninas exclamavam: "Ele não é lindo!" Ver Stendhal, 1947. *On Love*. Traduzido por H. B. V. sob a orientação de C. K. Scott-Moncrieff. Nova York: Grosset & Dunlap, 44, 46-47.
30. R. G. Heath, 1972. "Pleasure and pain activity in man." *Journal of Nervous and Mental Disease*, 154(1): 13-18.
31. N. Doidge, 1990.
32. Ibid.
33. Ibid.
34. Infelizmente, a tendência dos nossos centros do prazer e da dor de inibirem-se reciprocamente também implica que uma pessoa que está deprimida e cujos centros de aversão estão ativos acha mais difícil desfrutar de coisas que normalmente desfrutaria.
35. M. Liebowitz, 1983. *The Chemistry of Love*. Boston: Little, Brown & Co.
36. A. Bartels e S. Zeki, 2000. "The neural basis for romantic love." *NeuroReport*, 11(17): 3829-34; ver também H. Fisher, 2004. *Why We Love: The Nature and Chemistry of Romantic Love*. Nova York: Henry Holt & Co. [Ed. bras.: *Por que amamos*. Rio de Janeiro: Record, 2004.]
37. A tolerância acontece quando o cérebro é inundado de uma substância — neste caso a dopamina — e, em resposta, os receptores para esta substância "regulam para baixo", ou se reduzem numericamente, de modo que é necessário ter mais substância para se conseguir o mesmo efeito.
38. E. S. Rosenzweig, C. A. Barnes e B. L. McNaughton, 2002. "Making room for new memories." *Nature Neuroscience*, 5(1): 6-8.
39. S. Freud, 1917/1957. *Mourning and Melancholia*. Traduzido por J. Stratchey. In: *Standard Edition of the Complete Psychological Works of Sigmund Freud*, vol. 14. Londres: Hogarth Press, 237-587, especialmente 245.
40. W. J. Freeman, 1999. *How Brains Make up their Minds*. Londres: Weidenfeld & Nicholson, 160; J. Panksepp, 1998. *Affective Neuroscicente: The Foundations of Human and Animal Emotions*. Nova York: Oxford University Press, 231; L. J. Young e Z. Wang, 2004. "The neurobiology of pair bonding." *Nature Neuroscience*, 7(10): 1048-54.
41. A. Bartels e S. Zeki, 2004. "The neural correlates of maternal and romantic love." *NeuroImage*, 21: 1155-66.
42. A. B. Wismer Fries, T. E. Ziegler, J. R. Kurian, S. Jacortis e S. D. Pollak, 2005. "Early experience in humans is associated with changes in neuropeptides critical for

regulating social behavior." *Proceedings of the National Academy of Sciences*, EUA, 102(47): 17237-40.

43. M. Kosfeld, M. Heinrichs, P. J. Zak, U. Fishbacher e E. Fehr, 2005. "Oxytocin increases trust in humans." *Nature*, 435(7042): 673-76.
44. Os gregos antigos, com uma elegância simples, descreveram nossa tendência a desenvolver ligações amorosas poderosas e nem sempre racionais com a família e os amigos como "o amor próprio", e a ocitocina parece ser uma das substâncias neuroquímicas que o promovem.
45. C. S. Carter, 2002. "Neuroendocrine perspectives on social attachment and love." In: J. T. Cacioppo, G. G. Bernston, R. Adolphs et al., orgs., 853, especialmente 864.
46. Comunicação pessoal.
47. T. R. Insel, 192. "Oxytocin — a neuropeptide for affiliation: Evidence from behavioral, receptor, autoradiographic, and comparative studies." *Psychoneuroendocrinology*, 17(1): 3-35, especialmente 12; Z. Sarnyai e G. L. Kovács, 1994. "Role of oxytocin in the neuroadaptation to drugs of abuse." *Psychoneuroendocrinology*, 19(1): 85-117, especialmente 86.
48. W. J. Freeman, 1995. *Societies of Brains: A Study in the Neuroscience of Love and Hate.* Hillsdale, NJ: Lawrence Erlbaum Associates, 122-23; W. J. Freeman, 1999, 160-61.

    Freeman assinala que os hormônios que influenciam o comportamento, como o estrogênio ou o tireoidiano, em geral precisam ser liberados constantemente no corpo para produzirem seus efeitos. Mas a ocitocina é liberada apenas por breves períodos, o que sugere fortemente que seu papel é *montar o palco para uma nova fase*, em que novos comportamentos substituem os comportamentos existentes.

    O desaprendizado pode ser especialmente importante nos mamíferos porque o ciclo de reprodução e criação dos filhotes consome muito tempo e requer um vínculo profundo. Para que uma mãe deixe de ficar exclusivamente preocupada com uma ninhada e possa cuidar da seguinte, é preciso uma imensa alteração em seus objetivos, intenções e circuitos neuronais envolvidos.
49. W. J. Freeman, 1995, 122-23.
50. Uma explicação típica para a rigidez de solteirões ou solteironas mais velhas que querem se casar, mas não ficam tão alvoroçados, é que eles não se apaixonam porque, vivendo sozinhos, se tornaram cada vez menos flexíveis. Mas talvez eles também tenham se tornado cada vez mais rígidos porque não conseguiram se apaixonar e nunca tiveram uma onda de ocitocina que pudesse facilitar a mu-

dança plástica. Seguindo uma mesma linha, pode-se perguntar quanto da capacidade de uma pessoa de criar bem os filhos aumenta com uma experiência de ter sido apaixonada — de uma forma madura —, permitindo-lhe desaprender o egoísmo e se abrir para os outros. Se cada experiência de amor maduro pode nos ajudar a desaprender as intenções iniciais mais egoístas e a nos tornar menos autocentrados, o amor maduro e adulto seria um dos melhores previsores da capacidade de criar bem os filhos.

51. N. N. Byl, S. Nagarajan e A. L. McKenzie, 2003. "Effect on sensory discrimination training on structure and function in patients with focal hand dystonia: A case series." *Archives of Physical Medicine and Rehabilitation*, 84(10): 1505-14. Merzenich ajudou japoneses a tentar falar inglês sem sotaque, saindo de suas armadilhas cerebrais (ver página 122). Sabendo que a base do problema está na ausência de um córtex auditivo diferenciado para determinados sons, Merzenich e seus colaboradores tentaram diferenciá-los. Usando o mesmo tipo de abordagem do *Fast ForWord*, ele modificou radicalmente os sons de *r* e *l*, para que a diferença fosse *grosseiramente* exagerada e os ouvintes japoneses pudessem pegá-la. Depois, a equipe aos poucos normalizou os sons, enquanto os participantes os ouviam. Era essencial que os oradores sempre prestassem muita atenção em todos os exercícios, algo que eles não fazem na fala normal. Foram necessárias de dez a 12 horas de treinamento para aprender a fazer a distinção. "Pode-se ensinar qualquer um a falar uma segunda língua sem sotaque quando adulto", diz Merzenich, "mas isso requer treinamento muito intenso."
52. A ideia de "perversão" implica que nosso impulso sexual é como um rio que flui mais naturalmente em determinado canal, até que algo acontece e nos tira do rumo, desviando, ou pervertendo, sua direção. As pessoas que se definem como "pervertidas" reconhecem esse aspecto, sendo uma perversão algo semelhante a uma distorção.
53. Na verdade, alguns rejeitam a ideia de que, na perversão, a agressão é ligada à sexualidade. A crítica literária Camille Paglia argumenta que a sexualidade é de natureza agressiva. "Minha teoria", diz ela, "é de que sempre que a liberdade sexual é procurada ou alcançada, o sadomasoquismo a seguirá de perto." Ela ataca as feministas que acreditam que o sexo é todo docilidade e que afirmam que é a sociedade patriarcal que o torna violento. Sexo, para Paglia, é poder; a sociedade não é a origem da violência sexual; o sexo, a força natural irreprimível, sim. Se tanto, a sociedade é a força que inibe a violência inerente ao sexo. Paglia certamente é mais realista do que aqueles que negam que a perversão é estreitamente ligada à agressão. Mas ao supor que o sexo é fundamentalmente agressivo, e

sadomasoquista, ela não dá espaço para a plasticidade da sexualidade humana. Só porque o sexo e a agressão podem se unir num cérebro plástico e parecerem "naturais", não significa que esta seja sua única expressão. Vimos que algumas substâncias cerebrais liberadas no sexo, como a ocitocina, nos levam a sentir afeto pelos outros. Não é mais correto dizer que a sexualidade plenamente realizada é sempre violenta do que dizer que ela é sempre gentil e doce. C. Paglia, 1990. *Sexual Personae.* New Haven: Yale University Press, 3.

54. R. J. Stoller, 1991. *Pain and passion: A Psychoanalyst Explore the World of S & M.* Nova York: Plenum Press.
55. Ibid., 25.
56. Mais precisamente, Stoller escreve, "um fetiche é uma história mascarada de objeto".

Capítulo 5
Ressurreições à Meia-noite

1. P. W. Duncan, 2002. "Guest editorial." *Journal of Rehabilitation Research and Development,* 39(3): ix-xi.
2. P. W. Duncan, 1997. "Synthesis of intervention trial to improve motor recovery following stroke." *Topics in Stroke Rehabilitation,* 3(4): 1-20; E. Ernst, 1990. "A review of stroke rehabilitation and physiotherapy." *Stroke,* 21(7): 1081-85; K. J. Ottenbache e S. Jannell, 1993. "The results of clinical trials in stroke rehabilitation research." *Archives of Neurology,* 50(1): 37-44; J. de Pedro-Cuesta, L. Widen-Holmquist, P. Bach-y-Rita, 1992. "Evaluation of stroke rehabilitation by randomized controlled studies: A review." *Acta Neurologica Scandinavica,* 86: 433-39.
3. Os cientistas neuroplásticos mostrariam que o arrogante Watson não podia estar mais equivocado e que nossos pensamentos e habilidades formam novas vias enquanto enterram vias mais antigas. J. B. Watson, 1925. *Behaviorism.* Nova York: W. W. Norton & Co.
4. A ideia de que tudo o que fazemos é consequência de um reflexo tem uma origem anterior a Sherrington, e compreender essa origem nos ajuda a entender por que a ideia pegou. O fisiologista alemão Ernest Brücke propôs que todo funcionamento do cérebro envolvia funções reflexas. Brücke estava cansado da tendência, popular na época, de descrever o sistema nervoso por referência a vagas "forças vitais" mágicas ou espirituais. Brücke e seus seguidores queriam descrever o sistema nervoso em termos coerentes com as leis de ação e reação de Newton, e com o

que era conhecido sobre a eletricidade. Para eles, o sistema nervoso, por ser um sistema, tinha de ser mecanicista. A ideia do reflexo, em que um *estímulo* físico dá origem a uma excitação que viaja pelo nervo sensorial até um nervo motor, que é excitado, dando origem a uma *resposta*, era muito atraente aos behavioristas porque explicava uma ação complexa sem envolver a mente. Para os behavioristas, a mente se tornava uma espectadora passiva, e não se sabia como ela influenciava ou era influenciada pelo sistema nervoso. B. F. Skinner dedicou a maior parte de seus livros sobre o behaviorismo à teoria do arco reflexo.

5. Taub por fim descobriu que um alemão, H. Munk, havia realizado em 1909 uma deaferentação, na qual conseguiu que o macaco se alimentasse sozinho depois de ter restrito o movimento do braço bom e o compensado com o uso do braço deaferentado.
6. Ele escreveu: "(...) nosso sistema é autorregulatório no mais alto grau — mantém-se, repara, readapta-se e até melhora sozinho. A impressão mais forte e consistente que resulta do estudo da atividade nervosa superior por nosso método é a plasticidade extrema desta atividade, suas imensas possibilidades: nada permanece estacionário e inflexível; e tudo sempre pode ser atingido, tudo pode ser mudado para melhor, bastando que se tenham as condições adequadas." Citado em D. L. Grimsley e G. Windholz, 2000. "The neurophysiological aspects of Pavlov's theory of higher nervous activity: In honor of the 150th anniversary of Pavlov's birth." *Journal of the History of the Neurosciences*, 9(2): 152-63, especialmente 161. Passagem original de I. P. Pavlov, 1932. "The reply of a physiologist to psychologists." *Psycological Review*, 39(2): 91-127, 127.
7. G. Uswatte e E. Taub, 1999. "Constraint-induced movement therapy: New approaches to outcomes measurement in rehabilitation." In: D. T. Stuss, G. Winocur e I. H. Robertson, orgs., *Cognitive Neurorehabilitation*. Cambridge: Cambridge University Press, 215-29.
8. E. Taub, 1977. "Movement in nonhuman primates deprived of somatosensory feedback." In: J. F. Keogh, org., *Exercice and Sport Sciences Reviews*. Santa Barbara: Journal Publishing Affiliates, 4: 335-74; E. Taub, 1980. "Somatosensory deafferentation research with monkeys: Implications for rehabilitation medicine." In: L. P. Ince, org., *Behavioral Psychology in Rehabilitation Medicine: Clinical Applications*. Baltimore: Williams & Wilkins, 371-401.
9. E. Taub, 1980.
10. K. Bartlett, 1989. "The animal-right battle: A jungle of pros and cons." *Seattle Times*, 15 de janeiro, A2.
11. C. Fraser, 1993. "The raid at Silver Spring." *New Yorker*, 19 de abril, 66.

12. E. Taub, 1991. "The Silver Spring monkey incident: the untold story." *Coalition for Animals and Animal Research*, inverno/primavera, 4(1): 2-3.
13. C. Fraser, 1993, 74.
14. O veterinário do Departamento de Agricultura que fez visitas surpresa ao laboratório de Taub durante o período de Pacheco testemunnou que não encontrou as condições insatisfatórias descritas por Pacheco. Taub foi inocentado das acusações de tratamento cruel ou desumano aos animais, mas ainda foi multado em 3.500 dólares pelas acusações restantes. Argumentou-se que ele devia ter obtido ajuda veterinária externa para seis de seus macacos deaferentados, em vez de tratá-los ele mesmo — embora nenhum veterinário tivesse experiência com animais deaferentados —, e assim ainda havia seis acusações contra ele, uma para cada animal.

    Como as condenações de Taub no primeiro julgamento foram por má conduta, então foi designado, por lei, a um grande júri. No final desse segundo julgamento, em junho de 1982, ele foi absolvido de cinco da seis acusações restantes, ou 118 das 119 acusações originais. A única acusação que restou foi de que o laboratório não proporcionou cuidados veterinários adequados para um macaco, Nero, o que supostamente o levou a desenvolver uma infecção óssea. Taub tinha escrito que havia um relatório clínico mostrando que o macaco *não* tinha infecção óssea. E. Taub, 1991, 6.
15. T. Dajer, 1992. "Monkeying with the brain." *Discover*, janeiro, 70-71. Poucos cientistas ajudaram Taub, mas entre eles estavam Neal Miller e Vernon Mountcastle (mentor de Merzenich), que o apoiaram e o ajudaram em sua defesa.
16. Uma doadora da universidade e simpatizante da PETA, que havia prometido um legado de um milhão de dólares, disse que o retiraria se Taub ficasse. Alguns membros do corpo docente de Alabama argumentaram que, mesmo sendo inocente, Taub era controverso demais.
17. E. Taub, G. Uswatte, M. Bowman, A. Delgado, C. Bryson. D. Morris e V. W. Mark, 2005. "Use of CI therapy for plegic hands after chronic stroke." Apresentação à Sociedade de Neurociência, Washington, DC, 16 de novembro de 2005. Um artigo anterior documentou um índice de melhora de 50%: G. Uswatte e E. Taub, 1999. "Constraint-induced movement therapy: New approaches to outcomes measurement in rehabilitation." In: D. T. Stuss, G. Winocur e I. H. Robertson, orgs., *Cognitive Neurorehabilitation*. Cambridge: Cambridge University Press, 215-29.
18. E. Taub, G. Uswatte, D. K. King, D. Morris, J. E. Crago e A. Chatterjee, 2006. "A placebo-controlled trial of constraint-induced movement therapy for upper

extremity after stroke." *Stroke*, 37(4): 1045-49. E. Taub, G. Uswatte e T. Elbert, 2002. "New treatments in neurorehabilitation founded on basic research." *Nature Reviews Neuroscience*, 3(3): 228-36.

19. E. Taub, N. E. Miller, T. A. Novack, E. W. Cook, W. C. Fleming, C. S. Nepomuceno, J. S. Connell e J. E. Crago, 1993. "Technique to improve chronic motor deficit after stroke." *Archives of Physical Medicine and Rehabilitation*, 74(4): 347-54.
20. J. Liepert, W. H. R. Miltner, H. Bauder, M. Sommer, C. Dettmers, E. Taub e C. Weiller, 1998. "Motor cortex plasticity during constraint-induced movement therapy in stroke patients." *Neuroscience Letters*, 250: 5-8.
21. B. Kopp, A. Kunkel, W. Mühlnickel, K. Villringer, E. Taub e H. Flor, 1999. "Plasticity in the motor system related to therapy-induced improvement of movement after stroke." *NeuroReport*, 10(4): 807-10.
22. Embora a plasticidade torne possível a recuperação, a plasticidade competitiva também pode limitar a recuperação em pessoas que recebem tratamento convencional. O cérebro tem neurônios que podem se adaptar e assumir o movimento perdido ou as funções cognitivas perdidas, e que podem ser usados para ambas as funções durante a recuperação. O pesquisador da Universidade de Toronto Robin Green está estudando este fenômeno. Os dados preliminares — não sobre pacientes que recebem a terapia de Taub, mas sobre pacientes de um programa de neurorreabilitação em internação — mostram que em alguns pacientes com déficits motores e cognitivos devido a derrames há um *trade-off* à medida que eles melhoram: quanto maior a melhora cognitiva, menor a melhora motora, e vice-versa. R. E. A. Green, B. Christensen, B. Melo, G. Monette, M. Bayley, D. Hebert, E. Inness e W. Mcilroy, 2006. "Is there a trade-off between cognitive and motor recovery after traumatic brain injury due to a competition for limited neural resources?" *Brain and Cognition*, 60(2): 199-201.
23. F. Pulvermüller, B. Neininger, T. Elbert, B. Mohr, B. Rockstroh, M. A. Koebbel e E. Taub, 2001. "Constraint-induced therapy of chronic aphasia after stroke." *Stroke*, 32(7): 1621-26.
24. Ibid.
25. E. Taub, S. Landesman Ramey, S. DeLuca e K. Echols, 2004. "Efficacy of constraint-induced movement therapy for children with cerebral palsy with asymmetric motor impairment." *Pediatrics*, 113(2): 305-12.
26. T. P. Pons, P. E. Garraghty, A. K. Ommaya, J. H. Kaas, E. Taub e M. Mishkin, 1991 "Massive cortical reorganization after sensory deafferentation in adult macaques." *Science*, 252(5014): 1857-60.

Capítulo 6
Destravando o Cérebro

1. Matéria da *Associated Press*, 24 de fevereiro de 1988. Citada em J. L. Rapoport, 1989. *The Boy Who Couldn't Stop Washing*. Nova York: E. P. Dutton, 8-9.
2. Só em raros casos as pessoas com TOC são totalmente incapazes de entender que seus medos são exagerados, e às vezes essas pessoas apresentam, além do TOC, um distúrbio de natureza psicótica ou quase psicótica
3. J. M. Schwartz e S. Begley, 2002. *The Mind and the Brain: Neuroplasticity and the Power of Mental Force*. Nova York: ReganBooks/HarperCollins, 19.
4. Ibid., xxvii, 63.
5. J. M. Schwartz e B. Beyette, 1996. *Brain Lock: Free Yourself from Obsessive-Compulsive Behavior*. Nova York: ReganBooks/HarperCollins.
6. O núcleo caudado fica bem ao lado de uma área cerebral chamada putâmen, que realiza uma função semelhante, mas é o "câmbio automático" para o movimento. Ele tece movimentos individuais em uma sequência automática e constante. Quando o putâmen sofre danos, como na doença de Huntington, os pacientes não conseguem passar automaticamente de um movimento ao seguinte. Têm de pensar em cada movimento que fazem, ou literalmente ficam travados. Cada movimento é tão laborioso quanto na primeira vez em que o aprenderam. Todo movimento — escovar os cabelos, sair da cama, atender ao telefone — requer atenção constante e intensa. J. J. Ratey e C. Johnson, 1997. *Shadow Syndromes*. Nova York: Pantheon Books, 308-9.
7. Pesquisadores do National Institutes of Health descobriram recentemente que algumas crianças que não mostravam sinais de TOC os desenvolveram de um dia para o outro após sofrerem uma infecção estreptocócica. Algumas passaram a lavar compulsivamente as mãos. Exames de IRM do cérebro mostraram que seus núcleos caudados estavam 24% maiores do que o normal. Essas crianças tiveram infecções estreptocócicas comuns do grupo A. Seu sistema imunológico atacou a infecção, mas também atacou o núcleo caudado, desenvolvendo uma doença autoimune, na qual os anticorpos atacavam seu próprio corpo junto com o organismo invasor. Os tratamentos habituais para uma doença autoimune consistem em drogas que suprimem o sistema imunológico e eliminam os anticorpos do sistema. Com essas terapias, o TOC desapareceu nas crianças. Algumas que tiveram infecções estreptocócicas já tinham TOC e pioraram acentuadamente. Também se observou que o inchaço no núcleo caudado era proporcional à gravidade do TOC.

8. J. M. Schwartz e S. Begley, 2002, 75.
9. J. M. Schwartz e B. Beyette, 1996.
10. J. S. Abramowitz, 2006. "The psychological treatment of obsessive-compulsive disorder." *Canadian Journal of Psychiatry*, 51(7): 407-16, especialmente 411, 415.
11. Ibid., 414.
12. J. M. Schwartz e S. Begley, 2002, 77.
13. J. M. Schwartz e B. Beyette, 1996, 18.
14. Se você quiser levantar 50 quilos, não espere conseguir da primeira vez. Deve começar com um peso mais leve e aumentar aos poucos. Na verdade você fracassa ao tentar levantar 50 quilos, todo dia, até que um dia consegue. Mas é nos dias em que você está se exercitando que ocorre o desenvolvimento.

Capítulo 7
Dor

1. R. Melzack, 1990. "Phantom limbs and the concept of a neuromatrix." *Trends in Neuroscience*, 13(3): 88-92; P. Wall, 1999. *Pain: The Science of Suffering*. Londres: Weidenfeld & Nicholson.
2. P. Wall, 1999, 10.
3. T. L. Dorpat, 1971. "Phantom sensations of internal organs." *Comprehensive Psychiatry*, 12: 27-35.
4. H. F. Gloyne, 1954. "Psychosomatic aspects of pain." *Psychoanalytic Review*, 41: 135-59.
5. P. Ovesen, K. Kroner, J. Ornsholt e K. Bach, 1991. "Phantom-related phenomena after rectal amputation: prevalence and clinical characteristics." *Pain*, 44: 289-91.
6. R. Melzack, 1990; P. Wall, 1999.
7. Normalmente a dor evita problemas. Quando bebemos uma xícara de café escaldante e queimamos a língua, é menos provável que engulamos e causemos mais danos. As crianças nascidas com incapacidade de sentir dor, um problema chamado "analgesia congênita", em geral morrem jovens devido a enfermidades inicialmente menores. Por exemplo, elas não sabem parar de andar sobre uma articulação ferida e podem morrer de infecção óssea.
8. V. S. Ramachandran, D. Rogers-Ramachandran e M. Stewart, 1992. "Perceptual correlates of massive cortical reorganization." *Science*, 258(5085): 1159-60.
9. H. Flor, T. Elbert, S. Knecht, C. Wienbruch, C. Pantev, N. Birbaumer, W. Larbig e E. Taub, 1995. "Phantom-limb pain as a perceptual correlate of cortical reorganization following arm amputation." *Nature*, 375(6531): 482-84.

10. V. S. Ramachandran e S. Blakeslee, 1998. *Phantoms in the brain*. Nova York: William Morrow. Também comunicação pessoal.
11. V. S. Ramachandran e S. Blakeslee, 1998, 33.
12. Martha Farah, da Universidade da Pensilvânia, observou que os bebês enroscados no útero em geral têm as pernas cruzadas e se curvam sobre os genitais. As pernas e genitais seriam assim estimulados conjuntamente quando se tocam e, portanto, mapeados juntos, porque os neurônios que se ativam juntos se ligam entre si.
13. J. Katz e R. Melzack, 1990. "Pain 'memories' in phantom limbs: Review and clinical observations." *Pain*, 43: 319-36.
14. W. Noordenbos e P. Wall, 1981. "Implications of the failure of nerve resection and graft to cure chronic pain produced by nerve lesions." *Journal of Neurology, Neurosurgery and Psychiatry*, 44: 1068-73.
15. Como o fantasma é ilusório, a pessoa com dor do aperto não consegue usar a realidade para contestar a lembrança que associa o aperto à dor. Assim, ela fica travada no passado. Proposto por Ronald Melzack e R. Melzack, 1990.
16. V. S. Ramachandran e D. Rogers-Ramachandran, 1996. "Synaesthesia in phantom limbs induced with mirrors." *Proceedings of the Royal Society B: Biological Sciences*, 263(1369): 377-86.
17. P. Giraux e A. Sirigu, 2003. "Illusory movements of the paralysed limb restore motor cortex activity." *NeuroImage*, 20:S107-11.
18. Herta Flor, da Universidade de Heidelberg, na Alemanha, inspirada no trabalho de Ramachandran, tratou amputados com dor fantasma usando a terapia do espelho e fez exames de IRMf para ver o que estava acontecendo no cérebro. De início, eles não mostraram atividade nos mapas sensorial e motor para a mão amputada. Mas à medida que prosseguia a terapia, seus mapas sensoriais para a mão amputada voltaram a ficar ativos. Esse estudo ainda não foi publicado, mas foi narrado em *The Economist*, 2006. "Science and technology: A hall of mirrors; Phantom limbs and chronic pain", 22 de julho, 380(8487): 88.
19. S. Shaw e N. Rosten, 1987. *Marylin among Friends*. Londres: Bloomsbury, 16.
20. R. Melzack e P. Wall, 1965. "Pain mechanisms: A new theory." *Science*, 150(3699): 971-79.
21. Os cientistas pensam agora em termos de uma denominada "matriz da dor", constituída de muitas regiões cerebrais que podem reagir à dor, inclusive o tálamo, o córtex somatossensorial, a ínsula, o córtex cingulado anterior e outras regiões.
22. Estudo de H. Beecher, citado em P. Wall, 1999.
23. Muitas pessoas testemunharam o "fenômeno do portão" em 1981, quando viram um filme do presidente Ronald Reagan levando um tiro no peito de um

projétil 9 milímetros, em uma tentativa de assassinato. Reagan ficou parado, sem sentir nada. Nem ele nem o agente do Serviço Secreto que o empurrou rudemente para dentro do carro a fim de protegê-lo sabiam que ele fora baleado. Reagan disse em um documentário da CBS: "Nunca fui baleado na vida, a não ser nos filmes. Neles você sempre age como se doesse. Agora sei que nem sempre dói." Citado em ibid., 1999.

24. T. D. Wager, J. K. Rilling, E. E. Smith, A. Sokolik, K. L. Casey, R. J. Davidson, S. M. Kosslyn, R. M. Rose e J. D. Cohen, 2004. "Placebo-induced changes in fMRI in the anticipation and experience of pain." *Science*, 303(5661): 1162-67.
25. R. Melzack, T. J. Coderre, A. L. Vaccarino e J. Katz, 1999. "Pain and neuroplasticity." In: J. Grafman e Y. Christen, orgs., *Neuronal Plasticity: Building a Bridge from the Laboratory to the Clinic.* Berlim: Springer-Verlag, 35-52.
26. A hipersensibilidade foi proposta por J. MacKenzie, 1893. "Some points bearing on the association of sensory disorders and visceral diseases." *Brain*, 16: 321-54.
27. R. Melzack, T. J. Coderre, A. L. Vaccarino e J. Katz, 1999, 37.
28. R. Melzack, T. J. Coderre, A. L. Vaccarino e J. Katz, 1999, 46.
29. V. S. Ramachandran e S. Blakeslee, 1998, 54.
30. V. S. Ramachandran, 2003. *The emerging mind: The Reith Lectures 2003.* Londres: Profile Books, 18-20.
31. Nos casos descritos por Ramachandran, ocorriam dor crônica e a proteção patológica porque o comando motor para um movimento estava ligado diretamente ao centro da dor; assim, até a ideia de se mover causava proteção preventiva e dor. Desconfio de que algo similar aconteça quando as pessoas sentem pontadas de culpa quando só imaginam fazer coisas ruins. O comando motor para o desejo proibido está ligado diretamente ao centro de ansiedade, e assim dispara a angústia, mesmo antes que seja realizada. Isso daria à culpa a capacidade de prevenir as más ações e não só de fazer com que nos sintamos mal depois de termos agido mal.
32. C. S. McCabe, R. C. Haigh, E. F. J. Ring, O. W. Halligan, P. D. Wall e D. R. Black, 2003. "A controlled pilot study of the utility of mirror visual feedback in the treatment of complex regional pain syndrome (type 1)." *Rheumatology*, 42: 97-101. Eles estudaram a síndrome da dor regional complexa, ou SDRC, que abrange várias síndromes, inclusive distrofia simpática reflexa, causalgia e algodistrofia.
33. G. L. Moseley, 2004. "Graded motor imagery is effective for long-standing complex regional pain syndrome: A randomized controlled trial." *Pain*, 108: 192-98.

34. S. Bach, M. F. Noreng e N. U. Tjéllden, 1988. "Phantom limb pain in amputees during the first twelve months following limb amputation, after preoperative lumbar epidural blockade." *Pain*, 33: 297-301; Z. Seltzer, B. Z. Beilen, R. Ginzburg, Y. Paran e T. Shimko, 1991. "The role of injury discharge in the induction of neuropathic pain behavior in rats." *Pain*, 46: 327-36; P. M. Dougherty, C. J. Garrison e S. M. Carlton, 1992. "Differential influence of local anesthesia upon two models of experimentally induced peripheral mononeuropathy in rats." *Brain Research*, 570: 109-15.
35. R. Melzack, T. J. Coderre, A. L. Vaccarino e J. Katz, 1999, 35-52, 43-45; Herta Flor usou o mesmo raciocínio: reduzir a dor pós-operatória de pacientes que sofreram amputação, administrando a droga memantina. Seguindo a ideia de Ramachandran de que a dor fantasma é uma lembrança que ficou presa no sistema, ela usa memantina para bloquear a atividade das proteínas necessárias para formar as lembranças. Ela descobriu que a droga funciona se administrada antes, ou nas quatro semanas imediatamente após a amputação. Relatado em *The Economist*, 2006.
36. E. L. Altschuler, S. B. Wisdom, L. Stone, C. Foster, D. Galasko, D. M. E. Lewellyn e V. S. Ramachandran, 1999. "Rehabilitation of hemiparesis after stroke with a mirror." *Lancet*, 353(9169): 2035-36.
37. L. Sathian, A. I. Greenspan e S. L. Wolf, 2000. "Doing it with mirrors: A case study of a novel approach to neurorehabilitation." *Neurorehabilitation and Neural Repair*, 14(1): 73-76.

Capítulo 8
A Imaginação

1. Foi Michael Faraday quem descobriu, no século XIX, que um campo magnético variável induz uma corrente elétrica.
2. A. Pascual-Leone, F. Tarazona, J. Keenan, J. M. Tormos, R. Hamilton e M. D. Catala, 1999. "Transcranial magnetic stimulation and neuroplasticity." *Neuropsychologia*, 37: 207-17.
3. A. Pascual-Leone, J. Valls-Sole, E. M. Wassermann e M. Hallet, 1994. "Responses to rapid-rate transcranial magnetic stimulation of the human motor cortex." *Brain*, 117: 847-58.
4. A. Pascual-Leone, B. Rubio, F. Palardo e M. D. Catala, 1996. "Rapid-rate transcranial stimulation of left dorsolateral prefontal cortex in drug-resistant depression." *Lancet*, 348(9022): 233-37.

5. Ao contrário da terapia eletroconvulsiva, ou ECT, a TMS não requer que o paciente seja anestesiado e não causa convulsões. Também provoca menos efeitos colaterais cognitivos de curto prazo, como problemas de memória.
6. A. Pascual-Leone, R. Hamilton, J. M. Tormos, J. P. Keenan e M. D. Catala, 1999. "Neuroplasticity in the adjustment to blindness." In: J. Grafman e Y. Christen, orgs. *Neuronal Plasticity: Building a Bridge from the Laboratory to the Clinic.* Nova York: Springer-Verlag, 94-108, especialmente 97.
7. Para mapear o córtex motor, Pascual-Leone estimulava uma parte do córtex, observava quais músculos se moviam e registrava o dado. Depois deslocou a bobina de estimulação em um centímetro sobre a cabeça do paciente. Observou se estimulava os mesmos músculos ou músculos diferentes. Para identificar o tamanho do mapa *sensorial*, ele tocava a ponta dos dedos do paciente e perguntou se ele sentia alguma coisa. Depois aplicou a TMS ao cérebro do paciente para verificar se ele podia *bloquear* essas sensações. Se pudesse, saberia que a área no cérebro que bloqueou fazia parte do mapa sensorial. Ao ver *quanta* estimulação transmagnética era necessária para impedir que a pessoa tivesse alguma sensação ao ser tocada, ele pôde avaliar quão substancial o mapa sensorial era. Se tivesse precisado de uma estimulação de intensidade alta para bloquear a sensação, saberia que havia uma importante representação cortical para a ponta do dedo. Em seguida, ele movia a bobina de estimulação para diferentes posições do couro cabeludo, a fim de determinar os limites precisos do mapa. A. Pascual-Leone e F. Torres, 1993. "Plasticity of the sensorimotor cortex representation of the reading finger in Braille readers." *Brain*, 116: 39-52; A. Pascual-Leone, R. Hamilton, J. M. Tormos. J. P. Keenan e M. D. Catala, 1999, 94-108.
8. O fundamento para a ideia de que os pensamentos podem mudar a estrutura física do cérebro foi proposto há quinhentos anos por Thomas Hobbes (1588-1679), depois desenvolvido pelo filósofo Alexander Bain, Sigmund Freud e o neuroanatomista Santiago Ramón y Cajal.

   Hobbes propôs que nossa imaginação estava relacionada com a sensação, e que a sensação provocava mudanças físicas no cérebro. T. Hobbes, 1651/1968. *Leviathan.* Londres: Penguin, 85-88. Ver também sua obra *De Corpore.* Ele argumentou que quando uma pessoa é tocada, o impacto, na forma de movimento, viaja pelos nervos, provocando impressões sensoriais. O mesmo acontece, afirma ele, quando o olho é atingido pela luz — o impacto cria "movimento" nos nervos. Na realidade, essa ideia de que o movimento se estende ao sistema nervoso ainda está viva em nossa linguagem quando falamos em sentir "impressões" — pois as impressões em geral são causadas por uma força dinâmica que exerce uma pressão. Hobbes definia a imaginação como "nada além de um sentido que esvanece". Assim, quando vemos uma coisa, depois fechamos os olhos, ainda podemos imaginá-la, embora de forma mais tênue, porque ela está "esvanecendo". Ele afirmou que quando "imaginamos" uma coisa fantasiosa como um centauro, simplesmente combinamos duas imagens, pois um centauro é a combinação da imagem de um homem e de um cavalo.

A ideia de Hobbes de que os nervos se "movem" em reação ao toque, à luz, ao som e assim por diante não é uma conjectura tão ruim numa época muito anterior à compreensão da eletricidade, pois ele intuiu corretamente que os nervos transmitem algum tipo de energia física ao cérebro. (Ele pode ter tido ajuda de Galileu, com quem se encontrou em uma viagem à Itália. Hobbes, possivelmente por sugestão de Galileu, começou a aplicar as novas leis físicas do movimento à compreensão da mente e da sensação.)

Da mesma forma, a afirmação de Hobbes de que a imaginação é "nada além de um sentido que esvanece" prova-se extremamente perspicaz. Exames de PET mostraram que imagens visuais imaginadas são geradas pelos mesmos centros visuais das imagens reais produzidas por estímulos externos.

Hobbes era materialista: pensava que o sistema nervoso, o cérebro e a mente trabalhavam com base nos mesmos princípios, e assim ele não tinha dificuldades, em princípio, de entender como as mudanças no pensamento podem levar a mudanças nos nervos. Sua ideia foi criticada por seu contemporâneo René Descartes, que afirmou que a mente e o cérebro trabalham segundo leis inteiramente diferentes. A mente, ou a alma, como Descartes às vezes a chamava, produz pensamentos não materiais e não obedece às mesmas leis físicas do cérebro material. Nossa existência consiste nessa dualidade e os seguidores de Descartes são chamados de "dualistas". Mas Descartes jamais pôde explicar de forma crível como a mente imaterial pode influenciar o cérebro material. Por séculos, a maioria dos cientistas seguiu Descartes, e consequentemente parecia impossível imaginar que um pensamento pode mudar a estrutura do cérebro físico.

Duzentos anos depois, em 1873, o filósofo Alexander Bain levou a ideia de Hobbes ao nível seguinte e propôs que a cada vez que acontece um pensamento, lembrança, hábito ou linha de raciocínio, há algum "crescimento nas junções celulares" do cérebro. A. Bain, 1873. *Mind and Body: The Theories of Their Relation*. Londres: Henry S. King. Os pensamentos levam a mudanças no que viria a ser chamado de "sinapses". Depois Freud, baseado em sua própria pesquisa no campo da neurociência, acrescentou que a "imaginação" também levava a mudanças nas conexões neuronais.

Em 1904, Santiago Ramón y Cajal, neuroanatomista espanhol, especulou que não só a prática física, mas a prática mental leva a mudanças nas redes cerebrais. Ver notas seguintes e texto correspondente.

9. S. Ramón y Cajal, 1894. "The Croonian lecture: La fine structure des centres nerveux." *Proceedings of the Royal Society of London*, 55:444-68, especialmente 467-68.
10. S. Ramón y Cajal escreveu, "O trabalho de um pianista (...) é inacessível para o homem destreinado, assim como a aquisição de novas habilidades requer muitos anos de prática mental e física. A fim de entender plenamente esse fenômeno complicado é necessário admitir, além da consolidação de vias orgânicas preestabelecidas, o estabelecimento de novas vias, pela ramificação e crescimento progressivo de arborizações dendríticas e terminais nervosos (...). Tal desenvolvimento ocorre em resposta a exercícios, ao passo que se interrompe e pode ser revertido nas regiões cerebrais que não são cultivadas." S. Ramón y Cajal, 1904. *Textura del Sistema Nervioso del Hombre y de los Vertebrados*. Citado por A. Pascual-Leone, 2001. "The brain that plays music and is changed by it." In: R. Zatorre e I. Peretz, orgs., *The Biological Foundations of Music*. Nova York: Annals of the New York Academy of Sciences, 315-29, especialmente 316.
11. A. Pascual-Leone, N. Dang, L. G. Cohen, J. P. Brasil-Neto, A. Cammarota e M. Hallett, 1995. "Modulation of muscle responses evoked by transcranial magnetic stimulation during the acquisition of new fine motor skills." *Journal of Neurophysiology*, 74(3): 1037-45, especialmente 1041.
12. B. Monsaingeon, 1983. *Écrits/Glenn Gould, vol. 1, Le Dernier puritain*. Paris: Fayard; J. DesCôteaux e H. Leclère, 1995. "Learning surgical technical skills. *Canadian Journal of Surgery*, 38(1): 33-38.
13. M. Pesenti, L. Zago, F. Crivello, E. Mellet, D. Samson, B. Duroux, X. Seron, B. Mazoyer e N. Tzourio-Mazoyer, 2001. "Mental calculation in a prodigy is sustained by right prefrontal and medial temporal areas." *Nature Neuroscience*, 4(1): 103-7.
14. E. R. Kandel, J. H. Schwartz e T. M. Jessell, orgs., 2000. *Principles of Neural Science*, 4ª ed. Nova York: McGraw-Hill, 394; M. J. Farah, F. Peronnet, L. L. Weisberg e M. Monheit, 1990. "Brain activity underlying visual imagery: Event-related potentials during mental image generation." *Journal of Cognitive Neuroscience*, 1: 302-16; S. M. Kosslyn, N. M. Alpert, W. L. Thompson, V. Maljkovic, S. B. Weise, C. F. Chabris, S. E. Hamilton, S. L. Rauch e F. S. Buonnano, 1993. "Visual mental imagery activates topographically organized visual cortex: PET investigations." *Journal of Cognitive Neuroscience*, 5: 263-87. Todavia o seguinte artigo é uma exceção e não encontra evidências da ativação do córtex visual primário na imaginação visual: P.

E. Roland e B. Gulyas, 1994. "Visual imagery and visual representation." *Trends in Neurosciences*, 17(7): 281-87.

15. K. M. Stephan, G. R. Fink, R. E. Passingham, D. Silbersweig, A. O. Ceballos-Baumann, C. D. Frith e R. S. J. Frackowiak, 1995. "Functional anatomy of mental representation of upper extremity movements in healthy subjects." *Journal of Neurophysiology*, 73(1): 373-86.
16. G. Yue e K. J. Cole, 1992. "Strength increases from the motor program: Comparison of training with maximal voluntary and imagined muscle contractions." *Journal of Neurophysiology*, 67(5): 1114-23.
17. J. K. Chapin, 2004. "Using multi-neuron population recordings for neural prosthetics." *Nature Neuroscience*, 75(5): 452-55.
18. M. A. L. Nicolelis e J. K. Chapin, 2002. "Controlling robots with the mind." *Scientific American*, 4 de outubro, 47-53.
19. J. M. Carmena, M. A. Lebedev, R. E. Crist, J. E. O'Doherty, D. M. Santucci, D. F. Dimitrov, P. G. Patil, C. S. Henriquez e M. A. L. Nicolelis, 2003, "Learning to control a brain-machine interface for reaching and grasping by primates." *PLOS Biology*, 1(2): 193-208.
20. L. R. Hochberg, M. D. Serruya, G. M. Friehs, J. A. Mukand, M. Saleh, A. H. Caplan, A. Branner, D. Chen, R. D. Penn e J. P. Donoghue, 2006. "Neuronal ensemble control of prosthetic devices by a human with tetraplegia." *Nature*, 442(7099): 164-71; A. Pollack, 2006. "Paralyzed man uses thoughts to move cursor." *New York Times*, 13 de julho, primeira página. A esta inovação se seguiu o trabalho de Donoghue com Mijail D. Serruya, que consistiu em ensinar macacos rhesus a mover cursores em telas de computadores com o pensamento, usando apenas seis neurônios. M. D Serruya, N. G. Hatsopoulos, L. Paninski, M. R. Felllows e J. P. Donoghue, 2002. "Brain-machine interface: Instant neural control of a movement signal." *Nature*, 416(6877): 141-42.
21. J. Decety e F. Michel, 1989. "Comparative analysis of actual and mental movement times in two graphic tasks." *Brain and Cognition*, 11:87-97; J. Decety, 1996. "Do imagined and executed actions share the same neural substrate?" *Cognitive Brain Research*, 3: 87-93; J. Decety, 1999. "The perception of action: Its putative effect on neural plasticity." In: J. Grafman e Y. Christen, orgs., 109-30.
22. Analisado em M. Jeannerod e J. Decety, 1995. "Mental motor imagery: A window into the representational stages of action." *Current Opinion in Neurobiology*, 5: 727-32.

23. Decety também mostrou que quando as pessoas imaginam andar com uma carga pesada, seu sistema nervoso autônomo — a frequência respiratória e cardíaca — é estimulado.
24. A. Pascual-Leone e R. Hamilton, 2001. "The metamodal organization of the brain." In: C. Casanova e M. Ptito, orgs., *Progress in Brain Research*, Vol. 134. San Diego, CA: Elsevier Science, 427-45.
25. A manipulação dos sentidos e do cérebro não é tão incomum. O antropólogo Edmund Carpenter, que trabalhou com Marshall McLuhan (discutido no Apêndice 1), observou que "toda cultura tem um perfil sensorial e as culturas nativas, por exemplo, para maximizar a audição, minimizarão a visão. Assim o dançarino é, com frequência, deliberadamente vendado. Ou pode-se descobrir que eles deliberadamente transformam o som em algo têxtil, para que possam colocar nas orelhas durante o canto. Se começarmos a examinar as culturas, creio que encontraremos todos os povos fazendo isso. Vamos a uma galeria de arte e a placa diz: 'Não toque.' Um frequentador de concertos fecha os olhos. Para maximizar [a leitura] em uma biblioteca, dizem, 'silêncio.'" Do filme *MacLuhan's Wake*, 2002. Roteiro de David Sobelman; direção de Kevin McMahon. National Film Board of Canada, seção Voices, entrevista em áudio com Edmund Carpenter.
26. Há os que argumentam que Descartes pode não ter acreditado em sua proposta de que a alma racional não é uma coisa física e que ele a verbalizou dessa maneira para não ofender a Igreja católica. A Igreja considerava a alma um fenômeno *sobrenatural*, que não podia ser físico, porque era imortal e sobrevivia à morte e ao corpo físico e material.

    Descartes fazia parte do movimento que procurava revolucionar a humanidade utilizando a ciência moderna para explicar todos os seres vivos, um projeto que o colocou em conflito direto com a Igreja da época, que tinha suas próprias explicações para a natureza, a vida, o corpo, o cérebro e a mente. Descartes tinha motivos para ser cauteloso: Galileu viu os instrumentos de tortura da Inquisição quando suas teorias e observações sobre o mundo físico pareceram contestar os ensinamentos da Igreja. Quando Descartes descobriu isso, preferiu destruir muitos dos próprios escritos. Nos últimos anos, Descartes frequentemente se manteve apenas um passo à frente de vários perseguidores, que alegavam que ele era ateu. Nos últimos 13 anos de sua vida, ele morou em 24 endereços diferentes.

Descartes deixou sugestões de que nem sempre escrevia exatamente o que acreditava e levava em consideração a realidade política. Ele escreveu: "Tenho composto minha filosofia de maneira que não chocasse ninguém e de maneira que pudesse ser recebida em toda parte." R. Descartes, 1596-1659. A epígrafe que escolheu para a lápide era de Ovídio: "Bene qui latuit, bene vixit", ou "Quem soube se esconder bem, viveu bem." Ver também A. R. Damasio, 1994. *Decartes' Error: Emotion, Reason and the Human Brain.* Nova York: G. P. Putnam's Sons.

27. C. Clemente, 1976. "Changes in afferent connections following brain injury." In: G. M. Austin, org., *Contemporary Aspects of Cerebrovascular Disease.* Dallas, TX: Professional Information Library, 60-93.
28. Jeffrey Schwartz, que inventou o tratamento para o cérebro travado, propôs uma teoria que usa a mecânica quântica para explicar como atividades mentais podem alterar a estrutura neuronal. Não tenho competência para avaliá-la. In: J. M. Schwartz e S. Begley, 2002. *The Mind and the Brain: Neuroplasticity and the Power of Mental Force.* Nova York: ReganBooks/HarperCollins.

Capítulo 9
Transformando Nossos Fantasmas em Ancestrais

1. E. R. Kandel, 2003. "The molecular biology of memory storage: A dialog between genes and synapses." In: H. Jörnvall, org., *Nobel Lectures, Pshysiology or Medicine, 1996-2000.* Cingapura: World Scientific Publishing, Co., 402. Também http://nobelprize.org/nobel_prizes/medicine/laureates/2000/kandel–lecture.html.
2. E. R. Kandel, 2006. *In Search of Memory: The Emergence of a New Science of Mind.* Nova York: W. W. Norton & Co., 166.
3. E. R. Kandel, 1983. "From metapsychology to molecular biology: Explorations into nature of anxiety." *American Journal of Psychiatry*, 140(10): 1277-93, especialmente 1285.
4. Ibid; E. R. Kandel, 2003, 405.
5. Aprender a reconhecer um estímulo como inofensivo é chamado "habituação" e é uma forma de aprendizado que todos colocamos em ação quando aprendemos a nos desligar do ruído de fundo.
6. O que Kandel demonstrou foi o análogo neural do condicionamento pavloviano clássico. Esta demonstração foi essencial para ele. Aristóteles, os filósofos empiristas britânicos e Freud tinham afirmado que o aprendizado e a memória são o resultado da associação mental de eventos, ideias e estímulos que vivemos. Pavlov, que fundou o behaviorismo, descobriu o condicionamento clássico, uma

forma de aprendizado em que um animal ou pessoa aprende a associar dois estímulos. Um exemplo típico é a exposição de um animal a um estímulo inofensivo, como o som de um sino, e imediatamente depois a um desagradável, como um choque, repetindo isso várias vezes, de forma que o animal comece a reagir ao sino com medo.

7. E. R. Kandel, J. H. Schwartz e T. M. Jessel, 2000. *Principles of Neural Science*, 4ª ed. Nova York: McGraw-Hill, 1250. Em termos de efeitos de treinamento, eles também descobriram que se uma lesma recebia um estímulo brando 40 vezes seguidas, a habituação resultante do reflexo de retração da guelra se mantinha por um dia. Mas se dez estímulos fossem dados a cada dia, por quatro dias, o efeito durava semanas. Assim, o espaçamento correto do aprendizado é um fator fundamental no desenvolvimento da memória de longo prazo. E. R. Kandel, 2006, 193.
8. E. R. Kandel, J. H. Schwartz e T. M. Jesel, 2000, 1254.
9. E. R. Kandel, 2006, 241.
10. Este foi o trabalho de Craig Baily e Mary Chen. Se a mesma célula desenvolvia uma memória de longo prazo como consequência da habituação, ela passava de 1.300 conexões sinápticas para 850, das quais apenas cerca de 100 estariam ativas. Ibid, 214.
11. E. R. Kandel, 1998. "A new intellectual framework for psychiatry." *American Journal of Psychiatry*, 155(4): 457-69, especialmente 460. Seguindo uma linha semelhante, o neurocientista Joseph LeDoux afirmou que os distúrbios psiquiátricos podem ser considerados síndromes devidas a alterações de conexões que ocorrem entre sinapses de várias regiões e funções, e que "se o *self* pode ser desmontado por experiências que alteram conexões, presumivelmente pode ser remontado por experiências que estabelecem, alteram ou renovam conexões". J. LeDoux, 2002. *The Synaptic Self: How Our Brains Become Who We Are.* Nova York: Viking, 307.
12. S. C. Vaughan, 1997. *The Talking Cure: The Science behind Psychoterapy*. Nova York: Grosset/Putnam.
13. E. R. Kandel, 2001. "Autobiography." In: T. Frängsmyr, org., *Les Prix Nobel: The Nobel Prizes 2000.* Estocolmo: The Nobel Foundation. Também na Internet em http://nobelprize.org/nobel_prizes/medicine/laureates/2000/kandel-autobio.html.
14. E. R. Kandel, 2000, "Autobiography".
15. Ibid.
16. Apesar de seu brilhantismo, Freud não progrediu nas fileiras da Universidade de Viena, em parte devido a suas ideias, em parte porque ele era judeu. Ele se tor-

nou conferencista, em 1885, e apenas 17 anos depois se tornou professor. A média de tempo entre essas duas nomeações era de oito anos. Nesse meio tempo, ele tinha uma família para sustentar. P. Gay, 1988. *Freud: A Life for Our Time*. Nova York: W. W. Norton & Co., 138-39.

17. S. Freud, 1891. *On Aphasia: A Critical Study*. Nova York: International Universities Press.
18. S. Freud, 1895/1954. "Project for a scientific psychology." Traduzido por J. Strachey. In: *Standard Edition of the Complete Psychological Works of Sigmund Freud*, vol. 1. Londres: Hogarth Press.
19. Admirado por Karl Pribram e o prêmio Nobel Gerald Edelman, entre outros.
20. Não é coincidência que Freud tenha desenvolvido conceitos plásticos depois de rejeitar o localizacionismo simplificado da época. Tendo argumentado que o cérebro constrói novos sistemas funcionais ligando neurônios espalhados por todo o cérebro, de novas maneiras, à medida que aprende novas tarefas, ele precisou pensar em como isso podia se desenrolar num nível neuronal e como poderia afetar a memória e outras funções mentais. Em essência, ele desenvolveu uma visão mais dinâmica do cérebro, que inspirou o trabalho de Luria e o nascimento da neuropsicologia. S. Freud, 1891; O. Sacks, 1998. "The Other Road: Freud as Neurologist." In: M. S. Roth, org., *Freud: Conflict and Culture*. Nova York: Alfred A. Knopf, 221-34. O "Projeto" só foi publicado em 1954, seis anos antes de Kandel começar a tentar mostrar que o aprendizado leva a mudanças nas sinapses. (Para fundamentos sobre o "Projeto", ver P. Amacher, 1965. *Freud's Neurological Education and its Influence on Psychoanalytic Theory*. Nova York: International Universities Press, 57-59; S. Freud, 1895/1954, 319, 338; K. H. Pribram e M. M. Gill, 1976. *Freud's "Project" Re-Assessed: Preface to Contemporary Cognitive Theory and Neuropsychology*. Nova York: Basic Books, 62-66, 80.) Kandel também sabia da proposta, feita em 1894 por Santiago Ramón y Cajal, de que a atividade mental pode fortalecer conexões entre neurônios ou levar à formação de novas conexões. Cajal escreveu: "O exercício mental facilita um desenvolvimento maior do aparelho protoplásmico e dos ramos nervosos colaterais nas regiões cerebrais em uso. Dessa maneira, as conexões preexistentes entre grupos de células podem ser reforçadas pela multiplicação dos ramos terminais (...). Mas as conexões preexistentes também podem ser reforçadas pela formação de novos ramos colaterais e (...) suas expansões." S. Ramón y Cajal, 1894. "The Croonian lecture: La fine structure des centres nerveux." *Proceedings of the Royal Society of London*, 55: 444-68, especialmente 466.

21. A relação entre redes de memória e redes neuronais nas associações é implícita e é desenvolvida em maiores detalhes em M. F. Reiser, 1984. *Mind, Brain, Body: Toward a Convergence of Psychoanalysis and Neurobiology*. Nova York: Basic Books, 67.
22. Por exemplo, no "Projeto", depois de discutir as barreiras de contato, ou sinapses, Freud passa a discutir a memória e escreve: "Uma importante característica do tecido nervoso é a memória, ou seja, a capacidade de ser permanentemente alterado por ocorrências isoladas." S. Freud, 1895/1954, 299; K. H. Pribram e M. M. Gill, 1976, 64-68.
23. Freud escreveu que "os instintos sexuais se destacam por sua plasticidade, sua capacidade de alterar os próprios objetivos, sua capacidade de substituição, que admite que uma satisfação instintiva seja substituída por outra, e sua prontidão para serem adiados". S. Freud, 1932/1933/1964. "New introductory lectures on psycho-analysis." Traduzido por J. Strachey. In: *Standard Edition of the Complete Psychological Works of Sigmund Freud*, vol. 22. Londres: Hogarth Press, 97.
24. A. N. Schore, 1994. *Affect Regulation and the Origin of the Self: The Neurobiology of Emotional Development*. Hillsdale, NJ: Lawrence Erlbaum Associates; A. N. Schore, 2003. *Affect Dysregulation and Disorders of the Self*. Nova York: W. W. Norton & Co.; A. N. Schore, 2003. *Affect Regulation and the Repair of the Self*. Nova York: W. W. Norton & Co.
25. J. M. Masson, trad. e org., 1985. *The Complete Letters of Sigmund Freud to Wilhelm Fliess*. Cambridge, MA: Harvard University Press, 207.
26. S. Freud, 1909. "Notes upon a case of obsessional neurosis." In: *Standard Edition of the Complete Psychological Works*, vol. 10, 206.
27. F. Levin, 2003. *Psyche and Brain: The Biology of Talking Cures*. Madison, CT: International Universities Press.
28. A. N. Schore, 1994.
29. A. N. Schore, 2005. "A neuropsychoanalytic viewpoint: Commentary on a paper" by Steven H. Knoblauch." *Psychoanalytic Dialogues*, 15(6): 829-54.
30. J. S. Sieratzki e B. Woll, 1996. "Why do mothers cradle babies on their left?" *Lancet*, 346(9017): 1746-48.
31. A. N. Schore, 2005. "Back to basics: Attachment, affect regulation, and the developing right brain: Linking development neuroscience to pediatrics." *Pediatrics in Review*, 26(6): 204-17.
32. A. N. Schore, 2005. "A neuropsychoanalytic viewpoint."
33. A. N. Schore, 1994.
34. O nome completo é "área orbital direita do córtex pré-frontal".

35. A. N. Schore, 2005. Comunicação pessoal.
36. R. Spitz, 1965. *The First Year of Life: A Psychoanalytic Study of Normal and Deviant Development of Object Relations*. Nova York: International Universities Press.
37. E. R. Kandel, 1999. "Biology and the future of psychoanalysis: A new intellectual framework for psychiatry revisited." *American Journal of Psychiatry*, 156(4): 505-24.
38. O hipocampo também está envolvido na organização espacial, e talvez seja por isso que ajude a proporcionar um contexto para nossas memórias explícitas, que nos ajude a recuperá-las. Mas isto é especulação. Uma edição recente da publicação *Hippocampus* traz vários artigos explorando a questão. Ver J. R. Manns e H. Eichenbaum, 2006. "Evolution of declarative memory." *Hippocampus*, 16: 795-808.
39. A ideia de que a imagem de um passado traumático pode ficar paralisada na mente e continuar inalterada desde a época do trauma não é diferente do que acontece com pacientes que têm membros feridos engessados e depois desenvolvem membros fantasmas paralisados após a amputação, como vimos no Capítulo 7, "Dor". Como o genitor não está mais presente, a criança não pode usar o genitor como *feedback* para ajudar a modificar a imagem mental que tem dele. A imagem de um genitor perdido na primeira infância pode assombrar uma criança tal como faz um membro fantasmas e pode ser vivida como uma presença sentida que faz invasões aflitivas imprevisíveis.
40. Recentes estudos de Karim Nader da McGill University, inspirados em parte no trabalho de Kandel, mostram que quando são ativadas, as lembranças entram em um estado lábil, durante o qual podem ser alteradas. Na realidade, antes que voltem a ser armazenadas, as lembranças evocadas devem ser reconsolidadas e novas proteínas devem ser produzidas. Este pode ser outro motivo para nos lembrarmos de traumas, ou pelo qual repetir transferências na psicoterapia pode levar a uma mudança psíquica: as lembranças devem ser reativadas para que suas conexões neuronais sejam alteradas, de forma que possam ser retranscritas e mudadas. K. Nader, G. E. Schafe e J. E. LeDoux, 2000. "Fear memories require protein synthesis in the amygdala for reconsolidation after retrieval." *Nature*, 406(6797): 722-26; J. Debiec, J. E. LeDoux e K. Nader, 2002. "Cellular and systems reconsolidation in the hippocampus." *Neuron*, 36(3): 527-38.
41. A. Etkin, C. Pittenger, H. J. Polan e E. R. Kandel, 2005. "Toward a neurobiology of psychoterapy: Basic sciences and clinical applications." *Journal of Neuropsychiatry and Clinical Neurosciences*, 17: 145-58.
42. S. L. Rauch, B. A. Van der Kolk, R. E. Fisler, N. M. Alpert, S. P. Orr, C. R. Savage, A. J. Fischman, M. A. Jenike e R. K. Pitman, 1996. "A symptom provocation study

of PTSD using PET and script-driven imagery." *Archives of General Psychiatry*, 535: 380-87.

43. M. Solms e O. Turnbull, 2002. *The Brain and the Inner World.* Nova York: Other Press, 287.

44. A dra. Myrna Weissman desenvolveu a psicoterapia interpessoal analisando os fatores de risco para a depressão. Também foi influenciada pelo trabalho de dois psicanalistas, John Bowlby e Harry Stack Sullivan, que concentraram sua pesquisa no modo como os relacionamentos e as perdas afetivas influenciavam a psique (comunicação pessoal). Este estudo sobre psicoterapia interpessoal e mudança está em A. L. Brody, S. Saxena, P. Stoessel, L. A. Gillies, L. A. Fairbanks, S. Alborzian, M. E. Phelps, S. C. Huang, H. M. Wu, M. L. Ho, K. Ho, S. C. Au, K. Maidment e L. R. Baxter, 2001. "Regional brain metabolic changes in patients with major depression treated with either paroxetine or interpersonal therapy: Preliminary findings." *Archives of General Psychiatry*, 58(7): 631-40. Outro estudo de pacientes deprimidos mostrou que a terapia cognitivo-comportamental — uma forma de tratamento que corrige as formas exageradas de pensamento negativo típicas da depressão — também procura normalizar a atividade dos lobos prefrontais. K. Goldapple, Z. Segal, C. Garson, M. Lau, P. Bieling, S. Kennedy e H. Mayberg, 2004. "Modulation of cortical-limbic pathways in major depression." *Archives of General Psychiatry*, 61(1): 34-41.

45. M. E. Beutel, 2006. "Functional neuroimaging and psychoanalytic psychoterapy — Can it contribute to our understanding of processes of change?" Apresentação, Centro Arnold Pfeffer para a Neuropsicanálise no Instituto de Psicanálise de Nova York, Série de Conferências sobre Neuropsicanálise, 7 de outubro.

46. Alguns podem questionar se a lembrança do sr. L. do velório da mãe é "verdadeira" ou apenas um desejo de se lembrar. Se fosse apenas uma fantasia fundamentada no desejo, ele seria incapaz de tê-la quando começou a análise. Mas mesmo que fosse uma fantasia, dificilmente era um desejo — era uma experiência extremamente dolorosa para ele e certamente não era uma negação mágica da realidade, porque ele verificou que estava presente no velório. Como veremos neste capítulo (e nas notas seguintes), a pesquisa mostra agora que algumas crianças aos 26 meses de idade são capazes de ter memória explícita.

    Os traumas importantes da vida, como afirma o psicanalista e psiquiatra israelense Yoram Yovell, que trabalhou no laboratório de Kandel, podem ter um impacto duplo sobre o hipocampo na formação de lembranças. Os glicocorticoides que são liberados levam a lembranças fragmentadas. Mas a adrenalina e a noradrenalina liberadas por eventos estressantes podem levar o hipocampo a formar "memórias em lampejo" ou seja lembranças vívidas, intensas e explícitas. É provavelmente por isso que as pessoas que viveram traumas têm, ao mesmo tempo, memórias hipernítidas de alguns aspectos do trauma e memórias fragmentadas de outros aspectos dele. A visão da mãe morta pode ter produzido uma memória em lampejo no sr. L.

Definitivamente, a declaração prudente do próprio sr. L. fala melhor: a imagem do caixão aberto lhe vem à mente "marcada" como uma lembrança, mas ele prefaciou sua narrativa com um cauteloso "acredito". Ver Y. Yovell, 2000. "From hysteria to posttraumatic stress disorder." *Journal of Neuro-Psychoanalysis*, 2: 171-81; L. Cahill, B. Prins, M. Weber e J. L. McGaugh, 1994. "ß-Adrenergic activation and memory for emotional events." *Nature*, 371(6499): 702-4.

47. P. J. Bauer, 2005. "Developments in declarative memory: Decreasing susceptibility to storage failure over the second year of life." *Psychological Science*, 16(1): 41-47; P. J. Bauer e S. S. Wewerka, 1995. "One- to two-year-olds's recall of events: The more expressed, the more impressed." *Journal of Experimental Child Psychology*, 59: 475-96; T. J. Gaensbauer, 2002. "Representations of trauma in infancy: Clinical and theoretical implications for the understanding of early memory." *Infant Mental Health Journal*, 23(3): 259-77; L. C. Tertr, 2003. "'Wild child': How three principles of healing organized 12 years of psychoterapy." *Journal of the American Academy of Child and Adolescent Psychiatry*, 42(12): 1401-9; T. J. Gaensbauer, 2005. "'Wild child' and declarative memory." *Journal of the Academy of Child and Adolescent Psychiatry*, 44(7): 627-28.
48. Temos subestimado o desenvolvimento da memória explícita de fatos e eventos em bebês porque em geral testamos o sistema de memória explícita fazendo perguntas às pessoas, que são respondidas com palavras. Evidentemente os bebês preverbais não podem nos dizer se eles se recordam conscientemente de um determinado acontecimento. Mas, recentemente, pesquisadores encontraram maneiras de testar bebês, fazendo-os chutar quando reconhecem a repetição de eventos, e eles podem se lembrar deles. C. Rovee-Collier, 1997. "Dissociations in infant memory: Rethinking the development of implicit and explicit memory." *Psychological Review*, 104(3): 467-98; C. Rovee-Collier, 1999. "The development of infant memory." *Current Directions in Psychological Science*, 8(3): 80-85.
49. C. Rovee-Collier, 1999.
50. T. J. Gaensbauer, 2002, 265.
51. Na verdade, o sonho essencial do sr. L., "estou procurando por uma coisa perdida, não sei o quê, talvez parte de mim (...) e vou saber quando a encontrar", articulou perfeitamente o seu problema com a memória e suas recordações. Ele sabia

que não podia, sozinho, lembrar-se do que perdera, mas também que ele o reconheceria se colocado diante dele, sendo o reconhecimento uma forma ainda mais básica de se lembrar do que a recordação. Neste sentido, a previsão de seu sonho era precisa, porque quando finalmente descobriu o que procurava, ele reconheceu, de uma forma que o chocou profundamente.

52. Os prêmios Nobel Francis Crick e Graeme Mitchison propuseram que uma espécie de "aprendizagem reversa" ocorre nos sonhos, porque o cérebro que sonha tem, como uma de suas tarefas, eliminar várias imagens espúrias que aprendemos no curso do desenvolvimento de memórias perceptivas. F. Crick e G. Mitchison, 1983. "The function of dream sleep." *Nature*, 304(5922): 111-14. Ver também G. Christos, 2003. *Memory and Dreams: The Creative Mind.* New Brunswick, NJ: Rutgers University Press. Segundo o modelo de Crick e Mitchison, "sonhamos para esquecer". Isso explica por que, se o cérebro que sonha está tentando classificar eventos e imagens, ele venha a descobrir que algumas são importantes e valem a recordação, e que muitos outros merecem o esquecimento. Esta teoria fornece a melhor explicação de por que esquecemos nossos sonhos. Mas é fraca ao explicar por que tanto pode ser aprendido dos sonhos, ou de sonhos recorrentes e pós-traumáticos que o sr. L. tinha e não saíam de sua cabeça.

53. Os sonhos são frequentemente confusos e incompreensíveis porque determinadas funções mentais "superiores" não estão operando como fazem quando estamos despertos. Allen Braun, pesquisador do NIH de Bethesda, Maryland, usou a tomografia por emissão de pósitrons (PET) para medir a atividade cerebral de participantes que sonhavam. Ele mostrou que a região conhecida como sistema límbico — que processa as emoções, os instintos sexuais, de sobrevivência e agressivos; além das ligações interpessoais — mostrava uma atividade elevada. Também é ativada a área tegumentar ventral, que é associada com a busca do prazer (que discutimos com relação aos sistemas do prazer no Capítulo 4, "Adquirindo Gostos e Afetos"). Mas o córtex prefrontal, a área responsável pela planificação e pela disciplina, pelo adiamento da recompensa e o controle de nossos impulsos, mostrava uma atividade reduzida.

Com as áreas de processamento emocional-instintivo ativadas e a região que controla nossos impulsos relativamente inibida, não é de admirar que seja mais provável que expressemos em sonhos os desejos e impulsos normalmente reprimidos ou de que sequer temos consciência, como observaram Freud, e Platão antes dele.

Mas por que nossos sonhos são alucinações, em que vivemos como reais coisas que não estão acontecendo? Quando despertamos, primeiro apreendemos o mundo por nossos sentidos. Para a visão, chega *input* pelos olhos. Depois a zona visual primária no cérebro recebe *input* diretamente da retina. Em seguida, a zona visual secundária processa as cores e o movimento e reconhece objetos. Por fim, uma zona terciária mais abaixo na linha de processamento perceptivo (na junção occipito-temporoparietal) reúne essas percepções visuais e as relaciona com outras modalidades sensoriais. Assim, os eventos que percebemos concretamente são relacionados entre si, e depois que isso acontece podem surgir mais pensamentos e significados abstratos.

Freud afirmou que a mente "regride" nas alucinações e nos sonhos. Ele quis dizer que a mente processa imagens em ordem reversa. Começamos não por percepções do mundo para depois formar ideias abstratas, mas por nossas próprias ideias abstratas, que se tornam representadas de uma forma concreta, frequentemente visual, como se fossem percepções reais.

Allen Braun mostrou, com exames de neuroimagem de pessoas sonhando, como as áreas cerebrais que recebem primeiro o *input* visual — as áreas visuais primárias — se desativam. Mas são ativadas as zonas visuais secundárias que integram os diferentes tipos de *input* visual (por exemplo, cor, movimento) em objetos. Assim, o que vivemos nos sonhos são imagens que vêm não do mundo, mas de dentro de nós e que são vividas como alucinações. Isso é coerente com a afirmação de que nos sonhos a percepção é processada em direção contrária.

Uma interpretação correta dos sonhos começa pelas percepções alucinatórias do sonho, que parecem bizarras e desconectadas entre si, e as remonta aos pensamentos oníricos abstratos que as produzem. Estudos do neuropsicanalista Mark Solms sobre pacientes que tiveram derrames lançam muita luz sobre os sonhos. Trabalhando com esses pacientes, Solms mostrou que os sonhos não consistem apenas em imagens visuais confusas, mas em pensamento. Ele trabalhou com pacientes que apresentavam lesão na área cerebral necessária para a produção de imagens visuais. Em estado de vigília, esses pacientes sofrem de uma conhecida síndrome neurológica chamada "irreminiscência" e não conseguem formar imagens visuais completas na mente. Uma mulher que teve um derrame nesta área não consegue reconhecer o rosto de seus familiares, mas pode reconhecer as vozes. Em seus sonhos, segundo Solms descobriu, ela ouvia vozes mas não via imagens; em outras palavras, ela era uma sonhadora não visual.

Outro paciente tinha um déficit semelhante, que surgiu depois da retirada de um tumor no cérebro, e contou que sonhava com, "minha mãe e outra senhora me prendendo ao chão". Quando Solms perguntou como ele sabia disso, uma vez que não tinha imagens visuais, ele respondeu: "Eu simplesmente sabia." E contou claramente sentir-se preso. Ele disse que depois da cirurgia seus sonhos se tornaram "sonhos pensantes", em outras palavras, por trás da imagem visual de sonhos, opera uma espécie de pensamento.

E quanto aos pacientes com danos nas zonas terciárias do cérebro, que formam os pensamentos abstratos? Segundo Freud, essa parte do cérebro gera os sonhos. Solms descobriu que quando são lesionadas essas zonas terciárias, que geram o pensamento abstrato, os sonhos cessam. Claramente, esta região é essencial para a geração de sonhos.

Solms teoriza que é costumeiramente difícil entender os sonhos porque neles as ideias abstratas são representadas visualmente. Como isso se desenrola? Clinicamente, descobre-se frequentemente que uma ideia abstrata como "Eu sou especial e não tenho de seguir as regras de outras pessoas" pode ser representada visualmente por "Estou voando". A ideia abstrata de que "no fundo, tenho medo de que minha ambição esteja descontrolada" pode ser representada por um sonho com o corpo de Mussolini depois de ser executado. K. Kaplan-Solms e M. Solms, 2002. *Clinical Studies in Neuro-Psychoanalysis.* Nova York: Karnac; M. Solms e O. Turnbull, 2002, 209-10.

54. R. Stickgold, J. A. Hobson, R. Fosse e M. Fosse, 2001. "Sleep, learning, and dreams: Off-line memory reprocessing." *Science*, 294(5544): 1052-57.
55. Ibid.
56. M. G. Frank, N. P. Issa e M. P. Stryker, 2001. "Sleep enhances plasticity in the developing visual cortex." *Neuron*, 30(1): 275-87.
57. G. A. Marks, J. P. Shaffrey, A. Oksenberg, S. G. Speciale e H. P. Roffwarg, 1995. "A functional role for REM sleep in brain maturation." *Behavioral Brain Research*, 69: 1-11.
58. U. Wagner, S. Gais e J. Born, 2001. "Emotional memory formation is enhanced across sleep intervals with high amounts of rapid eye movement." *Learning and Memory*, 8: 112-19.
59. Durante nossos sonhos, o hipocampo trabalha interagindo com o córtex, formando as memórias de longo prazo.

Uma experiência perceptiva no estado de vigília é registrada em nosso córtex. Olhar seu amigo ativa células em seu córtex visual, o som da voz dele ativa neurônios em seu córtex auditivo, e quando você e ele se abraçam, áreas sensoriais e motoras se iluminam. Seu sistema límbico, que lida com a emoção, também é ativado. Todas essas áreas diferentes parecem mandar sinais ao mesmo tempo, e você reconhece que ele é seu amigo. Esses sinais são enviados simultaneamente ao hipocampo, onde são brevemente armazenados e são "unidos". (É por isso que, quando você se lembra de uma conversa com seu amigo, você automaticamente também vê o rosto dele.) Se ver o amigo for um acontecimento importante, o hipocampo o transforma de lembrança de curto prazo em lembrança de longo prazo e explícita. Mas esta lembrança não é armazenada no hipocampo. É enviada de volta às partes do córtex de onde veio e é armazenada nas redes corticais originais que produziram suas várias visões, sons e assim por diante. Assim, a memória é amplamente distribuída por todo o cérebro.

Os cientistas podem medir as ondas cerebrais originadas pelo hipocampo e pelo córtex, quando estão ativos. Observando o tempo durante o qual várias áreas se ativam durante o sono, eles chegaram a uma proposta intrigante. Durante o sono REM, nosso córtex descarrega seus sinais no hipocampo. Durante o sono não REM o hipocampo, depois de ter trabalhado essas lembranças de curto prazo, as descarrega de volta no córtex, onde permanecerão como memórias de longo prazo. Pode acontecer que enquanto sonhamos às vezes vivamos conscientemente a descarga de muitos bits de experiências das várias partes de nosso córtex que estão sendo ativadas. R. Stickgold, J. A. Hobson, R. Fosse e M. Fosse, 2001.

Essas descobertas recentes foram previstas num estudo impressionante da década de 1970 do dr. Stanley Palombo, que teve em psicanálise um paciente cujo pai falecera recentemente. Como parte do estudo do dr. Palombo, o paciente passou as noites entre as sessões de análise em um laboratório do sono; era despertado no final de cada ciclo de sono REM, e seus sonhos eram registrados. Palombo descobriu que, no curso de cada noite, os sonhos do paciente trabalhavam as novas experiências que ele tivera durante o dia, e ele progressivamente as combinava com suas experiências passadas, determinando qual de suas lembranças seriam associadas e portanto armazenadas. S. R. Palombo, 1978. *Dreaming and Memory: A New Information-Processing Model.* Nova York: Basic Books.

60. O psicólogo Seymour Levine descobriu que os filhotes de rato separados de suas mães protestam de imediato, soltando gritos altos, e procuram pelas mães até que mostram sinais de desespero. Seu batimento cardíaco e temperatura corporal caem e eles ficam menos alertas, como as crianças observadas por Spitz, que pareciam desligadas e inatingíveis, com um olhar distante. Levine depois descobriu que os cérebros dos filhos estimulavam uma "resposta ao estresse", liberando uma alta quantidade de um glicocorticoide, o "hormônio do estresse". Este hormônio é benéfico para o corpo por curtos períodos, porque o mobiliza para lidar com as emergências, aumentando o batimento cardíaco e enviando sangue

aos músculos. Mas se liberados repetidamente, eles levam a doenças relacionadas ao estresse e desgastam o corpo prematuramente.

Uma pesquisa recente de Michael Meaney, Paul Plotsky e outros mostrou que se os filhotes eram separados das mães por períodos de três a seis horas a cada dia, por duas semanas, as mães logo os ignoravam e eles mostravam uma liberação maior do hormônio do estresse, aumento *que durava até a idade adulta*. Os traumas infantis podem ter efeitos para a vida toda e suas vítimas ficam mais facilmente predispostas ao estresse depois disso.

Os filhotes separados da mãe apenas brevemente durante as duas primeiras semanas de vida soltavam os gritos habituais, para chamar as mães, que os lambiam mais do que o normal, catando-os mais e carregando-os mais do que os filhotes que não tinham sido separados. O efeito dessa reação materna foi *reduzir, pelo resto da vida do animal*, a tendência a secretar glicocorticoides, a desenvolver doenças relacionadas ao estresse e a sentir medo. Tal é o poder de uma boa criação materna durante o período crítico da ligação. Esse benefício vitalício pode estar relacionado com a plasticidade porque os filhotes obtiveram atenção materna íntima durante o período crítico para o desenvolvimento de seus sistemas cerebrais de resposta ao estresse. S. Levine, 1957. "Infantile experience and resistance to physiological stress." *Science*, 126(3270): 405; S. Levine, 1962. "Plasma-free corticosteroid response to electric shock in rats stimulated in infancy." *Science*, 135(3506): 795-96; S. Levine, G. C. Haltmeyer, G. G. Karas e V. H. Denenberg, 1967. *Physiology and Behavior*, 2: 55-59; D. Liu, J. Diorio, B. Tannenbaum, C. Caldji, D. Francis, A. Freedman, S. Sharma, D. Pearson, P. M. Plotsky e M. J. Meaney, 1997. "Maternal care, hippocampal glucocorticoid receptors, and hypothalamic-pituitary-adrenal responses to stress." *Science*, 277(5332): 1659-62, especialmente 1661; P. M. Plotsky e M. J. Meaney, 1993. "Early, postnatal experience alters hypothalamic corticotropin-releasing factor (CRF) mRNA, median eminence CRF content and stress-induced release in adult rats." *Molecular Brain Research*, 18: 195-200.

61. P. M. Plotsky e M. J. Meaney, 1993; C. B. Nemeroff, 1996. "The corticotropin-releasing factor (CRF) hypothesis of depression: New findings and new directions." *Molecular Psychiatry*, 1: 336-42; M. J. Meaney, D. H. Aitken, S. Bhatnagar e R. M. Sapolsky, 1991. "Postnatal handling attenuates certain neuroendocrine, anatomical and cognitive dysfunctions associated with aging in female rats." *Neurobiology of Aging*, 12: 31-38.
62. C. Heim, D. J. Newport, R. Bonsall, A. H. Miller e C. B. Nemeroff, 2001. "Altered pituitary-adrenal axis responses to provocative challenge tests in adult survivors of childhood abuse." *American Journal of Psychiatry*, 158(4): 575-81.

63. R. M. Sapolsky, 1996. "Why stress is bad for your brain." *Science*, 273(5276): 749-50; B. L. Jacobs, H. van Praag e F. H. Gage, 2000. "Depression and the birth and death of brain cells." *American Scientist*, 88(4): 340-46.
64. B. L. Jacobs, H. van Praag e F. H. Gage, 2000.
65. M. Vythilingam, C. Heim, J. Newport, A. H. Miller, E. Anderson, R. Bronen, M. Brummer, L. Staib, E. Vermetten, D. S. Charney, C. B. Nemeroff e J. D. Bremner, 2002. "Childhood trauma associated with smaller hippocampal volume in women with major depression." *American Journal of Psychiatry*, 159(12): 2072-80.
66. Segundo Kandel, "O estresse infantil, induzido pela separação do bebê de sua mãe, produz uma reação no bebê que é armazenada principalmente pelo sistema da memória procedural, o único sistema de memória bem diferenciado que o bebê bem pequeno tem a disposição, mas esta ação da memória procedural leva a um ciclo de mudanças que por fim prejudica o hipocampo e resulta, portanto, em uma mudança permanente na memória declarativa [isto é, explícita]". E. R. Kandel, 1999. "Biology and the future of psychoanalysis: A new intellectual framework for psychiatry revisited." *American Journal of Psychiatry*, 156(4): 505-24, especialmente 515. Ver também L. R. Squire e E. R. Kandel, 1999. *Memory: From Molecules to Memory*. Nova York: Scientific American Library; B. S. McEwen e R. M. Sapolsky, 1995. "Stress and cognitive function." *Current Opinion in Neurobiology*, 5: 205-16.
67. B. L. Jacobs, H. van Praag e F. H. Gage, 2000. Este artigo cita um relatório feito por Premal Shah e colegas, do Royal Edinburgh Hospital, mostrando que o volume do hipocampo é menor em pacientes cronicamente deprimidos, mas não nos que se recuperaram.
68. Ibid.
69. S. Freud, 1937/1964. "Analysis terminable and interminable." In: *Standard Edition of the Complete Psychological Works of Sigmund Freud*, vol. 23, 241-42.
70. S. Freud, 1918/1955. "An infantile neurosis." In: *Standard Edition of the Complete Psychological Works of Sigmund Freud*, vol. 17, 116.

Capítulo 10
Rejuvenescimento

1. S. Ramón y Cajal, 1913, 1914/1991. *Cajal's Degeneration and Regeneration of the Nervous System*. J. DeFelipe e E. G. Jones, orgs., traduzido por R. M. May. Nova York: Oxford University Press, 750.

2. P. S. Eriksson, E. Perfilieva, T. Björk-Eriksson, A. Alborn, C. Nordborg, D. A. Peterson e F. H. Gage, 1998. "Neurogenesis in the adult human hippocampus", *Nature Medicine*, 4(11): 1313-17.
3. H. van Praag, A. F. Schinder, B. R. Christie, N. Toni, T. D. Palmer e F. H. Gage, 2002. "Functional neurogenesis in the adult hippocampus." *Nature*, 415(6875): 1030-34; H. Song, C. F. Stevens e F. G. Gage, 2002. "Neural stem cells form adult hippocampus develop essential properties of functional CNS neurons." *Nature Neuroscience*, 5(5): 438-45.
4. A descoberta de células-tronco neuronais em ratos foi importante porque os ratos (e camundongos) compartilham mais de 90% de seu DNA com o homem.
5. G. Kempermann, H. G. Kuhn e F. H. Gage, 1997. "More hippocampal neurons in adult mice living in an enriched environment." *Nature*, 386(6624): 493-95.
6. G. Kempermann, D. Gast e F. H. Gage, 2002. "Neuroplasticity in old age: Sustained fivefold induction of hippocampal neurogenesis by long-term environmental enrichment." *Annals of Neurology*, 52: 135-43.
7. H. van Praag, G. Kempermann e F. H. Gage, 1999. "Running increases cell proliferation and neurogenesis in the adult mouse dentate gyrus." *Nature Neuroscience*, 2(3): 266-70.
8. M. V. Springer, A. R. McIntosh, G. Wincour e C. L. Grady, 2005. "The relation between brain activity during memory tasks and years of education in young and older adults." *Neuropsychology*, 19(2): 181-92.
9. R. Cabeza, 2002. "Hemispheric asymmetry reduction in older adults: The HAROLD model." *Psychology and Aging*, 17(1): 85-100.
10. R. S. Wilson, C. F. Mendes de Leon, L. L. Barnes, J. A. Schneider, J. L. Bienias, D. A. Evans e D. A. Bennett, 2002. "Participation in cognitively stimulating activities and risk of incident Alzheimer disease." *JAMA*, 287(6): 742-48.
11. J. Verghese, R. B. Lipton, M. J. Katz, C. B. Hall, C. A. Derby, G. Kuslansky, A. F. Ambrose, M. Sliwinski e H. Buschke, 2003. "Leisure activities and the risk of dementia in the elderly." *New England Journal of Medicine*, 348(25): 2508-16.
12. A ideia de que o Alzheimer pode começar no início da idade adulta e não ser detectável por anos vem de um estudo famoso sobre algumas freiras, que revelou que aquelas que desenvolveram Alzheimer tinham usado uma linguagem muito simples entre seus 20 e 30 anos de idade.
13. Deixo de lado a questão de suplementos à dieta, que não é de minha alçada, a não ser para dizer que a antiga ideia de comer peixe, ou óleos de peixe com ácidos graxos ômega, parece sensata, mas há muitos outros suplementos possíveis. M. C. Morris, D. A. Evans, C. C. Tangney, J. L. Bienias e R. S. Wilson, 2005. "Fish

consumption and cognitive declice with age in a large community study." *Archives of Neurology*, 62(12): 1849-53.

14. S. Vaymann e F. Gomez-Pinilla, 2005. "License to run: Exercise impacts functional plasticity in the intact and injured central nervous system by using neurotrophins." *Neurorehabilitation and Neural Repair*, 19(4): 283-95.
15. J. Verghese et al., 2003.
16. A. Lutz, L. L. Greischar, N. B. Rawlings, M. Ricard e R. J. Davidson, 2004. "Long-term meditators self-induce high-amplitude gamma synchrony during mental practice." *Proceedings of the National Academy of Sciences*, EUA, 101(46): 16369-73.
17. G. E. Vaillant, 2002. *Aging Well: Surprising Guideposts to a Happier Life from the Landmark Harvard Study of Adult Development*. Boston: Little, Brown, & Co.
18. H. C. Lehman, 1953. *Age and Achievement*. Princeton, NJ: Princeton University Press; D. K. Simonton, 1990. "Does creativity decline in the later years? Definition, data, and theory." In: M. Permutter, orgs., *Late Life Potential*. Washington, DC: Gerontological Society of America, 83-112, especialmente 103.
19. Citado em G. E. Vaillant, 2002, 214. De H. Heimpel, 1981. "Schlusswort." In: M. Planck, org., *Hermann Heimpel zum 80. Geburtstag*. Institut für Geschichte. Göttingen: Hubert, 41-47.

Capítulo 11
Mais do Que a Soma de Suas Partes

1. Grafman usou o Preview, Question, Read, Study Test Method para ajudar Renata a melhorar sua capacidade de raciocínio e leitura.
2. A maioria dos veteranos do Vietnã que Grafman estudou sofria de lesões *penetrantes* na cabeça — projéteis, estilhaços e metal que tinham perfurado o crânio e o cérebro. A vítima de uma lesão penetrante geralmente não perde a consciência, e assim cerca de metade dos soldados com tais lesões entraram andando sozinhos na unidade de triagem cirúrgica e disseram aos médicos que precisavam de ajuda.

3. J. Grafman, B. S. Jonas, A. Martin, A. M. Salazar, H. Weingartner, C. Ludlow, M. A. Smutok e S. C. Vance, 1988. "Intellectual function following penetrating head injury in Vietnam veterans." *Brain*, 111: 169-84.
4. J. Grafman e I. Litvan, 1999. "Evidence for four forms of neuroplasticity." In: J. Grafman e Y. Christen, org., *Neuronal Plasticity: Building a Bridge from the Laboratory to the Clinic*. Berlim: Springer-Verlag, 131-39; J. Grafman, 2000.

"Conceptualizing functional neuroplasticity." *Journal of Communication Disorders*, 33(4): 345-56.

5. H. S. Levin, J. Scheller, T. Rixard, J. Grafman, K. Martinkowski, M. Winslow e S. Mirvis, 1996. "Dyscalculia and dyslexia after right hemisphere injury in infancy." *Archives of Neurology*, 53(1): 88-96.
6. As crianças com danos no hemisfério *direito* não verbal (como Paul) não se saem muito bem na reorganização do hemisfério esquerdo para assumir as funções perdidas, tal como Michelle, reorganizou o hemisfério direito para assumir as funções que perdera. Isso pode se dever ao fato de que as principais funções de linguagem em geral se desenvolvem mais cedo do que as funções não verbais e assim, quando aquelas funções não verbais "de hemisfério direito" procuram migrar para o esquerdo, descobrem que o hemisfério esquerdo já está comprometido com a linguagem.
7. B. Edwards, 1999. *The New Drawing on the Right Side of the Brain.* Nova York: Jeremy P. Tarcher/Putnam, xi.
8. Normalmente, o lobo prefrontal esquerdo registra uma sequência de eventos. Grafman teoriza que depois que o lobo prefrontal direito extrai o tema ou significado desses eventos, este mesmo lobo provavelmente inibe a memória desses eventos no esquerdo, porque não há necessidade de manter todos aqueles detalhes em sua forma pura e nítida. A capacidade de se lembrar do dia anterior, e o que houve de importante nele, afirma Grafman, "é um compromisso entre os detalhes e o significado". Em Michelle, há menos compromisso, porque ela não tem um hemisfério distinto que iniba o registro de eventos. Portanto, as memórias se mantêm nítidas.

Apêndice 1
O Cérebro Culturalmente Modificado

1. Entrevista a S. Olsen, 2005. "Are we getting smarter or dumber?" CNet News.com. http://news.com.com/Are+we+getting+smarter+or+dumber/2008-1008_3-5875404.html.
2. A refração ocorre porque a luz se curva ao passar de uma substância a outra com densidade diferente. O olho humano é terrestre, evoluído para acolher a luz quando ela se propaga no ar, e não na água.
3. A. Gislén, M. Dacke, R. H. H. Kröger, M. Abrahamsson, D. Nilsson e E. J. Warrant. 2003. "Superior underwater vision in a human population of Sea Gypsies." *Current Biology*, 13: 833-36.

4. O cérebro e as ramificações simpáticas e parassimpáticas do sistema nervoso ajustam o tamanho da pupila.
5. T. F. Münte, E. Altenmüller e L. Jäncke, 2002. "The musician's brain as a model of neuroplasticity". *Nature Reviews Neuroscience*, 3(6): 473-78.
6. T. Elbert, C. Pantev, C. Wienbruch, B. Rockstroh e E. Taub, 1995. "Increased cortical representation of the fingers of the left brain in string players." *Science*, 270(5234): 305-7.
7. C. Pantev, L. R. Roberts, M. Schulz, A. Engelien e B. Ross, 2001. "Timbre-specific enhancement of auditory cortical representations in musicians." *NeuroReport*, 12(1): 169-74.
8. T. F. Münte, E. Altenmüller e L. Jäncke, 2002.
9. G. Vasari, 1550/1963. *The Lives of the Painters, Sculptors and Architects*, vol. 4. Nova York: Everyman's Library, Dutton, 126.
10. Há incontáveis outros exemplos do cérebro se adaptando a situações incomuns. O pesquisador da plasticidade Ian Robertson observa que a NASA descobriu que os astronautas, depois de um voo, levam de quatro a oito dias para recuperar o equilíbrio, o que Robertson afirma ser provavelmente um efeito plástico; na condição de ausência de gravidade, o senso de equilíbrio não lhes diz onde os corpos estão no espaço e assim eles devem depender dos olhos. Portanto, a ausência de gravidade leva a duas alterações cerebrais. O sistema de equilíbrio, que não recebe *input*, é reduzido (num caso de "use ou perca") e os olhos, por causa do exercício intenso, são promovidos a informar ao astronauta onde ele está no espaço.
11. E. A. Maguire, D. G. Gadian, I. S. Johnsrude, C. D. Good, J. Ashburner, R. S. J. Frackowiak e C. D. Frith, 2000. "Navigation-related structural change in the hippocampi of taxi drivers." *Proceedings of the National Academy of Sciences*, EUA, 97(8): 4398-4403.
12. S. W. Lazar, C. E. Kerr, R. H. Wasserman, J. R. Gray, D. N. Greve, M. T. Treadway, M. McGarvey, B. T. Quinn, J. A. Dusek, H. Benson, S. L. Rauch, C. I. Moore e B. Fischl, 2005. "Meditation experience is associated with increased cortical thickness." *NeuroReport*, 16(17): 1893-97.
13. Estamos apenas começando a entender a genética da neuroplasticidade. Frederick Gage e sua equipe, que provaram que camundongos criados em ambientes estimulantes desenvolvem novos neurônios e hipocampos maiores, também descobriram que um dos previsores mais fortes da capacidade de um camundongo para produzir novos neurônios é geneticamente determinado.
14. A fluidez cognitiva, segundo o arqueólogo cognitivo Steven Mithen, pode explicar um dos grandes mistérios da pré-história humana, isto é, a explosão repentina da cultura humana.

O *Homo sapiens* andou pela primeira vez na Terra cerca de 100 mil anos atrás e, pelos 50 mil anos seguintes, com base nas evidências arqueológicas, a cultura humana foi estática e não era mais complexa do que a de outras espécies pré-humanas que nos antecederam por quase um milhão de anos. Os restos arqueológicos deste período de monotonia cultural impõem vários enigmas. Primeiro, o ser humano usava apenas pedra ou madeira para fazer ferramentas e não ossos, marfim ou chifres, que também estavam disponíveis. Segundo, embora esses homens tenham inventado um machado para uso geral, nunca desenvolveram um machado, nem ferramenta alguma, para fins específicos. Todas as pontas de lança eram do mesmo tamanho e feitas da mesma maneira. Terceiro, nenhuma ferramenta havia sido feita com componentes diversos, como o arpão dos inuits, que tem pontas de pedra dura, setas de marfim, cordões para recuperação e peles de foca infladas para que flutuem depois de lançados. E por fim, não havia sinais de arte, ornamento ou religião.

E então, há 50 mil anos, de repente, sem nenhuma mudança fundamental em nosso tamanho cerebral ou composição genética, tudo isso mudou e desenvolveram-se a arte, a religião e as tecnologias complexas. Barcos foram inventados, levando o homem pelo mar até a Austrália; surgiram desenhos em cavernas; entalhes imaginativos, em ossos e marfim, de criaturas híbridas, feitas de formas animais e humanas, e ornamentos de contas e pingente para o corpo humano tornaram-se comuns. Eles começaram a enterrar seus mortos em covas e os cadáveres humanos agora tinham carcaças de animais ao lado — "bens de sepultamento", suprimentos de comida para a vida depois da morte — a primeira evidência de religião. E pela primeira vez as ferramentas eram projetadas para fins específicos, e foram elaboradas pontas de lança para presas de diferentes tamanhos, levando em conta a espessura da pele e o habitat da presa.

Mithen argumenta que o período de monotonia cultural ocorreu porque o *Homo sapiens* tinha três módulos de inteligência separados e cada um deles trabalhava de forma independente. O primeiro módulo era de inteligência natural, compartilhado com muitos animais, que permitia que o homem entendesse os hábitos de animais de caça, o clima e a geografia; seguisse rastros e fezes antevendo a descoberta de um animal à frente; ou que previsse a chegada do inverno pela partida dos pássaros. O segundo módulo era de inteligência técnica, isto é, o modo de manipular objetos, como pedras, e transformá-los em lâminas. O terceiro módulo era de inteligência social, também compartilhado com outros animais, que permitia que o homem interagisse com outros seres humanos e interpretasse suas emoções, entendesse as hierarquias de dominância e submissão, os rituais de corte e a nutrição dos jovens.

Mithen teoriza que a monotonia cultural existiu porque os três módulos de inteligência estavam separados na mente. Assim, os primeiros seres humanos nunca entalharam ossos ou marfim, porque o osso era um produto animal, e eles tinham uma barreira mental entre a inteligência técnica e a inteligência animal, de forma que não conseguiam pensar em usar animais para fazer ferramentas. Eles não tinham tipos específicos de ferramentas para diferentes fins, ou ferramentas complexas, porque criá-las teria exigido a integração da inteligência natural (a espessura de couros, o tamanho dos animais, hábitos diferentes) com a inteligência técnica. Deve ter existido uma barreira entre as inteligências social e tecnológica, uma vez que não foram encontradas contas, pingentes ou outros ornamentos corporais (que designam a afiliação social de uma pessoa, sua religião e *status*, como as alianças de casamento, crucifixos e diamantes no Ocidente).

Há 50 mil anos, essas barreiras se romperam. Surgiram ferramentas complexas, úteis para diferentes fins. A arte mostrou a mistura dos três tipos de inteligência, como no caso da escultura de um homem-leão encontrada no sul da Alemanha. Este objeto entalhado (inteligência técnica), combinava a cabeça de um leão com a presa de um mamute (inteligência natural). Na França, contas de marfim foram entalhadas para imitar conchas do mar, uma mistura de história natural e inteligência técnica, e novas ferramentas foram encontradas com animais entalhados. Desenvolveu-se a religião primitiva, às vezes chamada de "totemismo", mesclando a identidade de um grupo social humano com um animal-totem — dando de repente ao mundo natural um significado social.

Mithen argumenta que toda essa criatividade, na ausência de uma mudança no tamanho do cérebro, surgiu porque a "fluidez cognitiva" permitiu a ruptura de barreiras entre os três módulos de inteligência e permitiu a reorganização da mente. E o que pode ter permitido que esses módulos se ligassem?

Eu afirmaria que a plasticidade do cérebro pode ter levado esses três grupos neuronais diferentes, ou módulos, a se ligar, um análogo neural da fluidez cognitiva. Por que os módulos não se ligaram antes? Porque a plasticidade sempre é uma faca de dois gumes e pode levar à rigidez e à flexibilidade; se evoluíssem em animais e primatas para fins especializados, esses módulos tenderiam a continuar a ser usados para seus fins originais — como um trenó que deixa um sulco na primeira passagem tenderá a manter o mesmo percurso. Mas isso não quer dizer que os módulos de inteligência não pudessem se misturar, só que eles estavam predispostos a continuar separados — até que se descobriu, talvez por acaso, que misturá-los dava uma vantagem distinta ao *Homo sapiens*. Ver S. Mithen, 1996. *The Prehistory of the Mind: the Cognitive Origins of Art, History and Science*. Londres: Thames & Hudson.

15. I. Gauthier, P. Skudlarski, J. C. Gore e A. W. Anderson, 2000. "Expertise for cars and birds recruits brain areas involved in face recognition". *Nature Neuroscience*, 3(2): 191-97.
16. Entrevista a S. Olsen, 2005.
17. R. Sapolsky, 2006. "The 2% difference." *Discover*, abril, 27(4): 42-45.
18. G. M. Edelman e G. Tononi, 2000. *A Universe of Consciousness: How Matter Becomes Imagination*. Nova York: Basic Books, 38.
19. G. Edelman, 2002. "A message from the founder and director." *BrainMatters*. San Diego: Neurosciences Institute, outono, 1.
20. H. J. Neville e D. Lawson, 1987. "Attention to central and peripheral visual space in a movement detection task: An event-related potential and behavioral study. II. Congenitally deaf adults." *Brain Research*, 405(2): 268-83.
21. Aprender uma nova cultura quando adulto requer que se usem novas áreas do cérebro, pelo menos para a linguagem. Exames de neuroimagem mostram que as pessoas que aprendem um idioma e depois, após algum tempo, aprendem outro, armazenam esses idiomas em *áreas separadas*. Quando bilíngues têm derrame, às vezes perdem a capacidade de falar um idioma, mas não o outro. Essas pessoas têm circuitos neuronais distintos para os dois idiomas e talvez para outros aspectos das duas culturas. Mas os exames de neuroimagem também mostram que as crianças criadas aprendendo dois idiomas ao mesmo tempo durante o período crítico desenvolvem um córtex auditivo que representa os dois idiomas em conjunto. É por isso que Merzenich defende que aprender muitos idiomas *diferentes* parece tão possível na primeira infância: essas crianças desenvolvem uma única biblioteca cortical de sons e têm mais facilidade para aprender idiomas posteriormente na vida. Para estudos de neuroimagem, ver S. P. Springer e G. Deutsch, 1998. *Left Brain, Right Brain: Perspectives from Cognitive Science*, 5ª ed. Nova York: W. H. Freeman & Co., 267.
22. M. Donald, 2000. "The central role of culture in cognitive evolution: A reflection on the myth of the 'isolated mind'." In: L. Nucci, org., *Culture, Thought and Development*. Mahwah, NJ: Lawrence Erlbaum Associates, 19-38.
23. R. E. Nisbett, 2003. *The Geography of Thought: How Asians and Westerns Think Differently... and Why*. Nova York: Free Press, xii-xiv.
24. R. E. Nisbett, K. Peng, I. Choi e A. Norenzayan, 2001. "Culture and systems of thought: Holistic versus analytic cognition." *Psychological Review*, 291-310.
25. A palavra "analisar", que vem do grego antigo, significa "dividir em pedaços" e analisar um problema significa quebrá-lo em partes. O hábito analítico da mente afetou a visão grega do mundo. Os cientistas gregos foram os primeiros a afir-

mar que a matéria era formada de objetos distintos chamados átomos; os médicos gregos aprenderam por dissecação, cortando o corpo em pedaços, e desenvolveram a cirurgia para remover partes disfuncionais; a lógica, sendo de origem tipicamente grega, resolve um problema *isolando* uma parte dele — a estrutura do argumento — de seu contexto original.

26. Em vez de ver a matéria como átomos distintos, os chineses viam-na como substâncias que se interpenetravam continuamente. Eles estavam mais interessados na compreensão do contexto de um objeto do que em se concentrar nele isoladamente. Os cientistas chineses se interessavam em campos de força e como as coisas influenciam-se mutuamente; eles tiveram *insights* sobre magnetismo e ressonância acústica e descobriram, muito antes dos ocidentais, que a lua move as marés. Na medicina, os chineses — depois de praticar a dissecação e a cirurgia por algum tempo — abandonaram-nas e foram pioneiros na medicina holística, preferindo ver o corpo como um único sistema.

27. O hemisfério esquerdo é mais envolvido no processamento do pensamento analítico verbal abstrato (e, alguns acreditam, a lógica) e em perceber coisas *sequencialmente*. O raciocínio do hemisfério direito é mais holístico e percebe as coisas todas de uma vez, ou *simultaneamente*, e daí com frequência ser chamado mais sintético, intuitivo ou como Gestalt. (S. P. Springer e G. Deutsch, 1998. *Left Brain, Right Brain: Perspectives for Cognitive Science*, 5ª e., Nova York: W. H. Freeman & Co., 292.) Mas mesmo que a civilização ocidental favoreça o hemisfério esquerdo, e a oriental o direito, ainda deve haver um mecanismo pelo qual isto acontece. Há bons motivos para crermos que este mecanismo é baseado na plasticidade, e não apenas na genética, porque quando as pessoas tentam mudar de civilização, sua percepção se altera.

28. R. E. Nisbett, 2003. Nisbett, especialista no raciocínio, de início acreditava que ele, como a percepção, era universal, inato e fisicamente estruturado no cérebro. Tão certo estava de que o raciocínio era estruturado que acreditava que ele não podia ser ensinado e tentou provar isso. Em seus experimentos, tentou ensinar as pessoas regras de raciocínio para que usassem em sua vida diária. Para sua surpresa, seus experimentos mostraram o contrário: o raciocínio pode ser ensinado. Esta foi uma descoberta importante, porque a educação, particularmente nos Estados Unidos, afastou-se do ensino de regras abstratas para raciocinar, em parte devido a uma descrença na plasticidade. Criticando o currículo clássico, que remontava a Platão, o maior psicólogo norte-americano de sua época, William James, zombou do estudo de regras de raciocínio abstrato porque implicava ser possível exercitar alguns "músculos da mente" inexistentes. Citado em R. E. Nisbett,

org., 1993. *Rules for Reasoning*. Hillsdale, NJ: Lawrence Erlbaum Associates, 10. Na *República*, de Platão, o estudo da matemática é descrito como uma prática de "ginástica", uma forma de exercício mental. Platão, 1968. *The Republic of Plato*. Traduzido por A. Bloom. Nova York: Basic Books, 526b, p. 205.

29. Shinobu Kitayama, usando os tipos de experimentos perceptivos desenvolvidos por Nisbett, mostrou que norte-americanos que viveram no Japão por alguns meses começaram a se sair como os japoneses em testes de percepção. E japoneses que moraram nos Estados Unidos por alguns anos tornaram-se indistinguíveis dos norte-americanos. Esses períodos de tempo são o que podemos esperar para uma alteração plástica nos circuitos de aprendizado perceptivo. As vias holística ou analítica de percepção nunca são formalmente ensinadas a imigrantes, evidentemente, mas a imersão em uma civilização leva ao aprendizado perceptivo, porque o ambiente — seu idioma, gostos, estética, filosofia, abordagem da ciência e vida cotidiana — reitera continuamente as premissas perceptivas básicas dessa civilização, de forma que os visitantes não podem evitar que seu cérebro seja submetido a uma prática intensiva. Philip Zelazo, da Universidade de Toronto, atualmente está envolvido na comparação dos efeitos da cultura no desenvolvimento da atenção e das funções do lobo frontal na China e no Ocidente; ele descobriu que a cultura tem impacto no desenvolvimento cognitivo e acredita que também deve afetar o desenvolvimento neural.
30. R. E. Nisbett, 2003, *The Geography of Thought*.
31. Ibid.
32. A Luria, 1973. *The Working Brain: An Introduction to Neuropsychology*. Londres: Penguin, 100.
33. Ibid., A. Noë, 2004. *Action in Perception*. Cambridge, MA: MIT Press.
34. M. Fahle e T. Poggio, 2002. *Perceptual Learning*. Cambridge, MA: A. Bradford Book, MIT Press, xiii, 273; W. Li, V. Piëch e C. D. Gilbert, 2004. "Perceptual learning and top-down influences in primary visual cortex." *Nature Neuroscience*, 7(6): 651-57.
35. B. Simon. "Sea Gypsies see signs in the waves", 20 de março de 2005. www.cbsnews.com/stories/2005/03/18/60minutes/main681558.shtml.
36. B. E. Wexler, 2006. *Brain and Culture: Neurobiology, Ideology, and Social Change*. Cambridge, MA: MIT Press.
37. P. Goodspeed, 2005. "Adoration 101." *National Post*, 7 de novembro; P. Goodspeed, 2005. "Mysterious kingdom: North Korea remains an enigma to the outside world." *National Post*, 5 de novembro.

38. W. J. Freeman, 1995. *Societies of Brains: A Study in the Neuroscience of Love and Hate.* Hillsdale, NJ: Lawrence Erlbaum Associates; W. J. Freeman, 1999. *How Brains Make Up Their Minds.* Londres: Weidenfeld & Nicholson; R. J. Lifton, 1961. *Thought Reform and the Psychology of Totalism.* Nova York: W. W. Norton & Co.; W. Sargant, 1957/1997. *Battle for the Mind: A Physiology of Conversion and Brainwashing.* Cambridge, MA: Malor Books.
39. Michael Merzenich entrevistado por S. Olsen, 2005. "Are we getting smarter or dumber?" CNet News.com. http://news.com.com/Are+we+getting+smarter+or+dumber/2008-1008_3-5875404.html.
40. M. Donald, 2000, 21.
41. D. A. Christakis, F. J. Zimmerman, D. L. DiGiuseppe e C. A. McCarty, 2004. "Early television exposure and subsequent attentional problems in children." *Pediatrics*, 113(4): 708-13.
42. Joel T. Nigg, 2006. *What Causes ADHD?* Nova York: Guilford Press.
43. V. J. Rideout, E. A. Vandewater e E. A. Wartella, 2003. *Zero to Six: Electronic Media in the Lives of Infants, Todlers, and Preschoolers.* Publicação nº 3378, Menlo Park, CA: Kaiser Family Foundation, 14.
44. J. M. Healy, 2004. "Early television exposure and subsequent attention problems in children." *Pediatrics*, 133(4): 917-18; V. J. Rideout, E. A. Vandewater e E. A. Wartella, 2003, 7, 17.
45. J. M. Healy, 1990. *Endangered Minds: Why Our Children Don't Think.* Nova York: Simon & Schuster.
46. E. M. Hallowell, 2005. "Overloaded circuits: Why smart people underperform." *Harvard Business Review*, janeiro, 1-9.
47. R. G. O'Connell, M. A. Bellgrove, P. M. Dockree e I. H. Robertson, 2005. "Effects of self training (SAT) on sustained attention performance in adult ADHD." Sociedade de Neurociência Cognitiva, Conferência, abril, pôster.
48. M. McLuhan, 1964/1994; W. T. Gordon, org., *Understanding Media: The Extensions of Man, critical edition.* Corte Madera, CA: Ginkgo Press, 19.
49. E. B. Michael, T. A. Keller, P. A. Carpenter e M. A. Just, 2001. "fMRI investigation of sentence comprehension by eye and by ear: Modality fingerprints on cognitive processes." *Human Brain Mapping*, 13: 239-52; M. Just, 2001. "The medium and the message: Eyes and ears understand differently." *EurekAlert*, 14 de agosto, www.eurekalert.org/pub_releases/2001-08/cmu-tma081401.php.
50. E. McLuhan e F. Zingrone, orgs., 1995. *Essential McLuhan.* Toronto: Anansi, 119-20.
51. M. J. Koepp, R. N. Gunn, A. D. Lawrence, V. J. Cunningham, A. Dagher, T. Jones, D. J. Brooks, C. J. Bench e P. M. Grasby, 1998,. "Evidence for striatal domapine release during a video game." *Nature*, 393(6682): 266-68.

52. O programa *24 Horas* tem muito mais personagens, tramas e subtramas do que programas semelhantes de vinte anos atrás. Um único episódio de 45 minutos tem 21 personagens diferentes, cada um com uma história claramente definida. S. Johnson, 2005. "Watching TV makes you smarter." *New York Times*, 24 de abril.
53. M. McLuhan, 1995. Entrevista à *Playboy*. In: E. McLuhan e F. Zingrone, orgs., 264-65.
54. M. McLuhan, 1964/1994.

Apêndice 2

A Plasticidade e a Ideia de Progresso

1. Rousseau foi inspirado pelo naturalista Buffon, que descobriu que a terra era muito mais antiga do que as pessoas pensavam e que suas rochas continham fósseis de animais que tinham existido antigamente, mas não existiam mais, confirmando que até os corpos de animais, que antes eram considerados imutáveis, podiam mudar. Surgiu, na época de Rousseau, uma nova ciência chamada "história natural", para a qual todos os seres vivos tinham uma história.

   Um motivo para que Rousseau pudesse ter sido tão receptivo à ideia da história natural e da plasticidade era sua imersão nos clássicos gregos antigos. Como vimos (na terceira nota do Capítulo 1), os gregos viam a natureza como um vasto *organismo vivo*. Como toda a natureza era viva, não é provável que tivessem se oposto à ideia de plasticidade em princípio. Como vimos, Sócrates, na *República*, afirmou que uma pessoa podia treinar sua mente como os ginastas treinavam os músculos.

   Depois das descobertas de Galileu, surgiu a segunda grande ideia da natureza: *como mecanismo*, que esgotava a vida do cérebro e tendia a ser oposta à ideia da plasticidade, quase por princípio.

   A terceira maior ideia da natureza, inspirada por Buffon, Rousseau e outros, devolvia a vida à natureza, retratando-a como um *processo histórico* em evolução, que muda com o tempo, recuperando grande parte da vitalidade que era inerente à visão grega antiga. Ver R. G. Collingwood, 1945. *The Idea of Nature*. Oxford: Oxford University Press; R. S. Westfall, 1977. *The Construction of Modern Science: Mechanisms and Mechanics*. Cambridge: Cambridge University Press, 90.
2. J. J. Rousseau, 1762/1979. *Émile, or on Education*. Traduzido por A. Bloom. Nova York: Basic Books, 272-82, especialmente 280.
3. Ibid., 132; também 38, 48, 52, 138.

4. Ele também a via como uma bênção ambígua e escreveu, "Por que um homem é propenso a se tornar um imbecil? Não é que ele assim retorne a seu estado primitivo e que, como a Besta, que nada adquiriu e também nada tem a perder, sempre mantém seu instinto; o homem, ao contrário, perdendo pela velhice ou outros acidentes toda essa *perfectibilidade* que o fizeram adquirir, assim caia mais baixo do que a própria Besta? Seria triste sermos obrigados a concordar que essa faculdade distinta e quase ilimitada seja a origem de toda a infelicidade humana; é a faculdade que, por força do tempo, arranca-o dessa condição original em que ele passaria dias calmos e inocentes; é a faculdade que, com o passar dos séculos, leva a sua iluminação e aos seus erros, seus vícios e suas virtudes, e por fim o torna tirano de si próprio e da Natureza." J. J. Rousseau, 1755/1990. *The First and Second Discourses, Together with the Replies to Critics and Essay on the Origin of Languages*. Traduzido e organizado por V. Gourevitch. Nova York: Harper Torchbooks, 149, 339.
5. J. J. Rousseau, 1762/1979, 80-81; J. J. Rousseau, 1755/1990, 149, 158, 168; L. M. MacLean, 2002. "The free animal: Free will and perfectibility in Rousseau's *Discourse on Inequality*. Tese de doutorado, Universidade de Toronto, 34-40.
6. Bonnet fez importantes descobertas sobre uma forma de reprodução em que ovos não fertilizados se reproduziam, sozinhos, sem espermatozoides. Ele se interessava especialmente pela regeneração e estudou como os animais, como caranguejos, podiam recriar membros perdidos depois que eram mordidos. Evidentemente, quando uma pata de caranguejo se regenera, assim faz o tecido nervoso em seu interior. Portanto, Bonnet tinha interesse no crescimento do tecido nervoso adulto. O interessante é que Bonnet, como Rousseau, também era suíço, também de Genebra; tornou-se um ferrenho inimigo de Rousseau, atacou os escritos políticos de Rousseau na imprensa e esforçou-se para bani-lo.
7. M. J. Renner e M. R. Rosenzweig, 1987. *Enriched and Impoverished Environments: Effects on Brain and Behaviour*. Nova York: Springer-Verlag, 1-2; C. Bonnet, 1779-1783. *Oeuvres d'histoire naturelle et de philosophie*. Neuchâtel: S. Fauche.
8. M. J. Renner e M. R. Rosenzweig, 1987; M. Malacarne, 1793. *Journal de Physique*, vol. 43: 73, citado em M. R. Rosenzweig, 1996. "Aspects of the search for neural mechanisms of memory." *Annual Review of Psychology*, 47: 1-32, especialmente 4; G. Malacarne, 1819. *Memorie storiche intorno alla vita ed alle opere di Michele Vincenzo Giacinto Malacarne*. Pádua: Tipografia del Seminario, 88.
9. R. L. Velkley, 1989. *Freedom and the End of Reason: On the Moral Foundation of Kant's Critical Philosophy*. Chicago: University of Chicago Press, 53.

10. A.-N. de Condorcet, 1795/1955. *Sketch for a Historical Picture of the Progress of the Human Mind.* Traduzido por J. Barraclough. Londres: Weindenfeld & Nicolson, 4.
11. V. L. Muller, 1985. *The Idea of Perfectibility*. Lanham, MD: University Press of America.
12. T. Jefferson, 1799. "To William G. Munford, 18 June." In: B. B. Oberg, org., 2004. *The Papers of Thomas Jefferson*, vol. 31: *1 February 1799 to 31 May 1800*. Princeton: Princeton University Press, 126-30.
13. A. de Tocqueville, 1835/1840/2000. *Democracy in America*. Traduzido por H. C. Mansfield e D. Winthrop. Chicago: University of Chicago Press, 426.
14. T. Sowell, 1987. *A Conflict of Visions*. Nova York: William Morrow, 26.

Índice

Este livro foi composto na tipografia Minion Pro,
em corpo 11,5/16, e impresso em papel off-white
no Sistema Cameron da Divisão Gráfica
da Distribuidora Record.